U0255493

陶瓷（续）

图书在版编目（CIP）数据

陶瓷：续／杨永善主编.— 郑州：大象出版社，2014.9
（中国传统工艺全集／路甬祥主编. 第2辑）
ISBN 978-7-5347-7200-9

Ⅰ.①陶…　Ⅱ.①杨…　Ⅲ.①陶瓷艺术—工艺美术史—
中国　Ⅳ.①J527

中国版本图书馆 CIP 数据核字（2014）第 041562 号

陶瓷（续）

杨永善　主编

出 版 人	王刘纯
责任编辑	成 艳
责任校对	安德华　牛志远　裴红燕　张迎娟
封面设计	王莉娟
内文设计	付锬锬

出　　版　　大象出版社（郑州市开元路 16 号　邮政编码 450044）
　　　　　　发行科　0371-63863551　总编室　0371-65597936
网　　址　　www.daxiang.cn
发　　行　　全国新华书店
印　　刷　　郑州新海岸电脑彩色制印有限公司
开　　本　　890mm×1240mm　1/16
印　　张　　40.5
版　　次　　2015 年 5 月第 1 版　2015 年 5 月第 1 次印刷
定　　价　　640.00 元
若发现印、装质量问题，影响阅读，请与承印厂联系调换。
印厂地址　郑州市文化路 56 号金国商厦七楼
邮政编码　450002　　　　　　电话　0371-63944233

国家出版基金项目
NATIONAL PUBLICATION FOUNDATION

中国传统工艺全集　第二辑

路甬祥　主　编

陶瓷（续）

杨永善　主编

中原出版传媒集团
大地传媒

大象出版社
·郑州·

总序

中国的传统工艺源远流长，种类繁多，技艺精湛，科学技术和文化内涵极为丰富，其影响遍及社会生活的各个方面。所有传世和出土的人工制作的文物几乎都出自传统工艺，据此，在一定程度上可以说，中国古代灿烂多彩的物质文明是由众多传统工艺所创造的。即此一端，可见传统工艺对于民族和社会的发展曾起过何等重大的历史作用。

传统工艺的现代价值同样不容忽视。作为中华民族固有文化重要组成部分的传统工艺，既是弥足珍贵的科学遗产，又是技术基因的载体。古老的用作艺术铸件的失蜡法，经过现代科学技术的改造，跃变成为先进的、规模宏大的精密铸造行业，这是人们所熟知的科学技术史上推陈出新、古为今用的范例。许多传统工艺（诸如宣纸、紫砂、景泰蓝、锣钹制作等）至今仍在生产中应用，且因其自身工艺特点和文化特质而难以为现代技术所替代。随着我国现代化建设的进展、人们物质生活和精神生活水准的提高，对传统工艺制品的需求将不断增长。传统工艺定将在社会经济文化发展、提高国民素质、美化人民生活、对外贸易、国际文化交流方面进一步发挥作用，满足各阶层的多层次需要，从而显现其科学价值、文化价值和经济价值。

所有文明国度都十分珍视自己的文化史、科学史、艺术史和工艺史。在现代化进程中，如何保护包括传统工艺在内的民族文化，是一个带有普遍性的问题。在我国，传统工艺的保护和继承发扬同样面临严峻的挑战；在改革开放的形势下，又有再度焕发青春的大好机遇。基于这种情况，我们把传统工艺的文献资料整理、考订、实地考察、模拟实验等研究成果的编撰、出版视作我国科学文化事业的一项基础性建设，既具有存亡续绝的抢救性质，又可对弘扬民族文化、进行爱国主义教育、实现传统工艺的现代价值起到积极的推动作用，在学术层面上，对科学技术史、人类学、民俗学等相关学科也有重要意义。

鉴于我国目前尚无传统工艺的系列著作，中国科学院在"九五"规划中，特将"中国传统技术综合研究"列为重大科学研究项目。"中国传统工艺全集"则是这一项目的两个子课题之一。

本课题系由我院自然科学史研究所主持，中国科学技术史学会传统工艺研究会和上海分会协助，第一辑共14卷，包括陶瓷、丝绸织染、酿造、金属工艺、传统机械调查研究、漆艺、雕塑、造纸与印刷、金银细金工艺和景泰蓝、中药炮制、文物修复和辨伪、历代工艺名家、民间手工艺和甲胄复原等分卷；第二辑共6卷，包括造纸（续）·制笔、陶瓷（续）、制墨·制砚、农畜矿产品加工、锻铜与银饰工艺、中国传统工艺史要等分卷。为保证编撰质量，特聘一批著名学者为顾问，从全国范围延请多年从事传统工艺研究、有较深学术造诣和丰富实践经验的专家学者和工程技术人员，担任各分卷的主编、副主编、编委和特约撰稿人。

由于传统工艺各分支学科的研究基础和具体条件不尽相同，本书现有的卷目设置和所涵盖的工艺类目与内容是存在欠缺之处的。我们希望在《全集》各卷推出之后，在各有关部门的支持下，继续予以充实、完善，俾能名实相符，也希望读者和学界同仁对已出的各分卷给予批评指教，容我们在修订再版时补正。

本书在立项和编撰过程中，得到院内外众多单位和专家学者的大力支持，大象出版社慨允承担出版任务并予资助，在此谨致谢忱。

2004 年 8 月

目　录

第四章　耀州窑制瓷工艺

第八章   醴陵釉下五彩装饰工艺

附　录

绪论　中国传统陶瓷工艺再认识

中国传统陶瓷工艺在历史发展进程中有许多杰出的创造，留下的精美作品蔚为大观，构成了内涵深厚、物质文化和非物质文化融合、交相辉映的独特的文化形态。就其工艺技术而言，别具匠心的统筹运作，缜密完备的工艺理念，适于创造力发挥的技术思维，精巧严谨的制作技艺，成就了自成一格的技术系统。传统陶瓷工艺是一种具有美学价值的独特的技术形态。它的美不是孤立存在的，而是由多种要素结合而成的，器物造型的形式美永远和功能、材料与技艺联系在一起。

中国陶瓷工艺产生和发展的时空跨度很大，历代的陶瓷业能工巧匠辈出，技艺精湛，苦心孤诣，意匠独运，创造了中国陶瓷历史的不朽篇章，而中国也因瓷器烧造的首创，被誉为瓷器的母国。

中国陶瓷烧造之所以能够在技术和艺术上取得如此杰出的成就，一个重要的内在原因是由于在其发生发展的初始阶段就已形成符合陶瓷制作规律，有自己特色的工艺技术思想。随着陶瓷历史的发展，这些工艺理念和技术思维逐渐形成了体系，在制作实践中，有力地促进了创造精神的发扬。与此同时，能工巧匠们重视陶瓷本体语言的探索，因而不同历史时期和不同地区的陶瓷业，均具有自身突出的特点和相对稳定的技术范式，既承袭了原有技艺的传统，又创造出新的风范。工艺技术符合原材料的属性，充分显现自身的特质和优势，由此构成各个陶瓷产地制品多样化的风格。

传统陶瓷工艺包含着原生态的手艺，是现代陶瓷工艺产生的源头。在回归原点的感悟中，深入认识工艺技术思想精华之所在，是对传统最重要的继承，从中会获得发人深省的启示。

一、内涵丰富的工艺形态

传统陶瓷工艺的文化内涵深厚，所涉及的领域比较宽泛，内容极其丰富，就学科门类而论，是科学技术和文化艺术相结合的产物；从构成要素而言，是功能、材料、技术、美感和谐共生的兼容，也是物理和事理融合的体现。制陶技术自发明开始，即明确地显示出既是科学技术发明又是文化艺术创造的主要特征。

先民们在生活和生产实践中，认识到"水火既济而土合"，基于生存的实际需要烧造出陶器，同时也创造出多种造型样式，为其后的陶瓷发展奠定了最初认知的基础。这是人类创造的第一种人工材料制品，也是最早利用化学手段创造的自然界原本不存在的新物质。陶器是人类认识自然和利用自然过程中，最早取得的重大科学技术成果之一。

制陶技术不但改变了黏土的形态，更重要的是改变了黏土的性质。把自然界中的黏土，经水调火烧的加工制作，转变成为自然界原本所没有的陶器，这是最早的一种令自然物改变性质为我所用的创造性活动。随着社会的发展、科学技术的进步，传统陶瓷工艺也不断创造和提高，留下了宝贵的经验，所以说既是"弥足珍贵的科学遗产，又是技术基因的载体"。

伴随着制陶技术的发明，艺术创造揭开了新的篇章。把黏土制成陶器，除去技术环节之外，必须创造存在物的基本形式，也就是器物的造型和相应的装饰。美术史家王逊认为，"陶器是新石器时代在造型美术方面遗留下来的主要创作"。"彩陶是中国原始社会中卓越的工艺创造。""古代的彩陶和黑陶，代表中国古代美术创造的第一个高峰，在技术上、造型上均为青铜工艺作了准备。古代陶器的长期发展和演变，证明了劳动一方面创造了艺术的形式，一方面也培养了人的审美好尚。"[1]

面对传统陶瓷工艺制品，科学家首先重视的是科技发明，而艺术家首先看到的是艺术创造，因为陶瓷传统工艺从一开始出现，就明确地显示着双重性的文化特征。正如科学家李政道先生比喻的："科学和艺术是一个银币的两个面。"对于这一特质的深入认识，有助于理解传统陶瓷工艺发展的规律以及在发展过程中衍生的现象。

从制陶技术发明开始，到制瓷工艺成熟后的拓展，传统陶瓷工艺在历史上发生得早，分布的地区广，每一个阶段，无论在科学技术还是文化艺术方面，都有所发明和创造，历代名窑烧造出的陶瓷制品，是物质文化和非物质文化的珍贵遗产。

中国传统陶瓷工艺的技术与艺术密不可分，相互融合在一起，构成了其整体风格及突出的特点。科学和艺术是相辅相成的，有时也是相反相成的；按照事物发展的规律，二者的关系是相互支持和相互促进的。以两汉、唐宋、明代、清代中期之前为例，所处历史时期的科学技术和文化艺术都得到相应的发展，达到了很高的水平。在这样的背景条件下，陶瓷技术和艺术充分发挥了相辅相成的作用，创造了历史的辉煌。这种现象在中国陶瓷史中是比较多见的，符合陶瓷发展的一般规律。

但是事物发展不是一成不变的，有时并不依照常规进行。技术和艺术之间并不总是比肩而立，也存在不平衡的现象，二者的关系不仅是相辅相成的，有时却是相反相成的。传统陶瓷工艺的发展，在不同的历史时期，也会反映出不平衡的相反相成的现象。

新石器时代，虽然材料和技术都处于原始状态，但却创造出具有高度艺术水平的彩陶和黑陶。这是因为在人类文明的童稚时期，制陶工匠生活在原始部落之中，感情纯真而自然，对美的理解还处在"自然的人化"状态，没有受到人为羁绊的制约，工匠们的审美追求可以充分表现，聪明才智在制陶的创造活动中可以尽情地发挥，个体对美的理解和爱好很自然地融入到技艺的实施中，"按照美的规律来塑造"，倾情尽力而为，从而能够创造出具有高度艺术水平的陶器，表现出淳厚和朴实的风尚。

清代乾隆之后，制瓷原材料的制备和工艺技术都达到很高水平，但所制瓷器的造型和装饰却偏于纤弱、烦琐、堆砌，失去了之前严谨、精致、丰富的艺术风格。这种现象的出现是和当时社会风尚的衰靡、文化艺术的式微、审美意识的蜕变、传统陶瓷工艺本体意识的失落分不开的。这时官窑瓷器的审美追求进入误区，对传统陶瓷工艺思想的无视，单纯追求无所不能的仿真技术，强调加工制作的难度和精绝，致使陶瓷艺术自身的形式语言被淡化了。片面地追求所谓"巧夺天工"的技术表现，工艺技术虽然达到了前所未有的水平，但失却了艺术效果的整体把握，没能真正有效地发挥工艺技术的作用。

传统陶瓷工艺的丰富内涵，具体到陶瓷器物的构成要素，很明确地反映着功能效用、材料技术和形式美感多重要素的融合，简而言之是实用与美观的对立统一。陶瓷器物的功能效用是首要的，对器物的造型样式和形态结构起决定作用。为了使功能效用和形式美感相结合，体现在具体的造型中，必须按照创意去运用原材料和制作技术，才能创造出既实用又美观的器物。

陶瓷造型结构的合理性不能仅限于功能效用，同时还应符合材料的特性，适宜于制作技术的方式和方法。工艺技术的合理，是使原材料"物化"成器的重要保证。材料和技术蕴含着材质美和技艺美，最终构成起主导作用的功能美和形式美。中国传统陶瓷制品与人们日常生活紧密相关，既要满足物质生活的需要，同时又要满足精神的需求，不仅要具有良好的功能，而且还应该具有一定的审美特征。

正是源于功能效用的主导作用，为满足和适应多种具体使用要求，创造了造型样式丰富多彩的陶瓷制品。以形式结构最单纯的碗类为例，为适应使用要求，出现了饭碗、汤碗、菜碗、奶子碗、茶碗等不同类型的碗，其中的典型样式有正德碗、罗汉碗、窝式碗、斗笠碗、马蹄碗、鸡心碗、仰钟碗、折边碗等，在传承中不断完善，每种典型样式都十分精美，达到了规范化的程度。可以肯定地讲，实用并没有成为美观的障碍，反而为设计思维的展开起到引导作用，不同的实用要求，形成各具特点的碗的造型样式。

在功能效用的"制约"下，所创造的优秀传统陶瓷制品，显示出独特的美的形式结构。正是要适应具体的实用需求，陶瓷器物的形式美感才以更加个性化的形式表现出来。可以肯定地讲，陶瓷器物功能效用的合理，是构成形式美的重要因素之一。

各种适应成型和烧成工艺的造型形式处理，也都蕴含着一定的审美特征，例如，器物造型转折变化的线角和线棱，多种样式的边口和底足的处理手法，在工艺制作过程中既可以起到克服变形的作用，同时又是装饰线，加强了造型的形式美感。其中有许多技术和形式的具体表现，达到了经典的高度，是我国陶瓷技艺的独特创造。

二、顺其自然的技术思想

任何事物发展都有自身的规律，传统陶瓷工艺也不例外。不同窑厂的材料和技术各具特点，制品更是风格各异，但通过分析比较，究其本原，会发现这些迥然不同的陶瓷制品却有着相同的创造规律。透过表象的差异，可以看到起决定作用的技术思想的一致，都是以不同的方式"顺其自然"地本着因地制宜、因势利导、顺天应人、顺地应技的基本原则在发展。不同时期和地区的传统陶瓷工艺，都是在顺应客观条件的基础上，发挥主观能动作用而获得成功的。

早在先秦时期，《考工记》就称："天有时，地有气，材有美，工有巧。合此四者，然后可以为良。材美工巧，然而不良，则不时，不得地气也。"这一章句，明确地指出工艺的本质与特征，在认识地域特点和客观条件的基础上，合理地利用材料，巧妙地运用技术，发挥材料自身的优点，不违背客观规律，才可以达到理想的效果。任何一种传统陶瓷工艺的产生和发展，必须考虑所具备的条件，在顺应原材料性能的基础上，发挥其特点，形成与之相适应的技术系统和工艺特点，从而创造出独树一帜的陶瓷制品。

这里所说的"顺其自然"是尊重自然的规律，顺应适从，量力而行，既不是放任自流，也不能勉为其难。必须根据自身具备的物质条件和地域文化环境，在考虑可能性和可行性的基础上，统筹设计，展开创意活动，这种技术思想贯穿于整个传统陶瓷工艺的历史，长期发挥决定性的作用。

技术思想虽然不像工艺技术那么明确地在具体运用中表现出来，但却对造物活动起着统领和主导的作用，属于技术实施的灵魂。如陈昌曙所论：技术思想在工艺实践中，"影响到人们的思维倾向、思维模式和思维方法，会影响到看待事物的原则、对待生活现实的态度和处理问题的方式，特别会影响到基本概念和基本规范的形成、理解和运用"[2]。

技术思想是对技术实施的理性思考，是形而上的思维方式在工艺运行中的规律性感悟和总结。技术思想在造物活动中，从抽象意识转化为具体的工艺路线，左右着造物活动的走向，决定着制品的类型特征和形式结构。中国陶瓷传统工艺是一个完整的工艺系统，有着丰富的内涵和切合实际的理念，在不同的物质技术条件下，都能够发挥创造性的技术思维。在这种技术思想引领下所形成的陶瓷传统工艺，包含着丰富的科学技术和文化艺术的成果，为人类的文明创造和发展提供了宝贵的经验。

传统陶瓷器物制作的全过程，从确定最基本的工艺目标和相关的技术环节，其中包括原材料的处理和运用、制作技术的方式方法、制品的规格、风格样式的确定等，都属于技术思想的范畴。技术思想的形成是和经验思维分不开的，长期工艺制作的技术积累和历代技艺传承中的经验总结，汇集在一起加以整合与思考，是形成技术思想的基础。常识性的思维方式，形成于实施工艺的实践之中；哲理性的技术思想，则是从实践的感性认识上升到整体理性思考的结果。

传统技术思想是在综合平衡诸方面条件和因素的基础上形成的，是长期工艺实践的积淀。它顺应对客观规律的感悟和概括，从而具有普遍的适应性，决定着有效地利用原材料和发挥技术，也决定着技术的选择与改进。技术思想的形成，基于工艺实践中的思考和判断，同时也包含着思想方法的考究和文化意识潜移默化的作用，以及统筹思辨能力的发挥。作为中国传统陶瓷工艺的创造性源头，技术思想是科学理念与人文精神凝聚的智慧之果。

通过对传统陶瓷的慎思明辨，可以认识到，如此丰富多样的艺术风格，主要是基于原材料的特质，选择与之相适宜的工艺技术，结合地区文化习俗和审美爱好而形成的。同样是宋代的青瓷器，浙江龙泉窑和陕西耀州窑的制品风格迥然不同，既有"千峰翠色"的表现，也有"苍郁葱茏"的追求，其共同的特点都是立足于发挥当地青瓷胎和釉的特点，把自然感受的诗意表达赋予瓷器造型与装饰，这同样是在顺应和利用材料与技术的基础上的创造。

中国传统陶瓷工艺技术思想的突出特点，是在掌握本地区原材料和技术的属性的基础上，善于发挥自身的优势，并能准确地判断实现设计目标的可能性和可行性，在此基础上把原材料和技术所具备的特质充分发挥出来，形成个性和特色。以宋代民间陶瓷磁州窑为例，当地原材料品种有限，主要有大青土、白化妆土、斑花石、透明釉、黄土釉等几种，但却创造出名闻中外的磁州窑陶瓷。这是顺应自然，就地取材，因材施艺，充分发挥每种原材料特性和艺术表现力的创造性结果。

各种著名的传统陶瓷工艺都是自成技术系统的，在实现设计创意的实践中，体现出顺其自然的技术思想，构成不同地区陶瓷制品的独特风貌，江苏宜兴的紫砂陶器即其突出表现。紫砂陶器顺应和发挥原材料良好的可塑性，创造了表现力极强的泥片成型技法，造型样式变化万千，技艺严谨精湛，制品实用美观。作为无釉陶器，紫砂制品具有透气不透水的性能，适宜于制作茶具，宜兴的能工巧匠们充分发挥这一特质，制作出独树一帜、名闻天下的紫砂茶壶。

陶瓷传统工艺技术思想在陶瓷生产发展中的作用，是在遵从"制约"中发挥创造性，"制约"并不意味着羁绊和限定，而是提供了切合实际的发挥创造性的机制，在既定的有意义的范畴中创造，利用已设定的条件，加强适应能力，在工艺实践中探索不同原材料的"本真"之美，烧造出多种多样的陶瓷制品。

传统陶瓷工艺的技术思想是形而上的思维方式，没有技术实施那样具体和明确，即朱熹所说的："形而上者无形无影，是此理；形而下者有情有状，是此器。"在传统陶瓷工艺思想的统筹和引导下所创造的不同类别的陶瓷制品，共同体现着端庄、古朴、典雅的风格特点，表现着传统文化的蕴藉和造物观念的质朴，也显示着匠师们的创造精神和能力。每个地区的能工巧匠，在工艺积累中探索和思考，既有对前人经验的归纳，也有个人的领悟，并在综合多方面规律性认识的基础上，形成完整的技术思想。不同历史时期，不同地区的窑场，在物质条件和技术条件各不相同的情况下，不约而同地遵循着陶瓷工艺发展的规律，达到认知和实践的共识，形成了共同信守的技术思想。

传统陶瓷工艺技术思想是一个开放的思维系统，是发展着的，是有规律可循的。恪守务实的原则，立足于自身条件的利用，寻求发挥创造的可能性，不同窑厂都会有所成就。因为思维运动的固有逻辑，是人类认识一切事物和形成全部知识的基础。传统陶瓷工艺技术思想是切合实际又行之有效的，在中国陶瓷历史的发展中起到了主导的作用。

三、技术实施与艺术表现的融合

中国传统陶瓷工艺属于手工艺范畴，所创造的器物有众多类型和样式，不但具有实用价值，而且还有潜移默化的审美特征。手工制作的陶瓷，原材料经匠师之手按照美的规律来加工，很容易与艺术表现联系在一起。19世纪英国著名的工艺美术家威廉·莫里斯说："手工制品永远比机械产品容易做到艺术化"，是有一定道理的。

陶瓷器物从成型到烧成的工艺全过程，无不包含着艺术表现的因素：成型制作是造型形式结构的基本确定；修坯加工是从整体到局部深入细致的表现；装饰是造型外表形式美的加强；烧成则是对内在性质与外在形态的最终肯定，不仅是使其烧结，变得坚实光洁，而且改变材料的性质与外观效果，使器物样式确定下来，同时表现造型、釉色、质地、纹样等多样变化的艺术效果。

陶瓷的烧成工艺既是科学技术的手段，同时还是艺术表现的重要保障，通过烧成把创意从材料转化为器物，获得优美独特的艺术效果。正因为如此，人们才把陶瓷称为"土和火的艺术"。

陶瓷是典型的技术和艺术相融合的产物，传统陶瓷工艺所说的"技艺"，就是基于技术实施和艺术加工无法截然分开，二者紧密地结合在一起所产生的统称。传统陶瓷器物的制作，可以说是"艺术地把握技术"，也可以说是"利用技术的实施来表现艺术的创造"，二者总是相互依托的。从事传统陶瓷手艺劳作的能工巧匠，实质上也就是陶瓷艺术家，中国陶瓷的灿烂历史就是他们创造的。

传统陶瓷工艺的技术和艺术融合在一起，相得益彰，自然成趣，构成独特的美的形式。"'美'是实践活动中所实现的'人的尺度'与'物的尺度'、'合目的性'与'合规律性'的统一。人按照'任何物种'的'尺度'进行生产，因而，能够创造性地生产出符合'任何物种'的规律的产品；人又是按照'内在固有'的'尺度'进行生产，因而创造出的符合'任何物种'的规律的产品又满足了人自己的需要。正是在'人的尺度'与'物的尺度'、'合目的性'与'合规律性'的统一中，人类发展了自己，实现了人类自身的自由。人的实践活动是真正的创造性活动。""'美'，就是人的创造性活动；'美'，就是人创造的世界；'美'，就是人在创造性活动中所获得的、所感受到的自由。我们需要从人的创造性的实践活动去理解'美'。"[3]

传统工艺技术制作的陶瓷制品，在很大程度上区别于现代工艺技术生产的陶瓷制品。传统陶瓷制作的全过程，都是通过手工完成的。手直接受思维的支配，与机器相对而言，手工乃是最有意识的操作，并赋予制品一定感情因素。所以，传统工艺的陶瓷制品具有人性化的意味，蕴含着作者的审美趋向。

陶瓷手工制作是人类在生产实践中的创造性活动，是最基本的思维方式的体现，既蕴含着感性的知觉，又兼容着理性的推断，这种思维方式一直到当代，仍然具有不可替代的实践价值。手工艺操作中的逻辑思维演进，使得所要运用的方法得以形成，继而制作相应的工具，延伸手的功能，最终付诸实施操作，这也就是初始的工艺技术发展的模式。这种工艺技术实施，在造物的全过程中，不仅要完成制作，而且始终在追求完善，美的因素遂很自然地融入到制品之中。这正如20世纪英国艺术理论家克莱夫·贝尔谈到的，是创造活动中"有意味的形式"的实现，是一切艺术具有的一种基本性质。就传统陶瓷工艺而言，所谓有意味的形式即指匠师们在技术实施过程中，所产生的具有一定特点的坯体与釉面、造型与装饰、实体与空间，依据自身规律和法则构成的器物形式，是源于自然的原材料，经由工艺实践而人性化了的产物。

有意味的形式是人性化的自然流露，表现着人的情感与爱好的内部世界，与所创造的物质产品的外部世界有难以割断的联系。陶瓷作为人的创造物，已不是单纯的具有原始材料属性的载体，而是具有独立存在形式特征的器物。也就是说，陶瓷器物的制造自觉地遵从美的规律，创造了独特的美的形式。

四、本体形式语言的自律

中国传统陶瓷器物丰富多彩，风格样式千变万化，不同时期和地区的制品特色鲜明，以其工艺特质和独特的艺术形式，呈现出各自的风格和意蕴。这些利用不同原材料和技术手段所制成的陶瓷器物，由于创意理念和施艺方式有所差别，构成了自成一格的风骨和面貌。传统陶瓷工艺的创意是在实用和美观原则下完成的，造型和装饰形式处理与表现手法的不同选择，构成制品风格的多样化。不同类型和风格的造型和装饰的形式创造，在适宜与协调的前提下，表现着与自身审美取向相适应的特点，我们称其为本体形式语言。

换言之，所谓本体形式语言是指陶瓷工艺制品在创造过程中，依照物理、事理和心理的相互作用，综合多种因素而形成的切合自身存在方式，具有自己风格特点的形式语言。这是一种没有明确界定的、模糊的、约定俗成的概念性的形式语言，表现于具体的陶瓷器物，能够使人感觉适宜协调，得到认同和肯定。本体形式语言虽没有明确的规定性，但其大致的趋向却是清楚的。因为陶瓷工艺构成要素不确定的特点，导致制品风格于强调多样性的同时注重适应性，必然要创造与自身特点相宜的形式，所以才有必要提出本体形式语言的概念，为的是不同地区的陶瓷制品须有自己的具有确定性的特点。

中国传统陶瓷工艺是多元化的，不能简单地用陶或瓷来界定。陶器和瓷器又有多种类型，都以诸种因素形成的自身风格特点表现出来，因而形成丰富多样的传统陶瓷工艺。以新石器时代的陶器为例，仰韶文化的彩陶与龙山文化的黑陶，其共同特点都属于无釉陶器，但造型风格却呈现截然不同的特点。彩陶饱满、自然，黑陶挺括、严谨。不仅造型风格不同，基本样式和结构也有很大差别，这是基于不同成型工艺技法的运用，彩陶的手工成型和黑陶的轮制成型，创造了两类陶器各自的本体形式语言特征。正是因为不同类型的陶瓷有不同的形式语言，才使传统陶瓷工艺制品风格多样。

又如，景德镇明、清时期的颜色釉瓷器，具有独特的造型形式和成功的表现，既不同于釉陶造型，也区别于白瓷造型。因为颜色釉瓷器绝大部分没有纹样装饰，以色釉覆盖器物外表面形成整体效果，因而格外注重造型的完整性，强调边口、底足、细部和形体连贯和转折的处理，以及局部雕饰与构件的塑造，形成独特的造型语言，我们称之为颜色釉瓷器的本体形式语言。

如果颜色釉瓷器沿用普通白瓷的造型形式，会使人感觉单调和呆板，缺乏表现力。同样，颜色釉瓷器的造型挂上陶器的颜色釉，也会出现不协调的感觉，这是因为瓷器造型严谨、精巧的风格，与陶器色釉浑厚、沉实的特点难以适应，会使人产生"不胜其任"的印象。

中国传统陶瓷形成的本体形式语言的规律，符合陶瓷工艺的属性与特征，使各种陶瓷风格特点更加突出，创造活动可以"从心所欲而不逾矩"，使不同类型的陶瓷都可以进一步拓展和提高。

这里所说的陶瓷本体形式语言不同于哲学中所论述的"本体"。"在各种不同的哲学理论框架中，'本体'都有其特殊的理论内涵和历史的规定性；或者反过来说，有多少种关于'本体'的观念，也标志着有多少种不同的哲学理论框架。""分析'本'这个概念的日常含义，我们又能够感受到，不管人们（包括古今中外的哲学家）在多少种不同的含义上使用'本体'这个概念，'本体'概念总是具有寻求最根本的东西的意义，总是具有以'本'释'末'的意义，总是具有为自己的思想和行为寻找最终根据的含义。"[4]

在陶瓷器物的创造中，通过本体形式语言所表现出的不同类型的陶瓷自成体系。这种类型性的形式语言，不能脱离自身的功用，以及材料和技术转化为器物应具备的特质。与此相关的，还有传统文化的积淀和影响，潜在的审美判断的作用。形式语言的构成首要的是发挥自身的特点，同时吸纳相关的工艺或艺术的形式和手法加以改造和转化。本体形式语言虽然没有直观的模式，但基本趋向是明晰的，在陶瓷制品中的表现不是虚拟的，而是一种"大而化之"的具体实现。

本体形式语言不但不影响创造意识的发挥，更重要的是可以使不同物质条件、不同地区各种类型的陶瓷各得其所，各显其能，避免相互因袭的趋同化，克服脱离自身条件导致的挫折，其终极目标是为使各种工艺材料和技术特点的陶瓷都能得到充分的发挥和体现。

本体形式语言不是限定发展的框框，而是有章可循、有法可依的引导，从总体来说，可以起到促使陶瓷工艺多样化的作用。单就明代青花瓷器而论，装饰吸收了丝织品纹样之外，并融合了绘画的方法加以转化，形成了青花的装饰风格，而且在每个时代都有所变化和发展，风格和样式多有创造，成为青花装饰所独有的本体形式语言。

早在新石器时代，所创造的各种器物造型，已经开始形成其本体形式语言。在文化史上，最初的制陶工艺创造了器物的原始面貌，已出现多种造型样式和装饰纹样，主要基于生活需求和经验积淀，同时受大自然的启示，以朴素而纯真的思想去创作，很少受其他工艺的影响，这种本体形式语言的特征是质朴、淳厚，富有天籁之真趣。

本体形式语言的探求和形成，是在发掘原材料潜在特质，构建与材料相适应的工艺路线基础上，形成各不相同的合理的工艺技术系统。这种创造性活动不是漫无边际的，而是有节制和限度的，表现出活跃性和自律性共存的特征。

不同地区的传统陶瓷工艺，在形成自己本体形式语言的过程中，还吸收了其他工艺的营养，例如青铜器、玉器、漆器、编织工艺等。此外还吸收了雕塑、绘画的造型表现手法，经过改造和整合，以新的形式转化融入，丰富了本体形式语言的表现力。例如，钧窑瓷器的造型，吸收青铜器的处理手法，通过对形体的取舍和加强减弱等手法处理，形成端庄、凝练的厚釉瓷器造型特点。磁州窑瓷器的铁锈花装饰，融会了国画和图案的表现手法，适合斑花石彩绘颜料的特性，形成了独具一格的磁州窑装饰纹样，装饰构图适应立体造型变化，形式语言表达自成一家，达到很高的艺术水平。磁州窑的刻划花装饰，在一定程度上受当地响堂山石窟石刻纹样的影响，嬗变转化成为陶瓷器物的刻花装饰。由于材料和技术的异化作用，产生装饰美的效果，形成磁州窑陶瓷的本体形式语言。

陶瓷雕塑制品不同于石雕和泥塑，但又脱不开二者的影响。然而，陶瓷原材料一经转化为陶瓷雕塑，则全然形成了自己的形式语言，不只是体量大小有别，而且由于成型、施釉和烧成工艺的作用，形成了独特的表现方式和手法。广东石湾的陶塑与福建德化的瓷塑，形式特点和艺术风格迥然不同，在不同的陶塑或瓷塑中，成就了不同类型的本体形式语言。

总的来说，我国传统陶瓷工艺的本体形式语言，可以说是"大体则有，定体则无"。创意思维逻辑是开放的，其本质是符合事物发展规律的，有很强的适应性和自律性，所以在陶瓷发展历史中，一直发挥着重要的作用。

五、传统工艺认识的深化

中国传统陶瓷工艺的系统整理和编纂，是一种本源性的追溯，是体系性的研习和梳理，为技艺的继承和学术的研究提供科学的依据。通过对陶瓷技术和工艺体系的深入认识，追溯其源头，着力于研究精华之所在，分析技术思维的科学性与合理性，认识技术思想的实质。温故而知新，从传统工艺的成功经验中，去推究创造的本原和规律，最终还是为更好地继承和发展优秀的传统陶瓷工艺，进而在现代陶瓷工艺新的历史条件下，进一步开拓和发展。

在广袤的华夏大地上，分布着不同时期陶瓷窑场的遗址，也有得到恢复和发展的传统陶瓷作坊。每一种著名的传统陶瓷工艺，都是在传统文化的大背景下，逐步构建而成的相对独立的技术系统，它们既有共同相通的大的框架，又有各自具体的工艺方法和内容。不同的原材料，不同的设备和工具，不同的工艺过程和技艺手法，都是创造传统陶瓷工艺的重要条件，凝结着先辈们的智慧与才能。

研习中国传统陶瓷工艺，需要探源求本，准确无误地把技艺详尽地记录下来，不能只停留在技术层面，而应提升到理论思考的高度，从不同窑场的烧造技术中，探知其工艺路线、技术思想和创造规律。这项整理、研究工作既是历史经验的归纳总结，也是民族智慧的传递、探索，具有重要的实践价值、理论意义和长远的生命力。

杨永善

2012 年 4 月 10 日于北京

注释

[1] 王逊：《中国美术史》，上海人民美术出版社，1989 年 6 月，第 8 ~ 12 页。

[2] 陈昌曙：《技术哲学引论》，科学出版社，1999 年 2 月，第 2 页。

[3] 孙正聿：《哲学通论》，辽宁人民出版社，1998 年 9 月，第 272 页。

[4] 孙正聿：《哲学通论》，辽宁人民出版社，1998 年 9 月，第 225 页。

第一章　龙泉窑青瓷制瓷工艺

第一节　龙泉窑的兴起与发展概况

龙泉窑青瓷的烧造，开创于三国两晋，兴于北宋，结束于清代，历时 1600 多年，是中国陶瓷史上最具规模、烧制延续时间最长的一个青瓷窑系。龙泉窑烧造的青瓷，釉质丰润典雅，釉色青翠诱人，造型秀丽灵巧，在世界上具有广泛而重要的影响。

一、龙泉窑的地理位置与环境

龙泉位于浙江西南部，北邻遂昌县，东邻云和县，南与庆元县接壤，西南与福建省浦城县交界。晋代始设龙渊乡，唐初因避高祖名讳更名龙泉乡，唐乾元二年 (759) 升乡为县，始设县治，名龙泉县。宋宣和三年 (1121)，徽宗诏天下县镇，凡名称中有"龙"字者皆避，龙泉县因此更名剑川县。南宋绍兴元年 (1131) 重新改为龙泉县，辖龙泉、剑川、西宁、延庆、松源五乡。庆元三年 (1197)，分松源乡为庆元县。1990 年 12 月，国务院批准龙泉撤县设市，现为浙江省丽水市的一个县级市。

龙泉所处的浙江西南部地区，海拔多在 500 米以上，山岩多为火山岩，矿产资源充足。此外，龙泉还蕴藏有丰富的森林资源，林木蓄积量达 1018 万立方米，森林覆盖率达 78.4%，居浙江省首位，素有"浙江林海"之称。由于境内地势高峻，山岭连绵，河水湍急，崎岖不平，自古以来交通十分不便，因此龙泉开发很晚。但对于瓷器生产，龙泉的自然条件得天独厚，非常优越（图 1-1 ～图 1-4）。第一，瓷石、原生硬质黏土、紫金土、石灰石等制瓷所需矿藏十分充足；第二，山陵遍及境内，为顺山而建的龙窑提供了极好的地理环境；第三，溪流众多，为粉碎制瓷矿物提供了足够的水动力资源（图 1-5）；第四，山中草木茂盛，是极好的烧窑燃料（图 1-6）。除此之外，山溪型河流瓯江，是浙江省第二大河，发源于庆元县的百山祖，流经龙泉市、云和县、莲都区、青田县、永嘉县等县市，后经温州湾流入东海。天赐龙泉的瓯江，不仅为龙泉制瓷业提供了充足的水资源，也为产品的销售提供了便利的水路运输条件。

龙泉得天独厚的自然条件是龙泉青瓷经久不衰的重要物质基础。

图 1-1　龙泉的自然环境

图 1-2　龙泉的自然环境

图 1-3　龙泉的自然环境

图 1-4　龙泉的自然环境

图 1-5　溪流众多

图 1-6　金村草木资源

二、龙泉窑的出现与发展

龙泉窑的青瓷之所以能够取得辉煌成就，一方面得益于这一地区得天独厚的自然条件，另一方面也与浙江地区陶瓷生产技术的悠久传统积淀有关。

浙江地区的陶瓷生产历史十分悠久：考古资料表明，在余姚市的河姆渡和桐乡市的罗家角等地，6000年以前就开始烧造陶器了。浙江还是我国青瓷的重要发源地，烧制瓷器的传统十分悠久。商周时期，绍兴、上虞、义乌、衢州、江山、遂昌、武义、桐乡、德清、长兴、鄞县等地陆续出现原始青瓷。春秋战国期间，原始青瓷的生产范围更广、需求量更大，绍兴、萧山、诸暨等地相继发现了较为集中烧制原始青瓷的窑场遗址，从窑址的规模来看，当时产量颇大（图 1-7、图 1-8）。东汉时期，在长期制造原始青瓷的基础上，上虞、宁波、慈溪、鄞县、永嘉等地成功地烧制了我国第一批成熟的青瓷（图 1-9）。三国至两晋时期，绍兴、上虞一带，早期越窑青瓷体系逐渐形成，经唐五代到北宋初期的发展，以余姚为中心烧制"秘色瓷"的越窑体系更加远近闻名（图 1-10）。同时，位于浙江中南部的婺州窑和瓯江下游的瓯窑所烧制的青瓷，也有了重大发展（图 1-11）；青瓷成为当时人们的主要生活用具。另外，位于浙江北部的德清窑，也以生产黑釉和青釉两种瓷器享誉于世。

继越窑之后，龙泉窑在浙江出现，并成为重要的青瓷产区。总体而言，龙泉瓷业起始于三国时期，北宋至南宋前期得到充分发展，南宋后期达到鼎盛，元代持续保持产业强势，明清以后日趋衰落，清晚期陷入绝境而窑火渐停（图 1-12）。

三国两晋时期，在吸取越窑、瓯窑、婺州窑等周边窑场的制瓷技术与经验的基础之上，当地人利用自

图1-7　春秋原始瓷鼎

图1-8　战国原始瓷罐

图1-9　东汉越窑青瓷钟

图1-10　越窑秘色瓷

图1-11　东晋瓯窑牛形灯

图1-12　遗留的瓷窑废墟

身优越的自然地理条件，开始了烧制青瓷的探索。由
于技术与经验不足，当时窑业规模很小，做工粗糙，
基本上处于自产自销的小规模生产状态。北宋以前，
龙泉窑生产状况大体如此，制瓷技术水平的发展十分
缓慢。

北宋初期，在有效地吸收了越窑、婺窑、瓯窑
的工艺经验之后，龙泉制瓷艺人开始积极革新工艺技
术，成效明显，龙泉窑逐渐兴起。北宋中晚期，龙泉
窑的青瓷釉色出现变化，由淡青釉转变为青黄釉。釉
色装饰的进步，使得龙泉青瓷的生产规模显著扩大。
考古发掘显示，仅大窑、金村、大白岸等地，就发
现了这一时期的窑址 20 余处（图 1-13）。北宋时
期生产规模的扩大与生产技术的提高，为龙泉瓷业
在南宋时期的迅速发展奠定了坚实的基础。

图 1-13　大窑青瓷遗址

南宋时期，龙泉窑借宋室南迁之势，依靠独特
的地理优势，融汇大江南北不同地域的瓷业文化与
技艺，结合官窑与民窑中两种不同文化的思想意识，
脱颖而出，创造出了举世瞩目、独一无二的青瓷文化。
当时，北方的制瓷业日趋衰落；而南方社会环境安
定，加之宋室王朝对青瓷特别青睐，且为了解决财
政困难，宋王朝极力设法招徕外商、鼓励对外贸易，
因此龙泉窑日趋兴盛、发展迅速；尤其是南宋晚期，
新的窑场不断出现，产品种类增多，造型变化显著，
生产技术进步明显，取得了前所未有的工艺成就，
制品釉质丰润典雅，色泽青莹光润，令人爱不释手。
南宋后期，龙泉窑青瓷的制作工艺水平空前提高，
造型典雅别致，釉色青翠如玉（图 1-14）。入元后，
对外贸易之势有增无减，龙泉青瓷的发展则更为迅

图 1-14　南宋龙泉窑青瓷环耳瓶

猛，大量输往世界各国，龙泉窑名扬海内外。但明代以后，由于景德镇青花瓷器的兴起，龙泉青瓷渐被冷落，
此期的瓷器做工粗糙，坯体厚重，釉色灰暗。至清代，延续了数百年的龙泉窑火终于陷入绝境而熄火停烧。

龙泉窑的崛起，得益于南宋时期帝王的喜好以及相应的政治制度、文化意识、经济发展等综合因素；
龙泉窑的衰落，则是伴随着明清时期帝王审美意识的转变与景德镇彩绘和色釉瓷器的兴起。

三、自成体系的龙泉窑青瓷

龙泉窑早期产品的化学组成与越窑、瓯窑比较接近，在造型、装饰、釉色等各方面与越窑、婺窑、瓯
窑相似（图 1-15 ~ 图 1-17），这说明龙泉青瓷最初是在上述三窑的基础上发展起来的。经历朝发展，龙泉
窑于南宋后期发展为我国显赫一时的历史名窑，其精湛的青瓷烧造技术对浙江、江西、福建等地的窑业发

图 1-15　西晋越窑罍

图 1-16　东晋婺窑羊首壶

展产生了十分重要的影响，从而在相当长的时期内形成了一个较为庞大的龙泉青瓷窑系，其产品不仅遍及我国南北各地，而且深受日本、东南亚、西亚及东非等国家和地区人们的青睐，在国内外具有重要影响。

从现有的考古实物标本来看，北宋中期以前龙泉窑的青瓷制作水平还处于初级发展阶段，胎体厚重，质地较粗，造型笨拙，釉层显薄，釉色不纯，大多绿中带黄或黄中带绿，且多有裂纹，光泽度强，透明度高，玻璃质感强。

南宋时期的龙泉青瓷与北宋时期明显不同，风格特征渐趋成熟。龙泉青瓷在南宋时期的发展，首先体现在造型的突破性进展上：这一时期的造型简洁明快，线型流畅，底部厚重，圈足宽矮，具有刚劲稳重的特色。这种造型经济实用、不易破碎，既符合一般民众的使用要求，又显示了对美的追求。这一时期的坯体中氧化铝含量较低，所以胎壁较厚；如果薄了，在高温煅烧时就会变形甚至下塌。碗、盘、碟等器物

图 1-17　东晋瓯窑青瓷罍

的内底径一般大于外底径，内底周围留一圈凹线，圈足外有一圈平面，说明这些器物在拉坯成型后，很可能经过一道"拍坯"的工序，使胎壁更加紧密。与此同时，瓷器的品种也增加了不少，新出现的器物有瓶、炉、碟、盒、渣斗和塑像等；同一种器物的造型形式也富于变化，如青瓷碗，有直口碗、莲花形碗、撇口小底

图 1-18　南宋龙泉窑青瓷碗

图 1-19　南宋后期龙泉窑云纹莲花碗

图 1-20　南宋龙泉窑青瓷碗

图 1-21　南宋后期龙泉窑六花口碗

碗、夹层暖碗（图 1-18～图 1-20），炉有鼎式炉、葱管足炉、八卦炉、四乳四足炉、奁式炉，瓶有鹅颈瓶、梅瓶、龙瓶、胆瓶和盖瓶等。

此外，南宋时期的制瓷工艺技术也大为提高。釉层透明如镜，釉色青翠且极少有开片与流釉现象，说明制瓷工匠对釉料的配制和烧成气氛的控制已达到了相当高的水平。南宋中后期，制釉技术显著提高，釉层匀称而透明，釉色稳定，为龙泉装饰艺术效果的显示奠定了必要的技术基础，美妙的刻划花纹饰得以清晰地呈现在人们的面前。这时的装饰纹样，就手法来说，盛行单面刻划花，以刻花为主，划花次之，篦纹较少；按题材而论，前期常用的比较呆板的团花图案不见了，鱼鳞片状的浪涛纹、缠枝牡丹与碗、盘外壁的直条形篦纹和折扇纹等也摒弃不用，取而代之的是活泼生动的鱼纹、凤纹、雁纹和多线条的云纹、水波纹、蕉叶纹、莲花纹、荷叶纹等。

总之，南宋时期，龙泉制瓷技术渐趋成熟，形成了自己特有的技术特征和艺术风格。南宋中晚期龙泉青瓷的发展达到了顶峰，无论是成型工艺、装饰构思和技法，还是胎釉配方、施釉技术、装窑烧成等方面都有重大改变和提高，达到了历史之最。此时的龙泉青瓷制作规整，结构合理。胎体有两种，分别为铁骨胎和灰白胎，胎釉肥润厚重如凝脂似碧玉，有豆青、炒米黄、月白、青灰、灰黄、淡蓝等颜色。其中呈色稳定的梅子青和粉青称雄一时。梅子青的釉色，其美感与汝窑的"雨过青天"类似，釉质莹润，呈半乳浊状，略微有透明感，釉面光滑，质地细腻，如梅子初生，秀色喜人。而粉青釉的釉质相对沉稳，釉层略厚，色泽典雅，柔和似玉（图 1-21）。在此期间，大量釉层丰厚、滋润如玉的精美青瓷面世。正是因为有了南宋中晚期的工艺成就，龙泉青瓷才得以名扬中外，占有我国陶瓷史上重要的一页。

元代龙泉瓷业发展十分昌盛，品种丰富，产量剧增，生产能力超过以往任何一朝，这些都与元代政权十分重视对外贸易有关。这一时期大件器物较多，时代特征明显；纹饰有云龙、荔枝、牡丹、荷叶，有模印贴花、露胎装饰与褐斑装饰，菊瓣纹碗

图 1-22 元代龙泉窑青瓷盘内底的露胎印花"福禄双全"纹

图 1-23 元代龙泉窑青瓷盘内底的露胎印花"心猿意马"纹

图 1-24 元代龙泉窑八角印花双鱼碗

图 1-25 因叠烧内底露胎

与历史故事图案印花碗就非常有代表性（图 1-22 ～图 1-24）。不过与南宋相比，元代的工艺技术已现下滑苗头，有很多不足。例如，瓷器胎体渐厚且粗糙，坯体成型之后修整不够精细；由于常常只上一次釉，釉层显薄；釉色不够纯净，往往青中泛黄。同时，器物的造型也不及前代考究，主要依靠刻、划、印、贴等多种装饰工艺来弥补审美视觉上的不足。而且随着器底变厚，垫饼的形式和装坯方法也有变化；垫饼有时整块放置于圈足内的底部，使得圈器外底部出现一个无釉的圆圈，有时还有一个匣钵内叠装两三件碗或盘的情况，所以又出现了器内底有一圈无釉的现象，青瓷整体的工艺效果受到严重影响（图 1-25）。总之，元代的龙泉青瓷从造型样式到施釉、装坯的各项制作工艺，都与前代相差很远，出现求多而不求精的倾向。

明成化以后，龙泉窑产品质量迅速下降，色彩

图 1-26 明代龙泉窑青瓷灯

单调、造型粗笨、釉色灰暗，明显不能与同时期景德镇五彩缤纷的瓷器相比（图1-26）。而此时的景德镇却呈现出日趋繁荣的景象，青花、釉里红、釉上彩、斗彩等绚丽多彩的瓷器大量出现，成为中国瓷业的中心。龙泉瓷业自此一蹶不振，瓷窑逐渐减少。明代后期龙泉窑急趋衰落，入清后窑火渐停，自此退出窑业，长期无人问津。

第二节　龙泉青瓷的制瓷原料及其运用

龙泉地区制瓷原料藏量丰富，分布地域广阔。20世纪以来的研究表明，木岱村、东元坑、沈屋、历洋、源底、宝鉴、溪头、河碟挑山、东音口、五都霸、车孟黄金泽、坑口、塘上太平下、岭上、大坦村大塘湾山、昌岗、溪坞坑、木岱和尚山、密虫岭下等处都有制瓷原料的矿藏。[1]

龙泉陶工充分利用了丰富而优质的矿藏资源，因地制宜、因材施艺，经过长期的工艺实践，创造出了独具特色的辉煌的青瓷文化。

一、龙泉制瓷原料的种类与分布

（一）龙泉制瓷原料的主要种类

龙泉青瓷的制瓷原料主要有瓷土、紫金土、石灰石和糠灰等，分述如下：

1. 瓷土

龙泉地区的瓷土原料分两类，一类由于风化不足，原矿外观类似石块，属于瓷石类；另一类达到了一定的风化程度，质地相对疏松，属原生硬质黏土类。但这两类的化学组成基本是一致的，均含有大量石英、一定量的高岭石和部分绢云母矿物，只是由于风化程度的差异，在外观上显得不同而已（图1-27～图1-30）。所以，传统的龙泉青瓷坯胎，主要矿物组成为石英、绢云母和高岭石等，长石含量较少，因此龙泉青瓷属于石英—高岭石—绢云母质瓷器，与景德镇瓷器是同一种类型。

大多情况下，龙泉烧造青瓷所使用的瓷土化学成分范围为：SiO_2含量为61%～75%，Al_2O_3含量为16%～22%，Fe_2O_3含量为0.3%～1.3%，碱金属氧化物（K_2O+Na_2O）含量为3%～6%。很明显，硅质和钾钠含量较高，而Al_2O_3含量相对较低。除毛家山、石层、岭根等少数地区所产的瓷土原料铁含量一般低于0.5%外，龙泉其余地区所产的瓷土原料含铁量大都在1%以上。所以，龙泉地区的瓷土原料大多只适用于制作对白度要求较低的瓷器，这种情况正符合我国传统青瓷的烧造特点，即瓷胎具有很高的含铁量，经烧制后会呈灰色。这种略带灰色的胎底，配以青瓷的釉色效果更佳。

从原理上讲，单独使用一种或两种瓷土原料就可以制成瓷坯，但实际上这样的坯料可塑性较差，干燥后强度低；瓷土中含有一定量的云母或长石的熔剂性矿物，这些物质耐火度都较低，但各种瓷土中又都或多或少含有高岭石，故烧结温度较高。并且，因Al_2O_3含量较低以及烧成时坯料的急剧收缩，坯体如果偏薄就容易变形，所以，龙泉早期的青瓷制品大多胎壁较厚。后来为解决这种问题，在坯料中掺入了紫金土。

图1-27 瓷土

图1-28 瓷土

图1-29 瓷土

图1-30 瓷土

2. 紫金土

紫金土是一种块状土质原料，呈赭色，夹杂有石英、长石及含铁矿物等物质，经淘洗陈腐，具有良好的可塑性。龙泉地区紫金土的种类很多，各种紫金土的化学成分很不相同，有时即使是同一矿藏出产的紫金土，也有很大的变化。其化学成分范围为：SiO_2 含量为 46% ~ 60%，Al_2O_3 含量为 22% ~ 28%，Fe_2O_3 含量为 4% ~ 9%，（K_2O+Na_2O）含量为 2% ~ 5%。此外，还含有 Ti、Cu、Mn、Co、Ni 等微量着色元素。与瓷土相比，紫金土 Fe_2O_3 含量很高，SiO_2 含量较少，Al_2O_3 含量较高，并含有不少碱性物质（图1-31 ~图1-33）。

这种原料不仅含铁量高，还含有少量钛，而铁与钛都是重要的着色原料，所以，在龙泉青瓷的坯料和釉料中常常都掺有一定量的紫金土，作为胎与釉的着色原料而使用。铁和钛含量的高低，对胎釉的呈色效果影响很大。龙泉窑的"黑胎"和"紫口铁足"，正是利用了紫金土含铁含钛的特性，才呈现出独具艺术特色的工艺效果。

用紫金土配制坯料的作用是：第一，紫金土中的 Fe_2O_3 和碱性物质具有助熔剂和矿化剂的作用，可以降低烧结温度；第二，紫金土中 Al_2O_3 使坯体在 1260℃的温度下烧结时，不致出现严重变形；第三，紫金土中的 Fe_2O_3 在烧成后期的冷却过程中，因二次氧化作用出现不同程度的"朱砂底"或"紫口铁足"现象。

紫金土既是龙泉配制传统青瓷釉料的重要原料，也是配制青瓷朱砂胎和哥窑黑胎的重要原料。龙泉青瓷的坯料和釉料中都掺有一定量的紫金土，这是龙泉青瓷传统的配制方法，此法至今仍在沿用。

图1-31 紫金土

图1-32 紫金土

图1-33 紫金土

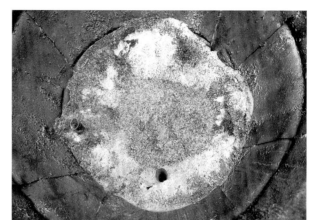

图1-34 糠灰

用紫金土配釉作用有三：第一，紫金土中 Fe_2O_3 含量较高，是青瓷釉主要的着色剂。青瓷釉的呈色原理是，釉料内的 Fe_2O_3 在还原气氛中形成 FeO，并与 SiO_2 作用生成 $FeO \cdot SiO_2$，当 $FeO \cdot SiO_2$ 进一步在石灰釉内熔融时，便生成呈青绿色的 $CaO-FeO-Al_2O_3-SiO_2$ 系的硅酸盐熔体，这就是青瓷釉。第二，紫金土中碱性物质含量较高，在烧成过程中，碱性物质具有助熔剂的作用。第三，紫金土中 Al_2O_3 含量较高，能够有效地提高釉的高温黏度，扩大玻化温度范围，使釉层内出现大量微小气泡，从而使釉面呈现出雅致、柔和的光泽；同时 Al_2O_3 还具有降低釉的膨胀系数的作用，可防止釉面开裂。

3. 石灰石

石灰石主要是用于配制青瓷釉的原料。许多青瓷产品在坯体上进行了刻划花装饰，这种装饰工艺配以光洁透明的青釉，效果最好。石灰釉光润、透明、坚硬等特点十分适合这种工艺，尤其是以木柴为燃料烧成时效果更佳。龙泉地区传统配制石灰釉所用的石灰石来源主要有两个地区，一个是福建浦城富岭，另一个是浙江庆元龙宫。福建浦城富岭出产的石灰石，颜色洁白，杂质含量极少；浙江庆元龙宫出产的石灰石也是白色，但杂质较多。

4. 糠灰

糠灰是稻壳烧后的灰烬，SiO_2 含量很高，可达95%左右，是配制青瓷釉的重要原料（图1-34）。

龙泉地区配釉常常将上述原料煅烧后使用，所以出现两种制釉原料的俗称，一是"白釉"，一是"乌釉"。"白釉"即是将瓷石煅烧所得，煅烧的温度一般为1150℃左右，多数是在烧龙窑时放在窑的尾部进行煅烧（图1-35、图1-36）。"乌釉"是用石灰与稻壳按10:26的配比叠置烧炼而成的，制备工序比较复杂。具体程序是：按配比分别准备好石灰和稻壳后，先在地面上铺5～8厘米厚的稻壳，然后将石灰与稻壳隔层叠置，

图 1-35 煅烧

图 1-36 煅烧

堆至一定高度；继而点火烧炼，这期间每天上下翻搅两三次，使底下的稻壳也被翻起，充分燃烧，直至完全烧透熄火为止，烧炼后呈灰白色粉末状，整个过程需 7 ~ 10 天，再经粉碎、淘洗后储存，以备配釉。由于"乌釉"的制备工序比较繁杂，所以，大多情况下，还是将石灰石和糠灰分别煅烧后进行配釉的。

（二）龙泉制瓷原料的地区分布及其特点

龙泉地区各地所产原料的名称大都按照当地习惯，以出产的地名或山名命名，如大窑瓷土出产于龙泉的大窑。原矿大部分是经过舂细、粗淘后制成泥块，再进行加工备用的。泥块因含很多杂质，不能直接用来制瓷，必须再用传统沉降淘洗的方法进行精淘；淘洗的细颗粒为可用部分，称为精泥，粗颗粒即渣滓弃去不用。[2]

各地所产原料的化学组成大致相似，但成分含量却很不一致，即使是同一矿脉，也有相当大的差别。如岭根瓷土铁含量最低，石层、毛家山、东山恩、源底、坞头、大窑等瓷土铁含量依序渐高；而碱金属氧化物含量普遍较低。各种紫金土的化学组成差别也很大，特别是钛和铁的差别：大窑黄连坑紫金土铁和钛的含量明显高于其他地区，大窑高际头和木岱紫金土的钛含量较低，而宝溪紫金土的钛含量则较高。

二、龙泉青瓷的胎质特点

（一）龙泉青瓷胎质的内质特征

龙泉青瓷的制作工艺，主要承袭南宋官窑的技术，但亦不乏创新，尤其是在胎釉配方上变化显著。

就胎质而言，龙泉青瓷有低铝质和高铝质之别。胎内氧化铝的含量直接影响胎的抗变形能力，因而可根据胎原料中氧化铝含量的高低制成薄胎青瓷和厚胎青瓷两种（图 1-37、图 1-38）。龙泉窑瓷器的坯胎，早期大都按照浙江的制瓷传统，原料主要是瓷土，胎内 SiO_2 含量高达 74% 以上，Al_2O_3 则在 19% 以下，属于低铝质原料，所以胎壁较厚。后来改用瓷土和紫金土两种原料配成。紫金土中氧化铝的含量较高，尤其是大窑黄连坑的紫金土，经过淘洗，内含 $Al_2O_3$28.59%、$SiO_2$50.03%、$Fe_2O_3$15.21%，如此一来形成了高铝质原料，因而可生产薄胎器具。

除了胎的厚度，胎的着色程度的高低也会大大影响瓷器的品质。而胎中铁、钛等着色元素的含量决定了胎的着色程度，因此通过调配原料中铁、钛的含量可制成不同着色效果的白胎和黑胎两大类胎。

（二）龙泉青瓷胎质的外观特点

从外观上看，龙泉青瓷的胎质最重要的特点就是有白、黑、朱砂三种色胎，这三种色胎主要是由坯料

图 1-37 南宋斗笠碗

图 1-38 南宋晚期束口碗

图 1-39 白胎青釉瓷片标本

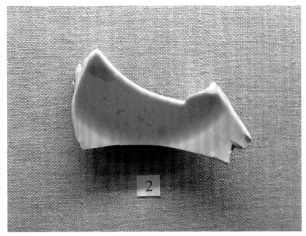

图 1-40 白胎

图 1-41 朱砂胎

图 1-42 元代龙泉窑云鹤纹菊花口盘

中含铁量的差异而形成的，色调的黑白及其深浅程度对釉的衬托和色调及质感有重要影响。

白胎含铁量很低，大多低于 2.4%，有的仅为 0.99% 左右，与普通白瓷的胎色十分接近，也包括带浅灰色调的白胎（图 1-39、图 1-40）。

黑胎含铁量很高，胎中的铁含量一般高达 3.5% ～ 5%，大多数在 4% 以上，经还原焰烧成，胎色灰黑如铁，故有"铁骨"之称，也包括一些深灰色调的瓷胎。

除白胎和黑胎之外，龙泉还有一种特殊的色胎，就是朱砂胎（图 1-41）。朱砂色胎现象的出现，是由于胎料中加入了少量紫金土，在烧成后的冷却阶段经二次氧化造成的。所以胎体虽然依然是白色，但露胎处呈橙红色，俗称"朱砂胎"或"朱砂底"。南宋中期，这类现象已经比较普遍，进入元代以后，胎料中的紫金土含量更多，铁的含量更高，经烧成后的二次氧化作用，露胎处的朱砂底色更明显。青瓷釉色青翠，配上橙红色胎底，更加令人赏心悦目。有的盘类器物更是利用此种工艺，内贴饰纹，如云纹、鱼纹等，意韵独特，尤显妙趣。南宋中晚期至元代，这类青瓷处处可见（图 1-42）。

三、龙泉青瓷的釉质特点

青瓷的成功烧制，在我国陶瓷史上开辟了一个新的美学境界。青瓷釉质色泽的产生，不仅仅是技术的成功，更是审美追求的成功。因为青瓷的制釉技术与烧成方法，乃是古代制瓷工匠在当时审美意识的引导下进行成功实践的结果。

（一）龙泉青瓷釉质的内质特征

龙泉传统青瓷釉料可分为石灰釉和石灰碱釉两大类。石灰釉高温黏度比较低，釉面光泽度很强（图 1-43）；石灰碱釉高温黏度则明显较高，在同样温度下烧成，石灰碱釉则显得釉面光泽柔和，雅致而不刺眼。这些特征，除了烧成温度及气氛的原因之外，还与化学组成有关。

北宋中期和南宋初期的釉基本上属于石灰釉，其中 CaO 含量高达 13% ～ 16%，而钾、钠含量合计仅 3.8% 左右。南宋中晚期以后釉的配方有了质的改进，关键是部分 CaO 改以 K_2O 代替，使釉中 CaO 含量较前大为降低，而 K_2O 和 Na_2O 的含量则提高到 4.8% ～ 6.2%，元、明时期更是达到 6.6% ～ 7.6%。这一举措的核心就是将以前的石灰釉改变为石灰碱釉，石灰碱釉的使用是一个创造性的进步，是龙泉制瓷史上具有里程碑式意义的事件。这样一来，釉的厚度就可以得到保证，而且釉的流动性也小，气泡也不致变大，釉面光泽柔和，釉质丰润如玉（图 1-44）。

图 1-43 北宋龙泉窑多管瓶

图 1-44 南宋后期龙泉窑敛口碗

（二）龙泉青瓷釉质的外观特征

显微镜下显示的微观结构反映了不同配方的差别。

龙泉历代不同品种的青瓷釉之所以具有不同的外观特征，主要原因之一就是微观结构上的巨大差异。龙泉青瓷釉主要由玻璃相、小气泡、未熔石英颗粒、硅灰石晶体以及钙长石晶体等组成。不同的青瓷品类，上述几个相的相对数量差别很大，气泡与晶体的大小也很不相同。龙泉青瓷釉的一个最大特点就是釉中的晶体和气泡数量很多。釉层的透明度与釉层中各个相的折射指数有关，如果各个相的折射指数差别很大，就会引起光的散射现象。龙泉青瓷釉玻璃相的折射指数约为 1.5，石英晶体为 1.55，硅灰石晶体为 1.62～1.63，而气泡则接近 1。大量小气泡和晶体的存在，当光线进入釉层时就产生强烈散射，这种情况的结果就是降低了釉层的透明度和透光度，从而使釉面产生沉静柔和、雅致如玉般的感觉，再加上厚厚的釉层更增添了这种美的效果（图 1-45）。尤其是到南宋中晚期，龙泉青瓷釉发展日趋成熟，釉层大大增厚，釉色青翠，光泽柔和，有如美玉。但元、明时期的龙泉青瓷在釉色方面就大不如前了，釉层玻化程度高，透明度强，表面光泽也强。釉色有的绿中带黄，有的黄中带灰，质量与南宋中晚期相比，逊色不少，逐渐失去龙泉青瓷的优秀传统（图 1-46）。

图 1-45　南宋龙泉窑青瓷蟠虎瓶

（三）龙泉青瓷釉料配制的技术要点

龙泉青瓷釉料配制与施釉的技术要点如下：

第一，釉料的粗细程度对釉层的质量好坏影响重大。釉料过粗，将使釉的成熟温度提高，烧成后釉色容易出现生涩现象，失去釉的莹润之感；釉料过细，则易发生脱釉现象，甚至在釉内出现隐裂的裂纹。此外，调和细料需要较多水分，上釉时坯体不易吸收较多的釉料，釉层明显减薄。我们知道，釉层的厚度对龙泉青瓷的色质有明显影响，

图 1-46　元代龙泉窑青瓷香炉

釉层的薄厚，往往会影响青瓷的最后呈色。一般来说，釉料的颗粒度通过 10000 孔／平方厘米筛时，筛余在 0.05%～0.1% 范围内为宜。

第二，釉浆的比重控制也是釉料配制的重要环节，釉浆的比重直接影响到施釉方法与釉层厚度。釉浆比重过小，难以获得厚釉；釉浆比重过大，釉层不易均匀。青瓷制品大都经素烧后上釉，坯体大约有 23% 的吸水率，易于多次上釉。一般而言，釉浆比重保持在 1.38～1.4，釉浆流动度在 14.8～15 秒之间为宜。

第三，龙泉地区配釉用的原料，特别是紫金土的化学成分往往波动很大，配釉时，要随时注意原料的成分因素，进行适当调整，尤其要注意釉料中氧化铁与氧化钙的含量。

第四，釉与坯体的膨胀系数，一般而言，应尽可能趋近一致，但哥窑类青瓷正是利用了坯和釉膨胀系

数的不同，而创作出独具特色的碎纹艺术釉的青瓷作品，给器物增添了美感。这些经验值得很好地总结。

四、坯釉原料改革与相得益彰的成功实践

（一）坯釉原料的改革

坯釉料配制的进步，突出地表现在两个方面。

在坯料的配制上，南宋时期龙泉制瓷完成了一次质的飞跃，针对以前胎体粗、笨、重的缺点进行了重点改进。北宋时期，按照龙泉制瓷的传统，是由瓷土一种原料做成，属于高硅质原料，抗变形能力弱，因而胎质较厚。南宋以后，坯料改为以瓷石和紫金土两种原料配制而成，由于紫金土中氧化铝的含量较高，所以胎内铝含量增加了，提高了瓷胎的抗变形能力，不仅适宜于制作大件器物，而且能够制作薄胎器皿。所以龙泉大窑、溪口的部分瓷窑能够生产与官窑相同的胎厚仅1毫米的薄胎厚釉青瓷，即黑胎厚釉青瓷，壁薄如纸，轻盈秀美，令人耳目一新。

在釉料的配制上，北宋时期使用的是石灰釉，这种釉的特点是含钙量高，高温状态下黏度小，易流动，釉层薄而透明，并具有较强的光泽感；南宋中晚期，开始改用石灰碱釉，这种釉的特点是高温状态下黏度大，不易流动，可使釉层达到一定的厚度，再加上采取多次施釉、多次素烧的复杂工艺，使釉层变得更厚，从而使造型显得更加丰实、饱满，釉的色泽也更加沉稳、丰润，堪比美玉。这些都标志着南宋晚期在龙泉青瓷烧造工艺方面已达到了很高的水平。除此之外，这一时期的工匠们对烧成气氛和烧成温度的掌控程度也有更加熟练的把握，从而保证了碧玉般的粉青釉和翡翠般的梅子青釉的出现成为可能。

石灰碱釉的主要原料有三种：一是龙泉当地的毛竹枝叶的灰烬，二是石灰石炼灰，三是富含钾、钠的瓷石粉末。这是在釉料配方上的一项重大改进。

促成釉料配制进步的重要原因有三：一是审美意识的提高，二是就地取材的便利，三是制釉和烧成技术与认识的提高。

（二）坯釉相得益彰的成功实践

从13世纪开始，龙泉窑就出现了两大类型的青瓷，一是弟窑类青瓷，另一是哥窑类青瓷。弟窑类青瓷的胎色有两种，即白色和朱砂色；哥窑类青瓷的胎都是黑色的。弟窑类与哥窑类青瓷的出现，是龙泉青瓷坯釉配方改变和烧成技术提高等一系列因素综合影响的结果。

1. 弟窑类青瓷釉色特点

弟窑类青瓷中最著名的釉色有两种，一是梅子青，一是粉青。这两种釉在色泽与釉质上虽有所不同，但均可称龙泉青瓷的代表。粉青釉淡雅柔和，润泽如玉。与此相比，梅子青釉则显得莹澈明快。另外，在粉青与梅子青的釉色之下，有时辅以篦点、划纹、云纹、蕉叶纹等刻划花纹饰，既显釉色之美，又显纹饰之妙（图1-47）。时代风格和地域特色十分鲜明。此外还有月白、豆青、淡蓝、灰黄等不同釉色，也都清爽淡雅、各具特色。

图1-47　南宋龙泉窑刻花荷叶碗

梅子青釉色十分诱人，其技术特点如下：

第一，烧成温度较高。梅子青釉的烧成温度估计在1250℃～1280℃，有时甚至会达到1300℃以上，比其他青瓷釉要高得多。烧成温度的提高，使釉料中的未熔石英、黏土团粒和钙长石晶体更多熔融，随着烧

成温度的提高，大量气泡也随之从釉层中逸出，晶体和气泡的减少，致使釉层的散射现象减弱，透明度与光泽度明显加强。梅子青釉因此而有了色泽明快、清澈明亮的效果。

第二，还原气氛较强。梅子青釉的还原比值达到 8.7～11.9，比许多青瓷釉的色调还原比值要高很多，因此，梅子青釉需在强还原气氛下烧成才能取得较好的效果。

第三，釉层较厚。梅子青釉层厚度大多为 1.5～1.8 毫米，达到普通青瓷釉的一倍左右，有的器底部分因釉的流积厚度达到 3～5 毫米。釉愈厚，就愈显绿。梅子青釉正是利用了这一特点，才达到了丰润如玉的艺术效果。

第四，胎釉的配方特别。梅子青的铁含量很低，仅 1% 左右，而 CaO 和 MgO 的含量比粉青釉略高，K_2O 和 Na_2O 含量略低。梅子青釉的化学组成与南宋粉青釉的化学组成并无太大差别，但梅子青釉所配的胎比其他釉色所配的胎更白一些，因此，胎中的铁含量与其他青瓷釉相比略低一些。

2. 哥窑类青瓷釉色特点

哥窑类龙泉青瓷则另有一种风格。哥窑类青瓷胎薄而色灰或黑，釉厚而色多青灰，釉色透明，有裂纹，纹片大小不等，有疏有密，有深有浅，表面有浮光。哥窑类青瓷的产生，也是改进胎、釉的配方，提高烧造技术的结果，其技术也源自南宋官窑。哥窑类青瓷胎黑釉厚，以釉面开片为重要特征（图1-48），瑰丽而古朴，在造型特征、开片纹理、胎釉的化学组成方面与郊坛下官窑有很多相似之处。

在釉色方面，龙泉青瓷的哥窑类型往往釉层饱满、莹洁，器口釉层较薄，在胎色的衬托下，略呈焦黄色，而足底无釉处呈黑褐色，素有"紫口铁足"之称，这种黑褐色也是在烧成后期的冷却阶段经二次氧化造成的。黑色胎底与釉面纹片相映，更显古朴、典雅（图1-49）。紫口一般有两种形成形式：一种口沿本来施以满釉，烧成时当釉料遇高温处于熔融状态时，自上而下流动，口沿因釉薄而露出胎骨颜色；另一种因采取叠烧之故，口沿一圈所施釉料被

图1-48　元代青瓷瓶

图1-49　当代青瓷花口碗

图1-50　南宋龙泉窑青瓷蟠龙瓶

图 1-51　南宋晚期龙耳簋式炉

刮去而呈芒口，出现紫口（图 1-50、图 1-51）。

与弟窑类型相比，龙泉哥窑类青瓷的产品数量很少，迄今为止仅在大窑、溪口两地发现了十处左右烧制哥窑类青瓷的窑址，而且大多是与弟窑类青瓷同窑烧制。其中，出产较多的窑场是溪口瓦窑垟窑。

总而言之，龙泉哥窑类青瓷以薄胎厚釉、釉层开片、紫口铁足为主要特点，个别器物还采用支钉垫烧。宋代以前，龙泉窑并未使用过这种技术，尤其是裹足满釉支烧的工艺，对于龙泉窑来说是前所未有的。工艺技术与风格的改变，既可能是外界制瓷技术影响的结果，也有可能是受到皇室干预的结果。

第三节　龙泉青瓷的成型工艺

有关龙泉窑的生产工艺，明朝陆容在《菽园杂记》卷十四中作了概括叙述："泥则取于窑之近地，其他处皆不及。油（釉）则取诸山中，蓄木叶，烧炼成灰，并白石末澄取细者，合而为油。大率取泥贵细，合油贵精。匠作先以钧运成器，或模范成型，候泥干，则蘸油涂饰，用泥筒盛之，置诸窑内，端正排定，用柴筱日夜烧变，俟火色红焰，无烟，即以泥封闭火门，俟火色绝而后启。"陆容官至浙江右参政，所记的情况应当比较真实，能反映出当时龙泉窑作坊生产的场景。

一、坯体成型

成型是制瓷工艺中最重要的环节之一。它不但能够确保瓷器具有一定的形状和尺寸，还使瓷器兼有实用性与美观性。"一坯工力，过手七十二，方克成器。"[3] 所谓的成型即将制备好的泥料用各种方法制成一定形状和尺寸的坯体。

龙泉青瓷传统的成型方法主要有手工拉坯、模制和捏塑三种；不仅方法细致，造型和装饰多种多样，而且与青翠优美的釉色相衬托，更显示了产品的丰富多彩。

（一）拉坯

拉坯是传统手工成型的制作工艺之一。

拉坯成型首先需要熟悉泥料的性能，掌握泥性的软硬程度、收缩率，然后根据品种大小和造型进行制作。主要成型工序是将瓷泥团置于辘轳转盘上，在辘轳转动的过程中，利用辘轳旋转的动力，用手或行板之类的工具，将泥团制成所需的造型，如碗、盘、杯、碟、罐、瓶等。拉坯要求动作快慢适宜，要做到心灵、手稳，转速适当，用力适度。转速与用力不适当，烧后就容易变形（图 1-52 ~ 图 1-62）。

拉坯是传统陶瓷制作中十分常见而普及的成型技术，具有鲜明的手工特点，这种"手随泥走，泥随手变"

的成型技术，迄今依然被广泛使用。

手工拉坯成型工艺最擅长制作的是碗、盘、洗、盏等器皿，也即陆容所描述的"钧运成器"。龙泉很多瓷窑遗址，都发现有辘轳遗迹及辘轳的遗物，如辘轳木轴上用的瓷质轴顶碗及轴箍。分析实物可知，龙泉所使用的辘轳是中国传统常见的辘轳，木岱口一带的陶工至今还保留着这种传统（图1-63、图1-64）。

（二）印坯

印坯也是传统成型方法之一，是按照器皿规格

图1-52 拉坯步骤1

图1-53 拉坯步骤2

图1-54 拉坯步骤3

图1-55 拉坯步骤4

图1-56 拉坯步骤5

图1-57 拉坯步骤6

图1-58 拉坯步骤7

图 1-59　拉坯步骤 8

图 1-60　拉坯步骤 9

图 1-61　拉坯步骤 10

图 1-62　拉坯步骤 11

图 1-63　龙泉的辘轳

图 1-64　龙泉的辘轳

尺寸进行器物定型的阶段。一般情况下，拉坯后栽在木板上的雏坯壁厚可能不均匀，并存有不同程度的变形。因此，必须在具有一定规格标准的模型上进行印坯整形，以达到符合器皿规格尺寸的要求。

印坯的具体操作有两种：一种方式是将初制的坯体晾至半干，置放于事先制备好的模具上印压，以使坯体规格统一、形制规整；另一方式是将适量的泥料揉入模具内，用手或工具抚压，加以修整。

《陶冶图编次》中有图"印坯乳料"，文中表明，半干坯需用模型套印修整均匀，印坯前的坯体，要求晾干到不粘手为宜。太干则屈服值太高，不适于矫揉整形；太湿则印坯整形后还会变形。印坯时，坯体含水率视泥料饱水率而不同。

印坯模具有两种形式，一是外模型，一是内模型。传统中常用具有一定可塑性与吸水性的泥土素烧制作而成，现在则常常以石膏代替。印模的形状是按照坯体尺寸旋削加工而成，外模型的内形即坯体的外形，内模型的外形即坯体的内形。

（三）模具成型

模具成型，或称模范成型，材料多为瓷土，依器物外壁做成模子，素烧即成，且具有一定的吸水性，否则难以脱模，这种方法一般用于制作壶类、瓶类以及其他造型较复杂的制品。一些简单的器物如碗、盘、洗类，可以一次压成。有的莲瓣碗是用一外模，将模子放在拉坯机上，握一团泥，按在模内，随着机子的旋转，将泥团逐渐旋薄成碗形，再刮去多余溢出的泥，倒出即成。较为复杂的造型，如瓶类、罐类等，则需采取分段压模粘接而成的方法。因此经常在器物上留有粘接的痕迹。有些器物利用小型耳环和带状贴饰之类的饰物在接痕处进行装饰，十分巧妙。另外，方形琮式瓶、六角器、八角器等更为复杂的造型则采取分片压模粘接而成的方法。

陈万里先生的《瓷器与浙江》曾描写："我看见他们做碗，两只脚蹬住一个圆转机，将模型放在机上，握一把泥，两手先在模型的底部，按坚实了，然后右脚蹬此圆转机，使它急速地旋转，此时型内底部的泥，渐次随着旋转而薄薄匀铺在模型的全部，溢出在模型外的余泥，把它刮去，中间穿一个孔，为的是排泄气泡。最后用一块皮，将内部轻轻地按刮一下，就算成功了。手工纯巧的做得很快，等到做到第十二或第十六个的时候，就依次地脱出模型，只须在旁边吹一下，四面就同时分离，一合即出，此时的泥还是湿的，就放在板上晾干。等到干了，再要磨底，于是画花，上釉，预备去烧，大概做法如此。"[4]

以模具成型工艺制作的器皿，有素面的，也有带纹饰的。带有纹饰的模具一般为阴刻，成器后显阳纹。纹饰有在器皿外壁的，也有在器皿内壁的，还有两面都有的。盘碗类的模具，常常通过辘轳印压成型，因模具有各种印纹，从而节省很多装饰工序。

模印成型工艺的普及，不但极大地提高了工作效率，而且又使造型得以规范，非常适合规模化的生产制作。

二、坯体修整与精细加工

坯体成型之后，要对其进行坯体修整与精细加工，运用各种装饰工艺来美化瓷器。

修坯又称利坯或旋坯，是瓷器成型的重要工序，目的在于使泥巴坯器的形体规整一致，表里更为光洁，从而最终确定器物形状。修坯分内部和外部两段，修坯工在修坯的过程中需要了解和熟悉泥料性能，熟练掌握造型的曲线变化以及烧成时造型各部位的收缩比率。"坯干不裂更须车，刀削园光不少差；此是修身正心事，一毫欠阙损光华。"[5]可见在制瓷工艺中，修坯是一道技术要求很高的工序。

《陶冶图编次》"旋坯挖足"一图，可谓生动地再现了旋坯挖足操作和写款的情景。修坯一般分两次完成，第一次为初利，先将器物的圈足部分利出一凸起的柄，以便绘画上釉时手拿，然后按器壁的弧度曲线运刀利修，大致修出器物的外部造型。待器物内面纹样绘制完后施釉，再进行第二次修坯，把器物的外形修准。修坯时，要注意把握坯体的厚度，从口沿到圈足要做到准确、细致，器底的坯柄暂时留住，待器物外壁的纹样画完施釉后，再把底柄修成符合规格的器底，俗称挖底。最后是题款、荡釉、修足（图1-65～图1-70）。

　　一般来说，同一器物的不同部位坯体厚度应各不相同。因为不同部位在高温烧成时的收缩率和受力情况不一致，因此修坯时应控制不同部位的泥坯厚度，以防止烧造变形。利坯时对于坯体厚薄程度的控制及其识

图 1-65　修坯 1

图 1-66　修坯 2

图 1-67　修坯 3

图 1-68　修坯 4

图 1-69　修坯 5

图 1-70　修坯 6

别方法，是掌握修坯技术、确保修坯质量的关键所在，这需要依靠熟练的技术和丰富的实践经验。修坯除要做到外形美观外，还要尽可能减轻瓷器的重量，在减少原料和燃料损耗的同时使作品更显精致。但过薄的造型易产生变形，故在修坯时应注意不同造型和不同部位的蓄泥情况。蓄泥不当，易导致制品烧成时沉底、凸肚、软塌等变形状态。按一般经验，测定坯体厚薄需用手指上下抚摸并轻轻弹叩，以听其不同部位的响声。为此，稍胖时应及时倒出多余的泥屑，随时用手指弹听其声响。坯体较厚者，弹之发出"咯咯"带硬之声；修至中等厚度时，弹之发出"咚咚"之声；高档瓷坯体修至适当薄度时，弹之则发出"卟卟"的脆声。

薄胎器修坯时，除上述方法外，最后还可采取用毛笔滴水，由口沿直线流下以观水痕的方法。滴水后，坯体受水浸湿，明显地留下一条湿的痕迹，如果修制厚薄一致则坯体水迹均匀，如果坯体水迹明暗深浅不同，表明坯体不符合要求，需要再进行精细加工。由于成品的厚度远薄于坯体，因此在修坯之前，必须预留充分的余地。

此外，修坯工还需根据不同的造型锉制修坯工具，校正刀具的弧度、角度，配制陶车上的利头（也称利脑、坯座）。利头的大小与集合式程度直接影响到修坯的好坏和功效，故所有修坯学徒第一步需学磨制修坯刀具，第二步就是根据坯件的大小和形状来修整不同的利头，否则难以达到修坯的质量要求。利坯时陶车运转速度慢于拉坯，大部分刀具的刀口均有明显的齿纹，是锉制刀具时有意留下的，其目的在于增加刀口的锋利程度，以提高修坯功效。通常每个修坯工所用的刀具不下十余种，每种均有大小之分。

三、历代龙泉青瓷的主要造型与艺术特色

青瓷儒雅含蓄、温和清净的釉色，既体现了道家文化中闲散淡远的自然情趣，又符合儒家文化中庸中和的传统文化思想。正是由于古人对青瓷的喜爱，大力支持了龙泉窑的发展，才产生了具有各种不同造型、纹饰、雕花的美轮美奂的青瓷。

宋元时期的商品经济繁荣，市场竞争激烈，促使龙泉青瓷工艺技术的革新，使得此时期的龙泉青瓷在各个方面的发展都达到了顶峰，而这其中，无一不是匠师们无穷智慧和辛勤劳动的结晶。

（一）晋代

晋代的龙泉青瓷有碗、钵、水盂、唾壶和盘口壶等，造型与越窑相同，具有时代的共同性。例如碗，西晋时为敞口平底，上腹近直，下腹向内斜收略向外弧，有的上腹饰弦纹与斜方格纹；东晋时碗的下腹向内斜收，有的外口沿饰一道凹弦纹。至于盘口壶，西晋时盘口较大，颈短，腹部矮胖，平底内凹，肩部装双系或双复系，饰弦纹和斜方格纹，也有贴铺兽的（图1-71）；东晋时盘口缩小，颈与腹部加高，饰弦纹或褐色点彩（图1-72）。水盂是盛水的容具，所以造型小，容量不大，为了防止盂内的水外溢，故做成敛口扁圆腹。西晋的腹较扁，平底，肩部锥刺点线纹或饰斜方格纹（图1-73）；东晋的扁圆腹略高，底由平底变成假圈足，肩部饰弦纹（图1-74）。

晋代的龙泉窑瓷器与越窑不同的是，碗的内底边饰有一道或两道弦纹，腹底分界明显；装饰在盘口壶、水壶肩部的斜方格纹，有的在斜方格内分成九小格或十六小格，尤其是斜方格之间有2～3毫米的粗网格纹，这种纹饰在越窑、婺州窑中是见不到的。同时施青、青灰或青黄色釉，多数釉呈半木光、不透明、开线条很细的纹片，胎釉之间

图1-71　西晋龙泉窑唾壶

的一层白色晶状物使得胎釉和开片之间的不紧密处呈现奶白色。

（二）南朝

南朝常见的青瓷器物有罐、碗、唾盂和盏托等。碗、盏的基本形状是直口、弧腹、饼形底，腹部有深有浅，有的口腹呈半圆形，大方实用（图1-75）。罐，造型较小，圆腹或扁圆腹，多数为饼形底，肩部装四系或四复系（图1-76）。钵，敛口，扁圆腹，小平底，腹外壁刻双重仰莲，造型比较独特。瓷器在成型时都用刀割底，底面平整。胎以淡灰色为主，少数呈灰或紫色。釉呈淡青色或青黄色，透明度较差，多数有纹片，有剥釉现象。常见的纹饰是弦纹，另外部分碗、钵的内壁或外壁刻划有莲瓣纹。

（三）隋、唐、五代

隋唐时的龙泉窑以生产碗、钵、盘口壶等日常生活用瓷为主，尤其是碗的数量和式样较多。

隋、初唐时，有直口深腹平底碗、折腰平底碗、

图1-72　东晋龙泉窑褐彩双复系盘口壶

图1-73　西晋龙泉窑水盂

图1-74　东晋越窑青瓷蟾蜍形水盂

图1-75　南朝龙泉窑碗

图1-76　南朝龙泉窑四复系罐

敞口斜腹平底碗、敞口斜腹饼形足盘、翻口圈足盘、盘口壶和多角瓶等（图1-77）。隋代的盘口壶，造型小，其形为小盘口短颈，椭圆腹平底，肩部装双横系（图1-78）。初唐的造型大，式样与南朝的盘口壶相似，只不过盘口更大，腹部加深（图1-79）。这时的瓷器，胎较粗，釉色灰暗，呈青灰、灰黄和黑褐色，多数瓷器上半釉，制作粗糙。

唐代中期出现敞口斜腹玉璧底碗、钵和风字砚等，到唐晚期则生产出式样更加细巧的莲花碗、

图1-77　唐代龙泉窑碗

图1-78　隋代龙泉窑双系盘口壶

图1-79　唐代龙泉窑双系盘口壶

图1-80　唐代龙泉窑风字砚

粉盒等。风字砚其形像"风"字，口下有长方形双足，将砚面抬高。该砚砚面小，可能是化妆用的（图1-80）。钵，敞口深腹，造型高大。莲花碗，口沿有四个或五个小凹口，凹口下腹壁有内压的短直线，形似一朵盛开的莲花，是唐代盛行的一种碗形。这里的莲花碗，凹口与短直线往往不连成一条直线，出现或左或右的偏差（图1-81）。粉盒由盖和盒两部分组成，盖面微鼓，边缘下折成母口，盒平唇，子口较高，直腹饼形底素面无纹（图1-82）。五代时碗的式样同唐代相似，钵为敛口圆唇扁圆腹卧足。

唐代中期至五代，除造型大小有改进之外，胎质与施釉方面也有明显的提高。胎质较细，呈灰白色或

图 1-81　唐代龙泉窑莲花碗

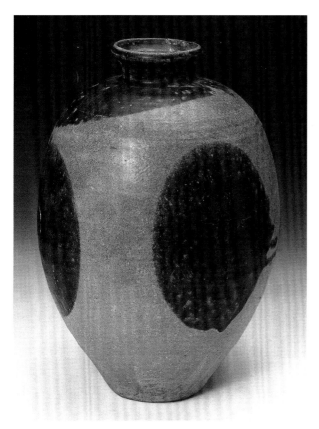

图 1-83　唐代饰褐斑的婺州窑青瓷瓶

图 1-84　北宋龙泉窑莲花碗

图 1-82　唐代龙泉窑盖盒

灰色，多数瓷器通体施釉，部分上釉至近底处，釉层不透明，有纹片。很少使用花纹装饰，仅在小部分瓷器上发现印花、堆纹和褐斑。褐斑装饰在唐代早期、中期的碗和多角瓶上；在斜腹平底碗的口部、釉上，等距离地装饰着三块半圆形褐彩，而多角瓶的褐斑则装饰在盖和肩部两旁，引人注目（图 1-83）。印花出现于唐晚期，在莲花碗的内底印牛和云纹，周围围以回纹。堆纹堆贴在多角瓶的盖和肩腹部，上下五圈，形似波浪，另外在肩部装五角，"角""谷"音近，是一种内装粮食的冥器。

（四）北宋

北宋早期，龙泉窑烧制出做工精细的淡青色青釉瓷器，造型有盘、碗、盒、注子、梅瓶、盏托、盘口瓶和多管瓶等。瓷胎细薄、呈灰白色（图 1-84 ～图 1-88）。多管瓶制作精致、造型优美，它的基本形态是直口、短颈、宽肩、瓜腹、圈足，也有盘口、细长颈、肩颈间装四个菊花纹系的。腹部用并行的双直线分成多格，刻划仰莲或覆莲，也有刻饰牡丹的，瓶上有盖。粘接在肩部的管，有五管、六管、七管或十管的，其中以五管为主，十管的很少见。管作花口，外壁削成多道直棱，接着出现上腹分成两级形似三节葫芦的多管瓶，上腹两级分别刻莲瓣纹和斜线纹，也有完全刻直条纹的，下腹刻有多重仰莲。到了北宋中晚期，多管瓶的肩部和中上腹分成几级，多数是四级，也有三级或五级的（图1-89～图1-91）。

北宋早期的盘口壶为浅盘口、细长颈、深腹，到了北宋中晚期，盘口慢慢加高，颈渐渐缩短变粗，腹部向椭圆形发展，肩腹部刻划缠枝牡丹、花卉、莲瓣和直条纹等（图1-92）。

（五）南宋

南宋是龙泉窑青瓷在历史上的鼎盛时代。相比前一时期，最为突出的变化是薄胎厚釉工艺的出现。白胎厚釉瓷器是南宋龙泉窑的主要产品，它吸收了南宋官窑的制作工艺，但在此基础上又有创新，瓷器的质量大大提高。

图1-85　北宋龙泉窑馓盘

图1-86　北宋龙泉窑盏托

图1-87　北宋龙泉窑青瓷注子

图1-88　北宋龙泉窑罐

图 1-89　北宋龙泉窑青瓷四管瓶

图 1-90　北宋龙泉窑青瓷五管瓶

图 1-91　北宋龙泉窑多管瓶

图 1-92　北宋龙泉窑双系长颈盖壶

瓷品品种丰富，除有大量的碗、盘、杯、注子等饮食器皿外，还有灯盏、渣斗、熏炉、罐等日用器，笔筒、笔架、笔洗等文具，花瓶、烛台、香炉、佛像、八仙像等陈设瓷和祭器，以及象棋、鸟食罐等（图1-93～图1-100）。瓷器造型优雅大方，特别值得一提的是瓶和炉的造型样式十分丰富，有觚式瓶、尊式瓶、琮式瓶、弦纹瓶、贯耳瓶、鼎式炉、簋式炉、尊式炉和鬲式炉等。模仿古代铜器玉器的形式，端庄优美，艺术造诣很高（图1-101～图1-103）。并且，各类瓷品皆制作精细，成型时匠师们尽力将瓷胎做薄，还把较为显眼但不易变形的器口和圈足的底端修整得很薄，给人以轻巧的感觉。

南宋龙泉青瓷的造型和装饰具有鲜明特点，造型端庄精巧、简练大方，如盘、碗、瓶、洗、炉、杯等，造型简洁，且富于变化。装饰纹样生动新颖、色彩诱人，尽显南宋青瓷的风格特点。

（六）元

元代龙泉窑比宋时扩大了好几倍，瓷器的造型特点为粗壮高大，胎体变厚，釉色减薄。为获得元统治者的喜爱并促进销售，匠师们采用刻、划、印、贴、雕和点褐彩等工艺来美化器物。

元代龙泉窑销售范围扩大，为了满足各地消费者的不同需要，新的产品不断增加，花式品种十分丰富。常见的造型有碗、盘、盏、盏托、杯、执壶、罐、粉盒、花盆、洗、砚滴、香炉和塑像等。其中碗有菊花碗、斗笠碗、莲瓣碗、束口碗、八角碗、敞口弧腹碗、两面刻花碗，并以敞口弧腹碗数量最多。盘有方盘、八角盘、荷叶盘、菊花盘、荔枝盘、露胎三桃盘、敞口圆唇盘和折沿盘等，折沿盘有圆口和菱花口两种，数量最多（图1-104、图1-105）。瓶的种类也很多，有长颈瓶、玉壶春瓶、海棠式瓶、灵芝耳瓶等（图1-106、图1-107）。

元代龙泉青窑的主要装饰有印花、刻花和划花。常见的纹饰有莲花纹、荷叶纹、莲瓣纹、菊花纹、菊瓣纹、茶花纹、牡丹纹、石榴纹、桃纹、梅月纹、弦纹、回纹、云纹、锯齿纹、勾连纹、火焰纹、古钱纹、十字杵纹、方格纹、龙纹、凤纹、飞雁纹、鹭鸶纹、鱼鹭鸶纹、龟鹭鸶纹、鸭纹等。有些瓷器有点彩装饰，它是通过在彩料中掺和了含铁量较高的紫金土，然后在上了釉的坯体上有规则地点几组褐色斑点形成的，烧成后呈黑褐或紫褐色，与青釉色调对比强烈。褐彩多施于瓶、罐、洗等陈设瓷上。

（七）明、清

明代的龙泉窑继续延续前朝的制瓷工艺，胎釉质地变化不大，胎呈灰白或灰色，大多只上一次釉，釉层显薄。只有少数青瓷器釉较厚，也显玉质感。釉色较深者，多为青绿色和豆青色。常见的造型还是以实用型为主，如碗、盘、杯、执壶、盒、罐、瓶、炉、砚、砚瓶、烛台、凳等，也有少量瓷塑之类的观赏品。但总体看，造型的种类和式样与元代相比还是有些不同。如元代常见的鱼纹洗明代就很少见，碗、盘一类大众最普通的实用品的种类与式样明显减少，斗笠碗一类较为精巧的碗形很少见了，但瓶类的样式有所增加，出现了仿古铜器造型的觚式瓶、尊式瓶等，另外，玉壶春瓶、弦纹瓶、福寿扁瓶、喇叭口牡丹纹瓶等也较常见（图1-108、图1-109）。刻划、印花等方法依旧是青瓷装饰工艺的主要手段，但元代常用的贴花和露胎花工艺不太用了，龙纹、凤纹、鱼纹等象征吉祥的纹饰也渐趋减少。

到了清朝，龙泉大多瓷窑都相继停火，仅有孙坑、大窑等个别瓷窑生产着少量青瓷，产品以碗、盘、盏、高足碟、盒和花盆等实用品为主。胎质与前朝无太大区别，瓷质坚硬，呈灰或灰白色，釉质透明，釉层较薄，釉色多呈青灰色，也少有一些青色或青黄色的。纹饰有竹纹、梅纹、兰纹、菊纹、牡丹纹、荷叶纹、莲瓣纹、云纹、鱼纹、宝珠纹、八卦纹和斜方格纹等，大多采用刻划工艺，个别采用镂雕工艺（图1-110）。

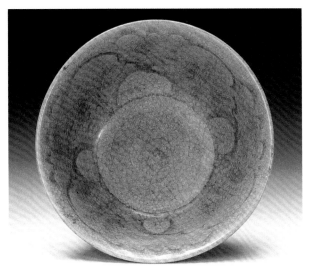

图 1-94 南宋青瓷轮花钵

图 1-93 南宋龙泉窑香蕉纹碗

图 1-95 南宋龙泉窑黑釉盏

图 1-96 南宋后期龙泉窑后期渣斗

图 1-97 南宋龙泉窑花瓶

图 1-98 南宋龙泉窑青瓷人像

图 1-99　南宋龙泉窑青瓷香炉

图 1-100　南宋龙泉窑青瓷鸟食罐

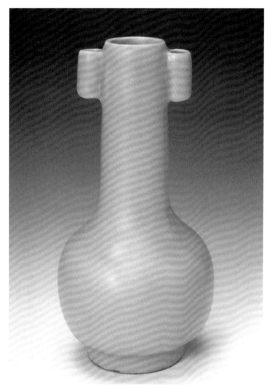

图 1-101　南宋后期龙泉窑贯耳瓶

图 1-102　南宋后期龙泉窑弦纹瓶

图 1-103　南宋后期龙泉窑尊式炉

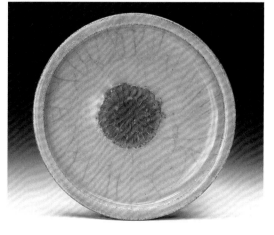

图 1-104　元代龙泉窑贴菊花盘

图1-105　元代龙泉窑八角盘

图1-106　元代龙泉窑玉壶春瓶

图1-107　元代龙泉窑青瓷灵芝耳瓶

图1-108　明代龙泉窑福寿瓶

图1-109　明代龙泉窑喇叭口瓶

图1-110　清代龙泉窑青瓷屏风

第四节　龙泉青瓷的装饰工艺

装饰工艺源于对青瓷的审美追求，对于瓷器的外观具有重要的影响，同时也具有鲜明的时代特征。龙泉青瓷的装饰工艺丰富多彩，有刻划花、印花、贴花、填白和点彩等装饰工艺。

一、刻划花装饰

刻花是传统的装饰方法之一，其优点是线条清晰美观。如花瓶和壶类等产品上所刻花纹就多是采用刻花法做成的（图1-111）。

刻划花装饰主要是利用了因釉层厚薄不同而呈现出不同深浅的青色效果，表现出纹饰的生动性。刻划纹饰处低于坯体表层，施釉后凹下部位釉层厚，颜色显深，刻纹得以显现。另外，刻划的刀法变化很多，因而能够出现不同深浅与宽窄的纹饰，同时，不同轻重缓急刀法的运用，也能表现出不同的纹饰韵律和节奏，从而突显刻划纹饰的独特魅力（图1-112～图1-116）。

图1-111　元代龙泉窑刻花梅瓶

北宋时期刻划花装饰曾经盛极一时，采用刻划技法是此时龙泉窑青瓷的装饰艺术特色。北宋青瓷胎色灰白，釉色艾绿，釉质薄匀晶莹，纹饰特点以刻划花为主，碗、盘类多饰篦纹、折扇纹，题材以莲瓣、牡丹、菊花为主，纹饰之间以棱线分隔，棱线分单线、双线，花叶一般用篦纹作叶脉（图1-117）。

北宋初期较为常见的刻划花装饰有缠枝牡丹纹、莲花纹、蕉叶纹等（图1-118～图1-120）。龙泉博物馆收藏有一件北宋时期的刻花五管带盖瓶，整体铺满了仰覆莲纹，线型简练而流畅，纹饰生动而活泼。瓶的纹饰主体是一圈缠枝莲花，瓶盖、肩部及足部都刻划有仰覆莲纹，莲瓣均采用双线刻划的工艺表现，而筋脉则以篦状纹表现。这件五管瓶的装饰形式简洁、大方、丰富、节奏感强，是龙泉窑一件难得的优

图1-112　刻花装饰工艺1

图1-113　刻花装饰工艺2

图 1-114　刻花装饰工艺 3

图 1-115　刻花装饰工艺 4

图 1-116　刻花装饰工艺 5

图 1-117　北宋龙泉窑刻花碗

图 1-118　北宋龙泉窑多管瓶

图 1-119　北宋龙泉窑盖盒

秀刻划花装饰作品（图 1-121）。

　　北宋中晚期是龙泉青瓷迅速发展的重要时期。与北宋早期相比，中晚期的装饰技法显然成熟很多。刻花的刀法熟练流畅，划花的技法也运用得更加自如，篦纹、水波纹、花叶纹等划纹精细而舒畅，很好

图 1-120　北宋龙泉窑刻花双系洗口瓶　　　　图 1-121　北宋龙泉窑五管瓶

地衬托了主题纹饰。装饰题材丰富多样，主要有花卉、云纹、水波、游鱼、飞雁和婴戏等。此一时期的龙泉青瓷，胎质多呈铁灰色，釉色青中透黄，具有较强的光泽度和透明度，清晰地显示了釉下的刻划纹饰（图 1-122、图 1-123）。

　　故宫博物院收藏的龙泉窑青釉刻花牡丹纹瓶，其匀称的瓶体上刻划着枝茎缠绕的牡丹花，以篦划的细密线表现花筋叶脉，肩、颈部以覆莲瓣纹作衬饰，整器上花纹满布，层次分明，主题纹样丰满鲜明，是北宋龙泉青瓷的代表作。

　　南宋的龙泉窑青瓷釉色优美、造型别致，多属光素无纹，有刻划花的器物的装饰手法亦与北宋时期有明显不同。此时的装饰工艺多采用刻花，划花次之，篦纹逐渐减少，最为流行的是单面刻划花。按题材而论，前期常用的比较呆板的团花图案不见了，鱼鳞片状的浪涛纹，缠枝牡丹与碗、盘外壁的直条形篦纹和折扇纹等也摒弃不用，取而代之的是云纹、水波纹、蕉叶纹，生动活泼的凤、雁、鱼、莲花和荷叶等，还印有"金玉满堂"、"河滨遗范"等铭文（图 1-124）。此时篦纹的主要用途不再是底纹，而是多作为花茎与叶脉的辅助纹饰使用，灵活而稀松地划于枝叶和花瓣之中，增强了纹饰的立体效果，使花瓣显得更加苗壮生动。有些刻划于大盘内的飞雁和凤鸟，衬以线条流畅的花草，如同一幅展翅飞翔于花草丛中的花鸟画。此一时期最常见的纹饰是荷叶纹、莲花纹和鱼纹，通常刻划在盘、碗、碟的内壁，题材健美，寓意吉祥，刀法有力，手法精湛，有时虽简单几刀，却表现出生机勃勃的画面。或是一尾摇鳍摆尾活跃于水草中的游鱼，或是一组随风摇曳的荷叶，或是几朵含苞欲放的莲花，经过工匠刀法娴熟的表现，一幅幅生动优美的青瓷装饰画面便呈现在器物之上，令人赏心悦目。

　　大窑岙底一带的元代瓷窑中，有一种常见的双面刻花的青瓷。胎薄釉厚，器壁两面均刻有牡丹纹、莲花纹等花纹，以缠枝布局，做工精致。盘、碗、碟、钵、盆、洗、盒、簋、灯盏、盖罐和高脚杯等实用类青瓷，包括一些成套的茶具、餐具等，也常常采用双面刻划的装饰工艺，以装饰为用途的花瓶类的装饰工

图 1-122　北宋龙泉窑刻花鸳鸯戏水碗

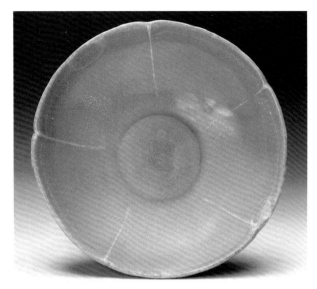

图 1-124　南宋前期龙泉窑"河滨遗范"碗

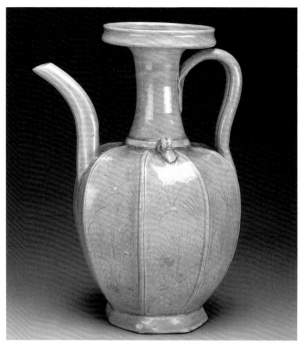

图 1-123　北宋龙泉窑执壶

图 1-125　元代龙泉窑龟心荷叶碗

艺就更是讲究了。从装饰工艺的复杂程度上看，这类青瓷应当是供上层阶级使用的。元代的碗，形式很多，碗的口部可分为敞口、敛口、直口、外卷口、菱花口、菊瓣口和莲瓣口等，其中数量最多的是直口或口沿外卷的深腹碗，内底常印莲花、菊花或牡丹，腹壁围饰浪涛纹、缠枝莲花、百鸟朝凤、莲瓣纹和四

图 1-126　元代龙泉窑莲瓣碗

季花等，或在外口沿划多道弦纹，下腹部则多以单线刻的莲瓣纹为饰（图 1-125、图 1-126）。

　　在装饰方法上，明代龙泉窑青瓷基本承袭了元代，以刻花装饰方法为主。但是在纹样结构、形象以及刀法上，明代刻花较元代大为逊色——纹饰虽工整规矩，却显得呆板无趣。运刀行刀的方式虽然还是以花形为依据，但刀起刀落的节奏与韵律却很不讲究，如轻重缓急、粗细宽窄等，所以作品常常显得缺乏生命的动律，也就失去了艺术感染力。明代，随着龙泉窑瓷业的衰落，碗的式样也减少了，常见的是直口深腹碗，

口小腹深，外壁往往划狭长的菊瓣纹，内底印折枝菊花或划刻芙蓉。

二、印花装饰

印花是利用有纹饰的印模，乘制好的瓷坯半干半湿之际，用印模将纹饰打印到瓷坯上，然后上釉烧成。这种工艺效率极高，制品烧成后纹饰的效果亦极为清晰。印模有用瓷泥制好后素烧的，有用石膏制的，还可以选用石材、木材、金属等材料制作，较为常用的是石膏。由于印花具有与刻、划花类似的装饰效果，而且工艺操作简单，生产效率高，能够批量生产，因而很快得到普及（图1-127、图1-128）。

图1-127 印花盘

图1-128 古代印模

印花的类型和方法很多，从印模印纹的形式上看，可以分为阳纹和阴纹两种类型，从纹饰的形象上看，可以分为线状和面状两类。线状是以阴线或阳线的形式勾勒纹饰，面状则是类似浮雕效果的凸凹纹饰，两种装饰效果迥然不同。从工艺技术上看，可以分为模印和戳印两大类型，模印一般用于器物外壁的印饰，如碗、盘、洗等易于脱模的器皿（图1-129、图1-130）；戳印则大多用于器皿内壁底部的印饰，如碗、盘、洗等器皿内壁的底心处。印纹的题材很广泛，花卉、植物、动物等都是常见的题材（图1-131、图1-132）。故宫博物院收藏有不少南宋龙泉青瓷，其中就有印双鱼纹的。

元代龙泉窑印花装饰更是被广泛运用，有时印花部分采用不上釉的方法，器物烧成后，有釉部分呈青绿色，无釉的纹饰部分呈橘红色，青绿与橘红相互映衬，令人赏心悦目。此外，除各种纹饰外，还有一些

图1-129 石膏印模

图1-130 石膏印模

图 1-131　元代龙泉窑兽蹄三足炉

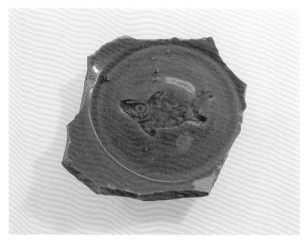

图 1-132　龙泉窑内底印花鱼

文字印戳，包括窑名、姓氏、吉祥用语等，如"刘"、"张"、"顾氏"、"早攀仙桂"、"日高"、"吉昌"、"福"等，还有蒙古的八思巴文。这些文字有时也与其他纹饰搭配使用，多戳印在碗、盘类器皿的内底。

明代龙泉窑青瓷的装饰方法基本承袭了元代的印花方法，但内容题材有所扩展，除原有的花卉、动物图案以外，还包括了山水人物、历史故事等画面。相比前朝，明代人物题材的装饰出现较多，这与明代审美风尚和社会习俗有关。人物题材的装饰从内容上看大致有两类，一类是历史人物故事，一类是传统戏曲人物。前者多出现在碗的内壁，印纹为分组的人物，每组分别为一个故事，有些还印有故事的文字说明，如"孔子泣颜回"；后者多出现在瓷瓶的装饰上，瓶

图 1-133　明代龙泉窑青瓷印花人物故事纹碗

体外壁贴饰数个戏曲人物形象。另外，文字题材也是装饰的内容之一，且较前朝有了更加详尽的记述，如纪事、纪年铭文等（图 1-133）。

三、贴花装饰

贴饰工艺是从模印中脱胎而来的，在印模上压制出带有花纹的泥片，装贴在器物表面，呈现出比印花更凸现的浮雕般装饰效果（图 1-134 ~图 1-136）。

宋代已经出现了贴花这种新装饰，但是应用不广，只见于香炉等少数器物上，所贴的有牡丹、龙、凤和双鱼等。双鱼常贴在盘、洗内，首尾相对，形态逼真。瓷器的装饰随着使用对象以及釉的不同而变化。贴花纹饰的逐渐推广和蔓延，与龙泉窑从薄胎厚釉渐次向厚胎薄釉过渡，恰似一对孪生姊妹，两者异轨同步。显然，薄胎不适宜贴花和分段衔接，厚釉则只会使纹饰变得模糊不清。

贴花是元代龙泉青瓷的重要装饰手法。在各类花纹中，有仿照北宋的折扇纹、海涛纹和蕉叶纹等，但结构和线条都不及北宋时那样奔放有力；也有继承南宋时的莲瓣纹、龙纹、凤纹、鱼纹和牡丹花，不过莲瓣瓣面平狭，仅仅刻划出轮廓，略嫌单薄；此外有雷纹、锯齿、方格、勿断、鼓钉、四如意、八吉祥（或称

图 1-135　模印脱胎

图 1-134　模印脱胎

图 1-136　贴饰效果

图 1-137　元代龙泉窑牡丹纹瓶

八宝）、八卦、古钱、秋叶、芍药、菊、梅、桃、兰、菱、牵牛花、葵花、牡丹、竹叶、灵芝、甜瓜、龟鹤、飞鸟、福鹿、麒麟吐玉书、马上封侯、童子戏竹马等，取材多种多样（图 1-137 ～图 1-139）。这一时期贴花装饰运用较为广泛的有瓶、罐类器物表面的缠枝花、龙凤、云朵等，碗类内底的荔枝、团花、朵菊、金龟等，洗中的双鱼，炉类外壁的铺兽衔环和兽头等，盘中的龙、云、仙鹤等（图 1-140、图 1-141）。如用于祭祀或插花陈设的喇叭口、长颈、鼓腹瓶腹部，下饰海涛纹，上贴龙纹，犹如神龙在浩瀚的大海中腾空飞舞，气势宏伟，具有较高的艺术价值（图 1-142）。

在原有贴花后施釉的基础上，元代龙泉窑创造了露胎贴花，这种新的装饰手法，运用了龙泉窑传统的"朱砂底"，亦即露胎处在烧成后冷却阶段经二次氧化呈朱砂色的原理来装饰器物，如碗心橙红的朵菊，盘中朱砂色浮雕般的朵云和仙鹤，装饰效果十分明显：青色的釉与朱色的纹饰交相映衬，相得益彰。在一部分盘、洗中，装饰露胎贴花，花面呈紫红色，在青釉的衬托下，主题突出，鲜艳夺目，装饰效果很好。如荔枝盘，形如一枚坦张的绿叶，中间结着一颗鲜红的荔枝；用它盛放水果，真正达到了形式与实用完美的结合（图 1-143）。上海博物馆收藏的折枝三桃盘，菱花边，浅腹，盘面贴折枝三桃，枝叶苗壮，

图 1-138　元代龙泉窑蟠龙盘

图 1-139　元代龙泉窑青瓷碗残件上的贴花桃花纹

图 1-140　元代龙泉窑鼓钉炉

图 1-141　元代龙泉窑贴花双鱼洗

图 1-142　元代龙泉窑云龙海水纹瓶

图 1-143　元代龙泉窑贴饰荔枝纹的青瓷盘

果实丰满，富有生气。这类露胎贴花盘，盘心纹饰凸起，是盛装糕果的佳器。

元代龙泉窑出有很多刻划花、印花与贴花数种工艺综合装饰的精良之品，如葵花口印花盘、鱼纹盘或碗、缠枝莲纹瓶等。特别值得一提的是一种鱼纹大盘，这是元代龙泉窑中重要的代表性品种，先以刻划花的方法进行大盘的整体装饰，然后上釉，釉层的上面再放置数个印花的小鱼，烧成时，依靠釉的熔融将小鱼固定于盘中（图1-144）。这一品种的瓷器不仅利用了多种装饰工艺技术，而且还利用了釉的烧成原理进行巧妙的装饰，的确是独具匠心。

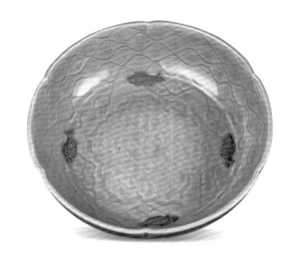

图1-144 元代龙泉窑青瓷盘内贴饰鲤鱼纹

四、填白装饰工艺

填白装饰工艺是以毛笔蘸白泥浆填成图案，烧成后因凸起部分釉层较薄，映出白色图案的制作手法。正如清代寂园叟在《匋雅》中所叙述的："填白者，以粉料堆填瓷上，再罩釉汁，则谓之填白。刻花用刀，锈花用针，印花用版，堆花用笔，堆花者填白也。"这句话道出了填白工艺的两个关键要素是笔与堆填料（图1-145）。

填白工艺采用的填笔是用较柔软的羊毫制成的，有大、中、小各号及含水量多少等规格，方便填色（包括青花汾水）人员选择使用。填白工艺把这种填笔当画笔使用，蘸上稀释的、经过提纯后的白色化妆土，直接在陶瓷的坯胎之上作画。与印花不同，填白工艺是用笔在坯胎上绘画，既然作画工具用的是笔，在求其画意之中就必然会产生粗细、抑扬顿挫之笔锋，因而常常由于追求画意的需要，有将其绘画之花纹压过箍线的现象，且有字款的肯定会具有书法笔锋。又因其堆绘上去的是提纯后的化妆土粉末，所以，其所绘画面的白度要高于胎色。

龙泉窑的填白工艺与其他装饰工艺相结合，创造出了丰富多彩的艺术效果。比如，南宋后期常见的鬲式炉，通体施以粉青釉，釉色温润，青翠如玉，腹部至足凸起三条棱线，釉薄处呈白色，俗称"出筋"。一般认为"出筋"是填白的杰作，在造型边缘或足部，以及一些凸雕的牡丹等花饰上，往往会在凸起的轮

图1-145 当代青瓷云龙纹盘

图1-146 南宋后期龙泉窑鬲式炉

廓线上显出胎骨的白痕，虽经雕琢而不露痕迹，在烧成之后显露出一条条规整的白线，在翠玉般的釉色中耀眼醒目（图1-146）。

五、点彩装饰工艺

点彩是用笔蘸紫金土和某些含铁很高的原料，如铁屑和铁矿等的混合物，在已上釉的坯上按规则点成瓜子大小的点子，烧成后呈赭色，别具风格。这些彩料颜色由褐至紫，深浅均有（图1-147）。

除花纹以外，元代龙泉窑制瓷匠师们还继承了三国以来青瓷加褐色点彩的方法。这是一种富有地方特色的装饰方法，在碗、盘、杯、瓶、壶和器盖上装饰一点点有规律的褐彩，达到对青釉的点缀效果。此外也有用褐色釉书写文字的现象，但比较少见，这也是对青黄色薄釉的一种点缀（图1-148）。

点彩工艺是青瓷装饰十分有特色的一种表现形式，主要有两种色彩，一是红彩，二是褐彩。红彩的呈色剂是氧化铜，主要流行于宋代的钧窑。褐彩的呈色剂是氧化铁，先是流行于西晋的越州窑，后来宋代的龙泉窑传承了这一技法。龙泉窑的点彩工艺以褐彩为主，也出现过个别红彩。褐彩的基本方法是先施以青瓷釉，再用含铁量较高的紫金土在器物上适当点缀，多是在器物的口沿处或人物、动物的眼睛处，然后入窑一次烧成。点彩装饰工序简单，且装饰效果好，深受人们喜爱，所以这一装饰工艺一直流传至今。但是这种工艺最多的还是用于小型器物，如高足杯、小盖碗、双环瓶、骑兽水注等。点彩的部位虽有个别随意点彩的例外，但也有一些一般的规律，即多见于器物内侧的底部和口沿等部位（图1-149、图1-150）。现存于上海博物馆的元代褐彩鸟食罐可算得上是运用点彩的经典作品，该罐体为青釉色，罐体的肩部堆雕的老鼠通体采用了点褐彩的方法，由于褐彩与鼠皮毛颜色接近，效果逼真，令人叹为观止。

图1-147　南朝饰褐色点彩的越窑青瓷碗

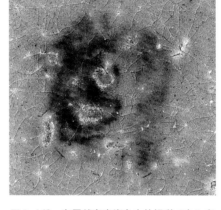

图1-148　东晋越窑青瓷盘内的褐彩"自"字

图1-149　元代龙泉窑褐彩高足杯

图1-150　元代龙泉窑红斑洗

第五节　龙泉青瓷的烧成工艺

青瓷烧成工艺是否成功，取决于几项关键的技术，其中包括窑的建设、燃料的选择、窑具的制作及装烧工艺、烧成制度的确定等方面。

龙泉青瓷在这些方面的探索是十分成功的。

一、龙泉传统窑的基本结构及其变迁

龙泉传统烧造青瓷的窑是龙窑。龙窑是我国南方烧造陶瓷的传统窑类之一，属平焰式窑，一般沿山坡倾斜建造，犹如一条长龙卧于山坡之上，故称龙窑（图1-151～图1-153）。火膛设在最低端，排烟口设在最高端，窑背或窑身的两侧各设有一排依序排列的投柴孔，孔与孔的间隔约为一米。烧成时自下而上依次点火，火焰顺窑身之势，平行流向排烟口，夜间看时，宛如一条火龙，很是壮观。

龙窑的结构是在长期的生产实践中逐渐完善的。其中有几个重要方面应当十分注意：第一，窑身的长度；第二，窑的坡度；第三，窑的结构；第四，窑的外部环境。

图1-151　传统龙窑

图1-152　大窑枫洞岩窑址的火膛

图1-153　大窑枫洞岩窑址的主体遗址

（一）传统龙窑的基本组成

龙窑的整体组成分两个部分：一是窑的外部环境，二是窑的自身构造。

外部环境主要包括窑头前的工作场和挡风墙、窑身外侧的搬运通道和护墙、窑顶上空的防雨棚。自身构造主要包括燃烧室、装烧室和出烟室三部分。

龙窑的外部环境对烧成工艺来说，没有很原则性的要求，只要便于使用就可以。本文重点分析其自身构造的基本结构及使用原理。

1. 燃烧室

燃烧室，俗称火膛，是龙窑前端点火燃烧区域，大多为半圆形，自前向后用砖块砌成放射状的炉栅，两侧的墙脚是用匣钵圈扣覆排砌成弧状的通风道，通风道上倾斜放置有孔匣钵，以便通风漏灰。正前方的中部设有投柴口，顶部是用砖砌成的蛋形穹顶，底部比窑床口略低，级差一般为30厘米左右（图1-154）。

2. 装烧室

装烧室，俗称窑室，是放置产品进行烧制的区域，其组成结构包括窑顶、窑墙、窑床、窑门、投柴孔等。窑顶为楔形砖砌成的拱形穹顶，窑墙两侧等距离间隔设有一定数量的投柴孔，墙砖多以耐火砖砌成，个别情况下也有用匣钵填装黄土代替的。窑墙的内侧用黏土抹平缝隙，高温煅烧后会出现釉质般的表层。窑室的窑门大多开设在与作坊相连或相近的一侧，以便搬运坯件，除非特殊需要，另一侧很少开设窑门。底部是窑床，这是一个铺满砂子的狭长斜坡，砂层上面一排排有规律地覆铺了一层匣钵，是装有坯件匣钵的垫底，目的是使装有坯件的匣钵能够保持水平；从整体上看，这层匣钵在窑床上形成了台阶

图1-154　木岱口窑的燃烧室

图1-155　龙窑装烧室内部结构

状，放置坯件的匣钵层层摞叠，形成一个个垂直的圆柱体，匣钵柱体之间的缝隙成为火焰流通的火道，匣钵柱体之间的缝隙一般都很均匀，以保证火焰的畅通和窑温的均衡（图1-155）。

3. 出烟室

出烟室，设于龙窑尾部，平面呈扁宽的长方形，前部是一堵与窑室相隔的砖墙，其上部与窑室密封，下部有一排用于排烟的烟火孔，窑室的余烟经烟火孔排入出烟室。两侧的墙壁是窑室的延伸线，后壁常常利用自然的山崖，如果没有较好的山形可用，则利用废弃匣钵简单垒砌而成。

（二）龙窑结构的演变

龙窑的结构是随着技术的提高不断改进的。人们在长期建窑和烧窑的实践中，逐渐积累了大量的经验，

对龙窑的认识也不断提高，促使人们不断地对龙窑的结构进行更合理的改造。因此，龙窑结构的演变与人们的认识水平和生产技能的提高密切相关。龙窑结构的演变大致可概括为外部的长度和角度的演变与内部的分隔面积的变更。

1. 外部结构的演变

龙窑外部结构的演变主要表现在两个方面：一是龙窑的长度，二是龙窑的坡度。

最初龙窑的长度较短。根据窑址现场推测，绍兴富盛区战国时期的龙窑，窑长大约 6 米；上虞市的东汉龙窑，窑长为 10 米；三国时的窑长也仅有 13 米左右。随着历史的进程，龙窑的长度逐渐延长，至南北朝时期有的龙窑已达 40 米左右。到了宋代，龙窑的长度普遍有 50～60 米，有的龙窑甚至达到 90 米左右。

龙窑坡度的演变，同样也经历过较漫长的过程，早期龙窑的坡度或过小或过大。实践证明，龙窑的坡度如果过小，那么窑内的气流抽力也会减小，导致温度上升慢，烧成时间长，出产量低；而龙窑的坡度过大，又会导致窑内的抽力过大，温度不易控制，同时大量的冷空气不断地进入窑内，温度提升困难，窑内的还原状态很难保持，产出的器物质量不能保证。例如，战国时期龙窑的窑头和窑尾的坡度都是 16°，这种头、尾坡度相同的龙窑，其窑内的温度不易保持，烧成时间长，消耗燃料多。到了东汉时期，龙窑的头、尾的坡度出现了变化。主要表现为，增高了窑头的坡度，降低了窑尾的坡度。例如，上虞东汉一号窑的窑头坡度为 28°，窑尾坡度为 21°，窑头的坡度大于窑尾的坡度，二者之间相差 7°。上虞东汉二号窑窑头坡度为 31°，窑尾坡度为 14°，窑头与窑尾的坡度相差 17°。但增加窑头的坡度的同时，窑内对外部气流的抽吸能力也随之加大，不利于窑内温度的提升和还原状态的维持。而三国时期龙窑的坡度结构更加不合理，出现了头低尾高的"翘尾"龙窑，其窑头坡度为 13°，窑尾坡度为 23°，窑尾的坡度高出窑头 10°。这种结构的窑，既不易于上火，也不易于存火。到了西晋以后，龙窑坡度的规律逐渐被人们所认识和掌握。龙窑窑头坡度基本固定在 20° 左右，窑尾的坡度基本固定在 10° 左右，窑尾的坡度一般低于窑头 10° 左右。人们在反复实践、认识和探索中，最终找到趋于合理的坡度，推动了龙窑的发展和应用，使龙窑迸发出它真正的魅力，绵延千年，并传承下来，成为中国烧制陶瓷窑的种类中最重要的窑炉。

2. 内部结构的演变

龙窑内部结构的演变主要表现在燃烧室后壁的宽度的变化。历代龙泉龙窑的燃烧室的长度变化不大，所变化的只是燃烧室后壁的宽度，燃烧室后壁的宽度逐步变小，燃烧室的面积随之减少。经考证，宋代的龙窑燃烧室后壁宽度一般在 1.5～1.85 米之间；到了元代，龙窑的燃烧室后壁宽度一般在 1.1～1.6 米之间；而明代龙窑的燃烧室后壁宽度则在 1.1～1.2 米之间。时代愈近，燃烧室后壁的宽度越窄，燃烧室的面积愈小。

大部分学者认为，这种变化是建窑技术和烧成工艺进步的表现。也有学者认为，很难简单地评述燃烧室面积逐渐变小的趋势的优劣，也不能确定这是一种"传统工艺技术进步"的表现。这种观点，建立在对历代龙泉青瓷出品的研究基础上，即高水平龙泉青瓷的产出与燃烧室后壁宽度变窄没有正向联系。学界一致认为，南宋晚期是龙泉青瓷发展的巅峰时期。而宋代龙窑的窑身长，燃烧室后壁的宽度和面积都大于元、明、清时期。但是，宋代，特别是南宋晚期出品的龙泉青瓷的釉色质地明显地好于之后的元、明、清时期。限于历史资料的关系，我们无从准确推断出不同时期的龙窑在烧制过程中窑炉温度的变化和烧成工艺所需要的时间上的差别，但从青瓷釉质的烧成规律上分析，宋代青瓷的烧成多属于慢热型，这种烧制的状态与当时的窑炉结构、烧成时温度及时间有十分密切的关系。虽然，自明代开始，龙泉青瓷质量出现下滑，但元、明时期对龙窑结构的改造仍有许多值得肯定的地方。例如，对宋代龙泉龙窑燃烧室的外八字形分墙的改进，从实用的角度修建椭圆形工作面，有的还用匣钵垒砌操作台，还有的在送风口处加建与之相连的灰沟等，这些改进丰富了燃烧室的设施，更便于陶工操作需要。

此外，根据现有的考古资料可知，截至元代，龙泉地区使用的龙窑的内部结构并没有发生明显的改变。但到了明代以后龙窑装烧室的窑床出现了阶梯式结构。

大窑岙底牛头颈山发现有分室龙窑。窑已遭到了严重的破坏，仅存尾部两室和一个排烟坑。窑体前宽后窄，室与室之间有两堵横隔墙。在前隔墙的下部有七个用耐火砖砌成的烟火弄，上部用匣钵砌成，墙身自下而上逐渐前俯，顶端呈半圆形；后隔墙用匣钵砌成，上部不到顶，底部没有烟火弄。隔墙的作用，一是把龙窑分成多室，二是把窑内的火焰由龙窑的平焰变成倒焰，使窑室内的温度更加均匀，并延长火焰与坯体的接触时间，使之更适宜于烧大件瓷器。在龙泉金村、大窑两地，已发掘出多处分室龙窑窑址，只是目前想要认定其准确时代还比较困难。但可以明确的是，其中有一座明代的阶级窑，虽然破坏严重，无法看出其全部结构，但在窑尾两室间仍能看出有挡火墙。

20 世纪 50 年代木岱口有一个龙窑，名岙后窑，形制与明代龙窑很接近。周仁、张福康、郑永圃先生等人，曾于 1959 年对其结构进行过调查，有详细记录："岙后窑全长 21.7 米，首尾高差 6.27 米，计 18 级，每级进深约 1 米，高度不等，第一级高 5 砖，第二级高 4 砖，第三级以上均高 3 砖（约 33 厘米），坡度约 18°。窑内宽 1.8 米，顶作圆拱形，高 1.85 米，窑旁有窑门三个，均在右边，第一、二两个作送坯和烧成品用，第三个作运送燃料用。窑门位置，从窑头起在第四、第十、第十四级。窑门高 1.75 米，宽 49～55 厘米。窑壁厚 30～49 厘米。每级两边有投柴口各一个，口高 14 厘米，宽 13 厘米，距底高 1.25 米。火膛为半圆形，长、宽各 1.85 米。"[6]

龙泉地区的龙窑的结构历经演变之后，早期的古代龙窑与近代的龙窑，无论是外部还是内部结构都发生了不同程度的变化，尤其是外部结构变化更为显著。综合比较，早期的古代龙窑与近代龙窑的差别主要表现在三个方面：

一是坡度分布不同。前者的窑身大都依山坡之势而建，前段较缓，中、后段坡度较大，且稍有弯曲，如大窑的窑身，中、后段逐渐弯曲，这是为了避免坡度过大，火力过猛烈；后者的窑身，前段坡度较大，以便于引火，中、后段渐缓，便于保温。

二是烟囱设置有别。就整体坡度而言，前者的坡度一般为 14°～18°，后者的坡度为 18°左右。但前者窑身长，前后高位差较大，抽力相对增加，所以不需烟囱，如宋代龙窑最长的可达 92 米；而明代以后的龙窑，大都筑有高度不等、形制不一的烟囱，以增加抽力。

三是火孔分布不同。前者火孔大都集中设在下部，与马蹄窑构造基本一致，这种结构火焰集中于下部，火焰自下而上循序燃烧；后者火孔较为匀称地分布在中部与下部，这种结构火焰可以在中部与下部同时燃烧。相比较，前者火力相对温和，升温缓慢；后者火力相对猛烈，升温较快。

（三）传统龙窑的优缺点

龙窑的优点主要可概括为以下四个方面：

一是因地制宜。利用山坡的高位差顺势而建，具有自下而上的自然抽力，可以不设烟囱，同时也避免了对地下水的影响。二是对热能的利用充分（恰到好处）。烧成时利用烟气预热坯体，冷却时利用产品释放出的热量预热窑体，为接下来的烧造提供条件。其烧成温度可高达 1300℃。三是结构简单，窑内底部无须烟道设置，建造方便，费用低廉。四是符合青瓷的工艺需求。由于龙泉制瓷选用的原料含有较高的氧化铁，烧成过程中，青瓷原料中的氧化铁需要在较高的温度下达到还原状态，同时为了防止还原铁在降温过程中重新被氧化，要求窑内的温度在较短的时间内降下来，达到迅速冷却的效果，龙窑恰好具备这种烧成工艺所需要的特质，即快速烧成、冷却，符合还原气氛的工艺需求。

即使如此，用龙窑烧制青瓷仍存在一些难以克服的缺陷，所以后来逐渐被倒焰窑替代。

龙窑烧制青瓷的缺点主要可归纳为以下三个方面：

1. 窑内温差很大

前后及上下温差都很大。窑内燃烧的火焰一直处于平流状态，前后温差很大，特别是窑头与窑尾的温差往往可高达80℃，有时会更高；匣钵柱体上、中、下的温差也不小，其差别往往能够达到30℃～50℃之间，置于下部的2～3只匣钵内制品经常出现生烧现象。因此，在传统龙窑烧制的青瓷中虽也有佳品产生，但大部分青瓷制品的釉色既不一致也不理想。除了烧成气氛等因素外，温差也是其中的一个重要原因。

2. 烧成气氛难于控制

龙窑的烧成气氛很难控制，即使严格按计划进行投柴，并注意全窑各处的孔眼启闭规律，形成CO含量高达5%以上的还原气氛，烧成气氛仍然不稳定，波动很大；这对青瓷釉料的发色极为不利，所以常常出现青中带黄的现象。烧制青瓷需经历干燥、预热、烧成和冷却四个过程，这四个过程分别在龙窑的不同位置同步进行。然而从总体上看窑内又是一个相连接的整体，仅靠窑尾后面的闸板掌控整个龙窑的烧成气氛，显然很难达到理想效果。简单说来，就是指青瓷制品在烧成带所要求的还原气氛与在预热带所要求的强氧化气氛互相矛盾，而这种矛盾在龙窑中很难得到完全解决。

一般而言，窑的前部气氛比较容易控制，采用勤投柴的方法，可以保持一定程度的还原气氛，使窑内的CO含量在3%～5%之间波动；在这种气氛下，青瓷的烧成效果是不错的。但窑尾气氛则很难控制，仅靠窑尾出烟室烟道上的闸板，很难准确控制烧成气氛。

3. 烧成曲线不易控制

即使按要求严格控制窑头及窑背各处孔眼的启闭，也很难完全控制升温曲线，所以烧成效果往往不佳。

龙窑的温度和气氛均不易控制，给青瓷的烧成带来了困难；不过，倒焰窑在这方面则显示出了它的优越性。所以，龙泉现在大都使用倒焰窑。目前普遍使用的瓦斯窑也属于倒焰窑。倒焰窑的特点是，火从窑床四角上升，达到窑顶（呈穹隆式）时下降，然后集中于窑床中央的孔道，通过烟囱排出废气。

二、窑具的种类及装窑方法

窑具是制瓷业中非常重要而又常常被研究者忽视的一个工艺环节，这是一个十分重要的基础性工作。窑具是否实用、使用是否方便、所占窑内空间是否合理、吸去窑温的程度如何、放置是否稳固等，都会直接影响烧窑的效果。占用太多窑内空间，产品数量就会相对减少；吸收窑温过多，就会耗费更多燃料；放置不稳，容易造成塌窑；放置的疏密不当，就会影响火焰的流通。

随着窑炉结构的不断改进，窑具也必然产生相应变化；经过长期的工艺实践，龙泉传统窑具的样式不断改进，渐趋合理。

（一）窑具的起源及发展

窑具产生于窑被发明之后，它是伴随着窑业技术不断改进而发展的，针对不同类型的窑和不同类型的产品，出现了各种不同形式的窑具（图1-156）。

人类最原始的陶器烧制，是野烧，没有窑，更没有窑具。窑出现以后相当长的一段时间内，也没有窑具。当时装烧坯件不用匣钵，坯件直接与火焰接触。

我国迄今尚未发现战国时期的窑具，因此可以推测，当时的坯件堆放在窑底部的砂层上与火焰接触，由于窑底部温度低，导致生烧的现象十分严重。截至目前，我国考古发现最早的窑具是东汉时期的。东汉时期，浙江地区逐渐出现窑具，主要是支垫类窑具，如二足支钉垫座、圆形垫饼、束腰形喇叭口垫座、直筒形喇叭口垫座等，不过这些窑具做工都很粗糙。三国时，窑具有了进一步的改进，出现了三足支钉垫座、盆形垫圈等；这类窑具置放比较平稳，做工也比较规整，值得一提的是，这一时期出现的倾斜式束腰形喇叭口垫座，可以插入窑底的砂层中，其斜度与窑底坡度基本平行，从而使火焰可以顺沿窑坡畅延。西晋时，出现了齿口圈形垫座，使用时齿口向下置放于砂层中，上面放置直立式筒形喇叭口垫座，然后将瓷坯直接置放其上；这种方法既平稳又可以调节窑底火焰的流通（图1-157～图1-159）。唐代出现了匣钵，匣钵是一种用耐火泥制成的筒形或钵形的窑具，内装坯件，使坯件与烟火隔开，以避落渣、火刺等烧成缺陷，极大地提高了烧成质量。唐代越窑青瓷之所以有如冰似玉的质感，与匣钵的使用密不可分。匣钵的出现，标志着装载类窑具的发明，将窑具的制作提高到了一个新的水平，是窑业史上的里程碑。唐代以后，烧制方法开始采用匣钵装烧，不再使用以往的明火叠烧，这样一来，以前将坯体叠放在一起装烧而出现的载重问题便得到彻底解决。为了充分发挥匣钵的功能，龙窑的高度也相应增加，唐代龙窑的高度大都在1.6～2米之间，窑炉的利用率得到了提高。匣钵是一种十分理想的窑具，许多以柴、煤为燃料的窑炉至今还在使用匣钵（图1-160、图1-161）。

（二）龙泉传统窑具的类型

龙泉窑具具有很大的创造性。

传统烧制龙泉青瓷的窑具可分为两类：一类属于装载类窑具，用于装载坯件，如匣钵、匣圈等；另一类属于支垫类窑具，用于支垫或支撑坯件，如垫座、垫饼等。

1. 装载类窑具

装载类窑具最有代表性的是匣钵和匣钵圈。

图1-156 各种窑具

图1-157 支垫类窑具

图1-158 支垫类窑具

图1-159 支垫类窑具

图 1-160 匣钵

图 1-161 匣钵

叶宏明、劳法盛、李国桢、查永庆在《龙泉青瓷生产工艺总结》一文中，对龙泉的匣钵所用原料进行了科学分析。研究表明，烧制青瓷所用的匣钵，由 70% 生新岭黏土及 30% 煅烧新岭黏土配制而成，原料的化学成分如下表：

表 1-1 匣钵的化学组成 [7]

原料	SiO_2	Al_2O_3	Fe_2O_3	CaO	MgO	R_2O	灼失
百分比	72.40	22.30	1.20	2.10	1.80	0.54	5.40

从中可以看出，龙泉的传统匣钵中 Al_2O_3 含量普遍不高，而 Fe_2O_3 含量却不低，所以匣钵的耐火度和高温荷重软化温度都较低，这样一来，直径超过 60 厘米的圆形匣钵，在烧成温度达到 1260℃时，极易塌损。所以匣钵直径大都不超过 50 厘米，一般常用的匣钵直径多为 30 厘米，高多为 12 厘米。

龙泉传统的匣钵有平底、凹底两种类型（图 1-162、图 1-163），匣钵的尺寸视所烧制的造型和大小而定。

平底匣钵底部平整，一般装载瓶、炉、壶、觚等较高的器物，视具体情况也可以装笔洗、笔筒、杯盏等较小坯件。一个匣钵装载的坯件数量少则一件，多则四五件不等，合理装满为止。装载采用匣钵仰叠法，即一个匣钵装好后，再叠另一匣钵，继续装。有时为了增加装烧量，将筒、洗、杯、盅等小型器物采用叠烧法，即在一个器物的口部放置盏式垫饼，然后在上面再放置一件器物，以此法有时可摆叠 3～5 件不等，这种装窑方法烧成的器物口沿无釉，露出朱砂色胎质。早期带盖的器物是盖身分烧的，后来盖身合烧，不

图 1-162 平底匣钵

图 1-163 凹底匣钵

仅增加了装烧量，还使盖身更加密合，同时使器物整体的釉色一致。

　　凹底匣钵底部呈半圆形凹进，多装碗、盘、洗、钵等口部外张、造型较宽较矮的坯件。一个匣钵只装一个坯件，采用的是覆叠法，匣钵底部内凹，将匣钵反扣，上置一坯，再反扣一匣钵，再置一坯，如此持续反复操作，直到摞叠至窑顶（图1-164）。凹底匣钵采取覆叠装法的目的是有效地利用匣钵凹进的半圆形和碗、盘类坯件的内空间，使覆盖的匣钵内底伸入到碗、盘的内空间，实际上降低了匣钵的高度，充分地利用窑内空间，有效地增加了装烧量。南宋时期，碗、洗、盘、碟、杯的装烧便是采取此法完成的。

　　为防止烧窑时匣钵表面的砂粒落到坯件上，匣钵内常常涂有一层黄褐色涂料，使钵内表层光洁。为了气体的顺利流通，部分匣钵在靠近底部的位置还特制了两个对称的小孔。可见龙泉陶工对窑具和烧成气氛的研究真是匠心独具。

图1-164　凹底匣钵

　　窑具质量的优劣直接影响装烧数量和烧制品的质量。南宋前期，由于匣钵的广泛运用，装烧量大大增加，但是外底使用的是圆形垫饼，只适合烧制器底很厚且无釉的产品；南宋后期，匣钵内黄褐色涂料的使用，降低了匣钵表面砂粒落到瓷器上的概率，保证了釉面的光洁。各式垫饼被创造性地发明出来，使器体底部得以减薄，除圈足放垫饼外，达到了通体施釉。至元代时，又恢复到南宋前期外底部使用圆形垫饼的方式，又开始在外底使用圆形垫饼，且随着胎层厚度的增加，所使用的窑具品种减少，质量出现了下降的现象。明代中晚期继续沿用元代的方式，外底部无釉，露胎粗糙。

　　2. 支垫类窑具

　　支垫类窑具可分为支撑类窑具和衬垫类窑具两种类型。支垫类窑具的作用有四：第一，减少器物变形；第二，保证火焰与气流畅通；第三，节省窑位，增加装烧量；第四，降低烧成成本。

　　支撑类窑具最有代表性的是汝窑常用的支钉托具（图1-165），但这种窑具在龙泉地区迄今很少发现。

　　衬垫类窑具种类丰富，窑具的式样也随着烧造技术的发展而不断进步，有时还会特制衬垫以满足特殊造型的需要。龙泉的衬垫类窑具大体可分垫座类、垫饼类两种类型。垫座类如泥团、喇叭形垫座等；垫饼类如环形、碟形、盘形、碗形、盏形等垫饼形式。龙泉的传统窑具所用原料基本是就地取材，变化不大，但原料加工与制作方式有所不同。

　　垫座类窑具质地较差，做工较粗，断面处常见粗颗粒石英，吸水率较高。这类窑具原料的化学成分与瓷石原矿接近，其杂质成分极高，应该是制瓷原料的下脚料，或未经淘洗、精选等工艺的瓷石原矿。因其质地较差，一般是一次性使用（图1-166）。

图1-165　支钉托具

图 1-166　垫器　　　　　　　　　　　　　　图 1-167　瓷质垫饼

垫饼类窑具质地较好，绝大部分是轮制而成，做工较细，形制规整，托面平滑，断面致密，吸水率低，烧结程度较好，有的已接近当时的瓷胎，其化学组成也同当时瓷器相当。可以看出，这类窑具的原料已不再是未经淘洗和精选的瓷石原矿了，或者就是用当时的制瓷的原料制作的。垫饼类窑具可反复使用，同时其烧成时，还可以与坯件同时收缩，有效地防止了器物底部变形（图 1-167）。因此，垫饼常用来衬垫带圈足的器物。将通体施釉后的坯件放置于垫饼之上，刮去圈足与垫饼接触面的釉，烧成后器物呈现"朱砂底"和"铁足"，这种方式成就了龙泉青瓷工艺的一大艺术特色。

（三）窑具的装烧方法

装窑是将已放置好瓷坯的匣钵放进窑室内的过程。装窑的状况是否合理，对于升温曲线的控制、烧成气氛的把握、烧成制品质量的优劣等方面都有直接影响，因而对整个烧成工艺的成败至关重要。装窑有以下两个技术要点：

1. 合理排列匣钵

既要注意尽可能利用窑位，使装窑量达到最大值，又要注意有一定的间隔空隙，使窑内燃烧的火焰有一个合理的通路。一般匣钵柱之间较为理想的距离是 5 厘米左右，但在具体情况下，根据窑内的吸火力以及匣钵的尺寸和匣钵柱的高矮，可作灵活调整。匣钵在龙窑内大都是平行排列的，但横排与横排从纵向上看要错开，切忌排列成直通道，要适当利用匣钵柱阻挡火路，在局部范围内形成小倒烟氛围，否则，匣钵不能均匀受热，影响烧成效果。每个钵柱底下的匣钵都须用三块钵脚砖垫好摆成等边三角形。在倒焰窑中，有时采用平行排列，有时则沿着圆周排列；装窑时，匣钵柱间的距离为 8 厘米，匣钵柱距离窑顶的高度为 20 厘米左右。

2. 合理利用窑位

合理利用窑位的前提是熟悉窑位以及制品的烧制特点。一般来讲，龙窑很长，容积很大，以柴火烧窑，火温很难达到全窑完全一致，所以，总有最佳窑位的选择。而最佳窑位一定要让给最期待的作品，有时会被官方所包。可以设想，对烧制工艺要求极其精致的皇宫用瓷，一定要放在最佳窑位。龙泉烧制青瓷的窑很多，但目前为止，并没有十分确切地认定哪一座窑是给朝廷烧制官方用瓷的窑。如此看来，朝廷占用多个龙窑的绝佳位置而不对一座龙窑进行垄断，是因为不同的龙窑具有各自的烧造优势，可以根据需要将不同的瓷器放置在不同的龙窑烧制。由此可见，龙泉龙窑的官窑制度有别于其他官窑制度。

至于龙窑内何处是最佳窑位，不能一概而论。在分析制品的原料性质、了解窑的结构、认识燃料的性能以及熟悉烧成规律的基础上，依靠经验，确认针对不同对象的最佳窑位。曾经有观点认为，由于中段火力强，古代龙窑大匣钵多装在中段，是以龙窑的中段就是最佳窑位。其实，这种观点并不十分全面。从火路设计的思路出发，龙窑的中段应当是燃烧较为充分的区域，温度自然相对高一些。但是，是否温度高就是好窑位？如哥窑的开片纹器，其坯胎含铁量高，所需的烧成温度相对低，所以，对于哥窑器而言，最佳窑位往往是接近窑底的几层匣钵。龙窑窑身很长，烧成的过程中，每个时段，窑内前后上下的火焰强弱和烧成气氛都有很大差别。如何充分利用好每个时段与每个窑位不同的烧成气氛和烧成温度？如何针对不同效果烧制相应的制品？这都是需要深思的。

三、传统施釉与烧成工艺

（一）素烧与施釉的传统技法

1. 素烧

素烧是龙泉青瓷烧造的重要传统工序，这一工序迄今依然普遍沿用。

龙泉青瓷的传统素烧方法，是将干燥后而未上釉的坯件进行低温烧制，素烧的温度一般不超过800℃。未经素烧的坯体强度低，施釉时易碎，且吸水性不强，无法施以厚釉，达不到青瓷的釉质效果。素烧之后的坯体不再存在上述问题，而且由于强度增大，便于装窑（图1-168）。

1982～1983年在龙泉源口乡林场元代窑址的发掘中，发现有四处素烧炉，它们的形制结构基本一致，可以说是龙泉窑长条形龙窑的微缩。其结构也由燃烧室、装烧室和出烟室三部分组成。

任世龙、汤苏婴所著《龙泉窑瓷鉴定与鉴赏》

图1-168　素烧之后的坯体

对上述四座素烧炉的其中一例有一段详细描述："该素烧炉位于第三作坊区的东南角，在砌炉之前，也曾预先建造一个具有前低后高的炉基，较三区作坊遗存地面高了20厘米以上。该素烧炉总长为474厘米，前段宽138厘米，中段宽164厘米，后段宽156厘米。清理时发现拱顶已完全倒塌，用长10厘米、厚3.5厘米、宽7.5厘米～9厘米的楔形砖错缝侧砌，缝隙之间涂填黏土。炉的底面用块状土块铺成，上面再铺一层约2厘米～3厘米厚的砂泥，两侧墙先平砌两层匣钵，其上部再用与拱顶砖规格相近的砖块平砌。头部设有火膛，火膛后壁宽140厘米，火膛长70厘米，火膛底较后壁低25厘米，并在火膛两侧铺有弧曲形的通风道，通风道也是用截断的匣钵圈扣覆而成。尾端设有排烟柱5个，柱子高29厘米，排烟室后壁直接用岩壁断面，在岩壁面与尾墙间嵌6个直径为22厘米的匣钵圈。在素烧炉与作坊遗迹相联系的一侧，即素烧炉北侧中部设有装坯和出坯的进出口，口宽为48厘米，两侧门柱残高分别为21厘米、22厘米。"[8]

传统的素烧窑多是圆形烘炉，往往大件放在下面，小件放在上面。装满窑后，用耐火板盖住烘炉顶部后，先用小火徐徐加热，当温度达到150℃左右时，制品内的机械水和混合水排完；然后以中火加热，当温度达到300℃左右时，制品表面熏上了一层黑色烟灰，此时的制品已完全干燥；再用大火加热，一直烧到制品表面上的炭黑燃尽为止。素烧一般控制在7～8小时之内，如遇大件或特殊制品，素烧时间应适当延长。素烧后的制品，白胎制品呈白色，朱砂胎制品呈浅红色。素烧结束后，制品须冷却至室温才可上釉，否则坯体会开裂。

2. 施釉

龙泉青瓷的上釉方法有很多，最为常见的是浸釉和荡釉，浸釉用于上外釉，荡釉用于上内釉。

浸釉的传统工具设备和操作方法都很简单，即将釉浆盛于一个直径约60厘米、深约30厘米的木盆里，用木棍搅匀，将坯体浸没于釉浆中，然后用细铁条或硬竹片托底将坯体提取出来，放置在预先准备好的坯板上。需要注意的是随着施釉的继续，釉浆的浓度会渐渐变浓，需随时搅动釉浆，并注意加水调整釉浆的浓度（图1-169）。

荡釉的方法也很简单，即用有柄的勺子将釉浆注入坯体内部，适当晃动，待釉浆全部覆盖坯体的内壁后，一边旋转晃动坯体，一边顺势将剩余釉浆倒出。青瓷制品要求内外施釉，一般次序是先内后外，先荡釉后浸釉，而且需等内釉晾干后再施外釉（图1-170）。

图1-169　浸釉

图1-170　荡釉

龙泉青瓷的传统施釉方法还有蘸釉，对器物外部施釉时，常采用这种方法。有时一件器物需要反复多次地蘸釉，施釉工序才能完成。有的器物蘸釉次数多达四至五次。此外，还有对较大的瓶罐内采用浇釉的方式、对雕镶器物采用涂釉的方式，以及现在常用的喷釉在实践中都有应用。

为了获得丰润的釉层效果，龙泉青瓷需要施以较厚的釉层，所以往往需要多次素烧，多次上釉。其过程是：胎坯素烧→首次施釉→第二次素烧→第二次施釉→第三次素烧→第三次施釉→放入窑室正烧。釉层愈厚，素烧与上釉的次数愈多。

据考古挖掘调查，在龙泉窑址中发现的生烧和素烧坯标本上，有厚厚的没有烧的釉，为乳白色粉末状，明显地分为三层或四层。由此看来，当时是经过三至四次的施釉，才制作出了釉层丰厚的青瓷。同时，从釉层均匀、层次分明和每上一次釉所得釉层较厚的情况看，可以肯定大部分器皿是采用器外蘸釉和器内荡釉的方法上釉的，部分器物用淋釉法。这样薄的胎体如果采用多次上釉，就必须经过素烧胎体，以提高强度和增大吸水率。粉青、梅子青釉层丰厚，就是采用多次素烧和多次施釉的方法获得的。

叶宏明、劳法盛、李国桢、查永庆等先生在《龙泉青瓷生产工艺总结》一文中，对龙泉的素烧与施釉方法做了十分细致的总结："为了便于施第二次釉，得到较厚的釉层，并使釉浆能紧附坯体，用浸釉和荡釉法施釉时，第一次釉浆含水量应较第二次稍高。第一次上釉的釉浆比重为1.38，釉浆的流动度为14.8秒，釉浆的含水量为53%。第二次上釉的釉浆比重为1.40，釉浆的流动度为14秒，釉浆的含水量为50%，釉浆的细度都是通过10000孔／平方厘米筛，筛余为0.056%。第一次上釉的厚度在0.5毫米左右，待釉干后，即进行第二次素烧，然后上第二次釉。多次上釉，也是龙泉青瓷传统的方法。经验证明，如果第一次素烧时，温度过低，燃料未能充分燃烧，往往易产生炭素附于坯体表面，不易洗掉，制品表面常有发黑现象，影响产品质量；若素烧温度过高，则降低了坯体的吸水性，烧成后常产生跳釉现象。同时，在素烧时还必须注意升温速度，若升温太快，坯体中水分蒸发过快，坯的收缩过于猛烈，很易产生开裂，造成废品。"[9]

（二）传统烧成工艺

如果说，釉料的配方与施釉方法是青瓷的釉色的基础，那么烧成则是决定青瓷釉色的关键环节，这就是为什么相同的配料和施釉的坯体在烧成后釉色会显现不同品质的原因。釉料的配方与施釉的方法固然重要，但如果烧成的气氛配合不到位，呈色就会相差甚远。

1. 烧窑燃料的选择

烧成工艺中，第一要考虑的是燃料。从《菽园杂记》的记载中可以获知，木柴是古代烧窑的主要燃料。《菽园杂记》中阐述了"用泥筒盛之，置诸窑内，端正排定，用柴筱日夜烧变，俟火色红焰，无烟，即以泥封闭火力，俟火气绝而后启"的烧造过程。"筱"即小竹，这可能就是竹子的枝叶。龙泉盛产毛竹，砍伐下来的枝叶数量一定很大，以之作为烧窑所需燃料的来源之一，是完全可能的。[10]

龙泉青瓷的传统烧制，一向以木柴为燃料，其种类有松木、杉木及硬杂木等。一般而言，松木最佳，有油性，着火点低，燃烧速度快，且松木灰的熔点高，火焰长，含硫量极微，宜于产生还原气氛。但是，也有种说法，认为杉木更适宜烧制青瓷。因为杉木炭疏松，易炭化，而松木炭比杉木炭硬，难炭化；另外，松木含松香，烟太大，易造成烧窑过程中的吸烟现象（图1-171）。

实际上，从现在的研究结果分析，龙泉传统常用的燃料并没有十分严格的选择，而是由松木、杉木和硬杂木等混合而成的。其中多是利用窑场附近山林

图1-171　龙泉窑的木柴燃料

的草木原料，就近选料，就近烧制。无论所用的是哪种木柴，都要保证是干透了的；如果木柴含水分过多，燃烧时会有潮气进入窑内，将会严重影响青瓷釉料的发色效果。特别是在高温还原阶段，大量潮气的进入，很可能会使本应十分亮丽的青瓷釉色变得灰暗。

2. 烧成工艺

青瓷釉的呈色对烧成温度、燃烧气氛、冷却方式的变化极为敏感，即使是同一配方，在同一窑内烧制，不同的烧成气氛，也会出现完全不同的成色效果。南宋龙泉青瓷的釉色之所以有着令人着迷的艺术魅力，与其对烧成技术的熟练掌握密切相关。若温度和气氛控制不当，将直接影响产品呈色与釉质。

下面从烧成温度和烧成气氛两个方面，对龙泉青瓷的传统烧成技术进行分析。

周仁先生等在《龙泉历代青瓷烧制工艺的科学总结》一文中，总结了古代龙泉青瓷的烧成温度：南宋初期，在1180℃±20℃之间；南宋中晚期和明代，在1230℃±20℃之间。[11]

粉青釉的玉质感与其烧成工艺密不可分。从粉青釉的化学成分看，熔融温度为1280℃，但实际上龙泉粉青釉的烧成温度大多只在1230℃±20℃之间，这是正烧温度范围的下限。由于温度偏低，致使釉料熔融不透，釉层中留有大量微小颗粒状的未熔石英和硅灰石晶体，并出现大量的小气泡。这些相在釉中的大量存在导致进入釉层的光线发生散射，致使釉面失透呈现玉质效果。虽然梅子青釉的组成和粉青釉相近，氧

比也差不多，但梅子青釉烧成温度比粉青釉要高得多，还原程度也强，釉熔融程度高，光的透射能力大大加强，釉层的散射现象大大减弱，釉面光泽感强。梅子青釉和粉青釉相比，在相同的烧成温度下，梅子青釉的玻化状态的出现要早于粉青釉。当粉青釉尚处于初级或中级的玻化状态时，梅子青釉已处于晚期玻化状态。实验数据观察表明，梅子青釉的烧成温度在1250℃～1280℃之间。另外，由于梅子青釉铁含量比其他青釉高，釉色显绿，加之釉层丰厚，使梅子青釉的质感类似翡翠（图1-172、图1-173）。

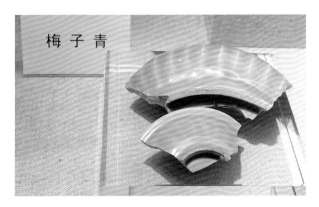

图1-172　梅子青釉

图1-173　粉青釉

古代龙泉青瓷，因为釉层很厚，制品较易变形，为减少变形率，有意适当降低了烧成温度。所以，制品大都没有充分烧结，其显孔隙度介于0.5%～7%之间，处于微生烧状态。而现在的龙泉青瓷，基本处于烧结状态，显孔隙度仅0.14%左右，明显提高了制品的强度。

我们一般所说的强还原、弱还原以及氧化等概念，是就900℃以上时，窑内整体气氛的平均性质而言的。实际上，氧化与还原的气氛，很难以强、弱两字简单概括，有时波动会很大。还原气氛或强些，或弱些，只要整体上处于还原气氛均属正常；但如果控制不好，一旦空气过多进入窑内，就会出现氧化现象，导致青瓷制品釉色泛黄。另外，在窑炉冷却的过程中，也要注意防止出现投柴孔及炉门封闭不严的现象，避免外部的冷空气进入窑内，导致窑内二次氧化现象发生。《菽园杂记》记载，古代在烧成完毕时要"以泥封闭火门，俟火气绝而后启"，这样做主要是为了延缓冷却时间。缓慢冷却，避免釉面太过光亮，使釉质呈现自然温润如玉的感觉，同时又避免了冷空气进入窑内引发青瓷的氧化。

传统龙泉青瓷的烧成工艺，是非常需要经验的。不同的窑，不同的坯釉料，不同的造型，不同的制品，都有不同的烧成处理方式，很难一概而论。

现以倒烟窑为例，分析一般的烧成规律。就一般情况而言，使用由松木、杉木和硬木混合组成的燃料时，倒烟窑的烧制可分为几个时段：第一时段，点火与低温烧的阶段，属于氧化焰时段，窑温大约从室温升至400℃，这时每次投柴的量相对少些，每次投柴的间隔时间也相对长些。第二时段，轻还原焰时段，窑温大约从400℃升至900℃左右，窑内气氛略有些轻还原焰状态，每隔10～15分钟投柴一次。第三时段，重还原焰时段，窑温大约从900℃升至1230℃左右，每隔5～10分钟投柴一次。第四时段，转烧轻还原焰时段，每隔5～10分钟投柴一次。可以看出，烧制阶段基本上是前松后紧。但这只是添柴时段的基本规律，如何控制每个时段空气进入窑内的流量，以及每个时段投柴的量，也是一个十分重要的问题，需要在烧窑

图1-174　火照

时同时考虑。

传统上常用火照观测窑内温度和气氛情况，这是一种简单易行的好办法。火照能准确反映窑内的温度和气氛，现在很多烧窑的窑场仍在沿用这一方法（图1-174）。

第六节　龙泉青瓷的工艺成就

一、独具一格的龙泉窑制瓷工艺体系

龙泉窑的制瓷工艺成就突出地表现在造型与釉色两个方面，而装饰工艺也自有其特点。

龙泉青瓷的釉，丰厚柔润，儒雅沉稳，色似翡翠，质如美玉；龙泉青瓷的造型，做工严谨，样式丰富，犹如玉雕。龙泉青瓷是我国陶瓷工艺的经典之作。

（一）造型工艺

青瓷在成型工艺方面主要有三种方式，一是制模成型工艺。制模的方式主要应用于多角器物，例如，方瓶、六角杯、八角杯、琮式瓶和器物的爪或耳饰部分均可采用制模的方式。用制好的模具将陶泥压制成两片或数片，再拼粘成器（图1-175）。随着社会手工业及机器制造业的发展，制模工艺在陶瓷制作领域应用更加广泛。二是捏塑成型工艺。捏塑的方法常用于各类雕像，例如对人或动物塑像。三是拉坯成型工艺。拉坯成型工艺主要应用于圆形器物的制作，例如碗、盘、瓶、盅等都采用拉坯成型的工艺制成。对一些形体高

图1-175　元代龙泉窑青瓷方瓶

图1-176　民国龙泉窑青瓷龙虎瓶

图1-177　北宋龙泉窑堆塑观音像

图1-178　北宋龙泉窑五叶瓶（狗纽）

图1-179　南宋龙泉窑斗笠碗

图1-180　元代龙泉窑青瓷杯

图1-181　元代龙泉窑执壶

图1-182　清代龙泉窑刻花镂孔笔筒

图1-183　明代龙泉窑烛台

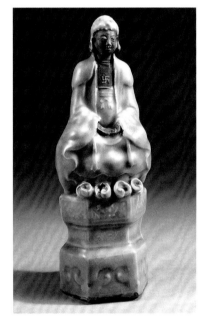

图1-184　元代龙泉窑释迦牟尼佛坐像

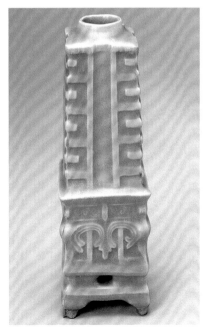

图1-185　元代龙泉窑连座琮式瓶

大的器物，常常分段拉坯然后再镶接成器（图1-176～图1-178）。

龙泉青瓷与人的生活息息相关，几乎渗透在人们生活的各个领域，因此，龙泉青瓷的造型也是更加丰富，在食器方面有碗、盘、杯、盅、壶、钵等；在生活和文房用器物方面有罐、灯盏、香熏炉、笔洗、镇纸等；在室内陈设方面有各种美好寓意的瓶，还有仿人和动物的造型；还有殡葬、祭祀用的器物等（图1-179～图1-184）。而每一种器物又形态迥异，以瓶的造型为例，有文字记载的瓶就有几十种，常见的有梅瓶、凤耳瓶、鱼耳瓶、吉字瓶、琮式瓶、觚式瓶、尊式瓶、弦纹瓶、贯耳瓶以及牡丹瓶、龙虎瓶、龙凤瓶等，其中有许多经典造型为人们喜爱并不断地被仿制（图1-185～图1-187）。南宋时期，著名思想家、文学家、吏部尚书叶适的墓志铭是用青瓷烧制成的，这种为了满足特

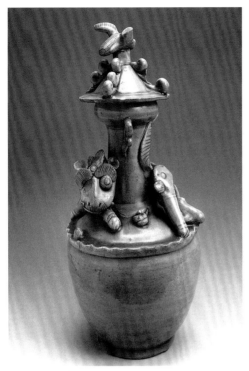

图 1-186　南宋龙泉窑虎瓶

图 1-187　元代龙泉窑缠枝牡丹瓶

殊人的特别需要而进行的有针对性的烧制行为被称为定烧现象。到了元、明时期，定烧现象更为普遍。定烧产出的青瓷具有较强的个性特征，外形不同，样式别致，其中，有许多青瓷成为举世闻名的传世珍品。

　　龙泉青瓷在造型方面取得的成就，尤以南宋时期最为突出。此时的青瓷造型十分丰富，除各类日用器具以外，还有大量文具和陈设器具，样式丰富，格调端庄、雅致。较有代表性的有凤耳瓶、荷叶盘、笔筒、窄沿洗等。这些造型一改以前浑厚单调的造型形式，注重局部的细节处理，增加了造型的美感趣味。如凤耳瓶的设计构思，摒弃了单调的纯直线构成方法，在凤耳瓶的直颈中间添加了两只凤鸟，造型的灵性被凸

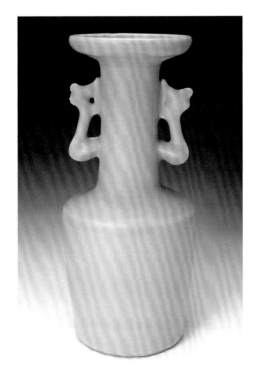

图 1-188　南宋后期龙泉窑凤耳瓶

图 1-189　明代龙泉窑青瓷笔筒

显出来（图1-188）；再如荷叶盘，起伏的口沿，如出水荷叶一般，轻盈委婉；还有龙泉窑烧制的笔筒，造型简洁，线条明快，圆筒的口沿大于底边，比例十分协调，搁置在文房中，尽显儒雅风范，为世人所追捧（图1-189）。

　　另外，有些造型吸收了古代铜器和玉器的风格特点，创造出了新的青瓷造型，如吸取鬲、鼎、觚、尊、琮、贯耳壶、七弦壶等造型特点，制成各种样式的香炉和花瓶，以适应不同社会阶层的使用要求（图1-190、图1-191）。

　　值得一提的还有，工匠师们常常巧妙地运用一些特殊技巧以弥补在烧制过程中出现的缺陷。例如，铝含量低的白胎青瓷在烧制过程中极易变形。针对这一缺陷，工匠们在制坯时，不能把胎坯制作得太薄，但是胎坯太厚会使器物有笨重的感觉，为了解决这些问题，陶工们利用修坯，把不易变形的器口和圈足的底部尽可能地修得薄一些。同时为了防止器物变形或下坍，注意保持胎壁与圈足衔接处的厚度。这样既弥补了胎体易变形的缺陷，又避免了器物笨重的问题。又如对青瓷的底足露胎部分的弥补和修饰。由于器物烧成时需要放置在垫饼的上面，所以器物的底足与垫饼接触的部分不能施釉，但露胎部分在烧成后呈现的白色与青瓷极不协调。为了解决这个问题，工匠们将一些含铁较高的紫金土添加到青瓷的胎料中，烧成后，器物无釉的胎面显现朱黑色小圈，即"朱砂底"或"铁足"（图1-192、图1-193）；它与青釉相互衬托，沉稳和谐。此外，圈足的大小与底部薄厚也处理得极为得体。如碗、杯类器物，圈足较小、底部略厚，器壁呈弧线形向上伸展；而盘、洗类器物，圈足大、底部薄，口沿向外略翻或稍带些边缘，使器物整体趋于完美。另外，盘、洗口部宽边和窄边的处理手法也不相同：宽边的，胎面呈弧形凹下，烧成时通过釉的流离作用，唇面齐

图1-190　元代龙泉窑青瓷香炉

图1-191　民国龙泉窑青瓷菜形瓶

图1-192　南宋后期龙泉窑炉的朱砂底

图1-193　铁足

图 1-194　元代龙泉窑印花双鱼洗　　　　　　　　　　图 1-195　元代龙泉窑福鹿印花盘

平，棱角鲜明；窄边的，胎面平，烧成后釉面微鼓，别具韵味（图 1-194、图 1-195）。

（二）釉色工艺

青瓷发展到南宋时期，提出了更高的审美要求，特别是对青釉的色彩与质感更是挑剔，讲求如冰似玉的效果。达到这种效果有三个重点：一是釉的配制方法，二是施釉方法，三是烧成技术。南宋的龙泉窑在这几方面都达到了很高的水平，特别是薄胎厚釉的特色工艺，采用多次素烧多次施釉的技术，很好地解决了施厚釉的工艺难题，创造出了一种新的审美境界。此时龙泉青瓷釉色青翠，其中粉青釉釉层柔和滋润，釉面略带乳油，呈失透状，色青绿粉润，光泽柔和，犹如美玉雕琢而成，再配以优美的造型，深受人们喜爱；与粉青釉相比，梅子青釉则显得幽深滋润，青翠宜人，并有较强的玻璃质感，光可鉴人。龙泉窑的粉青釉和梅子青釉所达到的艺术成就，堪称中国青瓷釉色的巅峰（图 1-196、图 1-197）。

图 1-196　南宋后期龙泉窑六花口碗　　　　　　　　　图 1-197　南宋后期龙泉窑莲瓣纹盘

龙泉青瓷釉色工艺的成就，主要反映在三个方面。

1. 釉料配方的改进

前文已有阐述，北宋以前，龙泉窑主要使用的是石灰釉，这种釉含钙量较高，高温状态下黏度低，易流动，因此釉层显薄，玻璃质感强，光泽感强。南宋时期开始使用石灰碱釉，这种釉大大提高了 K_2O 和 Na_2O 的含量，而 CaO 含量相应地显著减少，从而降低了流动性，使釉在高温状态下的黏度得到提升。器物的表面由于聚集了一定厚度的釉色而呈现出大气饱满、典雅润泽的风采。用石灰碱釉代替石灰釉，这是在青瓷釉料配方上的一项重大改进。

2. 上釉方法的改变

龙泉青瓷一个重要的显著特征，是由于釉层增厚所呈现出的深沉而莹润的釉色与釉质。为了达到釉层增厚的目的，采用了多次上釉的方法。为了保证多次上釉成功，相应地又采取了多次素烧的方法，以解决由于釉层的逐渐增厚和先前上的釉的吸水性变弱而产生的坯体脱落和损坏等问题，而这一问题只有通过素烧上一次釉的方法得以解决。这一过程是：素烧坯体→第一次施釉→第二次素烧→第二次施釉→第三次素烧（如果需要第三次施釉）→第三次施釉，如果需要，则继续反复此工艺过程，直至釉层达到所希望的厚度，然后放入窑室进行正烧。素烧与上釉的次数愈多，所获得的釉层就愈厚。根据出土的生烧坯，胎与釉的硬度悬殊，分层明显，以及底足胎面的刮釉刀痕锐利毫无毛损等现象分析，南宋时期的龙泉青瓷就经常采用这种办法，在金村、大窑、溪口等地窑址中发现的生烧坯和素烧坯标本，胎呈红色且较硬，厚厚的没有烧成的釉作乳白色的粉末状，明显地分为三层或四层，说明当时已经采用多次上釉的方法来获得一件釉层丰厚的瓷器。然而这种薄胎瓷器如果采用多次上釉，就必须采取素烧工艺来提高胎体的强度和吸水率。

3. 烧成气氛的控制

有效控制窑内的烧成气氛是青瓷烧制的关键，是制品最后的成败所在。青瓷的呈色，与烧成时氧化还原气氛的强弱密切相关，主要原因是青瓷釉料中呈色剂是氧化铁，当氧化气氛时，铁的发色会根据氧化气氛的强弱呈现出不同程度的黄色；当还原气氛时，釉色会根据还原气氛的强弱呈现出不同程度的青色。而且窑的结构、柴的种类和干湿程度，都对烧成气氛和釉的呈色有影响。大量粉青釉色的成功烧制，说明当时的龙泉窑工已掌握了丰富的烧造经验和高超的烧成技术，但是在缺乏先进科学技术的情况下，完全凭借经验进行操作，也有许多失败之例。因此会有紫色、鹅皮黄、芝麻酱、青灰、墨绿、灰黄、蜜腊、淡蓝、青褐等多种釉色夹杂在成品中。其中蜜腊、鹅皮黄、芝麻酱等黄色釉，因其自身特点，也可以说别具韵味，因此，有人认为这是龙泉窑特制的一种产品，并冠以"黄龙泉"之名。实际上，龙泉各地瓷窑址中到处可见到黄龙泉的碎片，它与青瓷混杂地堆积在同一层次中。这种黄龙泉胎骨较松，釉内气泡大，开片密集，质量远不如青瓷，应当是当时龙窑结构和生产条件下无法避免的一种次品（图1-198）。

图1-198　黄龙泉碎片

二、材料和工艺技术与审美观念的结合

（一）独具艺术特色的瓷胎

1. 制瓷原料的变革

制瓷原料一直都是影响和成就龙泉青瓷的重要因素，制瓷原料的成分决定着瓷胎的性质。早期龙泉窑的制瓷原料使用的是单一瓷土原料，原料中氧化硅含量高达 70% 以上，这种高硅低铝原料制成的胎坯抗变形能力低，为了避免瓷胎变形，生产的瓷器的胎壁必须要有一定的厚度。因此，早期的龙泉青瓷胎体厚，造型笨重。

南宋中期，制瓷的原料成分发生了变化，不再是单一的瓷土原料，而是在原来的瓷土原料中加入一定比例的紫金土。由于紫金土中铝的含量高，制胎原料中铝的含量增高后，胎坯抗变形的能力也明显地增强。胎坯抗变形的能力增强这一成果，对于龙泉青瓷的发展可谓意义非凡。首先，胎坯由厚变薄的质变，孕育出精美的薄胎厚釉青瓷，有的胎坯的壁厚仅 1 毫米；其次，器物由重变轻，减轻了制作过程中的繁劳辛苦，既方便运输又节省了制瓷原料；第三，赋予青瓷更丰富的艺术灵感，应和了人们的审美要求。胎料由单一瓷土配方变为瓷土和紫金土混合的二元配方，是龙泉青瓷工艺上的一个重要进步。

2. 制瓷胎色的形成与特点

根据制瓷胎料中含铁量的高低，龙泉青瓷的胎坯可分白胎和黑胎两大类。当胎料中的铁含量低于 2.4% 的情况下，呈白色（略带灰色），龙泉窑中的弟窑就属于这种类型的白胎青瓷。当胎料中铁含量高于 4% 时，经还原焰烧成，胎色灰黑如铁，又称为"铁骨"，龙泉窑中的哥窑就属于这种类型的黑胎青瓷。所谓"紫口铁足"就是这种黑胎经过一些特殊的施釉及烧制工艺，使釉层较薄的器口和器底裸胎的部分呈现出的独具魅力的效果。此外，龙泉青瓷还有一种极特殊的"朱砂胎"，它的胎料中铁的含量介于白胎和黑胎之间。这种胎坯烧成后，施釉部位的胎体呈白色，未施釉的底部，由于铁的二次氧化而呈现橙红色，通称为"朱砂底"。南宋中晚期到元代期间，龙泉窑正是利用这种"朱砂底"的特

图 1-199　元代龙泉窑八角堆龙盘

性，创造了露胎贴花，产出了许多带有各种装饰纹样的盘类器物。纹饰主要有云纹、鹤纹、龙纹、鱼纹及各种花卉纹等。釉色青翠的青瓷在橙红色胎底的衬托下，和谐亮丽；各种装饰纹样在"朱砂底"的映衬下，更加令人赏心悦目，形成了龙泉青瓷的又一艺术特色（图 1-199）。

3. 釉色和瓷胎的颜色相互映衬

根据对历代龙泉青瓷观察，发现不同颜色的瓷胎会成就不同的釉色。人们在现有的胎坯颜色中，为其找寻最为匹配的釉，形成相对固定的生产搭配习惯并流传下来。例如，灰白色的胎坯常常和粉青釉搭配；而与之相比偏白一些的胎坯常常和梅子青釉搭配。有时人们为了追求古朴沉着的艺术感觉，有意识地加大紫金土与瓷泥的比例，使胎坯的颜色变得更灰一些，或者是灰褐色，使胎坯深深地隐藏在里面，尽显釉色

的风采。有学者认为，龙泉青瓷在瓷胎与釉色的选择及处理方式上与北方的青瓷和南方的越窑、瓯窑的影响有关系。不论怎样，龙泉青瓷在瓷胎和釉的选择及处理方法方面均已形成了自己独特的风格。

4.烧成温度低于其他瓷类

这种特性源于紫金土引入胎料之后。人们通过对紫金土的成分及烧成状态研究发现，紫金土在烧成的过程中形成了大量的强力熔剂亚铁，因此，当瓷胎原料中加入紫金土后，胎坯在烧成的过程中，受到自身产生的强力熔剂作用，在相对低的温度下，即可完成自身的烧结过程。所以，青瓷的烧结温度低于其他瓷类源于其胎料的特性。

（二）三种品位极高的釉色

前文已多次阐述，古代龙泉的青瓷釉分为两大类型：一是出现在北宋中期至南宋早期的石灰釉，一是出现在南宋中晚期和元、明时期的石灰碱釉。石灰釉高温状态下的特点是黏度小，易流动，所以釉层薄，玻璃质感与光泽感强。石灰碱釉的特点是高温状态下黏度较大，釉层厚而不流，气泡不致变大，釉色沉稳柔和。所以，石灰碱釉的发现和运用是龙泉青瓷在釉料上具有创新意义的飞跃。

南宋中期紫金土引发的坯料变革，促使胎坯由厚变薄。到了南宋晚期，薄胎厚釉盛行，釉层的厚度比以前大大增加，一般都在0.5～1.5毫米之间（图1-200），由于烧成温度和气氛掌握得恰到好处，厚釉青瓷的釉层呈现较深的青色，似碧玉般浑厚饱满，如翡翠般丰润儒雅，效果十分美妙。龙泉青瓷釉有很多充满魅力的釉色，如粉青、梅子青、月白、豆青、蟹壳青、纹片釉等，其中最具特色的要属粉青釉、梅子青釉和纹片釉。

粉青釉是龙泉窑引以为豪的釉色之一，出现于南宋晚期，属石灰碱釉。与以前的石灰釉相比，釉

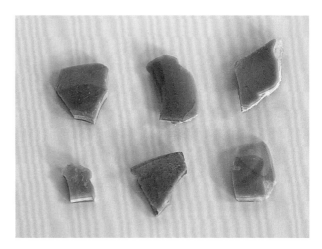

图1-200　龙泉青瓷釉厚度

中助熔剂总含量已降到14%左右，比早期的青瓷釉低了很多。这样一来，需要达到1280℃以上的温度才能使这种釉完全熔融，但实际上我们看到的梅子青釉的烧成温度只有1230℃±20℃，在这种偏低的温度下，釉料因熔融不透出现的显微结构，使釉质出现了亚光效果。这实际上是南宋陶工的一种创造，是为了使青瓷釉具有玉器般的质感而有意采取的一种技术措施。从粉青釉的显微结构来看，也与早期青瓷釉完全不同。釉层中存在着大量残留石英和硅灰石，它们的尺寸很小，多在10微米以下。这些小颗粒晶体的大量存在，使光线不易穿透釉层，从而使釉层的透明感大大降低。再加上釉层中存有大量气泡，使得釉面的玻化程度较差，这就是粉青釉玉器般质感形成的重要原因。

梅子青釉是与粉青釉同时出现在南宋晚期的一种釉，在化学组成上也属于石灰碱釉，但其显微结构却与粉青釉大不相同。相比粉青釉，梅子青釉熔融较透；除偶尔发现有类似钙长石形状的晶束出现在胎釉的中间层外，釉层中很少发现钙长石结晶相，也很少发现有残留的未熔石英颗粒，虽有气泡出现，但数量很少。这种显微结构使釉面具有了较强的光泽感和玻璃质感，釉层也因此清澈透明。从烧成温度上看，梅子青釉需要较高的烧成温度和较重的还原气氛，在这种烧成条件下，釉中Fe^{2+}的含量与其他青釉相比要高，釉色也更绿。釉层越厚，釉质表现得越好，青翠欲滴，令人爱不释手。

纹片釉，是龙泉黑胎青瓷釉、传世哥窑釉、南宋官窑釉以及景德镇明清时期所制的仿官、仿哥和"碎器"

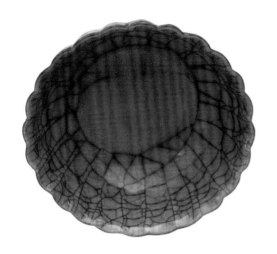
图1-201 金丝铁线

图1-202 龙泉窑青瓷冰裂纹

所具有的共同特征。釉面出现纹片本来是一种缺陷，它是由于胎釉膨胀系数相差过大，使釉面发生了裂纹而产生的。宋代陶工巧妙地利用这种缺陷，将其作为装饰的一种特殊手段，展现了一种特别的美。通过特殊的工艺处理，还可以通过控制裂纹的大小和疏密，再经浸色，即可得到"金丝铁线"的艺术效果（图1-201）。开片的裂纹非人力所致，其纹理常常出人所料，虽无一定的规律，但很有自然之韵律，且绝无相同的开片纹理，如同天地所造。较为常见的纹片釉有冰裂纹、蟹爪纹、牛毛纹、流水纹、鱼子纹、鳝血纹等。其中冰裂纹多呈几何形，裂纹极碎者号称"百圾碎"，层层叠叠的痕纹纵横交错，极富美感（图1-202）。

（三）两种精美的青瓷器

从13世纪开始，龙泉窑主要生产两种精美的青瓷器：白胎厚釉青瓷和黑胎厚釉青瓷。

1. 白胎厚釉青瓷器

一般认为，龙泉白胎厚釉青瓷是在南宋官窑制作工艺的基础上发展起来的，属弟窑类青瓷。这类瓷器的胎壁比黑胎青瓷厚，胎质细腻坚硬，玻化情况良好。通过化学分析，胎中氧化硅的含量较高，达69%～74%，而氧化铝的含量较低，为18.36%～23%，氧化铁为2%～2.5%。由于胎料中紫金土的用量少，氧化铝和氧化铁的含量低，所以胎较厚，胎色白中泛灰，因而加深了釉的色调，使之呈现美丽的翠青色。釉的化学组成也有差异，釉中铝、钙的含量比黑胎青釉中要低；胎釉的膨胀系数接近，结合烧成温度和冷却速度控制恰当，多数青釉釉层光洁不开片。且釉层丰满，一般都上釉三次，多的达四次，厚度为0.5～1毫米，最厚的达2毫米。又由于白胎青瓷瓷胎色白，所以釉色青翠，有的如碧玉，有的似翡翠，如粉青釉、梅子青釉等。

2. 黑胎厚釉青瓷器

一般认为，黑胎厚釉青瓷器属于哥窑类青瓷器。考古发现，黑胎厚釉青瓷的残片主要分布在大窑新亭、杉树连山、溪口瓦窑垟、亭后山、牛头颈山等地，在上述瓷窑遗址中，未发现有独立的烧制地点，所发现的黑胎厚釉青瓷的残片亦都是与白胎青瓷混杂堆放在一起，其中，以溪口瓦窑垟出土的数量最多，品种最为丰富，质地也好。

黑胎厚釉青瓷造型优雅，制作精细，胎中氧化硅的含量比白胎青瓷少，在66%左右，而氧化铝的含量高达25%～29%，个别达32%，所以坯体比历代龙泉青瓷都薄，大部分瓷坯厚度仅为1毫米左右，器物的口沿和圈足的边缘更是薄如蛋壳。只有觚类的器物，因器身高，负荷大，支撑点小，所以坯体下部厚实；同时觚、尊等是模仿商周青铜器的陈设瓷，胎壁厚实能给人以庄重之感。黑胎厚釉青瓷胎质细密坚实，由于瓷坯中铁含量达 3.5% ~ 5%，烧成时还原气氛较强，胎色大多灰黑如铁，俗称"铁骨"。若施以透明性强的青釉，则显凝重的青光；若施以粉青色釉，则色泽柔和，没有浮光。釉层的厚度往往超过瓷坯的胎壁，为了达到厚釉的目的，需要上三四次釉，并因此创造出多次素烧多次上釉的工艺。由于胎色对釉起着衬托作用，所以胎色越深，釉色也随之加深。釉中普遍有开片，开片有疏有密，常见的情况是：釉层较薄的口沿和转折处以及黄色釉中，裂纹细密，釉色清澈，釉层丰厚之处开片较少。器物的口沿多数呈老黄色，形成这种颜色的原因是施釉和烧成时，

图 1–203　龙泉窑黑胎厚釉青瓷

器口上仰，釉汁下流，致使釉层薄而碎裂，在胎色的衬托下，就变成碎块状的焦黄和奶白相杂的黄色。这种老黄色，在器物的转折处和凸起的棱脊上也常可见到。此外，有盖的器皿如盖碗、盖钵、盖罐、盒和壶，以及两件叠烧的器皿如杯、盅等的口沿，都露紫胎，通称"紫口"。薄胎厚釉，紫口铁足，釉层有开片，是黑胎厚釉青瓷的特征（图 1–203）。

龙泉窑白胎青瓷和黑胎青瓷的烧成，凝结着制瓷匠师们无穷的智慧和辛劳，是我国瓷业史上一项杰出的成就。

注释

[1]陈万里：《瓷器与浙江》，中华书局，1946 年，第 51 页。

[2]浙江省轻工业厅：《龙泉青瓷研究》，文物出版社，1989 年，第 136 页。

[3]宋应星：《天工开物·陶埏》。

[4]陈万里：《瓷器与浙江》，中华书局，1946 年，第 68 ~ 69 页。

[5]龚鉽：《景德镇陶歌》。

[6]浙江省轻工业厅：《龙泉青瓷研究》，文物出版社，1989 年，第 121 页。

[7]浙江省轻工业厅：《龙泉青瓷研究》，文物出版社，1989 年，第 227 页。

[8]任世龙、汤苏婴：《龙泉窑瓷鉴定与鉴赏》，江西美术出版社，2004 年，第 14 页。

[9]浙江省轻工业厅：《龙泉青瓷研究》，文物出版社，1989 年，第 189 页。

[10]浙江省轻工业厅：《龙泉青瓷研究》，文物出版社，1989 年，第 117 页。

[11]浙江省轻工业厅：《龙泉青瓷研究》，文物出版社，1989 年，第 123 页。

第二章　磁州窑制瓷工艺

第一节　北方陶瓷的代表

一、历史沿革

据考古资料显示，磁州窑陶瓷烧造的历史可以追溯到8000年至10000年前新石器时代的磁山文化，该文化层出土了最早的夹砂红陶和夹砂褐陶。其后在磁州窑地区又发现了仰韶文化时期的彩陶，龙山文化时期的黑陶，殷商时期的白陶、灰陶以及战国时期的灰陶烧造遗迹。南北朝时期该地区已开始烧造青瓷，出现了施化妆土的青瓷。隋唐时期这里盛产青瓷，在唐代的临水青瓷窑已发现有青瓷向白瓷过渡的迹象，为之后磁州窑化妆白瓷的出现奠定了基础（图2-1）。

宋朝初期，受北方民众的审美取向和陶瓷生产技术进步的影响，陶瓷烧造一度追求瓷器的白度。为了达到一定的白度，北方很多窑场开始生产化妆白瓷。同时磁州窑的工匠们发现了被称为"斑花"（赤铁矿石）的高温颜料，并创造性地将其应用到白瓷的釉下彩绘装饰中，形成了黑白分明的装饰风格，这对宋以后陶瓷装饰工艺的发展产生了深远的影响。宋代出现了资本化趋势与市场化萌芽，在

图2-1　唐代执壶

磁州窑出现了张家造、李家造、刘家造、王家造等带有品牌性的作坊，商业化的生产促进了工艺的变革。生产技术的高度发展与质量上的保障，促进了陶瓷业的繁荣。化妆土技术的运用，丰富了刻划花的装饰品种。色泥、色胎、高温颜料、低温釉料等多种材料的应用，使磁州窑装饰呈现出五彩缤纷的面貌。

自宋代开始，磁州窑陶瓷装饰风格与烧造技术在我国广大区域推广应用，主要有以下几种原因：①类似的原材料分布于我国诸多省份区域，蕴藏量丰富；②化妆白瓷的出现，使单调的白色瓷器装饰增加了数十种新的陶瓷装饰品种，新颖美观的陶瓷品种受到社会各界的认可与追捧；③特别是用毛笔彩绘瓷器的白地黑花装饰技法将中国传统绘画书法艺术与陶瓷装饰艺术相结合，使陶瓷装饰出现类似绘画、书法的视觉效果，体现了中国文人绘画的某些特点，时至今日仍是其他装饰方法无可替代的；④磁州窑泥料可塑性强，适合制作各种类型的陶瓷用品，适应生活、生产各方面的需求；⑤采用以煤炭为主要燃料的馒头窑烧造技术，不断改良匣钵等窑具使瓷器质量提高，产量增大，降低了生产成本。

这一时期，磁州窑的制瓷技术影响到朝鲜半岛和日本地区，朝鲜的"绘高丽"、日本的"绘唐津"等

都受到磁州窑的启发。磁州窑陶瓷还远销到亚洲、非洲、欧洲各国，奠定了其在中国及世界陶瓷史上的重要地位。

图2-2　金时期红绿彩碗

金代，从"靖康之变"至金世宗执政的三十年间，由于政治经济相对稳定，陶瓷手工业得到了一定的发展。在北方游牧民族文化的冲击下，汉族传统的儒家文化发生了较大变化，反映在磁州窑陶瓷上表现为装饰题材更加多样，风格愈发洒脱豪放，出现了民族文化相互融合交流的新颖样式。磁州窑在金代烧制出了"红绿彩"，创造出用釉上颜料装饰陶瓷的新技法，釉上彩绘装饰得到了空前发展，为后来的各种釉上彩绘工艺奠定了坚实基础。这种由大红、大绿、大黄组成的色彩鲜艳的装饰风格，与宋代的官窑、定窑、汝窑、钧窑、哥窑单色釉及窑变釉的风格有着很大差异。正是这种文化的碰撞、糅合，形成了民间艺术以红、绿、黄为主要元素的用色习惯。这种在已烧成的白瓷上进行釉上装饰后，再入窑二次烧造的工艺一直沿用至今（图2-2）。

这期间，磁州窑的三彩装饰技术采用了先高温素烧，再低温釉烧的二次烧成工艺，提高了胎骨的硬度和强度，釉色更加丰富艳丽。在这种新工艺的基础上，又派生出多种色釉装饰品种，如绿釉黑花、绿釉篦纹划花、黄釉黑花、黄釉刻划花、绿釉剔刻花、绿釉黑色泥剔划花等，突破了宋代陶瓷尚青尚白、独尊单色釉的格局，使陶瓷装饰雅俗共赏，更具民间意趣。

元代，由于战争破坏、自然灾害和原材料不足等原因，北方许多窑口逐渐熄火停烧。这时的磁州窑却顺应时局的变化进行自我调整，生产规模反而不断扩大，成为北方大型窑区，这与保障人民生活需求、支撑战争消费、增加政府收益、拓展外销作为产业政策的变化有关。元代中后期，北方地区社会相对稳定，磁州窑产品的销售范围更广，在技术创新和艺术表达上进入到了一个活跃的阶段。拉坯成型技术愈加成熟，产品尺寸越做越大，产量进一步提高。加上当时朝廷对铜铁制品的限制生产，大量的铜铁器皿被陶瓷器皿替代，使得磁州窑陶瓷在产品种类和数量上都得到了进一步的拓展。

元初政府废除科举、禁用汉字的政策动摇了儒家文化的尊严与地位。儒家轻视劳作、轻视商贾的观念受到很大冲击。这一时期，一批有文化有艺术修养的文人为了生存开始进入陶瓷作坊，成为专职画师，陶瓷行业的人员构成发生了较大的变化，这无疑给传统的民间陶瓷产业输入了新鲜的血液，对磁州窑的装饰艺术带来了显著的变化，磁州窑由此迎来了又一个发展的黄金时期。文人传统绘画、书法艺术与磁州窑陶瓷绘画装饰技能紧密结合（图2-3），反映元曲戏剧故事内容的题材增多，陶瓷绘画技法更加娴熟。从元大都出土的陶瓷资料来看，磁州窑陶瓷已为宫廷大量使用。元代青花装饰技法的出现是磁州窑自宋以来三百余年白地黑花釉下彩绘工艺技能铺垫的结果，与磁州窑绘画风格一脉相承。

图2-3　元代凤坛

　　暹罗国王在元大德四年(1300)觐见元朝皇帝时,曾带走磁州窑工匠传授磁州窑烧制技艺,由此创烧出"宋胡录"陶瓷,使磁州窑陶瓷制造、装饰工艺在泰国、印尼、马来西亚等东南亚各国得到广泛传播。

图2-4　明代罐

　　明代,陶瓷在对外贸易方面得到政策上的鼓励。磁州窑陶瓷的出口在北方产区独占鳌头,其产量之大、供应区域之广,皆前所未有,故有"南有景德、北有彭城"之说。国内外市场的扩大,对磁州窑陶瓷的生产发展及艺术风格的延续给予了保障。明代磁州窑又开创出"落沙红"、"翠绿釉"等新装饰技法,白地黑花绘画风格更加简洁概括(图2-4)。彭城镇石鼓山响堂寺内明万历年张应登《游滏水鼓山记》碑文记载:"……而居人万家,皆贩瓮为墙壁。异哉!晨起,视陶陶之家,各为一厂,精粗小大,不同煅冶……岁输御用者若干器,不其甲天下哉!"明嘉靖《彰德府志·建置志》记载:"彭城厂,在滏源里,官窑四十余所,岁造磁坛纳于光禄寺。"《大明会典》也记载:"明代在彭城镇设官窑四十余所,岁造瓷坛,堆积官坛厂,舟运入京,纳于光禄寺。明弘治十一年进贡于皇家之瓶、坛产地在今山西长治市潞城、壶关县一带","明弘治十一年进贡皇家之磁坛达一万一千九百三十六个"。这些记载证实了明代磁州窑为宫廷和民间广泛采用的盛极之况。

　　明代,佛教和道教盛行,大量的佛教、道教建筑带动磁州窑建筑琉璃的发展,造就了一批具有扎实技能的陶瓷雕塑人才,留下了很多珍贵的陶瓷雕塑作品。

　　清代,磁州窑沿袭传统工艺,原料仍以当地大青土为主。碗、盘、大缸、大盆、罐为主要产品,产品销售到长江以北的广大区域。为了适应市场的变化,磁州窑开始生产施化妆土的青花装饰瓷器,并形成一定规模。

　　民国期间,民族工业得以复兴,仅彭城镇就有三百余座窑炉在生产,从业人员过万。在装饰技法上,北方青花成为磁州窑的重要品种,并逐步引进新彩烤花技术。但好景不长,日本侵华战争再度使得彭城陶瓷业受到重创,半数以上的窑场停业,生产萧条。

　　1946年彭城解放后,工业生产得到恢复。磁州窑由过去以生产传统陶瓷为主,逐步发展为采取工业化的生产方式大规模生产日用陶瓷。新中国成立后,磁州窑发展成为全国八大陶瓷产区之一。陶瓷出口创汇为新中国的发展做出巨大贡献,陶瓷成为邯郸地区举足轻重的支柱产业之一。

　　20世纪50年代,周恩来总理提出保护、恢复各历史名窑传统手工艺的重要指示意见,全国各地名窑纷纷组建陶瓷研究机构。中央工艺美术学院陶瓷系为这一重要工程做了大量工作,使得一批有理想、有艺术水准的科技人才,深入并扎根在环境相当艰苦的陶瓷产区,为保护和恢复传统陶瓷艺术而做出了重要贡献。其中中央工艺美术学院陶瓷系的梅建鹰先生,八下磁州窑,深入窑室、操泥制作、教授陶工。陈若菊、金宝升、杨永善、张守智、周淑兰等老师经常到产区做指导,还有魏之驹、李允忠、韩美林、刘珂、朱进都为恢复与发扬磁州窑陶瓷文化艺术付出了艰辛劳动,创造出了高温花釉工艺和高浮雕壁画工艺,设计出了许多新的陶瓷雕塑和日用陶瓷产品。

　　新的艺术理论与新的艺术思维的输入,文化艺术的交流与传授,增强了当地陶瓷从业人员的艺术才能,促进了理论与实践的结合。磁州窑古老的手工烧造工艺,在目的明确、组织保障、梯队合理的健康发展中,呈现出欣欣向荣的景象。优秀的当代磁州窑陶瓷艺术作品,频频进京、出国展览,获奖载誉。进入21世纪,磁州窑烧制技艺被国家文化部命名为首批国家级非物质文化遗产保护项目。

　　磁州窑自古至今千余年来窑火未断，为普通民众生产着各种陶瓷制品，磁州窑的白地黑花陶瓷彩绘艺术具有独特魅力，是我国北方陶瓷的典型代表，其"红绿彩"装饰技法开创了中国陶瓷釉上彩绘的先河。随着磁州窑日用陶瓷大量销往海外，对中国和世界陶瓷的发展都产生了积极影响。

二、磁州窑与磁州窑系

　　磁州窑陶瓷生产主要分布在观台镇、彭城镇（图2-5、图2-6）、临水镇、义井镇、白土乡、都党乡一带。过去常把属古磁州管辖范围内的陶瓷窑场称为"磁州窑"，把其他地方与磁州窑工艺方法、装饰艺术风格相同或近似的窑场称为"磁州窑系"。这是因为它们有许多相同之处：①使用的制瓷原料基本一致；②采用湿坯加工的生产工艺；③利用白化妆土制作瓷器；④采用馒头窑烧制，以煤炭为主要燃料，用氧化焰烧成。

图2-5　磁州窑全景图　　　　　　　　　　　图2-6　彭城东阁

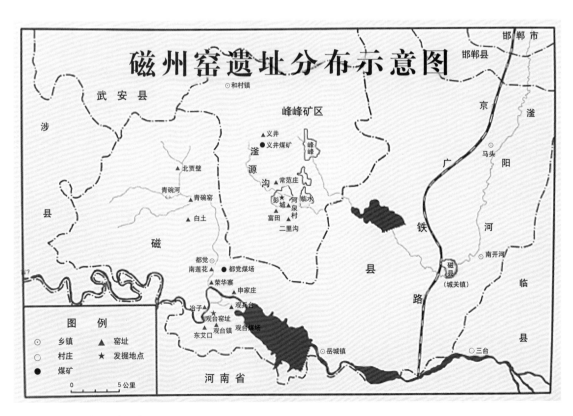

图2-7　磁州窑遗址分布示意图

磁州窑包括现属磁县管辖的观台窑、冶子窑、东艾口窑、寺后沟窑、申家庄窑、荣华寨窑、都党窑、青碗窑、贾壁窑、池上窑等，现属邯郸市峰峰矿区管辖的临水窑、临水三工区窑、火车站窑、体育场窑、彭城窑、大路沟窑、大钟寺窑、西大地窑、三道沟窑、二里沟窑、派出所窑、富田村窑、豆腐沟窑、街王庄窑以及义井村窑、拨剑窑等（图2-7）。

磁州窑系包括：江西吉州窑；内蒙古赤峰缸瓦窑；辽宁东林官窑、辽阳江官屯窑、本溪窑；宁夏灵武磁堡窑；安徽萧县白土镇窑、寿州窑；四川邛崃窑；陕西耀州立地坡窑、黄堡窑、陈炉窑；山东博山窑、坡地窑、磁村窑、临清赵桥窑；山西太原孟家井窑、平定窑、长治窑、介休窑；河南鹤壁窑、登封窑、修武当阳峪窑、密县窑、扒村窑、神垕镇窑、宝丰清凉寺窑、鲁山段店窑、济源勋掌窑、新安城关窑、天禧镇窑等；河北井陉窑、临城窑、定州燕山村窑等。

从以上列举的部分窑址可以看出，历史上的磁州窑以及磁州窑系，无论是其生产规模还是影响范围都是非常大的。

磁州窑系诸窑场的产品也各有特色：河南修武当阳峪窑出产白地黑花、珍珠地、绞胎，扒村窑出产白地黑花瓷器（图2-8），清凉寺出产线条纹罐；山西太原出产红绿彩瓷器，长治窑出产黑花大坛；陕西陈炉镇出产白地黑花瓷，也出产兰花瓷器；山东淄博有鱼

图2-8　白地黑花瓷器

纹大盘和铁锈花瓷器等，不胜枚举。磁州窑与磁州窑系是由无数陶瓷艺人在上千年的发展过程中创造出来的。各个窑场既有相同之处，又有各自的特点，共同打造出了磁州窑系陶瓷艺术这一具有代表性、典型性的卓越品牌。

三、工艺特点

1. 以大青土为主要原材料。各个产区制瓷原料的不同，决定其生产方式和工艺流程也不相同。开采前的大青土矿石非常坚硬，采掘出后摊在地面经过风化变为细碎的颗粒，特别在遇水后，会继续不断地分解而具有黏性。

2. 耙泥淘洗。原料经水耙淘洗后入池沉淀，一般至少需要陈腐三个月以上。泥料的韧性、可塑性有所增强，但由于泥料中的瘠性颗粒较少，所以在拉坯过程中立性较弱。

3. 湿坯加工。从成型到装饰完成，整个过程都要让坯体保持一定的潮湿度。

4. 挂施化妆土。化妆土的应用开创了粗瓷加工的全新工艺，创造出了几十种新的装饰技法，形成了磁州窑独特的艺术风格。

5. 用毛笔彩绘装饰。从传统书画艺术中汲取营养，将书画的技法用于陶瓷装饰，形成了独具一格的陶瓷绘画装饰（图2-9）。

6. 大部分产品一次性烧成，部分釉上彩绘瓷器运用二次烧成

图2-9　元代婴戏纹坛

技术烧制，如红绿彩瓷器等。

7. 将彩绘、刻花、划花、剔花等技法结合运用，形成综合装饰技法。

8. 用馒头窑烧制，以氧化焰气氛烧制（图2-10）。

总之，当地工匠创立了一整套湿坯加工技术和独特的装饰方法，形成了磁州窑陶瓷生产的共同工艺特点。

图2-10 清代窑炉

四、艺术风格

（一）丰富的器物造型

磁州窑烧造数量最多的陶瓷造型：缸、坛、罐、瓮、钵；碗、盘、碟、盅、盏；壶、注、瓶、尊、盆；灯、烛、炉、筒、盒；盂、枕、砚、鼎、杯；以及人物、动物雕塑和儿童玩具、琉璃建筑构件等。其中瓶类又分为梅瓶、玉壶春瓶、荷口瓶、盘口瓶等，罐又分为四系罐、双耳罐、鸡腿罐等众多造型，仅碗、盘类造型样式数量之大、种类繁多都是不胜枚举的。

隋、唐时期典型器物有执壶、钵、罐、碗、盘、豆类等。其中唐代执壶造型最具有代表性，高十几到二十几厘米。造型特点为喇叭口或直口，器身椭圆或直肩，下部略收，肩部出小短嘴，把手连接颈部到上肩部，实心足或内凹足。造型雍容大度，是后来出现的长嘴酒壶、茶壶的基础。唐代钵类器物较多，大到直径二十多厘米，小到直径六厘米左右。造型特点为口略收，钵身向外成优美半圆弧线至足部，底圈足外出或实心足，给人大气饱满的感觉。唐代罐类器物造型圆润丰满，造型特点为广口，口边竖直，肩腹部成弧形，腹部直径最大，足部内凹或出圈足和实心足。如临水窑晚唐黑釉双耳罐（图2-11），体现出唐代人丰满的造型风格。

图2-11 唐代双耳罐

宋代典型器物有梅瓶、瓷枕、玉壶春瓶、荷口花瓶、盘口瓶、六口花瓶、葵口碗盘，以及各种盒类、钵类等。磁州窑梅瓶是宋代最具有典型特征的器物（图2-12），一般高二十至四十厘米，最高的可达七十厘米，直径十到三十厘米。有直足梅瓶和鱼尾梅瓶之分。造型特点多为小口，外反唇或下反唇，宽肩，鼓腹，自腹部向下逐步收拢，平足或鱼尾足，底足内旋。梅瓶器身挺立，外观线条简约而流畅，突出器物口、足与器身的对比感，显得挺拔庄重、娟秀而亭亭玉立。磁州窑瓷枕在宋代最为独特，有箱式枕、

图2-12 宋代梅瓶

图 2-13　宋代高士图纹箱式枕　　　　　　　　　图 2-14　宋代虎形枕

如意枕、豆式枕、荷叶枕、童子枕、虎形枕、狮形枕等几十种新颖的造型样式。箱式枕有六面，上面大下面小，上面四周出边，前面低后面高，左右面相同多为倒梯形，造型沉稳雅致（图 2-13）。如意枕整体像如意头的造型，上部有尖状突出，两腰略收，下边内弧，造型饱满华贵。豆式枕因形得名，上边外弧、下边内弧，整体外观非常像豆类，造型简洁精巧。叶式枕外观优美独特，上面为如意叶形枕面，枕面有较大弧度，下面为较小的五面形枕身，整体造型很像一片飘浮在空中的树叶，给人以遐想。童子枕、虎形枕（图 2-14）、狮形枕等都为雕塑造型，有的生动可爱，有的逼真威猛，形态各异，神态多变。最小的脉枕长度不到十厘米，最大的方形箱式枕长度达到七十多厘米，制作难度非常大。玉壶春瓶造型特点为喇叭状口，直口或外翻口，瓶颈细长，水滴形瓶身，底部圈足向外斜，高多为二十到三十多厘米，造型柔美秀气（图 2-15）。宋代的瓷盒品类齐全，有胭脂盒、镜盒、首饰盒等，造型直径小到两三厘米，大到二十多厘米。造型有荷叶形、莲蓬形、玉璧形、椭圆形等，制作工艺精湛，线条优美大方。宋代茶盏、茶碗、茶钵等茶具造型优美、变化繁多、争奇斗艳；还有装末茶的茶入就有很多样式，小巧玲珑，招人喜爱（图 2-16）。日本、韩国的很多茶具和餐具皆以此造型为基础。宋代器物还有罐、盆、炉以及儿童玩具等。

金、元时期典型器物有白地黑花罐、鱼藻纹盆、扁壶、四系瓶等，很多具有独特的少数民族艺术特征。

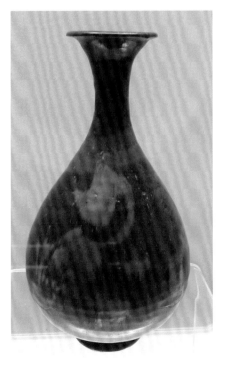

图 2-15　宋代天目釉玉壶春瓶　　　　　　图 2-16　宋代盛茶叶的白釉瓶

白地黑花罐，造型雄壮威严、厚壮敦实。器件最大直径与高度均有四五十厘米。其造型特点为广口，最大直径在肩上部，腹部渐收，内旋足（图2-17）。鱼藻纹盆，在这一时期产量最大，制作最为精良，盆口直径一般为三十至四十厘米，最大直径达六七十厘米，其造型特点为口上有外翻的沿，斜壁，底厚并小于口（图2-18）。扁壶也可以称为马镫壶，造型最具有游牧民族特点，瓶身为扁圆形或扁方形，瓶身上部有二耳或四耳，小口，下出方足或扁圆足。此造型便于携带，可提可挂，功用相当于现代的便携式水壶。四系瓶因其口颈部有四个耳系而得名，其造型特点为瓶身橄榄形，小口，细脖处加四系耳便于提拿，上白下黑增加造型的稳重感。其他造型还有厚唇天目碗、梅瓶、瓷枕、盖罐、钵、盘等。

图2-17　元代磁州窑白地黑花罐

明代典型器物有鸡腿罐、酒海、香炉、梅瓶、各种琉璃陶瓷构件等。鸡腿罐最具有特点，因其外观像一只单腿独立的雄鸡而得名。一般高二十多厘米，直径十几厘米。其造型特点为大口，边口短而直立，罐身上半部分向外鼓起，腹部之下向内收缩延伸到底部，底向外展开，造型挺俊精巧（图2-19）。明代酒坛类造型更加硕大，一般都有六七十厘米高，直径达四五十厘米。随着窑炉和制作技术的提高更出现了高达一米左右、直径达八十厘米以上的大酒海，这些大型酒器不仅为广大民众所使用，还成为进贡朝廷的贡瓷（图2-20）。明代道教、佛教盛行，各种香炉造型层出不穷，方形、圆形、带耳、带足、镂空

图2-18　金、元时期鱼藻纹盆

图2-19　明代婴戏纹鸡腿罐

图2-20　明代酒坛

和雕塑等样式繁多，大小不一，制作精美。明代各种琉璃陶瓷大量应用，各种宫殿的瓦脊装饰，各种神、佛造像雕塑都颜色艳丽，精美异常，造型雕塑功力深厚，处处体现出磁州窑陶瓷工匠们的高超技能。

　　清代典型器物有帽筒、掸瓶、将军罐、瓜棱盒、方盖盒、猫枕等。其中帽筒是清朝所特有的造型。帽筒一般高二十到三十厘米，有圆柱形、镂空六角形等造型，一般立于条几或案头，帽子脱下扣置其顶端。磁州窑掸瓶在清朝中后期大量出现，形制丰富。瓶体有圆形、四方形、六方形等，瓶耳有双蝠耳、双兽耳、双环耳等。高度从十几厘米到六七十厘米不等。造型特点为喇叭口或碗形口，颈部较长并收窄，颈脖部多加两耳，肩部最宽，肩部向下逐步收窄，平底，内凹足（图2-21）。清代瓜棱盒生活气息浓厚，造型像一个完整的扁圆南瓜，盒从中腰处分成盒盖、盒底两部分，盖好后严丝合缝，形象生动美观。清代瓷枕以猫枕为代表，多为正卧姿态，静卧有神，好像已休息完毕伺机而动（图2-22）。

　　民国时期，造型有了进一步的变化，典型器物有掸瓶、和面盆（图2-23）、花盆、烟灰缸、雕塑人物枕等。掸瓶是当时结婚时家家必备的陈设性器物；各种大小、造型不同的陶瓷和面盆、花盆也大量生产；随着现代卷烟的出现，陶瓷烟灰缸也大量生产，因当时采用的是非安全火柴，还设计有火柴擦划的位置。简单的烟灰缸就是一个圆形容器，复杂的烟灰缸集放卷烟、放火柴、放烟灰、擦火柴的位置于一体，精巧实用（图2-24）。民国时期瓷枕的主要表现题材有童女、童男枕，童女枕表现的是一个女童侧卧，单手支头，肘下支几册图书，单脚上抬（图2-25）；童男枕表现的是一男童正趴地上，双臂交叉支头，头上仰，双腿向上翻起（图2-26）。这是人们喜爱儿童，希望儿女成才、身体健康的心理表现。其他造型还有将军罐、笔筒、大海碗、大鱼盘等（图2-27）。

　　现代磁州窑不仅恢复生产出历代传统陶瓷精品造型，更结合新时期的审美观创作出精品灯饰、高浮雕壁画、花釉壁画、雕塑动物、现代陶艺等造型艺术，当代磁州窑艺人古为今用、中外结合、推陈出新，谱写了磁州窑造型创作辉煌的新篇章。

图2-21　清代掸瓶

图2-22　清代猫枕

图2-23　民国和面盆

图 2-24　民国烟灰缸

图 2-25　民国童女枕

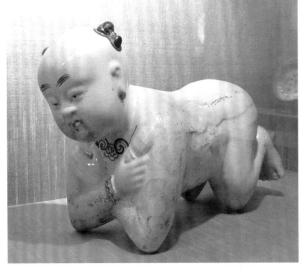

图 2-26　民国童男枕

图 2-27　民国青花鱼纹大盘

（二）独特的装饰风格

历经近千年的发展，磁州窑陶瓷的装饰衍生出了几十种不同的装饰方法，其装饰风格也随着时代的变迁而变化。磁州窑装饰艺术独特的写意装饰风格，是选择湿坯生产工艺的必然结果。湿坯工艺限定了在陶瓷坯体装饰过程中所用时间的间隔。需要在短时间内完成诸多的装饰刻划、绘画工作，保持坯体在一定湿度的情况下及时施釉。磁州窑很多种装饰技法都受到它的影响。

磁州窑湿坯装饰工艺必须遵循快捷的法则，这促使湿坯装饰工艺和写意性绘画语言的有机结合，造就了磁州窑艺人浓缩提炼的表现功力与本领。操作中无论使用何种工具，或毛笔、竹签，或铁笔、刀、管，或刻、划、画、描、剔、雕，要依靠腹稿，挥笔成形，一气呵成，绝不可拖泥带水。熟练的操作技艺形成了磁州窑陶瓷装饰简洁明快、粗犷豪放、大处落墨、率意而为的风格特点。而长期的经验积累，又练就了艺人们手随心动、随思而就的好功夫。那些看似随意的信笔挥毫、任意涂抹、放情表现，实则是有章可循、有法可依，是胸有成竹、意在笔先、点到为止的有意为之。构图上的留白、占位、抢点、勾涂，处处体现了人们对复杂的构图、生动的形象和灵动的线条的掌控能力。磁州窑装饰风格有矩无束、生动活泼、朴素自然，显得大气磅礴、洒脱豪爽。

湿坯制造工艺造就了磁州窑陶瓷装饰的艺术风格。艺人依靠娴熟的技艺，把对美好生活的向往，通过看似信手拈来的写意笔法，运用在陶瓷装饰中。这种依物传情、借象达意的装饰方法，彰显了瓷绘艺人意在笔先、出手无误的深厚功力。

（三）多样的装饰题材

磁州窑陶瓷的装饰题材非常广泛，历史故事、神话传说、吉祥图案、珍禽瑞兽，以及各种人物、动物、山水等应有尽有。其中表现皇权威严的龙凤纹样，在宋、金、元、明、清历代都频繁地应用在磁州窑陶瓷器物上（图 2-28）。同时，表现吉祥富贵的牡丹花纹和表现爱情题材的鱼藻纹、并蒂莲纹、缠枝牡丹纹等也随处可见，体现了人们渴望白头偕老、追求幸福美满生活的美好愿望。

图 2-28　龙纹

为了满足社会各阶层的需求，凡是生活中美好、纯朴、乐观、吉祥，能给人以启迪、能表达人们美好理想的内容，都可以成为陶瓷装饰的表现题材，这是磁州窑陶瓷艺术在装饰题材多样性上的重大贡献。

宋之前的陶瓷装饰，除捏塑装饰外便是简单的篦纹、弧线纹、席片纹、千点纹、戳印纹等单纯装饰。宋代磁州窑陶瓷题材相当丰富，常见的题材有牡丹（图 2-29）、荷花、古钱、龙凤、童戏、鱼、水草等。以表达富贵含义的牡丹花为例就有很多种形式：穿枝牡丹纹、折枝牡丹纹、点画牡丹纹、荷苞牡丹纹、楼台牡丹纹及各种缠枝牡丹等。宋代在碗、盘、壶、瓶等器皿上大量选择牡丹花作为装饰题材，借用牡丹花硕大华丽、珍贵可爱的品质，赋予陶瓷器物"荣华富贵"之意。缠枝牡丹纹，取缠绵不断的连连续续之意表达人们向往长期稳定幸福富足的希望诉求。以荷花为题材的有一束莲（图 2-30）、并蒂莲（图 2-31）、荷叶纹、莲蓬纹、荷花纹、童子执荷纹等。荷，是生长在水中的植物，开花结果为蓬，内有子结果可食。以荷花为题材，一是它花红叶绿，繁茂壮观；二是它生于水中，出水芙蓉格外娇艳，更取它出淤泥而不染的自洁品质，目的是倡导人们洁身自好。童子执莲纹或童子执荷叶纹、执莲蓬纹，都取意其"莲花"的"莲"字的谐音，表达出"连生贵子"的美好期盼。用莲花、荷叶与鱼组合在一起的题材或绘鲶鱼纹的题材，也都取其文字的谐音、喻意，有连年有余、吉祥美好的含义。而选用银锭、古钱纹为装饰题材，则委婉地表现出古人对财富追求的渴望。

图 2-29　宋代牡丹纹如意枕

图 2-30　宋代一束莲纹

图 2-31　宋代并蒂莲纹

金、元时期，比较典型的装饰题材有龙凤纹、鱼藻纹、芦雁纹、鸬鹚纹，以及喜鹊、鹿、虎、花卉等动植物纹样；反映元曲、杂剧、人物故事等题材的纹样也相当丰富。所绘龙凤形象温和、灵活多变、亲善吉祥。鱼藻纹、芦雁纹的普遍使用，寓意鸿雁传书、芦雁传情的美好愿望和憧憬。喜鹊、仙鹤等纹样，则与喜上眉梢、福禄寿喜等吉祥用语相得益彰。陈桥兵变、黄粱美梦、一苇渡江、高僧伏虎等反映元曲、杂剧、人物故事的纹样，像连环画一样绘制到瓷枕、瓷瓶上，丰富了磁州窑陶瓷装饰题材。

除了绘画题材外，书法文字的装饰方法在元代大量使用，表现的内容包括诗词歌赋、吉祥用语，以及谚语、格言、姓名及单字、警句等，是书法艺术与陶瓷艺术结合的典范（图2-32、图2-33）。

图2-32　元代文字枕

图2-33　金、元时期格言纹

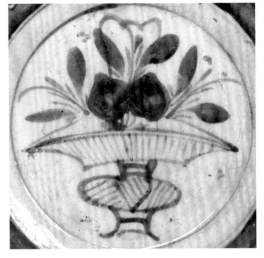

图2-34　清代寿桃花篮纹

明代，装饰题材更加多样，除各种历史题材外，用极简洁的抽象写意手法描绘的人物、花草、飞鹤、天马、玉兔、鱼纹等纹样最为典型，寥寥数笔，形神兼备，美妙绝伦。

清代、民国时期的装饰题材以渔樵耕读、梅兰竹菊、神话故事、戏曲人物等为主，装饰手法更加细腻多样，这与磁州窑大量应用青花装饰工艺密不可分（图2-34）。

从以上各个时期的装饰纹样可以看出磁州窑陶瓷装饰题材的丰富性和多样性。

（四）鲜明的时代风格

磁州窑历代陶瓷都有鲜明的时代特色，在器皿的外观上追求线条简约、灵秀高雅、挺拔庄重，注重生产操作过程中的便捷合理。具体到某件造型的制作中，口、颈、肩、腹、耳、系、把、流、足等，无不在精、

图 2-35 宋代梅瓶

图 2-36 元代鱼藻纹盆

准、细的原则下，严格要求、认真处理。

唐代磁州窑以生产青瓷为主，唐后期完成青瓷向白瓷的转变。唐代器物应用了丰满的弧线，扩张了器皿的容量，造型圆润丰满，彰显了唐代陶瓷器皿大度雍容、高雅尊贵的风姿。

宋代是我国陶瓷技术、艺术相当发达成熟的一个时期，因宋人喜爱书画文化，陶瓷器物造型展现出文质彬彬的气质，是社会崇尚清新高雅的思想反映。陶瓷造型端庄秀美、亭亭玉立，画面风格高雅大气、淡泊明快，是这个时代的造型艺术特征（图 2-35）。

金、元时期，以煤炭为燃料的馒头窑容量进一步扩大，拉坯设备的改进与拉坯技能的提升，使器皿尺度得以不断增大。元代厚实的器物给人以庄重硕大、雄壮健美的感受（图 2-36）。

明代，我国进入一个相对稳定的时期，祭祀用瓷、礼品用瓷和日用器皿都大量生产。老百姓的生活舒适安逸，由于佛教、道教盛行，陶瓷雕塑大量出现这一题材，陶瓷画面风格多表现傲骨飘逸、脱俗出尘的人物形象（图 2-37）。

图 2-37 明代人物罐

图 2-38 民国将军罐

清代，规模宏大的磁州窑产区，保障着长江以北广大区域的日用陶瓷器皿的供应，朴实耐用、方便实用是此时造型的主要特征。但一些观赏陈设用瓷也开始有了追求繁缛华丽的艺术倾向。

民国时期磁州窑陶瓷以兰花碗、盘等生活日用品为大宗制品，其造型朴实美观，结实耐用，画面喜庆、寓意丰富（图2-38）。

纵观磁州窑陶瓷的发展历程，宋代雅俊简约，金代色彩艳丽，元代大气豪迈，明代洒脱霸气，清代繁中求简，近代雅俗共赏，当代追求时尚，都是在不变中求变化，变化中求统一，由此构成了磁州窑不同时代的总体风格。

第二节　工艺材料

一、坯料、釉料、化妆土料

（一）坯料

磁州窑的坯料主要有大青土、二青土、白土、缸土、盆土、笼土（匣钵土）等。

大青土：海成次生黏土。含有植物化石痕迹，外观上呈青灰色，采掘于煤炭的下层。大青土内含有少量的铁、钛、硫等物质（图2-39），因而在氧化焰烧成后，瓷器胎骨呈灰白色。大青土黏性好，可塑性强，储藏量大，便于采掘，易于加工，成瓷热稳定性能强，阻热性好，适合制作生活用陶瓷，是日用瓷的优质坯料（图2-40）。

图2-39　大青土开采

图2-40　大青土原料与加工后泥料

二青土：外观上呈淡青色，其性能与大青土近似。

白土：与青土同层，但不在同一区域，质地较青土坚硬。外观以灰白、灰黄色为主。一般和大青土配合使用。

缸土、盆土、笼土：是指用来制作缸、盆和匣钵的坯料。外观上看有多种颜色相间，俗称五花土。质地坚硬，有较大的粗颗粒，便于大型陶瓷器物的成型制作。

（二）釉料

白釉：传统的白釉有六七种以上。现代使用的釉料主要成分是闪长岩，其外观为白色石块状，质地非常坚硬，需经水碾实施碾压加工成釉水（图2-41）。

黑釉：是黄土层中最优质的一部分。其外观呈暗黄色或绛黄色，质地细腻（图2-42）。

图2-41 白釉土原料与加工后白釉

图2-42 黑釉土原料与加工后黑釉

饴釉：饴釉有两种，一种是用白釉加黑釉调配而成，另一种是用黑釉加草木灰制成。因烧成后釉色呈类似于饴糖的黄色，所以称作饴釉。

低温色釉：黄釉、绿釉、褐釉、红釉、白釉、翠蓝釉、翠绿釉等，都属于琉璃低温釉之类。

除此之外，还有高温花釉等，丰富着磁州窑的釉色品种。

（三）化妆土料

化妆土料：是一种高铝矾土，俗称碱土（图2-43）。采于地下，其外观呈灰白色，原矿质地坚硬，需用水碾粉碎加工制成。

化妆土装饰技术古已有之，最初使用化妆土的目的是遮盖胎骨上的杂质，起到增白的作用，使得制品更加白净美观。磁州窑在瓷胎上施用耐高温的化妆土，最早出现在隋代生产的青瓷上。后来，磁州窑的制瓷艺人们利用化妆土创造出几十种装饰技法。艺人们还用黑褐色的斑花绘料在白化妆土表面作书

图2-43 白化妆土原料与加工后化妆土

画装饰，具有传统水墨画的效果。在白色化妆土基础上，宋代又创造出一种黑色化妆土和褐色泥浆的装饰技法，这些都是在化妆土着色原理的基础上产生的化妆土装饰技法的变种。化妆白瓷是北方陶瓷的主要品种，可以说没有化妆土就没有磁州窑的独特装饰风格。

二、主要原料的产地

大青土、二青土和白土，在地下埋藏的深度一般不超过一百米，储量相当丰富。张家楼、苌家庄、肖河沟、马庄等地储量大一些。大青土的质量，以张家楼土质最好，彭城镇西、彭城镇北区稍次之。

化妆土（白碱）：当地陶瓷业称为"碱"、"碱石"，产地区域较广，羊台村东、义井镇拨剑村、张

家楼村神麋山西坡都有丰富储量。特别是产自义井镇拨剑村的白碱质地白细，距地面较浅易开采。

　　缸土（五花土）：产地分布广泛，其中咎家庄、肖河沟、孙庄、张家楼、何庄、石庙岭、白土镇、黄沙镇等地储藏量非常丰富。

　　耐火土、笼土：这类耐高温的黏土在磁州窑产区内都有开采，储量巨大。

　　白釉（水冶釉）：产自河南省安阳市水冶镇西边的南方山、南屏山、北屏山。

　　黑釉：磁州窑区域内都有出产，以彭城镇西羊角铺村的质量最好。

　　磁州窑陶瓷主要原料大多采掘于窑区周边范围内。邻近地区的储量还很多，尚未开发利用。

三、原材料的开采与制备

　　瓷土是和煤炭伴生的，大多需要到地下开采。过去都是由当地村民利用农闲时自发采掘，采料的工具比较简单，有铁镐、铁锨、斧头、铁钎子、辘轳、油灯、小平拖车、箩筐、麻绳等。开采的难易程度视土井的深浅而定，一般由二人至十二人组合采掘，瓷土靠车拉驴驮运输至窑场（图2-44～图2-48）。近年来由于种种原因瓷土开采几乎停顿，传统陶瓷生产原料的供给出现了当地土难寻的现象。

图2-44　浅层土开采

图2-45　浅层土开采洞口

图2-46　深层土开采

图2-47　深层土井口

图 2-48　瓷土开采示意图

图 2-49　磁州窑原料加工图

图 2-50　耙泥图

图 2-51　耙泥示意图

青土类原料制备方法：瓷土原料进窑场堆放时注意平撒均摊，以便不同时间、不同地点采掘的原料混合均匀。原料堆放好后要不断洒水，促进分解风化（图 2-49）。加工时平摊竖切，取料入耙池，加水转动耙轮（图 2-50）。在不断碰撞与冲刷下，黏土原料分解为细小颗粒悬浮在水中，待其形成一定浓度的泥浆水时，再放浆过笭。泥浆水经过较长的笭沟流入沉淀池内。经数十日沉淀成为大青泥（图 2-51）。随后挖出泥坨放入储泥洞内堆放，需经两个多月的陈腐方可用来制坯。经过陈腐的泥料，在使用前还需用泥铲翻摔数遍，或用脚踩踏、用手揉和，使之软硬一致（图 2-52、图 2-53）。古时加工大青土使用水耙和牲畜耙，现代则用电耙或球磨机。

缸土、笼土、盆土等不需要经水淘洗，直接采用碾压的方式加工。碾碎时，由牲畜拉着一种带有多个凸棱的圆柱形碌子（当地俗称八棱碌子）碾压（图 2-54～图 2-56）并不断地用铁锨翻动土料。碾匀的缸土、笼土用三角杆支撑的大竹筛筛过，细颗粒的留用，粗颗粒的继续碾碎（图 2-57）。现采用破碎机加工。

坚硬的釉料、碱石料多用大水碾碾压加工，这种大水碾多修在河边，靠河水驱动。在碾槽内加入适量的水与料，靠河水流动带动巨大的碾轮（图 2-58、图 2-59）。坚硬的釉料、碱石料在不断的碾压下，慢慢地加工成细的石粉，细小的石粉颗粒顺着笭道随水流入沉淀池。白釉与白碱（化妆土）都适合长期陈腐，时间越久颗粒越细越好用。现在用电碾和球磨机加工。

图 2-53　泥料铲翻加工

图 2-52　泥料沉淀池示意图

图 2-54　泥料踩踏加工

图 2-55　八棱碌子照片

图 2-56　八棱碡子加工泥料示意图

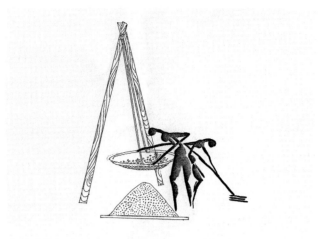

图 2-57　泥料筛选示意图

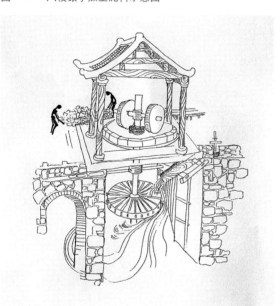

图 2-58　水碾示意图

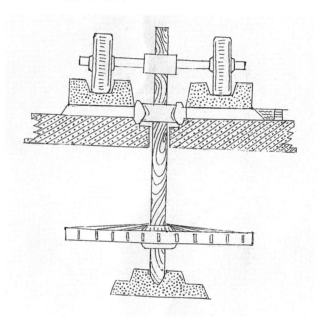

图 2-59　水碾结构示意图

　　黑釉加工：把选好的黄土放入缸中，加水用木板搅动 120 下左右，待水稍静止后，舀起浆液，过 80 目箩筛选，过箩后的黑釉经两个月的囤缸，起到陈腐作用。使用时需随搅随用（图 2-60）。

　　青泥配比：

　　①大青土 70%，白土 30%；

　　②大青土 95%，当地红烧土 5%。

　　缸土料配比：

　　①缸土料 95%，红烧土 5%；

　　②缸土料 90%，熟料 3%，红烧土 5%，沙子土 2%。

　　笼料配比：

图 2-60　黑釉加工图

①笼土 60%，缸土 20%，沙子土 20%；

②笼土 90%，沙子土 10%。

泥料制备虽是泥水活，但必须干干净净，从原料的拣选到整个加工和陈腐过程都必须保持洁净，防止各种杂质混入，各种泥料不能混存混放，以免出现原料混杂交叉"污染"。同时要特别注意泥料干湿度的控制。

四、装饰材料的运用

白色化妆土：磁州窑最典型的装饰工艺材料就是白色化妆土，它能起到使坯体表面增白和更加平整的作用，并通过刻划后产生的深浅变化，达到特殊的装饰效果。化妆土的运用，使磁州窑陶瓷装饰多了几十种不同的表现效果，同时也为书法、绘画在陶瓷装饰中的运用奠定了基础，形成独特的艺术效果。

黑色化妆土：把已加工好的斑花料、青泥浆、黑釉按 5∶4∶1 的比例配制成黑色化妆土。使用方法与白色化妆土相同。

黄色化妆土：在青土矿的开采过程中，矿土缝隙中存在一种地下水冲积形成的黄色高钛黏土，把这种稀少而珍贵的泥料收集起来，经水漂洗就成为一种黄红色装饰泥料，它可以直接当作化妆土敷于坯体表面，也可以刷涂在坯体需要装饰的部位。

斑花碱：是配制的一种特殊的装饰材料，由 95% 碱浆（白色化妆土）和 5% 左右的斑花料调合而成，呈色为褐红或浅朱红色。使用时一般用毛笔刷涂点染到所需部位。

斑花：斑花石是一种赤铁矿，外观类似铁矿石，但它的含铁量低，属于黏土性质的铁矿种类，有时呈页岩状态，有时也以粉状出现。斑花是磁州窑釉下黑色颜料的俗称，是磁州窑釉下彩绘瓷器的主要绘料。

斑花的制备：把大缸侧斜埋在半地下，斑花料与水混合放在缸内，用石杵头来回上下拉动（图2-61），使斑花料在水与杵头的作用下磨成细颗粒，舀出过箩，沉淀成一定浓度就可以应用（图2-62）。

图 2-61　传统斑花石加工示意图

图 2-62　斑花石原料和加工后斑花绘料

磁州窑的工匠们在基础原料不变的情况下，善于运用现有的装饰材料创造出丰富的工艺方法与装饰效果。装饰材料的制备和装饰工艺的应用，为磁州窑装饰技法的丰富多样奠定了基础。

第三节　成型工艺

　　磁州窑陶瓷的大部分产品以实用为主，品种繁多，涉及生活的各个方面。由于品种多，产量大，磁州窑的成型工艺有着多样化的特点，但概括起来主要为轮制和印坯两种，此外还有泥板粘接和手工捏制成型等。

一、轮制成型

　　轮制成型是一种古老的成型工艺，也称辘轳成型或拉坯成型，是圆形器物的主要成型方法。在不同的产区因其传统和习惯不同，使用的辘轳也有所区别，其材质有木质的也有石质的，体积有大有小，驱动方式有手摇的和脚蹬的。

　　磁州窑制坯使用的辘轳一般为石刻的大圆盘（图2-63）。圆盘直径一般为70厘米左右，厚度为20厘米左右，石盘固定在高出地面60厘米左右的竖轴上。在圆盘底面中心有一个轴孔，两侧各有一个边长大约为10厘米的方形固定穿孔。轮盘盘面边缘凿有数个小坑窝，直径大约为5厘米，深大约为3厘米，供拉坯时插入木棍拨转轮盘（图2-64）。由于石轮的体积大，分量重，旋转起来有较大的惯性，很适合当地的生产方式。磁州窑流传着一句话："一把水连三拿"，意思是拉坯工匠拨转一次辘轳，就可以拉成三个碗坯，可见工匠拉坯技艺之精湛。

　　明人张应登在《游滏水鼓山记》中记述："彭城陶冶之利甲天下，由滏可达于京师。而居人万家，皆败瓮为墙壁。异哉！晨起，视陶陶之家，各为一厂，精粗小大，不同锻冶。入室，睹为缸者用双轮，一轮坐泥其上，一轮别一人牵转，以便彼轮之作者，作者圆融快便入化矣。为碗者止一轮，自拨转之，而作亦如是。数之似此作者日千人而多，似此厂者日千所而少。岁输御用者若干器，不其甲天下哉！"

图2-63　石辘轳圆盘

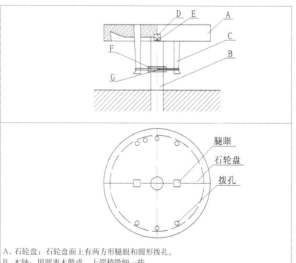

A. 石轮盘：石轮盘面上有两方形腿眼和圆形拨孔。
B. 木轴：用圆枣木做成，上端稍微细一些。
C. 轮腿：用硬木做成方形木棍，用木楔子牢固地固定在石轮中心两边的腿眼中。
D. 脐子：用铁铸成正方形小块，正面中间凸出一圆锥，将方形小块镶入石轮盘底面中心的凹槽中。
E. 窝子：用铁铸成正方形小块，一面中间凹出一圆锥，镶在轴头顶端中心处。
F. 穿子：圆空桶状，外形中间有圆槽，用细青泥高温烧制而成，套在木轴之外。
G. 麻绳：拴在穿子的圆槽内和两个轮腿上。

图2-64　石轮辘轳机结构图

其文简练、明确、形象地描述了磁州窑轮制生产的方式和规模（图2-65）。

拉坯成型的工具除辘轳外，还有揉泥板、水盆、陶制子、切割线和利坯刀等。

磁州窑传统的轮制生产方式以拉坯工序为中心，形成一条分工明确的微型流水线，即供泥→拉坯→利坯三个环节。供泥者称供家，取储泥间已练好的泥料，再度揉练，称为揉泥。揉泥是拉坯成型过程中很重要的一环。供家将揉好的泥提供给拉坯者。拉坯者称为匠人，拉坯者将泥放置在石轮上，手持木棍拨转石轮盘，并通过手掌和十指的协调运作，做出各种器物的造型，之后从轮盘上取下（图2-66）。修坯者称之为旋家，旋家待坯体水分蒸发到一定程度后开始利坯、掏底足，完成粗坯的制作。

磁州窑轮制成型的产品有明显特征：第一是注重器物的内形，一次拉坯到位无须修坯；第二是利坯时一般只修坯体的下半部分和底足，用刀看似随意却有章法，尤其是足心的处理更见功力；第三是器物上保留着手纹和刀纹的旋转痕迹，这是因快速成型和大量生产形成的特点，具有粗犷豪放、质朴浑厚、潇洒自然、不拘一格的精神风貌。

以下介绍几种器物的成型方法：

（一）碗的成型方法

揉泥：由于未经揉过的泥料含气孔、杂质，软硬不一（图2-67），不利于拉坯成型和烧制，所以揉泥是很重要的一道工序。揉泥时双手用力按压揉动数次以便使泥达到软硬、干湿基本一致（图2-68）；一手拨动泥料，一手有节奏地用力下按，使泥团有规律地循环转动（图2-69），在此过程中气体和杂质不断被排出。揉好的泥团，切开后应该没有气孔，均匀平整且细润光滑（图2-70）。

将揉好的泥料放置在辘轳的中心，双手拍按压实（图2-71）。然后将泥把正找平（图2-72），拉出碗的雏形，再慢慢拉成碗形（图2-73～图2-75）。将碗从轮盘上取下时，先用割线分离开碗底和泥座，再用双手取下碗坯（图2-76）。

待泥坯干燥到一定程度后，开始利坯。将半干的碗坯倒置在轮盘或衬托上（图2-77），先预留出底足的厚度，再去掉碗下腹部的余泥（图2-78），逐步利出碗的外形（图2-79），最后旋出足心，青坯碗完成（图2-80）。

图2-65　磁州窑匠人在成型窑洞内拉坯（民国初年）

图2-66　手工石轮拉坯（民国）

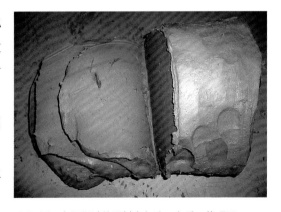

图2-67　未经揉过的泥料含气孔、杂质，软硬不一

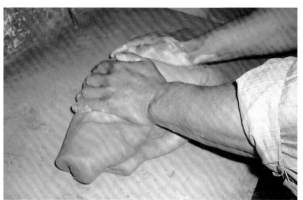

图 2-68 双手用力按压揉动数次

图 2-69 揉泥时一手拨动泥料，一手用力下按

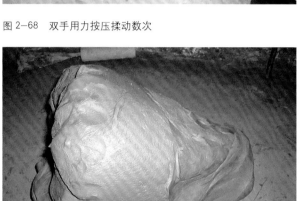

图 2-70 揉好备用的泥团

图 2-71 将揉好的泥料坐在辘轳机之上

图 2-72 将泥把正找平

图 2-73 开中心做成桶状

图 2-74 拉成碗的雏形

图 2-75 成碗形

图2-76 从辘轳机上将拉好的碗坯取下

图2-77 将碗坯倒置辘轳机上或者衬托上

图2-78 先留出底足，然后去掉碗下腹部余泥

图2-79 利出碗的外形

（二）罐类的成型方法

首先将泥团放置在轮盘的中心，拍按压实，把正找平（图2-81）。先拉成空心直筒（图2-82），拉到一定程度后，开始从内向外扩大罐的腹部至所需要的尺度，接着收口拉出罐的口沿（图2-83～图2-86）。最后用割线将泥坯从轮盘上割下，双手取下拉好的罐坯（图2-87、图2-88）。

待其干燥到一定程度后利坯。将坯倒置在衬托的套圈上放平稳（图2-89）。利坯时先平底，然后利掉下部多余的泥料（图2-90、图2-91），做出需要的造型。注意掏底足要自然，不要刻意造作（图

图2-80 最后旋出足心，青坯碗完成

2-92）。

（三）梅瓶类成型方法

与上述碗、罐成型方法大致相同，不再赘述（图2-93～图2-100）。

图 2-81　坐泥后把正找平

图 2-82　先拉成空心直筒

图 2-83　直筒拉到一定程度后开始从内扩大罐的腹部

图 2-84　将腹扩大到所需要的尺度

图 2-85　收口拉出罐的口沿来

图 2-86　拉成后去掉底部一些余泥准备下坯

图 2-87　用割线分离泥坯和辘轳机台

图 2-88　双手取下拉好的罐坯

图 2-89　将坯倒置在衬托上

图 2-90　利坯时先平底

图 2-91　利掉下部多余泥料

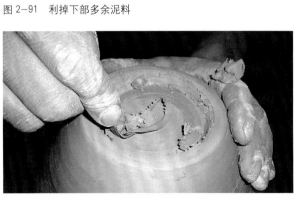

图 2-92　掏底足

图 2-93　坐泥找正提筒后拉成瓶形

图 2-94　收瓶口

图 2-95　拉出梅瓶口沿

图 2-96　用割线分离泥坯和辘轳机台

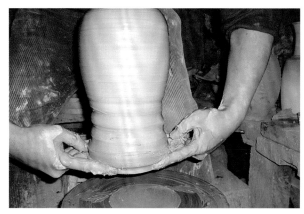

图 2-97　双手将泥胎取下进行干燥

图 2-98　找平底部

图 2-99　利瓶身

图 2-100　利足心

二、拓坯成型

拓坯成型又称印坯或模制成型，也是磁州窑常用的成型方法之一。特点是适用范围广泛，易于掌握，产品规格统一，适合批量生产，除碗、盘、瓶、罐等圆器外，其他异形产品如瓷枕、人物和动物雕塑、建筑构件等，全都可用拓坯方法成型。

拓坯的主要工具为陶范，也称陶模（图2-101、图2-102）。首先是根据产品的样式制作出陶模。陶模的制作和现代陶瓷生产用的石膏模型类似，所不同的是制作陶模所用原料是陶土，成型后还要经过一定温度的焙烧成为陶模，陶模既有一定的强度，又有适当的吸水性。陶模的制作过程如下：制作原胎→分模块线→抹脱模剂→分块作出泥模→素烧→修整→投入使用。

拓坯的具体操作方法：取已揉好的泥料，用手拍成薄饼状，铺抚于陶模之内，然后按顺序将泥拍打延展到陶模的边缘，去掉余泥，修平坯壁。在此过程中要凭手的感觉把握坯体的薄厚。需要合模的要将模型对齐，挤压使之相接部分吻合。等坯体干燥到一定程度，就可以脱开模具，取出毛坯。最后，用刀具修饰接痕和坯面，再洗坯，至此青坯就完成了。

（一）器皿类产品的拓坯方法

以如意枕为例，首先准备好泥料和模范，根据造型大小取适量的泥，拍成泥饼（图2-103）。然后将泥饼放在模范内，用手指将泥贴抚于模壁上，使之薄厚均匀（图2-104），待上下模都完成后，在粘接处刷泥浆（图2-105）。接着合模，将模具压实（图2-106、图2-107），待模范吸收一定的水分，坯体稍干后开模。将泥坯从模范中取出（图2-108、图2-109），先修整，然后洗坯，再扎排气孔，完成青坯的制作（图2-110）。

（二）雕塑类产品的拓坯方法

根据产品大小取适量的泥，揉成类似泥条状，将泥放于模范之中，用手指将泥抚开，每个部位泥料的薄厚靠手指的感觉来控制，将泥拓拍平整到模范的边缘（图2-111～图2-113）。刷上泥浆后合模，用力压紧，注意用手指将内部接口处泥缝按实（图

图2-101 观台出土的带浮雕枕壁的模范

图2-102 观台出土的雕塑类产品妇女抱婴陶范

图2-103 准备好泥料和模范

图 2-104　将泥饼放置模范内

图 2-105　待上下都完成后，刷泥浆水，准备合模粘接

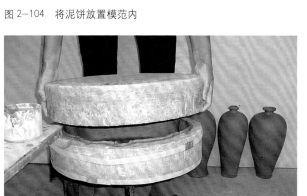

图 2-106　合模

图 2-107　将模具压实

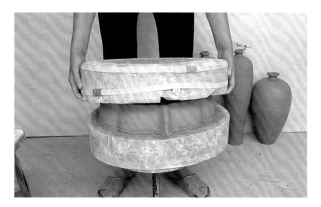

图 2-108　待坯体稍干后开模

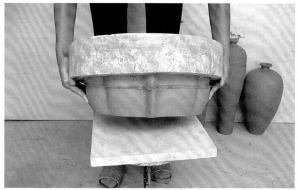

图 2-109　将泥坯取出模范

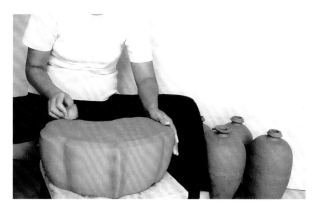

图 2-110　最后扎排气孔，完成青坯的制作

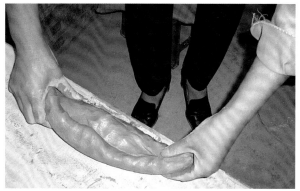

图 2-111　根据产品大小取适量的泥，揉成类似泥条

2-114、图 2-115）。接着做底部需要的泥板（图 2-116），刷上泥浆后（图 2-117），将泥板粘接上（图 2-118），去掉余泥（图 2-119），用手指将缝按实，扎排气孔（图 2-120、图 2-121）。待泥坯稍干至一定强度后开模，取出泥坯（图 2-122、图 2-123）。经过修坯、洗坯，最终完成青坯的制作（图 2-124）。

图 2-112　将泥附于模范之中

图 2-113　将泥平整到模范的边缘

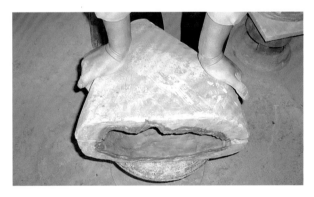

图 2-114　用力压实

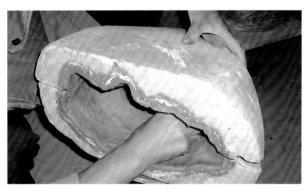

图 2-115　用手指将内部接口处泥缝按实

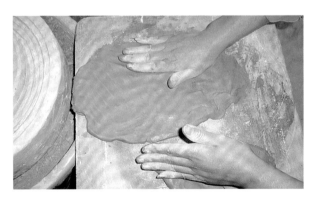

图 2-116　做底部泥板

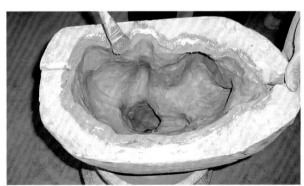

图 2-117　刷泥浆

图 2-118　将泥板粘接上

图 2-119　去掉余泥

图 2-120　用手指将缝按实

图 2-121　扎排气孔

图 2-122　待泥坯稍干有一定强度后开模

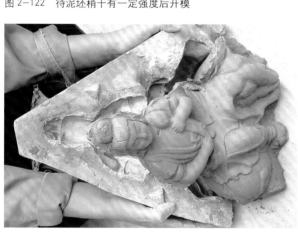

图 2-123　取出泥坯

图 2-124　修坯洗坯

三、其他成型方法

除轮制成型和拓坯成型以外，还有泥板粘接和徒手捏制等。

（一）泥板粘接成型

泥板粘接成型，主要是用于正方形、长方形或几何造型体的成型，有时也和拉坯、拓坯结合使用。磁州窑典型的长方形枕就是用泥板成型法做出来的。

泥板成型的方法：取揉好的泥料，拍打成薄厚适度的泥板，待泥板稍干后，按造型的要求分块剪裁，再用软泥和泥浆粘接成毛坯。最后修整和洗坯，完成青坯的制作。

具体成型方法如下：

以长方形枕为例，将加工好的泥料拍成泥板（图 2-125），再按样板裁成六片（两头，前、后和上、下各一块）（图 2-126）。修整裁好的枕片先从底部开始粘接（图 2-127），一定要将粘接处打毛，接着刷泥浆和压泥条。粘接时先粘两头，然后粘接前后两面，最后粘枕面（图 2-128 ～图 2-132）。每次粘接前都要打毛、刷泥浆、压泥条，以防以后干燥和烧制时开裂。最后将枕体合拢按实，使之成为一个整体。粘枕面时可用工具轻轻敲打，压实粘接处，使之牢固（图 2-133）。之后裁去多余的边角，扎排气孔，成型完毕（图 2-134 ～图 2-136）。

泥板成型和阳模成型结合的成型方法：

以高台如意枕为例，分枕壁和枕面两部分制作，然后粘接起来。这种枕的制作难度比较大。工艺流程如下：首先将裁好的泥板用手围成五角形的空筒，并粘接好边缘，做成底身，接着将底身粘在拍好的底板上，裁去多余泥料，这样高台底座部分就算完成了（图 2-137 ～图 2-139）。然后开始做枕面，取泥料拍成均匀的泥板，将做好的泥板附在准备好的枕模之上（阳模），双手按压使泥板和模具完全吻合，然后沿模具边裁去多余泥料（图 2-140 ～图 2-143）。接着将之前做好的高台底座和枕背粘接处分别打毛，刷上泥浆，压好泥条，把这两部分粘接成一体，再扎出排气孔（图 2-144 ～图 2-149）。最后起模，修整坯体就完成了（图 2-150 ～图 2-153）。

泥板和拓坯相结合的成型方法：

以豆形枕为例，首先用模具拓出枕身，接着拍出枕面和底面两块泥板，但枕面要厚一些（图 2-154）。待泥板有一定强度后先粘底，要注意在粘接处打毛、刷泥浆，并压好泥条，接着去掉多余泥边（图 2-155、图 2-156）。最后粘合枕面，用工具轻轻敲打拍实，再裁掉多余泥边（图 2-157、图 2-158）。修坯、洗坯完成后，扎出排气孔（图 2-159、图 2-160）。

图 2-125　将加工好的泥料拍成泥板（每枕六块）

图 2-126　按样板裁成枕片

图 2-127　先从底部开始操作

图 2-128　将粘接处打毛

图 2-129　先粘接两头，再粘接前后两面

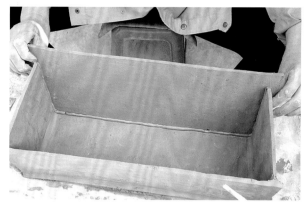

图 2-130　将枕体合拢，按实所压泥条成为一体

图 2-131　刷泥浆

图 2-132　粘枕面

图 2-133　用工具敲打实，粘牢固

图 2-134　粘牢后裁去多余的边角

图 2-135　修整、成型完毕

图 2-136　扎排气孔

图 2-137　将裁好的泥板用手围成空筒

图 2-138　将底身粘在拍好的底板上

图 2-139　裁去多余泥料，高台底座部分完成

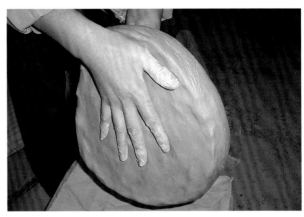

图 2-140　然后取泥料拍成泥板，开始做枕面

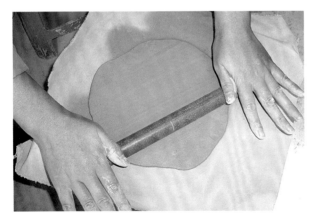

图 2-141　拍成均匀的泥板

图 2-142　将做好的泥板附在准备好的枕模之上

图 2-143　双手按压使泥板和模具完全吻合，然后沿模具边裁去
多余泥料

图 2-144　将高台底座打毛

图 2-145　将枕背粘接处打毛

图 2-146　刷泥浆水

图 2-147　压泥条

图 2-148　粘接成一体

图 2-149　扎排气孔

图 2-150　起模

图 2-151　修整边缘、修坯

图 2-152　洗坯

图 2-153　高台如意枕青坯完成

图 2-154　用模范拓出枕身

图 2-155　待有一定强度后先粘底

图 2-156　去掉多余泥边

图 2-157　最后粘合枕面，用工具敲打

图 2-158　裁掉多余泥边

图 2-159　修坯、洗坯完成后，扎排气孔

图 2-160　制作完成

（二）手捏成型

手捏成型，即不借助模具直接用手捏出动物或人物的造型，然后用硬工具，如梳篦齿等点、刻、划出简单的装饰。捏塑一般都为小件产品。另外，有些器物的钮、把等部分也是徒手捏制，然后粘于器物之上（图2-161～图2-164）。方法是将泥料根据器物的大小搓成泥条，弯成双道，再切成需要的长度，粘在器物的所需部位（图2-165～图2-168）。

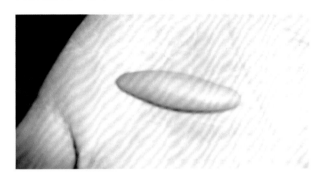

图2-161 取泥搓成小长条状

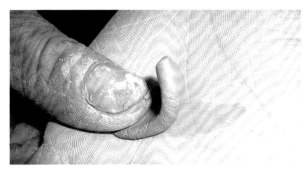

图2-162 用大拇指压成系形

图2-163 粘在器物上

图2-164 粘好的器物

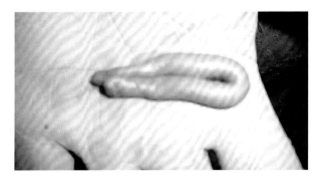

图2-165 取泥根据器物的大小搓成泥条，弯成双道

图2-166 切成需要的长度

图2-167 粘在器物的所需部位

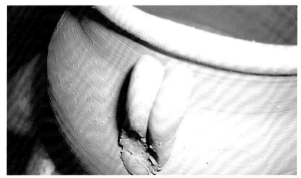

图2-168 粘好的坯体

第四节　装饰工艺

装饰工艺是磁州窑陶瓷艺术的核心，也是磁州窑生产过程中最重要的环节。主要装饰方法有化妆白瓷装饰、黑釉瓷装饰、低温釉陶装饰，其中以化妆白瓷装饰最具特色。

一、化妆白瓷装饰

施白化妆土后经高温烧制出来的白瓷叫化妆白瓷。化妆白瓷的装饰集中体现了磁州窑艺术的风格特点。化妆白瓷装饰的工艺过程是：先施白化妆土，再绘刻装饰，然后再施白透明釉。施白化妆土前，首先检查青坯的潮湿程度，需要凭经验和感觉来把握；然后根据不同的产品造型，决定如何施化妆土，或浇，或浸，或涂，以保证白化妆土挂敷厚薄均匀，具有一定厚度，且坯面平整。

磁州窑化妆白瓷的装饰技法可分为四种：硬笔刻划装饰、毛笔彩绘装饰、综合装饰和其他装饰四种（图2-169）。

（一）硬笔刻划装饰

所谓硬笔刻划装饰，是按装饰的工具来划分的。这种装饰使用的工具以竹木和金属签刀为主，在坯体上刻、划、剔、戳等。利用坯土和化妆土的颜色不同达到装饰的目的，有着层次分明、力度感强的装饰效果。硬笔装饰技法，主要有白地刻划花、白地刻划花罩绿釉、饴釉刻划花、白地剔花、白地剔花罩绿釉、白地黑剔花、白地黑剔花罩绿釉等。另有其他装饰方法的列在综合装饰之内。

1. 白地刻划花

白地刻划花是在施过白化妆土的坯体上，用签子和梳篦等工具刻划出花纹，然后罩透明釉后烧成。细分起来刻划花方法很多，最简单的是用单线刻划，只用签子划出图案纹饰；而大多产品在单线刻出图案后，再用梳篦纹划在纹样内作地

磁州窑化妆白瓷装饰技法分类图

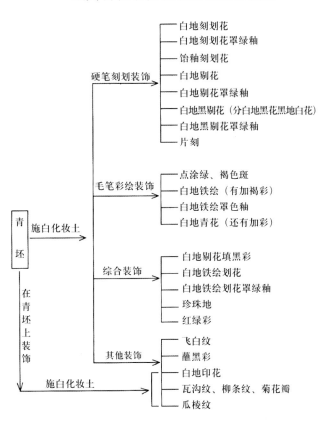

图2-169　磁州窑化妆白瓷装饰技法分类图

纹，来丰富产品装饰效果；也有用梳篦直接刻划出花纹的，运用在刻划过程中起笔落笔和弯转收放的角度变化，形成优美、舒畅、自然的图案花纹。白地刻划花所用工具十分简单，只有签子一支，梳篦一排，但需要深厚的功力才能刻划出自然流畅、刚劲有力、生动潇洒的装饰纹样。白地刻划花技法大量用在碗、盘、盆、钵、瓶、枕等多种器物上，是磁州窑重要装饰方法之一。

白地刻划花装饰制作工艺程序：

以白刻盆施化妆土为例，其生产工艺如下：

施白化妆土。取潮青坯（图2-170），先施器内白化妆土（图2-171），再握紧器物底足部分浸施外部白化妆土（图2-172），晾干待刻（图2-173）。

刻划花纹。先以竹签划出旋线，分出层次（图2-174），在旋线间刻划花纹（图2-175）；再用梳篦在地子部分划出篦纹作为衬底（图2-176），以宽

图2-170 取潮青坯

图2-171 施器内白化妆土

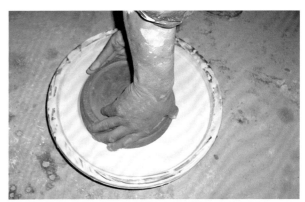

图2-172 施外部白化妆土

图2-173 施完白化妆土后准备刻划

图2-174 先刻划出分层次旋线

图2-175 在旋线间刻划图案花纹

图2-176 用梳篦在地子部分排划

毛笔扫去废渣（图 2-177），形成有肌理的灰面，丰富了装饰效果（图 2-178）。

　　施透明釉。步骤与施白化妆土相同，先施内表面，后施外表面，烧成后刻划花纹完全清晰地呈现出来（图 2-179～图 2-182）。

图 2-177　排划完毕，清扫干净料渣

图 2-178　刻划完毕，梳篦纹的地子形成有肌理的灰面

图 2-179　施里边釉

图 2-180　施外边釉

图 2-181　施釉完毕干燥待烧成

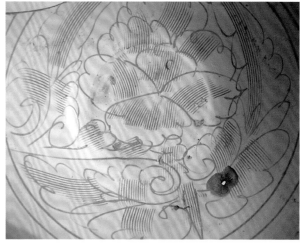

图 2-182　在刻划的花纹内用梳篦纹装饰

2．白地刻划花罩绿釉

白地刻划花罩绿釉和白地刻划花工艺相同，先在白地上刻划花（图 2-183），施白透明釉（图 2-184），之后高温第一次烧成（图 2-185），再罩绿釉低温烧成即可（图 2-186）。多用在枕、瓶之上，绿釉刻划花效果瑰丽大方，别具风格。

图 2-183　在上好白化妆土的坯体上刻划出花纹图案

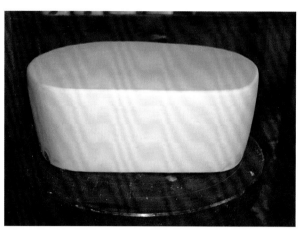

图 2-184　施白透明釉

图 2-185　经过高温烧制的白地刻划花产品

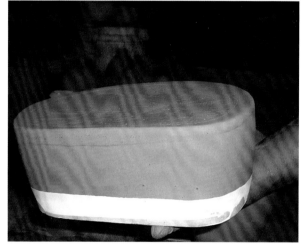

图 2-186　上低温绿釉，入窑第二次低温烧成

3．饴釉刻划花

饴釉刻划花和白釉刻划花的工艺基本相同，只是最后所罩的釉是一种黑釉和白釉按比例混合后的釉，经高温烧成后因釉色精亮透明、色如糖稀（饴糖）而得名。有的产品是将白透明釉和黑釉分别施在刻好花的坯体上，使两层釉叠加，也可烧出同样的效果。饴釉刻划花装饰的瓷器，在透明的糖黄色下显露出含蓄的棕色刻线，耐人回味。以珍珠点为地的饴釉刻划花装饰也比较常见。

以饴釉刻划花梅瓶为例，其生产工艺如下：

施白化妆土。将器物连同托盘一起置于手轮上，一手转动手轮，另一手用盛白化妆土的舀子均匀地浇在坯体上，最后用毛笔扫去器壁最底部的釉层和托盘上滴下的废料。

刻划花纹。步骤与"白地刻划花"的方法相同（图 2-187）。

戳出珍珠点。用细金属管戳出圈形圆点（图 2-188），这种手法需耐心细致，比较费时费工，但有着很好的艺术效果。

图 2-187　刻划花纹

图 2-188　戳珍珠点

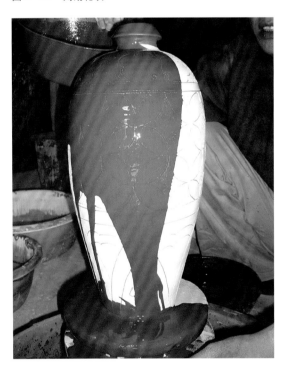

图 2-189　施配制好的釉子完成装饰

施饴釉的方法与前面的步骤相同（图 2-189）。

4．白地剔花

白地剔花是在施好化妆土的白胎上，先刻划出花纹图案，然后用扁平状刀具将花纹以外的地子部分的白化妆土层剔掉，露出胎料，再施白透明釉。用这种方法装饰的器物有罐、瓶、钵、炉、盆、枕、唾盂等。白地剔花利用胎料和白化妆土的不同颜色，形成和谐含蓄的对比效果。

以剔花瓷枕为例，具体工艺步骤如下：施化妆土（图 2-190～图 2-193）；刻划花纹，先打出边线，之后刻花纹（图 2-194），刻划完成后撣去废渣（图 2-195）；剔地，用竹刀剔掉地子上的白化妆土（图 2-196），剔完后清除料渣（图 2-197）；施透明釉（图 2-198～图 2-200）。

5．白地剔花罩绿釉

白地剔花罩绿釉和白地剔花工艺过程相同，只是将烧成的白地剔花产品再施低温绿釉二次烧成即可（图 2-201、图 2-202）。

6．白地黑剔花

白地黑剔花是磁州窑硬笔装饰中很有特色且别具风格的装饰方法之一，在日本称为"黑搔落"。

白地黑剔花的制作工艺：先施白化妆土，在施好白色化妆土的坯体上再施一层以斑花为主料配制好的黑色化妆土（图 2-203），施黑色化妆土和施白化妆土的方法根据造型来定，可以浇、蘸、涂，待稍干后刻划花纹。首先刻划出纹样（图 2-204）。然后用平刀将花纹外的黑色化妆土剔掉，露出下层的白色化妆

图 2-190 取潮青坯

图 2-191 蘸白化妆土

图 2-192 蘸完毕

图 2-193 待稍干后准备刻划图案

图 2-194 先打出边线后开始刻花纹

图 2-195 花纹刻划完后清扫掉坯料渣

图 2-196 用竹刀剔掉地子部分的白化妆土

图 2-197 剔完后清扫料渣

图 2-198　准备施白透明釉

图 2-199　蘸釉

图 2-200　装饰完成

图 2-201　经过高温烧制的白地剔花产品

图 2-202　再上好低温绿釉准备入窑二次低温烧成

图 2-203　稍干后再施黑化妆土

图 2-204　刻划出所要的花纹图案来

图 2-205　用平刀剔掉地子部分的黑色

土（图2-205），剔时用刀要谨慎，稍有不慎就可能剔掉白地露出胎体。完成后清除残渣（图2-206）。最后上白透明釉（图2-207、图2-208），干燥后烧成。用这种方法装饰的产品有瓶、钵、罐、枕、盆等。

　　上述过程足见白地黑剔花装饰的工艺难度。这期间需要工匠全神贯注，精细操作，在似纸薄厚的双层泥土上走线飞刀，施展技艺，真可形容为剥金求玉。白地黑剔花装饰的产品和白地剔花效果大不相同，白地剔花是近乎同类色的含蓄柔和美，而白地黑剔花则以强烈的黑白对比来打动人，成为磁州窑的高档产品。白地黑剔花产品装饰的内容十分丰富，其代表品种有龙纹梅瓶、散点牡丹纹梅瓶等。与白地黑剔花类似的还有黑地刻划花、白地嵌黑线剔花。

　　黑地剔白花的装饰方法与上面的略有不同，其装饰过程比白地黑剔花更为复杂一些。即先在上好白化妆土和黑化妆土的坯体上刻划纹线（图2-209），剔去地子部分的黑化妆土（图2-210），用毛笔蘸斑花料在刻线内填充黑色料，形成镶嵌效果（图2-211、图2-212）；然后用平刀剔掉要剔的黑色化妆土，这样显现出白色花纹和黑色刻线（图2-213～图2-215）；最后罩白透明釉后烧成（图2-216）。

　　白地嵌黑线剔花，是将花纹图案部分的黑化妆土剔掉，形成黑地白花纹的效果。黑地剔白花多采用开光的艺术形式，边角图案花纹用白地黑剔花，开光之内采用黑地剔白花的方法，刻剔出花卉、人物、鸟兽等。

图2-206　清扫残渣

图2-207　罩白透明釉

图2-208　完成装饰

图2-209　在上好白化妆土和黑化妆土的坯上刻划纹线

图2-210　剔去地子部分的黑化妆土

图 2-211　在花纹内镶嵌黑化妆土

图 2-212　全部镶填完毕

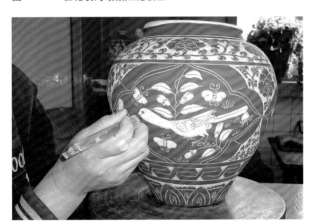

图 2-213　然后用平刀剔掉要剔的黑色化妆土

图 2-214　刻剔完毕清扫干净

图 2-215　全部装饰完成

图 2-216　罩白透明釉

图 2-217　经过高温烧制的白地黑剔花产品

图 2-218　在外面罩低温绿釉，进行第二次烧成

7．白地黑剔花罩绿釉

在烧成的白地黑剔花产品上罩绿釉后低温烧成（图2-217、图2-218）。

8．白地片刻装饰

片刻是磁州窑学习借鉴定窑和耀州窑装饰的方法，定窑和耀州窑是在泥坯上直接片刻，然后上透明釉。而磁州窑根据自己的材料特点，形成两种片刻方法：一种是在潮青坯上片刻出花纹，然后施白化妆土罩白透明釉；还有一种是在施好白化妆土的坯体上片刻，然后罩透明釉。由于片刻时倾斜下刀、运刀，纹样有深浅变化，形成晕染效果，立体感较强。

（二）毛笔彩绘装饰

绘画是磁州窑装饰艺术的主流。用毛笔描绘装饰大体分为两种类型，即点涂与绘画。

1．点涂装饰

点涂装饰属磁州窑早期装饰方法。由于彩绘颜料还没有发展成熟，所以磁州窑工匠将一些含氧化铜、氧化铁的釉料用毛笔点涂在施好化妆土的白坯上，烧成后，化妆白瓷上呈现出绿斑和褐斑等，打破了化妆白瓷通体白色的单调局面。其工艺方法如下：

白地绿斑

在潮青坯上施化妆土，待稍干后罩白透明釉，也可最后罩透明釉（图2-219～图2-221）；再用毛笔蘸用氧化铜和白釉调制的浆料，不规则地点在施过白化妆土的坯体上（图2-222）；然后一次高温烧成。斑点在高温下熔融，向四周流动晕散，在坯体上显现出深浅不同的鲜绿斑片，显得生动自然。

白地褐斑褐彩

在施过釉的坯体上，用较浓稠的褐彩料绘圆点、梅花点，或点绘成麦穗状等简单的花纹（图2-223～图2-225），再高温烧成。

另有一种点涂装饰是明代以后磁州窑的装饰方法，多用于碗类器物，在白釉上有规则地点一圈黑梅花点，或在施白化妆土的碗上涂黑圈，在黑圈内点白梅花点，然后罩透明釉烧成。

2．白地铁绘

白地铁绘，是以毛笔为工具，

图2-219 取出一件湿坯

图2-220 蘸釉

图2-221 蘸釉完成

图2-222 用毛笔蘸色料点斑点，一般都是不规则的斑点

图 2-223 绘梅花点

图 2-224 梅花钵装饰完毕

图 2-225 点麦穗点

以斑花石为绘料，在施好白化妆土的坯体上作绘画和书法装饰，也有的稍加褐彩点缀来调节颜色。白地铁绘也称白地黑花，是磁州窑最具代表性的装饰方法。

磁州窑白地铁绘，是创造性地把中国水墨画笔法和书法的技法，以图案的构成形式运用到陶瓷装饰上，形成了前所未有的绘画性陶瓷装饰风格，是磁州窑陶瓷的一大特色，在中外陶瓷发展史上有着深远的意义和影响。著名陶瓷艺术家、磁州窑专家魏之驗先生曾说过："中国绘画的技巧一经与陶瓷工艺相结合，就形成了独特的中国陶瓷装饰的面貌。"

图 2-226 取青坯

白地铁绘的脱颖而出，以其生产效率高、产品质量好、方法灵活、表现内容广泛、风格独特且颇具文化内涵而成为磁州窑的主流产品。和白地铁绘相类似的装饰还有饴釉铁绘、棕黄地铁绘等。饴釉铁绘是绘画完之后罩一层饴釉；棕黄地铁绘是在潮青坯之上先施棕黄彩色化妆土，然后在其上用斑花料绘画，最后罩白透明釉。

白地铁绘的具体工艺如下：

以铁绘梅瓶为例：先在潮青坯上施白化妆土（图 2-226、图 2-227）；待稍干后彩绘，在彩绘过程中要注意斑花料的浓度适中，运笔要快速流畅（图 2-228），最后罩透明釉后烧成（图 2-229、图 2-230）。

以铁绘开光瓷枕为例：长方形枕是磁州窑的典型产品。施过白化妆土后，先在枕面上画出边框线，这

图 2-227　施白化妆土

图 2-228　稍干后开始绘画

图 2-229　罩白透明釉

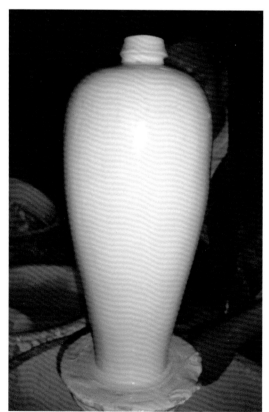

图 2-230　整个铁绘工艺完成

需要相当的功力和技巧（图 2-231）；再画出枕面开光及底面（图 2-232）；接着画出枕心（图 2-233），长方形的枕心一般绘制人物题材或书写诗词歌赋等；枕面完成后，再画出两帮和后面（图 2-234）；最后罩透明釉备烧。

磁州窑的白地铁绘装饰除了花鸟、人物等题材外，还常能见到将诗词、警句、谚语等文字内容用书法

图 2-231　画边框线

图 2-232　边框线完成后，画出枕面开光及底面

图 2-233　画出枕心

图 2-234　枕面完成后，再画出两帮和后面

图 2-235　白地铁绘产品

的形式纳入装饰的，使装饰具有了教化的意义（图 2-235）。

另外，还有一种在白地铁绘的基础上加褐彩的工艺过程：先在施好白化妆土的坯子上用斑花料彩绘（图 2-236、图 2-237），再在适当的部位添加褐色来丰富整个产品的色彩（图 2-238），最后施白透明釉（图 2-239、图 2-240）。在操作过程中要注意斑花料的浓度，以烧成后呈漆黑色为最佳。

3. 白地铁绘罩色釉

白地铁绘罩色釉和白地铁绘装饰工艺过程相同，不同之处是在白地铁绘烧成的产品上，施低温绿釉或翠蓝釉后，再入窑低温二次烧成（图 2-241、图 2-242）。

4. 白地青花

白地绘青花，即青花加彩，是在施好白化妆土的坯体上用氧化钴料绘画，再罩白透明釉烧成，其表现形式很像传统水墨画。这类产品造型很多，有盘、碗、瓶、罐等。白地绘青花还有蓝地开光彩绘，或

图 2-236　先在施好白化妆土的坯子上进行白地铁绘

图 2-237　用斑花料彩绘

图 2-238　在适当的部位加褐色

图 2-239　施白透明釉

图 2-240　完成装饰

图 2-241　经过高温烧成的白地铁绘产品

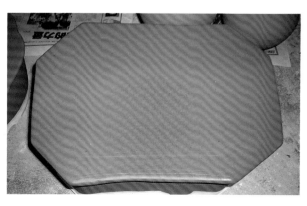

图 2-242　在产品上罩绿釉，再二次低温烧成

罩淡蓝釉和加低温红、绿、黄彩的。

（三）综合装饰

综合装饰，是指在一件产品上采用两种以上方法装饰。在磁州窑的陶瓷装饰中这样情况比较多，如白地剔花填黑彩，是将刻剔和填彩结合；白地铁绘划花，是绘画和刻划相结合；珍珠地是将刻划和镶嵌相结合；红绿彩则是釉下、釉上，高温、低温等多种技法的结合，是最具代表性的综合装饰。

1. 白地剔花填黑彩

白地剔花填黑彩装饰是白地剔花装饰的延伸，是白地剔花后，再用毛笔蘸斑花料将剔掉的部分填成黑色，使产品由白地剔花产生的灰白对比变为黑白对比，视觉效果更加强烈。

其方法是：先施白化妆土（图 2-243、图 2-244），待稍干后刻划出图案（图 2-245、图 2-246），然后剔掉地子部分（图 2-247），接着用毛笔蘸斑花料填涂地子（图 2-248、图 2-249），最后罩白透明釉（图 2-250、图 2-251）。

2. 白地铁绘划花

白地铁绘划花是白地铁绘和刻划相结合的方法。白地铁绘基本采用的是水墨画的技法和笔法；而白

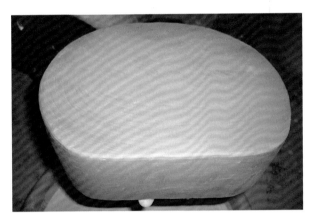

图 2-243 取潮湿青坯

图 2-244 蘸白化妆土

图 2-245 待稍干后进行刻划

图 2-246 先刻划出图案花纹

图 2-247 剔掉地子部分

图 2-248 用毛笔蘸斑花料填涂地子

图 2-249 填涂完毕

图 2-250 罩白透明釉

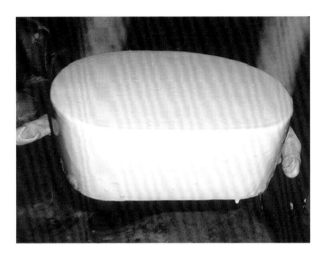

图 2-251 整个工艺完成待烧

地铁绘划花，更多地强调毛笔彩绘图案的影像，更关注图案的整体效果。然后用签子和梳篦工具刻划出图案细部的结构层次，比白地铁绘更具装饰效果。

白地铁绘划花还有一种表现形式，就是用毛笔画出一部分图案花纹，再将含铁颜料均匀地涂在白坯上作地子。然后用竹签、梳篦等工具刻划花纹和处理地子。这种方法多用在枕面的装饰和碗心装饰上。

白地铁绘划花用毛笔和硬笔结合的工艺技法，用画花与刻划表现出不同质感，形成线与面的对比，柔中带刚，既有形象又有力度，有良好的艺术效果，

给人以强烈的美感。白地铁绘划花和白地铁绘一样，便于生产，在产品上运用十分广泛。

以白地铁绘划花鱼纹罐的制作为例：取潮湿青坯（图 2-252），施白化妆土（图 2-253），然后彩绘。先用毛笔简练概括地画出鱼的剪影（图 2-254），要画得有一定厚度，不可太薄，以免烧成后出现杂乱的笔触，再画出水草（图 2-255）；用竹签刻划出鱼的结构，再用梳篦工具划出鱼鳍和鱼尾（图 2-256、图 2-257），清扫掉料渣（图 2-258）；最后罩白透明釉（图 2-259、图 2-260）。

花卉图案的做法是先画出图案影像（图 2-261），再刻划出细部结构，花瓣内刻划梳篦纹（图

图 2-252 取潮湿青坯

图 2-253 施白化妆土

图 2-254 先用毛笔简练概括地画出鱼的影像轮廓

图 2-255 画出水草

图 2-256 用竹签刻划出鱼的结构细部

图 2-257 用梳篦工具划出鱼鳍和鱼尾

图 2-258 清扫掉料渣

图 2-259 罩白透明釉

2-262）；禽鸟的制作工序同上，先画出鸟的图案影像（图 2-263），再用竹签刻划出鸟的细部结构（图2-264）。

白地铁绘刻划花，还有其他更图案化和工艺化的表现方法，如先用毛笔绘出一部分纹样来（图2-265），然后填地子（图 2-266），再用签子和梳篦刻划，最后施白透明釉烧成，产生不同的艺术效果。

3. 白地铁绘划花罩绿釉

白地铁绘划花罩绿釉是延续白地铁绘划花的工艺。将烧成的白地黑绘划花瓷器，施低温绿釉，进行二次低温烧成（图 2-267、图 2-268）。

图 2-260　完成装饰

图 2-261　先画出花卉的图案影像

图 2-262　花瓣内刻划梳篦纹

图 2-263　先画出鸟的图案影像

图 2-264　刻划出鸟的细部结构

图 2-265　先用毛笔画出一部分图案来

4. 珍珠地

珍珠地，也有人称珍珠地刻划花或者珍珠地镶嵌。实际上是将刻划与镶嵌相结合的手法，具有一定的工艺难度。珍珠地镶嵌的装饰产品釉色光亮，用硬笔刻划红色或棕色线纹以及珍珠般的圆圈，用手摸时，感觉通体平整光滑，显得典雅高贵。珍珠地镶嵌装饰工艺，是磁州窑在发展过程中创造性地学习、吸收了金银器的装饰手法，并结合自己的工艺特点而形成的，

图 2-266　填涂地子部分

图 2-267　取烧好的绿釉铁绘划花产品

图 2-268　施低温绿釉，待低温二次烧成

以其独特的工艺和效果，丰富了磁州窑的装饰，深受人们的喜爱。因而，在磁州窑系各产区内竞相烧制。

其制作工艺过程如下：取潮湿青坯（图 2-269），施化妆土，待稍干后刻划（图 2-270、图 2-271）；首先用竹签刻划出图案边线（图 2-272），刻划完成后清扫料渣（图 2-273）；然后用特制的金属管状工具，在地子的部分进行戳点，使之布满全器，形成圆点形灰面（图 2-274）；再将调制好的红棕高温色料镶嵌在刻划的图案线和圆点的戳痕内，填平其凹下去部分，使之基本和坯面持平，镶嵌颜色可用蘸、浇、笔涂等多种方法（图 2-275、图 2-276），最后去掉残留在白地坯胎上的多余红棕色料，剔的过程中注意不要用力过猛，避免将白化妆土剔掉（图 2-277、图 2-278）；最后罩白透明釉，干燥后入窑烧成（图 2-279、图 2-280）。

5. 红绿彩

红绿彩，也有人称为"宋加彩"，是宋代和金代磁州窑繁荣发达时期陶瓷装饰的重大创举。釉上低温颜料矾红的发明和使用，开创了中国陶瓷装饰使用低温颜料的新时代，在中国陶瓷史上具有划时代的意义。

红绿彩是在烧制好的瓷器上，用矾红低温颜料绘画，以低温绿釉点涂，再二次低温烧成，因以红绿色为主而得名。所谓画红点绿是其基本技法，其实它是以红绿为主调，另有浅红、浅绿、黄、蛋青、黑等色，将高温与低温、可绘料与非可绘料综合使用，集磁州窑多种技法于一身，其特点是艳而不燥，丽而不俗，富贵高雅。

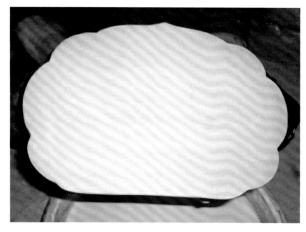

图 2-269　取潮湿青坯

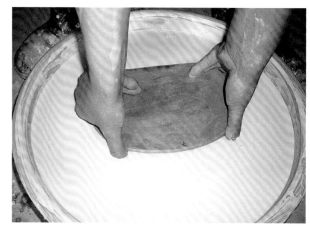

图 2-270　施白化妆土

图 2-271 施好白化妆土的坯体稍干

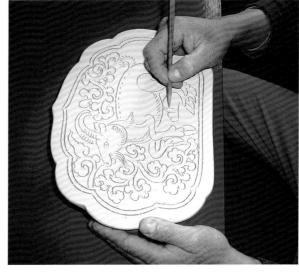

图 2-272 首先用竹签刻划出边线

图 2-273 整个刻划完成

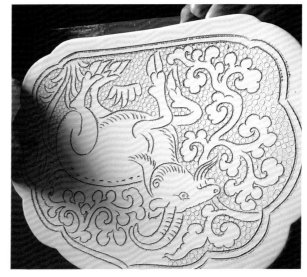

图 2-274 戳珍珠

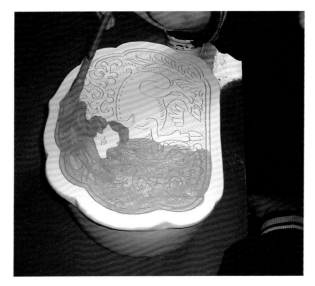

图 2-275 镶嵌颜色可用蘸、浇、笔涂等多种方法

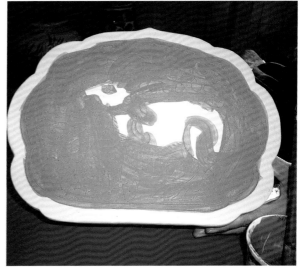

图 2-276 将整个器物有刻线和戳点的地方全填平

图 2-277　用平刀剔去平面上涂嵌的多余色料

图 2-278　刻划镶嵌完成

图 2-279　最后罩白透明釉

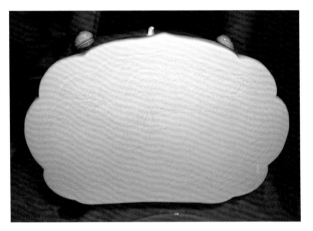

图 2-280　整体装饰完成，干燥后入窑烧成

磁州窑红绿彩按造型可分为器皿和雕塑两大类。

器皿类红绿彩以碗、盘为多，也有瓶、罐、钵等，多以在化妆白瓷上画红点绿为主，也有先高温烧黑彩，然后再装饰红绿彩。红绿彩装饰内容很广泛，有花鸟、动物、人物，也有书画、诗词、警句等。多在碗的边缘内画数条红线，点黄绿点，画图案或书画文字。绘画手法多用于画国画，一般花卉多用写意笔法，用笔起伏富于变化，也有用双勾笔法绘制，花瓣内再用笔蘸红色抹出晕染效果，花叶多用双勾填色，用红色勾出轮廓，内点绿色或加少量黄色，烧成后，黄绿色因流动形成随意自然的效果。生动的纹饰形象，灵活的绘画笔法，有序的色彩搭配，使红绿彩陶瓷具有高雅的艺术效果和强烈的感染力。

雕塑类红绿彩以人物为主，也有小动物等。磁州窑人物雕塑红绿彩形式多样，小到寸高小人，大至六七十厘米的雕像。表现题材也非常广泛，文官、武官、贵妇、侍女、歌伎、舞女，以及各种姿态的童子像和母子像等。另外，表现宗教内容的佛像、护法力士、善财童子、观音菩萨、罗汉等人物题材也很多。雕塑类红绿彩和器皿类红绿彩比较起来，在技法的多样性上更胜一筹，尤其是大件红绿彩人物，集磁州窑多种装饰技法于一身，体现了红绿彩陶瓷的最高水平。

红绿彩的表现技法大概如下：

（1）斗彩法：先在挂施有白化妆土的坯体上画高温黑彩，然后罩白透明釉，经高温烧成后，再在釉上画低温的红、绿等颜色，二次低温烧成，釉上釉下相映成趣，因而称之为斗彩（图 2-281、图 2-282）。

（2）画红点彩法：画红点彩或者涂彩是红绿彩装饰的基本方法，点彩一般都是在矾红勾勒的轮廓线内

图 2-281　人物头部斗彩　　　　　　　　　　图 2-282　人物服饰斗彩

点涂，但有时为了装饰效果，根据画面需要不在轮廓线内点，显得更加自然（图 2-283、图 2-284）。

（3）黑花罩色法：也是斗彩的一种，是在高温画的黑花图案上罩上一层低温透明绿或透明黄颜色，成为绿地黑花或黄地黑花（图 2-285、图 2-286），使用在红绿彩人物服饰和衣领边花、飘带上效果更好。

（4）红地托彩法：红地托彩是在较大面平涂的矾红上，用较厚的黄色点出图案，也有用绿点的，但黄色效果更胜一筹（图 2-287、图 2-288）。烧成过程中通过颜料中化学成分的作用，大红底面上显现出黄色花纹，有着富丽堂皇的艺术效果。

（5）反衬法：用红彩勾勒出花纹图案，然后用绿彩点涂地子衬托出图案（图 2-289）。

（6）书写文字：在碗、盘或其他器皿上书写文字（图 2-290）。

（7）金饰法：高档红绿彩产品也有局部用金来点缀与装饰的，效果辉煌，更显珍贵（图 2-291）。

此外，红绿彩雕塑也具有相当高的水平，无论是人物的比例、动态还是形象表情，都非常生动自然，颇具唐、宋雕塑的韵味。正因为红绿彩装饰本身汇集了多种技法，所以，其在磁州窑装饰乃至中国陶瓷装饰艺术中占有很重要的地位。

人物雕塑红绿彩装饰工艺流程如下：取成型好的雕

图 2-283　画红点绿彩　　　　　　　　　　图 2-284　画红点黄绿彩

图 2-285 黑彩罩绿

图 2-286 黑彩罩黄

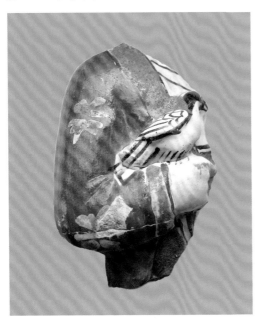

图 2-287 矾红托彩人物

图 2-288 矾红托彩人物

图 2-289 红绿彩牡丹碗

图 2-290 书写文字

塑青坯（图2-292），施白化妆土（图2-293），待稍干后用斑花料画黑彩（图2-294、图2-295），施白透明釉后高温烧成（图2-296）；出窑后在胎体上画和涂矾红颜料（图2-297、图2-298），点涂黄色、绿色等颜料（图2-299、图2-300），再二次烧成。

　　器皿类红绿彩的制作工艺流程如下：取化妆白瓷（图2-301），先用调制好的矾红料画线和花纹，用洗矾红区分水鸟的结构和层次（图2-302）；点涂绿色、黄色（图2-303、图2-304），完成装饰。

　　画红托彩的装饰工序为先画矾红颜色（图2-305），再在地子上点涂绿色（图2-306）。书写文字的红绿彩碗的制作程序同样是用矾红画线、书写文字、填绿彩（图2-307）。

　　（四）化妆白瓷的其他装饰法

1. 跳刀飞白纹装饰

图2-291　描金红绿彩武士头部

图2-292　取成型好的青坯

图2-293　施白化妆土

图2-294　稍干后按创作需要用斑花料画黑彩

图2-295　画黑彩完成

图2-296　施白透明釉后高温烧成

图 2-297　画和涂矾红颜料

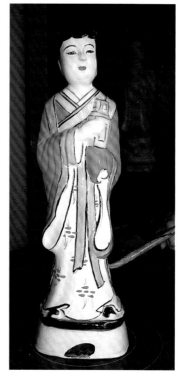

图 2-301　取化妆白瓷

图 2-298　红色完成

图 2-299　点涂黄色、绿色等颜料

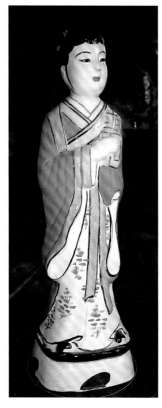

图 2-302　先用调制好的矾红料画线和花纹

图 2-303　点涂绿色

图 2-300　红绿彩人物完成

图 2-304　点涂黄色

图 2-305　先画矾红颜色

图 2-306　在地子部分点涂绿色

图 2-307　书写文字的红绿彩碗

跳刀飞白纹是磁州窑一种独特有趣的装饰，多用在小钵、小罐等器物上。跳刀飞白是坯体在转轮上旋转的过程中，用刀具在器物上有节奏地弹跳刻划连续的条纹形成装饰效果。此技法有两种：第一种是在施好白化妆土的器物上用跳刀法弹刻跳刀纹，刻出的纹理成灰色；第二种是在施好白化妆土的器物上用笔涂或直接蘸上一层黑色，然后在黑色面上饰跳刀纹，形成黑白对比的效果，之后罩白透明釉烧成。

白跳刀纹的做法如下：先取潮湿青坯蘸施白化妆土，待水分挥发到一定程度后进行跳刀装饰（图2-308～图2-310），将坯体固定在辘轳机上，靠辘轳的旋转和金属刀的颤动跳刻出肌理（图2-311、图2-312），最后施白透明釉，完成装饰（图2-313、图2-314），干燥后烧成。

黑跳刀纹的做法如下：在施好白化妆土的潮坯的适当部位刷黑化妆土（图2-315、图2-316），待稍干后将坯体固定在辘轳机上进行跳刀装饰（图2-317、图2-318），最后罩白透明釉，干燥后烧成（图2-319、图2-320）。

2. 白地蘸黑彩块装饰

白地蘸黑彩是磁州窑装饰中一种不太常见的装饰方法。其工序是：在施好化妆土的坯体腹部最高的部位依次蘸上几块黑化妆斑块，再施白透明釉后烧成。这一工艺过程虽简单，但仍能取得比较好的装饰效果。

3. 白地印花装饰

这种装饰方法源于定窑，无论是胎料处理还是

图 2-308　取潮湿青坯

图 2-309　蘸白化妆土

图 2-310　待水分挥发到一定程度后进行跳刀装饰

图 2-311　将坯体固定在辘轳机上

图 2-312　跳刀装饰完毕

图 2-313　施白透明釉

图 2-314　完成装饰干燥待烧成

图 2-315　施好白化妆土的潮坯准备进行装饰

图 2-316　在适当的部位刷黑化妆土

图 2-317　待稍干后将坯体固定在辘轳机上进行跳刀装饰

图 2-318　装饰完毕

图2-319 最后罩白透明釉

图2-320 完成装饰工艺，干燥后烧成

化妆土加工都尽可能仿照定窑的效果。其工序是：在青坯上用工具印出纹样，施白化妆土后再罩透明釉，待干燥后烧成。

4. 瓦沟纹、柳条纹、菊花瓣装饰

这几种装饰方法类似，只是形式不同，所以名称各异。如瓦沟纹碗的做法：先拉出碗的粗坯（图2-321），在潮湿青坯上用刀具刻出钵口部位的花瓣（图2-322），再用扁圆形刀具刮或铲出较深的沟纹（图2-323、图2-324），然后施白化妆土（图2-325），再罩白透明釉烧成（图2-326、图2-327）。

5. 瓜棱纹装饰

瓜棱纹装饰是在拉坯后，趁坯体尚软时，用带棱的工具在器腹刮压出规则的瓜棱形纹理（图2-328、图2-329）。待坯体半干时，将器皿固定在辘轳上利出腹部和底足（图2-330～图2-332），再施白化妆土，罩白透明釉后烧成（图2-333、图2-334）。

图2-321 取潮湿青坯

图2-322 首先用刀具刻出钵口部位花瓣

图2-323 划出钵体上的瓦沟纹

图2-324 青坯工艺完成

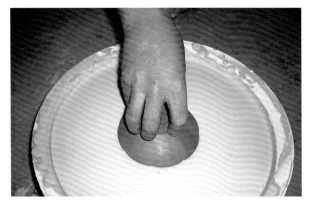

图 2-325 施白化妆土

图 2-326 罩白透明釉

图 2-327 完成制作，干燥后入窑烧成

图 2-328 小罐拉坯成型后稍晾

图 2-329 用棱形工具在器物腹部压出深瓜棱纹

图 2-330 利出腹部，留出底足

图 2-331 挖底足

图 2-332 修整完毕的青坯

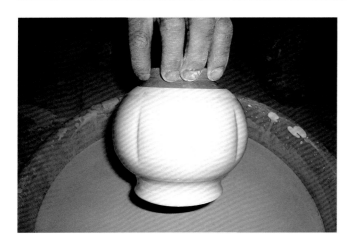

图 2-333 施白透明釉

图 2-334 完成装饰

二、黑釉瓷装饰

黑釉瓷是磁州窑的一大分支产品，它以瓷土（主要是青土，有时也添加混合料或缸土）为胎，先施黑釉，再以各种方式装饰，呈现丰富的效果。磁州窑黑釉装饰也可分为硬笔刻划装饰、毛笔绘画装饰等。

（一）硬笔刻划装饰

硬笔刻划装饰主要有黑釉刻划花和黑釉剔花两种，这两种装饰的效果表现为釉色黑而且光亮，变化丰富，刻、划、剔的痕迹明显，有浅浮雕效果，产品古朴大方。黑釉刻划花和黑釉剔花都是先在青坯上施一层黑釉再作进一步装饰，但需要注意两个问题：一是挂施的黑釉的薄厚要适中，太厚很难刻，且烧成过程中易流釉，影响刻划的效果，太薄则烧后釉光亮度差；二是在刻划时要掌握好坯体的干湿度，太干不宜刻划，太湿刻划中会翘卷。

1. 黑釉刻划花

黑釉刻划花是在上过黑釉的坯体上用签子刻划出图案，具体方法如下：在青坯上施黑釉（图 2-335 ～图 2-337）；稍干后刻划（图 2-338），刻划时笔迹可适当加粗，以防入窑烧成时釉子流动影响效果；刻划完成后掸去残渣（图 2-339）。

图 2-335 取青坯

图 2-336 上黑釉

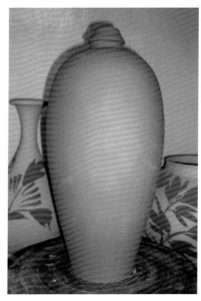

图 2-337 施好黑釉的釉坯

图 2-340 在上好黑釉的坯体上刻划图案轮廓

图 2-338 稍干后进行刻划

图 2-339 刻划完毕，清扫干净

图 2-341 用平刀剔掉地子部分的黑釉

图 2-342 扫掉残渣，使坯面干净

图 2-343 有的需要再剔

图 2-344 黑釉剔花完成

2. 黑釉剔花

黑釉剔花的做法是：在施好黑釉的坯体上先刻划出图案轮廓（图 2-340），平刀剔掉地子部分的黑釉（图 2-341），要剔得尽量平整；然后扫掉残渣（图 2-342）；有时局部地区需要再剔（图 2-343）；最后在剔掉的地子上填白透明釉即成（图 2-344）。也有不填透明釉直接露胎烧成的。

（二）毛笔绘画装饰

1. 黑釉铁锈花

黑釉铁锈花是用毛笔蘸斑花料在黑釉坯上彩绘，也可以在青坯上画，再施黑釉，这种装饰方法也称黑釉铁锈花或黑釉铁绘。黑釉铁锈花在光亮的黑器皿上闪现出带有金属光泽的铁锈红花纹，既和谐自然，又含蓄大方，丰富的色彩给人一种奇特神秘的感觉。

黑釉铁锈花装饰分为两类：第一类是绘画，用毛笔蘸斑花料在釉坯上绘画，主要以花卉为主，多画在瓶、罐之上，纹样简练概括（图 2-345～图 2-350）。第二类是几何图案类，在器物上用毛笔画横竖线，或几层旋线或点，俗称铁板条，主要装饰在碗、盘、钵、罐、瓶上（图 2-351～图 2-354）。

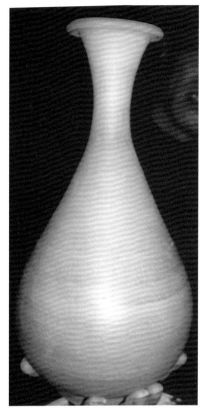

图 2-345 取青坯

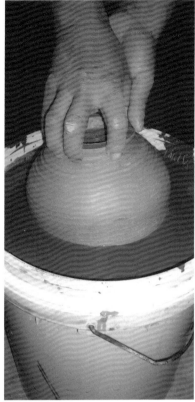

图 2-346 浸黑釉

图 2-347 待浸完黑釉的釉坯稍干后准备绘画

图 2-348 用毛笔蘸斑花料进行彩绘

图 2-349 彩绘完毕，干燥待入窑烧成

图 2-350 彩绘的罐子

图 2-351 在施好黑釉的小钵上画出图案

图 2-352　彩绘完的小钵

图 2-353　在施好黑釉的碗内画线条

图 2-354　彩绘完毕的碗

黑釉铁锈花艺术效果虽好，但很难烧制，在操作过程中要注意如下几点：

第一，原料要精选，尤其是黑釉加工要细，斑花料的含铁量要高。

第二，要控制好施黑釉的厚度，太厚烧成时易流动，影响画面完整性；太薄斑花无法充分熔解，不易从黑釉下泛出，形成铁锈红花纹。

第三，要掌握好画斑花料的浓度，太浓则不易熔化开，烧不出红色和金属光泽，太薄则花纹容易被烧飞。

第四，烧成温度控制很关键，必须控制好升温曲线和烧成温度。

其制作工艺过程如下：取潮青坯施黑釉，待稍干后用毛笔蘸斑花料彩绘，之后干燥待烧。

2. 黑釉铁锈斑

黑釉铁锈斑和黑釉铁锈花稍有不同，它除了用毛笔彩绘纹样外，还用毛笔蘸斑花料，或点或甩在施过釉的坯体上，形成不规则的点，形成装饰。褐斑在高温过程中熔进黑釉形成铁红斑点，有如夜空中的礼花，效果很特别。

黑釉铁锈斑的制作过程如下：取施好黑釉的坯子，用手蘸斑花料，轻微用力甩在坯体之上（图 2-355），或用毛笔蘸斑花料甩在坯体上，形成自然的装饰（图 2-356）。

图 2-355　用手蘸斑花料，用微力甩在坯体之上

图 2-356　取施好黑釉的碗坯，用毛笔蘸斑花料甩在碗坯上，装饰完成

（三）其他的黑釉器物装饰

1. 立线条装饰

立线条装饰是磁州窑常用的一种黑釉装饰方法，常用于双系罐，故称为线条罐。除线条罐外，立线条的产品还有线条瓶、钵、杯、壶等。其特点是在黑亮的形体上，有规律地凸起一条条浅色线。有通体的，也有分组的，给人以简洁爽朗、明快舒畅的感觉。立线条的泥料系用加工很细的白碱和微量泥浆混合而成，其颜色明显白于坯体的颜色。立线条时，首先将准备好的线条泥料注入带有细管口的皮囊之内，再挤压在坯体之上（图2-357、图2-358），然后罩上浓黑釉（图2-359~图2-361），在底部蘸淡黑釉，干燥待烧（图2-362~图2-364）。

2. 黑釉白边装饰

黑釉白边装饰常见于碗和钵，是将以黑釉为主的器物口沿处，处理成1厘米左右宽度的白色，形成既有主次关系又有黑白对比的视觉效果，简练大方，干净利落，别具风格。

制作方法是：取青坯施黑釉（图2-365、图2-366），将施好黑釉的碗坯置于辘轳上（图2-367），用利刀刮掉碗边缘部位内外的黑釉，使之露出泥胎来（图2-368）；用毛笔在露胎部位涂抹白化妆土（图2-369）；最后罩白透明釉（图2-370），待烧。

除以上黑釉系列装饰外，还有黑釉贴花、黑釉低温彩装饰、黑釉兔毫、油滴等。

图2-357 取青坯和准备好立线的料浆

图2-358 立线

图2-359 准备施釉

图2-360 立线处施浓黑釉

图 2-361 蘸釉完毕

图 2-362 准备用调制的淡黑釉敦底

图 2-363 敦底

图 2-364 操作完毕，干燥待烧

图 2-365 碗内施黑釉

图 2-366 碗外蘸黑釉

图 2-367 将施好黑釉的碗坯置于辘轳上

图 2-368 用利刀刮掉碗边缘部位的黑釉

图 2-369　涂沫白化妆土

图 2-370　然后再罩白透明釉

三、低温釉陶装饰

低温釉陶产品，也称琉璃或铅釉陶。低温釉在我国陶瓷生产中已有很长的历史，早在汉代低温绿釉、黄釉就得到普遍应用；至唐代，低温铅釉陶品种的多样和釉色之丰富都达到顶峰；唐以后生产地域更加广泛，且一直延续至今。低温釉陶在磁州窑的生产中占有重要的地位，几乎覆盖磁州窑生产的所有品种，另外还有雕塑和建筑陶构件等，其中以低温釉陶枕最为突出。

低温釉陶的生产分为两个阶段，第一阶段为素烧，是在青坯和施过白化妆土的坯子上作印纹、镂空、刻绘等初步装饰，然后入窑素烧，窑温在 1100℃～1150℃（图 2-371）。第二阶段为釉烧，即将素烧坯施低温釉（图 2-372），之后在 900℃～950℃的窑温下烧成。

图 2-371　经过第一次烧成，成为素烧坯

图 2-372　施低温釉后进行二次低温烧成

磁州窑常用的低温铅釉有绿、黄、蓝、白、棕等，其装饰手法十分丰富，主要有印花浮雕纹饰、贴花装饰、镂空装饰、刻划剔花装饰、绘画装饰等。有的产品两种技法综合使用。

印花浮雕装饰是一种传统装饰方法，其工艺方法是先制作出带有图案花纹的陶模具，然后用拓坯成型的方法做出带有印花纹的坯体，再上白化妆土或不上化妆土直接素烧。此种装饰方法多用在器皿、炉、枕之上。

贴花装饰和印花浮雕有相同之处，花纹凸起于坯体表面，有浅浮雕的感觉。贴花装饰是先制作出一些单独的花纹陶模，然后将其拓印成印花泥样，再粘贴在泥坯适当部位，形成贴花青坯。然后修饰，或施白化妆土，或不施白化妆土。

镂空装饰是在成型好的青坯上用利刀将花纹中的一些部位刻掉或透空，此种方法多用在陶枕的立面和一些器皿上。

刻划剔花装饰是在施好白化妆土的坯体或青坯上刻划装饰，然后素烧。此种方法一般都用在单色釉之上。

低温釉陶的施釉工艺可分为两种，第一种为施单色釉，第二种为多种釉用在一件产品之上，也称"三彩装饰"。

（一）单色釉装饰

单色釉装饰就是用一种色釉来装饰，其釉色主要有绿釉、黄釉和翠蓝釉。单色釉装饰的施釉多采用浸釉、淋釉或者喷釉的方法，也有个别产品用毛笔涂沫。

其制作程序是：素烧；出窑后施低温釉；再二次低温烧成。

（二）多种釉装饰

多种釉装饰是在一件产品上使用多种低温釉装饰，通常也称之为"三彩"。三彩使用的范围很广，日用器物瓶、枕、灯、炉、盘、花盆，还有陈设人物、动物以及建筑构件等。三彩的造型品种和装饰方法也非常多样，尤其是三彩瓷枕更为突出，无论是制作的技法还是釉色的丰富，都可称为磁州窑陶瓷的上品。三彩枕还有一个特点，就是枕的四周立面常用印花浮雕和镂空等形式，而枕面大多用刻划的手法，刻划出生动的图案，然后用毛笔填上不同的釉色。有的枕面还加以低温红色点缀，更是三彩之中的高档产品。

以镂空如意头形枕为例：在青坯上用毛刷刷白化妆土（图2-373～图2-375）；刷好化妆土的坯体再刻划装饰（图2-376、图2-377）；素烧（图2-378）；出窑后填绘低温釉（图2-379、图2-380）；入窑二次烧成。

陶瓷雕塑的施釉方法也是如此。

图 2-373　制作好的镂空如意头形枕青坯

图 2-374　用毛刷刷白化妆土

图 2-375　刷好化妆土的坯体

图 2-376　进行刻划装饰

图 2-377　第一遍工序完成准备入窑进行素烧

图 2-378　经过素烧的半成品

图 2-379　填绘低温釉

图 2-380　整个枕填完釉

四、其他装饰工艺

除以上所说的三大类型的装饰方法外，磁州窑另外还有一些装饰方法，如绞胎、青瓷印花装饰、仿钧瓷等，一概并入其他装饰工艺内。

（一）绞胎

绞胎是磁州窑产品中的特种工艺，也称绞泥。绞胎和以上所述诸工艺的不同之处在于绞胎的装饰工艺从泥料开始，是利用两种不同颜色的泥料混合后成型。两种泥料一种为浅色泥料，一种是在泥料中加入适量的铁，成为深棕色泥料。再将两种泥料经过混合处理，制作出绞胎产品。

绞胎的品种有盘、碗、钵、罐、炉、瓶、球、板以及绞胎动物雕塑等。

绞胎器的成型方法很多，成型的过程即装饰的过程，而且有一定的技术难度，费工费力。成型方法有拉坯成型、拓坯成型、泥板粘接成型和手捏成型。

拉坯成型是将两种泥料糅合在一起，使之成层但并不混合均匀，再拉成各种造型，经利坯后显示出绞胎花纹。拉坯成型出现的绞胎花纹有很大的随意性，有的像行云流水，有的像群山叠嶂，变化莫测。

拓坯成型是绞胎工艺的主要成型方法，是将两种泥有序压叠，排列成不同花纹肌理，然后有序地拓在模型之内，脱模后再修整。拓坯成型有一定的可控性，可以制作出羽毛纹、编织纹等变化有序、生动自然的花纹。

泥板成型主要制作绞胎板和绞胎枕，手工成型用来制作绞胎球等。

绞胎工艺从种类上可分为绞胎瓷器和绞胎陶器。绞胎瓷器是将完成的坯体施白色透明釉高温一次烧成。

也有烧素胎的，如绞胎球。绞胎陶器则是先将完成的坯体素烧，使之有一定强度，然后在素烧坯上施低温铅釉二次低温釉烧。烧出的产品更加华丽多彩，别具特色。

绞胎瓷的制作工艺：将两种颜色的泥料分别拍成泥饼叠压在一起（图 2-381、图 2-382）；将分层的泥饼卷成粗泥条，将粗泥条搓成规整的细泥条（图 2-383、图 2-384）；用刀将泥条切成有一定厚度的泥饼（图 2-285），将泥饼拼接成泥片，并用手按实（图 2-386）；将大泥片置入准备好的模具内，用手压实，尽量使其薄厚均匀（图 2-387、图 2-388）；粘接时先刷泥浆（图 2-389），再合模（图 2-390）；待泥坯稍干后开模（图 2-391），按接瓶口（图 2-392）；再置于转轮上利坯（图 2-393）。最后施白透明釉（图 2-394、图 2-395），干燥后待烧。

低温釉绞胎制作过程：将制作好的绞胎坯体经 1100℃～1150℃素烧，施低温釉再经 900℃～950℃第二次烧成（图 2-396、图 2-397）。

和绞胎类似效果的装饰还有绞化妆土，也称为流泥和绞釉装饰。绞化妆土是将两种颜色的化妆土施在泥坯之上，形成奇特的彩色花纹，然后再罩透明白釉高温烧成。绞釉瓷和绞胎瓷的区别是，绞胎瓷是泥料胎骨通身都是两色泥，而绞釉瓷只是釉子经过一些工艺处理覆盖在坯体表面。由于釉浆在使用中都是液体状态，所以流动的花纹更加变化万千、生动自然。

（二）青釉瓷印花装饰

青釉瓷印花装饰是先制作出带印花花纹的青坯来，然后施青釉烧成。磁州窑青瓷印花装饰产品大多是碗、盘等。

（三）仿钧瓷

仿钧瓷是磁州窑仿钧窑的产品，故称"仿钧"。这种装饰在磁州窑比较普遍，产品种类较为丰富，釉色也颇具钧釉风格。其工艺制作和钧瓷一样属二次烧成。先制作出青坯，而后低温素烧，再将素烧的胎施釉，用还原焰高温烧成。

图 2-381 准备好两色泥料

图 2-382 分别拍成泥饼叠压在一起

图 2-383 将分层的泥饼卷成粗泥条

图 2-384 将粗泥条搓成规整的细泥条

图 2-385　用刀将泥条切成有一定厚度的泥饼

图 2-386　将泥饼拼接成泥片，并用手按实

图 2-387　将大泥片置入准备好的模具内

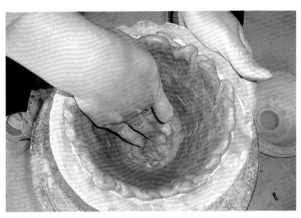

图 2-388　用手压实，尽量使其薄厚均匀

图 2-389　上下都做好后，刷泥浆，准备合模

图 2-390　合模压实

图 2-391　待泥坯稍干后开模

图 2-392　按接瓶口

图 2-393　在转轮上利坯

图 2-394　施白透明釉

图 2-395　整个坯子制作完成，待干燥烧成

图 2-396　将制作好的绞胎坯体经 1100℃～1150℃ 素烧

图 2-397　施低温釉再经 900℃～950℃ 第二次烧成

第五节　窑炉结构与烧成工艺

一、馒头窑的结构及烧成原理

（一）窑炉结构

磁州窑的馒头窑窑体高大，窑壁宽厚，窑顶呈穹隆形，用耐火材料砌建而成。由于其外观形似圆形馒头，故称为馒头窑，是一种单炉膛、单窑室的间歇式半倒焰窑，是中国北方传统窑炉的活化石（图2-398）。

根据烧制的产品不同，窑炉的体积可分为大、小两种，体积和容量较小的是碗窑，火膛一般呈月牙形；体积和容量较大的是缸窑，火膛大多呈长方形。炉栅由耐火砖砌成，略呈拱券形，砖与砖之间留出通风方孔。窑室内呈马蹄形，前部呈圆形，窑后墙呈平直状，窑室内由炉膛与窑床构成（图2-399、图2-400）。窑门一般有一人多高，上面留有投煤口，窑门内是炉膛，下有渣坑和双进气孔，炉膛后有挡火墙，之后是窑床。窑床后侧有两个烟囱。烟囱高不过窑顶，烟囱底部有跌火坑，跌火坑位于窑台平面以下，深2～3米。跌火坑的设置有利于增加烟道的抽力。窑底部的渣坑两头通气，是煤炭燃烧间供应氧气的进气口，也是出渣口（图2-401）。

馒头窑的顶部砌有一直径为30厘米的圆孔，俗称天子眼，是点小火期间排烟与排窑内坯体水分潮气的通道口。窑顶四周砌有间隔一定距离的竖长方形的通气口，根据窑炉的大小，这个通气口也有大小宽窄变化，一般间隔2米距离留一处通气口，也是点小火期间便于潮气排出的通风口，俗称码眼。当烧至中火后，把天子眼与码眼用砖与泥巴封死，便于窑内保温。天子眼与码眼的另一个作用是当停火后把它们统统打开，便于窑内散热。

图2-398　明代馒头窑

图2-399　宋代观台馒头窑遗存

图 2-400　元代彭城馒头窑遗存

图 2-401　馒头窑结构示意图

（二）烧造原理

北方原始的陶窑多建在黄土堰边，挖洞为炉，在炉上方挖出窑室，窑室与火膛之间设有炉箅。在下方炉膛放置柴草烧造。后来，为了方便排烟和增加抽力，逐渐在窑室上方加一个烟洞排烟，可以充分地将窑室内碳分子排到窑室外，为后来氧化焰烧造白瓷奠定了基础。馒头窑炉采用半倒焰模式，氧化焰气氛烧成。

点火前，先在靠火膛内一侧用耐火砖砌一堵挡火墙，干摆而不加泥料，点火后，待小火结束时，在内墙外约一尺宽的地方另砌一堵外墙，等到上中火时，在外墙外再抹上一层黄泥巴，防止透气（图2-402）。内外挡火墙上都需预留一个投煤孔，以便烧工用小长把铁铲投煤。两层挡火墙一是起到保温作用，二是防止高温对烧工热辐射的影响。当停火时需及时把双层墙扒倒，便于窑内散热。

图 2-402　木柴燃料烧窑示意图

二、燃料的变化

（一）柴烧阶段

经调查发现，隋代贾壁青瓷窑址、唐代临水青瓷窑址，均有大量的草木灰遗存，厚度为20～40厘米不等，但没有发现有燃煤的痕迹。窑壁上结有青褐色的、光滑的窑汗，它是扬起的草木灰黏附在窑壁的黄土上凝结而成的。两处窑址残存的大量实心泥台柱和筒状空心台柱上，也落有经高温烧结后黄绿色的草木灰玻化物，类似青瓷釉的物质。而窑壁与台柱上并没有发现燃煤时落下的粉尘火刺颗粒，证明早期烧制青瓷是以柴为燃料。

（二）柴、煤混烧阶段

磁州窑早期烧柴后来烧煤，这一燃料上的转变过程在观台窑、临水窑的遗址中有所体现。观台窑遗存大量圆形实心台柱，是裸烧时支撑瓷坯的支架。它的表面既有草木灰的痕迹，也有因燃煤而留下的火刺。瓷器口沿上的残片上也留有这类痕迹，严重时火刺已影响到瓷器的外观质量。这应该是小火、中火阶段以烧柴为主，等到烧大火时为了提高窑内温度和保持高温，适量加入煤炭烧成的结果。但这一阶段可能很短暂，因为火刺会直接影响裸烧瓷器釉面的光洁。

（三）燃煤阶段

为了提高烧成温度、扩大窑内容量、提高产量，后来改为以煤为燃料。但为了防止煤尘散落污染瓷器，开始使用匣钵装烧瓷坯，避免了坯体与火焰直接接触，也使得馒头窑成为已知最早使用煤炭为燃料的窑炉（图2-403）。

图 2-403　煤炭燃料烧窑示意图

（四）洁净燃料阶段

进入20世纪50年代后，在工业化潮流推动下，新的燃料逐渐取代了传统的柴窑和煤窑，瓦斯窑、燃油窑、电窑、煤气窑、天然气窑等新型能源的窑炉逐渐推广，这些窑炉无须匣钵，可以裸烧，减少了固体残渣的排放，既经济又环保，是烧成上的又一大进步。

三、窑具的种类与应用

窑具主要有台柱、架支、匣钵等几大类。

1. 台柱

有实心台柱和空心筒式台柱，主要作用是架高坯体，使窑炉便于通风过火，同时，高、低台柱也有调整窑内温差、合理利用空间的作用（图2-404）。

2. 架支

架支是用来支垫瓷坯的窑具，架支的使用一是为了防止釉在高温烧造过程中熔融而造成瓷与瓷之间或瓷器与匣钵之间的粘连；二是为了提高产品的质量和数量；三是可以减少陶瓷烧成时的收缩变形。

架支使用中根据瓷器品种薄厚、大小及重量适当变化。尽可能地减少与瓷器的接触面，保持瓷器的釉面完整美观。根据功能不同，架支主要有以下几种样式：

（1）饼状架支：也称垫饼，取适量泥团放置在撒有碱粉（高铝矾土粉）的案子上，用陶拍拍压成适量厚度，并根据需要做成不同大小的饼状架支。架支适合湿用，潮湿的垫饼可以使安放在匣钵内的坯体更加平稳（图2-405）。

（2）圈式架支：选用适量的泥搓成粗细适当的泥条，围绕成泥圈，置放在碱粉上，用陶拍制成大小适用的泥圈形架支，一般湿用为好（图2-406）。

（3）支钉：选用适当泥料，搓成小柱状，捏成一个个上尖下粗的锥状体，沾上一层碱，晾干备用（图2-407）。

（4）碱粒支钉：是由粗颗粒的泥渣为主要支垫物，用毛笔蘸上耐火度高的泥浆，把泥浆点在坯体的底部几处；再蘸上一些粗颗粒的耐火碎渣，靠它的厚度起到支垫叠烧隔离作用（图2-408）。

（5）点块状架支：把泥拍成规整的泥片或泥条，用刀具切割成所需要的块状，焙干待用，使用时粘接在足上，叠砌碗盘（图2-409）。

（6）模制支钉：用陶板或石膏板先制作模具，用泥浆浇注或模制印坯。这类支架一般用于缸、盆等大件支垫（图2-410）。

（7）轮制圈形架支：是一种专门烧制芒口碗的架支。每只碗配一个架支，配套使用，可以充分利用窑内的空间，增加了产品装烧的数量。这一技术的应用在元代最为突出（图2-411）。

图2-404　台柱

图2-405　饼状架支

图 2-406　圈式架支

图 2-407　支钉

图 2-408　碱粒支钉

图 2-409　点块状架支

图 2-410　模制支钉

图 2-411　轮制圈形架支

3. 匣钵

匣钵，传统称作笼盔，是燃煤烧制瓷器时必备的窑具，其应用与发展沿着筒形台柱、脚钵、匣钵的逐步发展而成熟。匣钵的种类有几种，依据外观可分为高筒状笼、低筒状笼、漏斗状笼、椭圆状笼、小直钵笼、方箱形笼等；依据其功能可分为碗笼、杯子笼、壶笼、盘笼、鱼盘笼、料笼等（图 2-412～图 2-417）。

匣钵的性能与作用：①匣钵选用耐高温的高铝矾土为主要原料，可耐高温不易变形；②匣钵的热稳定性相当重要，保证多次使用以降低成本；③可叠砌的统一外形且有很强的支撑力，可增加窑炉容量；④匣钵的封闭性阻止了燃煤的落砂污染，保障了瓷器釉面的整洁性。

烧成过程使用的其他辅助工具：

烧窑工具：火枪、火勾、长柄小铁铲等（图 2−418）。

装窑、开窑用具：陶拍、支凳、架板、麻刷、掸子、吹风葫芦、铁锤、瓦刀、抹子等。

图 2−412　笼具在窑内的码放

图 2−413　老笼盔顶部

图 2−414　老笼盔底部

图 2−415　宋、金时期碗笼

图 2−416　近代碗、盘笼

图 2−417　料笼

图 2−418　烧窑工具

四、烧成方法及其变化

馒头窑的传统烧制方法：首先在炉膛内铺上一层柴草，在柴草上铺一层炭块，从窑炉炉栅下面点火，然后逐步投炭。这时的窑门未砌，天子眼、码眼也不堵，任其四处出烟，以利散发水分（图2-419）。

图2-419　烧窑图

经过小火20小时左右的烧造，窑内温度接近200℃前用耐火砖在窑门上砌一堵内墙，并堵上天子眼。4小时后堵上码眼，升中火，砌外窑门并用泥巴封其缝道，防止透气透火。中火烧制38小时后升大火。约24小时后停火。停火后马上打开窑门，扒开码眼、天子眼，让凉风吹进窑内降温。之所以停火后马上打开窑门，用行内的话来说是"窑打红，不打黑"，即如果在窑温降到800℃～900℃时才打开窑门，这时窑内瓷器容易风炸，突进的冷风会造成瓷器的严重惊裂。而停火后及时打开窑门，窑炉内的温度是由最高逐步向下降温，窑内瓷器反而不炸。当温度降到80℃后即可开窑（图2-420）。

陶瓷生产中有"一火定乾坤，烧成是关键"的说法。控制窑温变化是瓷器质量保障的重要环节，在烧成过程中要掌握好三个升温阶段，做好排水，增加分解，完善瓷化是烧成控制的要点。

泥坯一般经过1200℃～1300℃的高温烧结才成瓷器。单要达到这个温度比较容易，火柴点燃的瞬间，温度就可达到。但事情没那么简单，即使烧成温度一样，采用相同的原料、相同的加工程序，装在相同

图2-420　开窑图

的窑位，但由于窑工的操作与控制不同，烧出的制品仍会存在巨大差异。有时会全窑皆废，有时则全窑皆优。这说明烧成方法及控制升温的过程是非常重要的。

烧成升温曲线划分为三个阶段，即小火、中火和大火阶段。

小火阶段：指从点火起，温度升至350℃以前这个阶段，也称作预热阶段。尽可能地排除坯体中所含的自然水。小火阶段须注意：宁可慢走火，不可骤然起温，小火提火过快，极易造成水分受热后大量气化，气体突发膨胀撕裂坯体，俗称炸坯。

中火阶段：指自350℃之后至1100℃或1140℃之间的升温阶段，这个阶段是坯体内有机物燃烧并不断气化的过程，也称作分解阶段。其作用是燃烧掉坯体中的有机成分，让有机物碳分子大量燃烧并变成气体逐步排出坯体，坯体开始慢慢地收缩。这个阶段适当地增加恒温时间，让有机物达到充分燃烧气化，让结构水气化排出，让金属物质开始熔变。中火时要稳步排出坯体中的有机物等。

大火阶段：1150℃～1300℃为大火阶段，也称瓷化烧结阶段。这时坯体表面的釉子开始熔动，坯中剩余的有机物、结构水、其他金属物质都在升温过程中气化排出。大火改变了坯体中以颗粒分子式排列的各自状态，生成玻相，形成莫来石，完成瓷化过程。大火时要充分氧化，防止串烟、气泡等弊病。

升温曲线变化的因素是错综复杂的，如窑炉的容量、窑壁的薄厚、保温程度、炉膛的大小、烟囱的抽力，都会对烧成产生较大影响。此外，窑炉本身温度及装入坯体的含水量、坯体的薄厚、器皿的大小、窑内坯体的密度、坯釉的熔点、坯体的耐火度、燃料的发热量，以及天气气压的变化等，都是升温控制过程中应考量的因素。结合具体条件灵活掌控是烧成控制的关键。

如何观察窑内温度变化是相当重要的。古时候没有温度计，虽然有了火照、火鸡（即温锥）作为参考，但还是凭经验靠肉眼观察。炉火会呈现出黑、暗、暗红、紫红、辣红、大红、杏黄、黄、白黄、耀眼、刺眼、直白等颜色。有经验的老师傅，通过目测，再参考窑内匣钵及裸露的坯体颜色，就能知道当时窑内的温度。虽然目测是经验性的，会有一定的误差，但对比仪器测量，有经验的师傅上下误差不到20℃，可见经验的重要性。

火照：是陶瓷烧工预先制备好的试片，在装窑过程中放置在窑门内附近，便于钩取。火照是一种钻有孔洞并施过釉的坯片，以利取出时观察坯、釉烧结的情况。

火鸡：是一种温锥，用黑釉土搓成尖头柱状形，高约8厘米，粗细如小手指，底部大，以便于放稳。装窑时，放置在窑内的前、中、后不同部位，便于观察。由于火鸡的材质与黑釉相同，当窑炉温度升至大火时，窑内坯体釉子开始熔动时火鸡自然也会熔化，直至其瘫倒。烧工通过观察火鸡的变化，了解窑室内实际温度，选择停火时机（图2-421）。

磁州窑在其瓷器烧造的千年历程中，烧成技术也在不断变化，陶瓷的品种及服务对象也在不断变化与扩大。磁州窑从传统的柴烧窑、煤烧窑，到现代的油烧窑、气烧窑以及由程序控制的电窑等，是烧成技术和科学技术不断发展的必然结果。

图 2-421　温锥图

　　柴烧阶段，解决排烟是窑炉从烧制青瓷到可以转烧白瓷的关键。此项技术改革是对陶瓷烧成技术的伟大贡献。

　　煤烧阶段，煤作为窑炉的燃料，大大提高了供热量，从而扩大了窑炉的容积，提高了质量和产量。磁州窑是世界上较早掌握以煤为燃料这项烧成技术的窑场之一，影响了北方陶瓷烧造技术近千年。正是这项技术促进了匣钵和耐火材料的广泛应用，并对金属冶炼业产生了很大影响。

　　进入 20 世纪五六十年代，传统半倒焰式馒头窑被倒焰式窑炉所替代。又经过近三十年的改进，间歇性的馒头窑又逐步被连续烧成的隧道窑替代。随后又出现了隔焰式的推板隧道窑，匣钵不再使用。到 90 年代，各种清洁燃料窑炉的出现，结束了以煤作燃料的烧造历史。磁州窑朝着节能、环保、便捷的现代化烧成技术不断变革。

第六节　磁州窑陶瓷的风格特点

一、因材施艺的工艺观念

　　一方水土养一方人，一个地方的陶瓷生产会因不同的地理条件和材料特点形成鲜明的地域风格。同样，每个地方的制瓷工匠也会在充分认识和利用当地材料特点的基础上，通过长期的生产实践，创造出与当地民族的文化变迁相适应的民间陶瓷制品，并逐步形成每个产区的民族风格和地域特点。磁州窑民间陶瓷技艺与风格特点的形成，与当地制陶材料和传统技艺有着很大的关系，同时也是社会各种文化因素影响的结果。

　　磁州窑常用的大青土在当地的储量相当丰富，但大青泥料在坯体干燥的情况下不易粘接，这决定了当地陶瓷生产以湿坯制作为主要特点。而湿坯制作的成型工艺又影响了它的装饰工艺及方法，这就需要在坯体半干的情况下完成施釉、彩绘等一系列工艺过程。由于留给制作者的装饰时间非常短暂，致使磁州窑的陶瓷装饰大都采用大写意的装饰技法，这也成为这一产区陶瓷装饰的主要特点。同时，这既符合民间陶瓷重复性批量生产的特点，也满足了民间陶瓷生产力求工艺便捷、多快好省的需求。这种因地制宜、因材施艺的观点是磁州窑独特风格形成的重要因素。

　　磁州窑的因材施艺还体现在对化妆土技法的运用上。由于大青土白度不足，偏浅青灰色，当地艺人便在大青土表面施一层化妆土，以此来增加瓷器表面的白度。同时，主要是用毛笔作写意风格的彩绘装饰，也是充分发挥了磁州窑的工艺特点。彩绘时从大处着手、不拘小节、挥洒自如、一气呵成，表现一种浑然大度的艺术气质，使陶瓷材料与装饰风格达到了近乎完美的结合。

　　因地制宜、因材施艺是磁州窑工艺成功的关键，也是形成磁州窑陶瓷独特风格的主要原因。

　　作为一个历史悠久、广受民众喜爱的窑场，磁州窑历来以生活需求为主导，在满足人们对陶瓷产品实际需求的同时，不断地开发研制新的产品。大青土、化妆土、斑花、白釉、黑釉等，是磁州窑最主要的几种材料。千百年来，制瓷艺人们根据当地原材料的特点，充分发挥自己的聪明才智和巧思妙想，在制约中求变化，在限制中求发展，利用简单而有限的几种材料，相互搭配，交叉复合，举一反三，发明了几十种各具特点的装饰技法，创造出了千变万化的艺术效果。如白釉的各种装饰技法、黑釉的各种装饰技法，以及将白釉与黑釉交替使用、将黑釉与白釉调和使用的装饰技法等。如同样一种斑花绘料，既可成为釉下彩，也可绘出釉上彩，既可以在黑釉底上彩绘制成铁锈花装饰，也可在白釉上彩绘装饰，做出白地黑花的装饰效果。此外，斑花料还可以和其他材料结合产生斑花碱、斑花泥料等新的装饰材料，用来生产绞胎、绞釉、白釉褐彩等产品。

二、淳朴豪放的艺术风格

每一种具有独特风格和地域特点的陶瓷品种，往往是由其特有的物质材料、特定的工艺技术、适宜的艺术语言以及恰当的表达方式所决定的。

将传统的书法与绘画用来装饰磁州窑的陶瓷，似乎是历史必然的选择与结果。因为磁州窑的白色化妆土和斑花料的结合，最能体现出笔墨在宣纸上的意趣。唐宋时期，我国单色釉瓷器生产曾占有绝对优势的地位，南青北白的局面也已确定。但受到宋代社会文人艺术比较发达的影响，磁州窑开始将传统绘画、书法艺术与化妆白瓷装饰相结合，独辟蹊径，把绘画、书法中的构图形式和笔墨技法运用到瓷器装饰中，奠定了磁州窑陶瓷以黑白彩绘装饰为主的基础，形成了磁窑陶瓷装饰新的面貌（图 2-422、图 2-423）。

图 2-422　金、元时期书字枕　　　　　　　　　　图 2-423　金、元时期芦雁纹八角枕

磁州窑施化妆土的白瓷器未烧成之前的潮湿坯体，犹如一张白纸，艺人们在其上挥毫泼墨，恣意挥洒，开创了陶瓷装饰的新纪元，把我国宋代制瓷技术推向了一个新高度。如果说当时的哥窑、汝窑、钧窑、官窑、定窑的制瓷技术，在釉料配置工艺上达到最高的境界，那么宋代磁州窑陶瓷就是这个时代陶瓷装饰艺术的高峰，使磁州窑陶瓷装饰无论在艺术或技术上都有了一个质的飞跃。

中国传统的文人把绘画和书法看作是抒情达意、表达个人情感的手段，是作者审美意识的自然流露。在形象的塑造上不求如实描绘，而求神似，讲究以形写神的意象的表现；在表现形式上讲究宁拙勿巧、宁丑勿媚；在用笔上或轻重缓急，或抑扬顿挫，造型风格或古朴典雅，或大气磅礴。有矩无束，率性而为，追求一种返璞归真、古朴典雅的精神气质，这些在磁州窑的彩绘瓷器中都有着很好的体现。传统文人的书画艺术与磁州窑化妆土白瓷装饰的有机结合，形成一种全新的、不同于纯绘画的陶瓷装饰艺术。图案的结构和写意绘画的表现手法，使得陶瓷装饰更加生动、灵活，富有变化，创造了独具特色的陶瓷装饰语言并散发着一种浓郁的乡土气息。

书画艺术与陶瓷艺术的结缘古已有之，但磁州窑陶瓷在将两者有机结合的同时，还创造性地融入装饰味道。简约的器物造型，凝练的图案装饰，磁州窑的绘瓷装饰既遵循传统书画艺术的条理与规范，又能根据实际的需要与造型结合，利用装饰工艺材料的特性发挥和灵活变通，熟畅中流露生涩、豪放随意而存有内敛，在统一中找变化，在传承中求创新（图2-424、图2-425）。

磁州窑在漫长的发展历程中，始终坚持以服务各阶层人民生活为目的，无论是陶瓷造型还是装饰，都力求符合功能合理、美观实用、价廉物美的造物原则，生产出了大量实用美观、人人喜闻乐见的陶瓷产品。

陶瓷造型或形体饱满、线条流畅，或简约挺秀、风度翩翩；器物装饰或刻绘并举、黑白分明，或花红点绿、恣意挥洒，追求图案装饰的绘画性表现，白釉瓷的洁净高雅，黑釉瓷的沉稳大气，红绿彩瓷的明快活泼，造就了磁州窑淳朴豪放、刚柔相济、潇洒飘逸的艺术风格。

图2-424　元代大雁盆

磁州窑的陶瓷装饰表现的大多是人们喜闻乐见的内容和题材，神话传说、历史典故、花鸟鱼虫、诗词谚语、民俗生活，其装饰题材之丰富，表现范围之广泛，都是各产区前所未有的（图2-426～图2-429）。

磁州窑用有限的材料，充分发挥材料特点，创造出上百种的装饰技法，形成了自己的陶瓷语言，影响了大江南北的陶瓷生产，形成独具特色的磁州窑系，书写了中国陶瓷史辉煌光辉的一页。

图2-425　宋代龙纹花瓶

图2-426　宋、金时期童子纹荷口花瓶

图2-427　元代人物纹翠绿釉梅瓶

图 2-428　元代龙纹玉壶春瓶

图 2-429　元代龙纹梅瓶

第三章 定窑制瓷工艺

第一节 历史概况与制品特点

一、地理位置与自然环境

定瓷——定州窑陶瓷，产地在今河北省曲阳县（图3-1），古属直隶定州，故名定瓷。定瓷烧制始于唐，兴于北宋，衰于元。定窑是我国北方延续数代且影响深远的一个窑系，同宋代的汝、钧、官、哥窑一起，号称五大名窑。

定窑遗址规模宏大。东起北镇（古称"龙泉镇"）通天河畔，西至燕川山下，方圆10公里，总面积达150多万平方米，俗称"一溜十八坡"。民间相传：当年大窑三千六，小窑如牛毛。现存大小不等、小山坡似的十三座瓷片堆，便是古定窑生产繁荣景象的见证（图3-2、图3-3）。虽然，定瓷的兴衰是随着历代政治、经济的沉浮而不断变化的，但作为中华民族传统工艺文化的精粹，它给人们留下了宝贵的物质财富和文化遗产。

中国瓷器分南、北二系，通称"南青北白"。北方白瓷以邢窑[1]为早期代表，继之以定窑最具影响。北宋定窑的兴起，影响颇大，树瓷坛一帜，蜚声四海五洲。

一方水土，一方人物，一方成就。地处燕南赵北定瓷发源地的涧磁、北镇、燕川一带，依山傍水，物华人杰，钟灵毓秀，为太行山系天宝之地。窑址密集处有贯穿南北两条天然溪壑，一名"泉水沟"（图3-4），一名"马驿沟"（图3-5）。[2]河水常年流淌，水质纯净，为陶瓷生产的必要资源之一，古人就把这

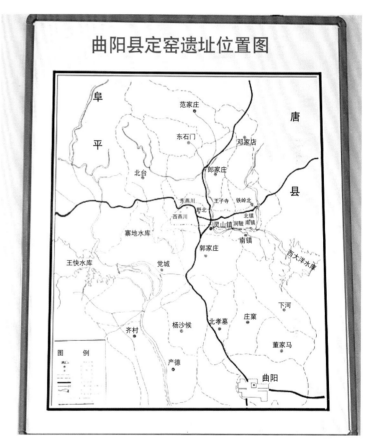

图3-1 定窑遗址的位置

图3-2 瓷片堆（11号）

图 3-3　全国重点文物保护单位（正、反面）

图 3-5　马驿沟现貌

图 3-6　北镇村法兴寺旧址

图 3-4　泉水沟现貌

两条泉水作为生产条件，窑场因地制宜，依水而建，星罗棋布，连成一片，可见古人对水文的认识与科学运用的合理。

"龙泉镇（今北镇）以北，西去十里，上多煤井。"[3] 白煤、烟煤蕴藏丰富。这一带农民除耕桑之外，挖煤为主要副业之一，"鸽子巷"[4]、"小西坡"[5]等即为古代有名的煤炭出产地。古代煤矿工人完全靠土法采煤，凭借原始笨重的生产工具，把地下的"乌金"运到地上，供瓷窑生产使用。20 世纪 60 年代初，为避水灾，北镇全村村民向北迁移，重建家园，二百多户人家抹房顶用的炉灰都是从古窑场掘得的。

涧磁、北镇四面环山，坡丘上有石英、长石、黏土等陶瓷原料，储量非常丰富。直到今天，人们在修路或挖井时，常发现古人开采陶瓷原料时留下的洞穴。1984 年，定窑遗址附近一次掘井施工时，发现古人开采陶瓷原料时遗留的灯台、饮水瓦罐等用品。据一些老人讲，多年以来，不但常发现陶瓷罐，还曾发现过挖掘原料用的铁质工具和一些人骨等，故此地为定瓷原料产地无疑。

北镇村法兴寺遗址处多官窑（图 3-6），专烧贡奉皇宫的御用瓷器，精美瓷片，随处可拾。定官窑的兴隆，促使民窑蜂拥而起，它们生产条件虽差，但技艺成熟，器物形美质坚，具有名窑风范。

唐末、五代时期，定州是义武节度使驻地，为政治、经济、文化中心，四面通衢，客商云集，也是定瓷贸易往来的集散地。据《曲阳县志》及现存王子山院碑记载，五代时期朝廷即在此设税官专事收瓷器税。当地有"南涧到北涧，金银十八石"之说，意思是税官从涧磁村的村北走到村南，可收税银达十八石（古一石为现一百二十市斤）之多。

二、产品的风格特点

定窑白瓷，胎质坚硬致密，釉面晶莹玉润，柔和洁净，温文尔雅，具有鲜明的平和、恬静、质朴之气，是北宋以来中国白瓷家族的佼佼者。定瓷白而光润，器薄如纸，叩击如磬，有"白如玉、薄如纸、声如磬"之称，以典雅的品格树立起中国白瓷含蓄隽永的特质。一时间，江西景德镇、山西平定、四川彭县、北京龙泉务等地窑蜂起仿效，形成中华大地上一个阵容庞大、质量上乘的重要窑系——定窑。

（一）造型特征与艺术趋向

唐、五代定窑形制大体上承袭汉、晋陶瓷的某些特点，并在制法上借鉴融进了邢窑白瓷器物的风格特点。陶瓷造型无不与当时的文风相关联，逐步形成了那个时代的造型观和审美观。唐代的定窑属于初创期，还没有自己成熟的技艺规范，而是把主要精力放在陶业生存上，这时的造型多为吸收已有的样式。如唐代定窑席纹黄釉执壶（图3-7），釉呈黄褐色，下部至底无釉，器壁厚重，质地粗糙，釉色欠明润，形制与邢窑

图 3-7　唐代定窑席纹黄釉执壶　　　　图 3-8　唐代邢窑白釉执壶

白釉执壶（图3-8）十分相近。五代早期陶瓷质地较唐代有了发展，泥料制备开始规范化，化妆土普遍使用，釉色出现洁净而白润的效果，而形制依然未能脱胎换骨，厚重坚实是其特点。五代晚期，定窑工艺开始改良，笨拙的瓷胎开始出现秀致的趋向，底足由早期的玉璧底趋向圈足，唇口圆滑，器身浅而有态，通体满釉，为北宋定窑秀丽挺括的造型风格奠定了基础。

宋代是定窑发展的成熟期，这时已由早期的品种单调发展到有盘、碗、碟、洗、盏、托、瓶、罐、壶、钵以及炉、枕、熏、奁等器物，造型可谓丰富多样。明高濂《遵生八笺》："定窑瓷器是北宋定州烧制的……定窑烧制的器皿式样繁多，工艺精巧。最好的有兽面彝炉、子父鼎炉、兽头云板脚桶炉、胆瓶、花尊、花觚等……瓶子花样一百出头，而碟子规格式样上万种。"定窑大批量、多品种的生产规模满足着国民生活所需，形成了自家特有的形制风范。

1. 瓶、罐等立型产品的造型风格

宋代一变隋、唐之豪放雄浑，尚明快简洁，逐步形成挺秀朴素的文风。定窑形制同样改变原有模式，改进设计个性。如北宋定窑梅瓶：小口，短颈，丰肩以下渐收敛，小底，圈足。瓶身曲线矫健，体态修长，立足稳定。这种形制打破了唐、五代时期的设计思想，尝试把造型比例的对比关系加强。且小口、小底形成上下顾盼照应，具有峭拔的视觉效果。

瓶、罐立型产品的器壁设计是在保证形体结构合理的前提下，对各部位，尤其是口与足加强支撑力和抑变力。加强支撑力的办法是增厚器壁，使之更具有负载功能。梅瓶等立型产品，尤其是修长的较高的器物，

底部器壁厚度须是上部或口部厚度的 2 ～ 3 倍。只有这样，器物的烧制才有可能成功，放置时才更具稳定性。

2．盘、碗的造型风格

北宋是定窑突破原有造型的习惯比例，走向新颖化的一个关键时期，对定窑形成自己的风格特点起到了重要作用。定窑盘、碗造型的创新以简洁、适度为设计原则，在唐和五代盘、碗的基础上，缩小底部直径，使大底变为小底，玉璧底改为圈足。一般陶瓷盘或碗的底足约占口径的 1/2 或 2/5，北宋定窑大胆改革，使底足 1/2 改为不足 1/3 或 1/4；在盘、碗深浅的设计上，由浅盘改为深盘，造型由平卧趋向斜立。这样一来，唐、五代浑厚拙笨的瓷盘变得秀健俊逸起来（图 3-9），加之北宋釉与坯的改良及其他工艺的辅助，定窑瓷器遂风靡当时。唐和五代盘、碗唇口圆滑而较厚，北宋去掉了唇的厚状，以薄沿取代，刮釉露坯（芒口），在便于覆烧的同时，又使薄唇更显得神气俏丽。根据需要，个别做成花口状，五代时多为四花口，北宋则多为六、七花口不等。

盘、碗造型设计在北宋时期已形成科学的设计规范。按产品形制和容量大小决定厚度。为使产品在烧成过程中较少变形，口部和足部要做得薄一些，从圈足到口沿由厚而薄，使底座部位有强力支撑，上部薄则可减轻底部的负荷（图 3-10）。俊逸简约的造型变化形成北宋定窑造型的阳刚之气。定窑的形制美在广泛为社会各阶层所接受的同时，也从根本上触动着朝野上下审美意识的转换，更以卓越的艺术思维启迪着后人对定窑的创新认识与追求。

北宋末年，女真族南侵，宋室被迫南迁临安（今浙江杭州）。地处中原的河北定州一带烽烟滚滚，以官窑为主体的大批陶工南下聚于江西景德镇、吉州以及福建德化等地，史称"北定南迁"。中原被金人统治后，定窑生产停滞。熙宗继位，定窑开始恢复，世、章宗时为金朝鼎盛时期，定窑再次出现繁荣。这一时期的定窑基本上是在承袭北宋的特点的基础上发展的，从出土的金代定窑器物看女真族那种简朴、粗犷的特点并未在定窑生产上得以发挥。

蒙古灭金后，元朝建立。定窑的风格特点，通过在景德镇的传播，已在南方风行开来，形成既有定

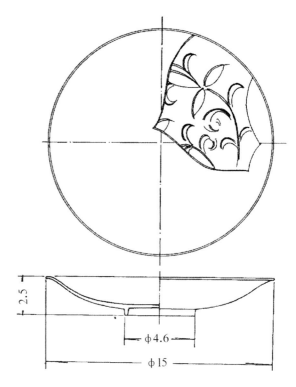

图 3-9　盘的造型设计

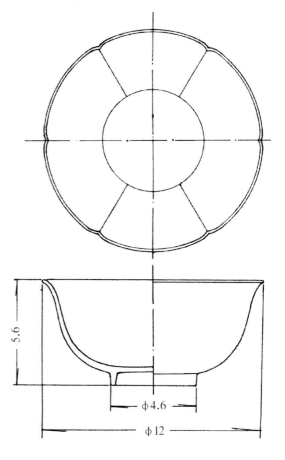

图 3-10　碗的造型设计

窑遗风又有自身优势的地方特色。定窑在北方的发展却成强弩之末，奄奄一息，直至湮灭。元朝定窑谈不上什么发展，但由它所启发而振兴的整个定窑系，如山西平定窑、介休窑以及四川彭县窑等，大都不同程度地迈向发展轨道，传承着定窑的创造精神和艺术风貌。

（二）声韵美的形成

定窑为宋代白瓷集大成者，具有无可比拟的地域优势和工艺优势。声韵美或称音韵美，主要指定窑白瓷盘、碗叩击时所发出的一种有别于其他陶瓷的声音，清脆、悠长、动听，具有"声如磬"的颤动旋逸之美。

1. 原料的地方性

定窑地处太行山东麓，石质精纯晶脆，硬度大，熔点高。定瓷的声韵美有赖于这些地方原料。北方干燥，泥料骨架性好，而可塑性较差；南方温湿，泥料可塑性强，而骨架性差。南方温湿有利于泥料自然腐化，而泥料腐化时间愈长塑性愈好，故形成南方成型少纹裂、胎较软绵的特点。北方气候干燥，风化好而腐化差，所制泥料成型多纹裂，而胎质却劲健。北方定窑就是在这种情况下形成了自己的优势，发挥其悠长动听的音韵美。

2. 成型的把握性

盘、碗在宋代定窑产品中占 70% 以上。从造型断面可知，其成型把握性很强，各部位薄厚非常合理，底部较薄，近足部位较厚，往上渐薄，至口沿处圆收。这正好与锣的形状和发音性能相近，底足厚，可形成纯厚的音质，边口处渐薄，且器壁薄于其他窑口，遂形成其音色美的特点。

3. 烧成的平缓性

烧成为陶瓷生产之关键工序。声韵美与烧成的关系密不可分，要领在于烧成曲线的平缓性。烧成之始，徐徐起火，从点火至 1280℃ 或 1300℃ 在 12 ~ 48 小时，升温曲线平缓，低温无炸坯，中温无烟熏，高温无形变。停火前要求保温 1 ~ 2 小时，是为保证釉面光润。因焰火过速或过缓，或窑升温过程中温差过大，都可能产生欠火或过火，造成一侧烧生、一侧烧熟或上部火大、底部火小等弊病。

（三）白瓷美的内涵

定窑白瓷美是指它给人们的综合视觉印象。定窑白瓷的烧造历经 700 年之久，后又失传近千载，经过沧桑巨变，因其文化积淀深厚、技艺精湛、格调高雅而赢得了世人的青睐。

邢窑开创了中国白瓷文化的崭新纪元，造就了包括后来定窑在内的数以万计的创造队伍。著名陶瓷艺术家、原中央工艺美术学院陶瓷系主任梅健鹰教授有句名言："瓷不惟白"，意思是说，单一个"白"字，绝不是评价陶瓷的唯一准则。瓷之白，无论是生活之用，还是观赏之鉴，都必须从器坯和釉相映衬的综合效果，分辨其雅与俗，判定其审美背景下独特的艺术神采。

纵是洁净的白瓷釉，也要看施于何种材质的瓷坯上。定窑白釉与瓷坯，是一种历史的完美结合。定瓷胎不透明或半透明，但白釉却是透明的且清越恬淡，两相结合，其沉静之美顿然而生。定窑又因焰火变化常出现釉色白中泛青或白中泛黄，明澈清亮，把器物的质地和纹饰映照得鲜活明晰，形成不同色调倾向的釉面效果。这是定窑白釉的一个特点，也是形成其历史风格的重要因素。

三、炉窑改进与烧成技术的提高

陶瓷烧成的成品率低一直是古定窑发展过程中存在的一个问题。大量的残瓷废渣堆积如山。唐、五代定窑一般为氧化焰烧成，由于窑炉狭小，空间有限，焰火回旋受到影响，窑体闭塞，时有焰火不畅、受火不匀、局部过火和生烧现象，窑炉气氛也会变为还原或弱还原，并伴随窑烟、火刺、粘连等（图 3-11）。后来定

图 3-11　匣钵与瓷器粘连标本

图 3-12　北宋窑具漏斗形匣钵

窑人开始了窑炉改造。北宋时窑炉体积增大，烧成窑室焰火通畅，保证了氧化的烧成气氛，加上匣钵（图3-12）的改造和创新，烧成技术有了很大提高。定窑在宋政和、宣和年间达到了鼎盛时期。

四、槽碾细碎与澄浆

唐代时定窑人就开始用石碾粉碎原料，石碾构造简单而且科学：碾盘直径为 6 米左右，用青石砌成，碾槽宽为 0.6 米，碾砣固定在碾盘中心特制的木架上。碾盘外围为碾道，供牲畜拉动碾砣粉碎原料（图3-13）。牲畜一般为双套，即有两头马或牛同时工作。土石原料都可用这种石碾加工。自从用石碾加工原料后，白瓷质地有了明显的改进，随着高纯度石质原料的大量使用，坯料的立性逐步增强，瓷器白度也达到了历史上的高峰。

图 3-13　石碾

原料经过细碎后呈粉状，加水调成泥浆后进入澄浆池进行澄浆过滤。澄浆池为方形，由砖石砌成，依需要呈阶梯状依次排列三个或更多。泥浆置入第一个池使其自行沉淀，一些较粗糙的成分沉入底层，然后将上层料质较细的泥浆导入第二个池，再使其自行沉淀，依次循环，积于最后一个池中的便是可用的精料。再经搅和、踩踏、拍打等，便可入储泥洞储藏陈腐备用。规模较小的窑场采用大缸淘洗的方法澄浆过滤，像澄浆池一样，依次摆上几个大缸，方法大同小异（图3-14）。

图 3-14　澄浆过滤

第二节　制瓷原料的开采与制备

定瓷原料主要为当地产的一种黏土，俗称坩子土，在曲阳县灵山镇的北镇村、涧磁村、套里村、铁岭北村一带储藏非常丰富，村子就坐落在坩子土坡上，套里村和铁岭北村房前屋后就是原料场。这种原料性较软，易风化，溶水性强，采后即可使用。成分以石英为主，其次为氧化铝 17% ～ 18%，氧化铁 6% ～ 7%，还含有少量的氧化钙、氧化镁等。各料场原料成分含量不尽相同，制成的瓷器胎质各异，呈色或偏黑、偏黄、偏紫等，为唐代定窑初创时期的面目。

宋代定窑生产规模较大，为当地重要的经济支柱，逐渐形成原料开采、加工、制备等产业化分工。官窑及一些规模较大的民间窑场大都拥有自己的固定料场，有专人采掘、运输。小规模窑的业主根据生产需要向原料经营者订购，抑或零星进购。宋代定州官窑、民窑同步发展，推动了原料经营业的发展壮大。

一、原料的生产经营

原料经营者要备齐瓷器生产所需的各种原料，供厂家选用。皇家和王府定做的瓷器，选料更是考究，要进行专门开采。

各种原料经粗碎的、细碎的、碾成粉状的、勾兑成浆的、练成的泥、配成的釉等，样样齐全。

官窑拥有优质原料的优先使用权。根据对一些"官"字款瓷器的考证（图 3-15），其中一部分为民窑生产。定窑的历史可以说是原料的开发利用和原料改进的历史。

图 3-15　"官"字铭文

二、原料的开采与制备

从定窑遗址附近原料开采遗迹分析，古代开采原料多为深挖、广取，打井深入地下20～30米，或更深，然后向四方开采。开采原料时要注意留有支腿，以防塌帽；对于帽顶松弛部位还需用横木撑起加固。古代开采原料时没有先进的机械设备，只靠人力用镐刨，用锄头掘，用煤油灯采光照明。由于开采条件低下、恶劣，塌方事故时有发生。1984年，古窑址附近一次掘井施工就发现古人开采陶瓷原料时遗留的灯台、饮水瓦罐及被埋矿工的骸骨。

原料从山上或地下开采出来运到料场，首先要进行原料拣选，通过拣选提高原材料的纯度和白度。原料拣选的目的是对每块原料进行细致观察，看是否符合生产使用标准、有无杂质等，如硬质矿石原料上附着有云母等杂质，则需予以清除，软质料中的沙料等非塑性物质及杂草要剔除干净。

以前有"原料为基础、成型为保证、烧成为关键"的说法。原料拣选是基础的基础，拣选合格的原料才可进入粗碎工序。粗碎的方法是把大块的矿石原料用锤子砸开，粉碎成核桃大小的料块。粗碎过程是层次分解的过程，在这期间要密切注意粗碎后的料块上是否还有云母等杂质遗留，如有就严格清除。

经过一段时间的自然风化，粗碎后的料块还要进行细碎，即放入槽碾，由牛、马等牲畜拉动碾砣，通过碾压把料块碾成粉状即细料。窑场的槽碾不同于农家加工粮食用的石碾，碾盘呈浅槽状，碾砣直立，外径大，内径小。把粗料投进碾槽内，拉动碾砣予以粉碎。加工后的细料随着粗料的加入，在碾砣的重压下自然溢向外环，这就是细碎后的成品料了（图3-16）。细碎加料时要求勤添少添，使碾砣在相近阻力下保持一定速度运转，不会因满塞使碾砣受阻而被迫停滞。

图3-16　矿石原料、粗料和细料

石质料拣选好须经粗碎、细碎后再加水调成泥浆，然后澄浆提纯；土质料拣选好后即可直接调成泥浆，后投入澄浆池沉淀。具体操作前已有述，不再赘言。陈文增著《定窑研究》中有《原料淘泥工艺歌》如下：

> 定瓷工艺精，淘洗为根本。每淘溶一袋，三淘出真纯。淘量求回旋，用力兼用心。缸壁须全净，袋面无杂尘。料水1：3，澄溶三十分。搅打须匀和，浆浮沙淀沉。导水助管道，吸口莫乱吞。舀浆进二淘，过滤事谨遵。二淘入三淘，再滤如淘金。一淘剩二十，二淘十五分。三淘十已足，滤后得全新。淘淘俱得法，成败问经纶。三淘有沉淀，复淘不同人。余渣清场外，净洁定乾坤。

三、坯料的成分构成及性能

定窑作为宋代五大名窑之一，是继唐代邢窑之后发展起来的又一白瓷窑场，从土陶→粗陶→细陶→粗瓷→细瓷→细白瓷，从粗胎至细胎，从灰胎至白胎，随着陶瓷历史的沿革，原料越来越精细，温度越来越高，瓷质越来越细腻，做工越来越讲究。北宋定窑盛期，白瓷最为崇尚类雪、类银、如玉等素雅之美。

定瓷原料的配方及加工工艺与一般陶瓷既有相同之处，也有它的独特性，配方中高岭土是最重要的成分。

高岭土是以天然状态直接加入，其质量因地质成因、矿物成分不同，而有诸多不确定因素。

为了保证原料的稳定性，首先要精选原料。一件完美的产品首先要有好的原料，其次是合理的调配，再通过精细加工。传统做法是对三种高岭土进行淘洗，根据定瓷不同配方的特殊要求分别对待。

表 3-1　高岭土标准

化学成分	指标		
	优等品	一等品	合格品
$Al_2O_3 \geqslant$	37	30	23
$Fe_2O_3+TiO_2 \leqslant$	0.6	0.8	1.6
$TiO_2 \leqslant$	0.1	0.45	0.6
$CaO+MgO \leqslant$	1.2	1.5	1.8
$SO_3 \leqslant$	0.2	0.25	0.3

古定瓷的生产工艺与今天的定瓷生产没有本质上的不同，只是在技术上有了更大的进步，原料的机械化加工和精选，包括坯体制作及烧成技术的改进，使定瓷的生产更加精细。

定瓷配方中高岭土占 60%，三氧化二铝作为一个主要成分赋予坯料良好的结合性能，使一些瘠性原料能有效结合，使坯体在干燥中过程避免变形开裂。定瓷高岭土在烧成中分解生成莫来石结晶，使定瓷具备了耐急冷、急热性和较高的机械强度。

石英作为瘠性原料之一，在高温下与熔剂发生反应，使其多晶转化，产生体积膨胀，可部分减少坯体烧成收缩过大而造成的应力，从而改善坯料性能和烧成效果。石英在烧成过程中部分熔解于熔剂中，提高瓷器玻化性能，并构成坯体的骨架，增强坯体白度并提高制品强度。

原料中的定瓷熔剂在高温下熔化为液态，填充于坯体颗粒之间的空隙，并黏结颗粒使坯体致密，改善瓷质，加强石英和高岭土的熔解、相互渗透，加快莫来石结晶的生成和发育。瘠性原料作为熔剂，在坯体干燥时可减少收缩，降低产品的烧成温度。定瓷根据产品成型方式的不同，尤其是注浆产品与拉坯产品的不同要求，使用的熔剂原料也不同，如果使用的熔剂原料为可塑性或半可塑性的，须根据原料物理性能和化学性能的不同作出相应的调整。

四、釉料的配制应用

定窑白瓷釉色或泛青或蕴黄，柔润媲玉，此外还有红定、黑定、紫定等名贵品种。但无论是白定还是色定，其胎质都是坚密、细腻的白胎，只是釉料成分或烧成气氛不同而产生不同的窑变效果。

1. 白定釉料

古代定窑白瓷的釉中，含有相当多 CaO 成分，所以可确定为石灰釉。古代定窑的石灰釉，不是以石灰岩作为基础原料，而是用 CaO 含量高、已风化成粉状的白色矿石配比而成。而现代白定釉所含的 CaO 主要是以石灰岩为原料。古定窑白瓷釉料富含钙质，在古代烧成技术还不成熟的情况下，即使是用氧化焰烧成，也会产生一定的还原气氛和弱还原气氛，而钙含量高的釉又极易吸烟，所以在大量的白瓷片中，其釉色会有差别，或一窑多色，这是由当时的烧成条件决定的。定白瓷釉为"活釉"，釉本身就可能泛黄或泛青，且透明性好，流动性强，给人以灵动、温润的视觉效果，加之定窑刻花艺术的飘逸、潇洒，其烧成效果更是生动传神。定窑刻花采用刀行形外、以线托形的运刀方法，形象刻画与线条的宽窄、深浅相得益彰，经过施釉烧成后，釉料熔化，自然产生深浅、浓淡、隐隐约约的明度变化和色彩变化。器物内注入水后纹饰更加清晰，鱼与荷花相互映衬，有草拽鱼游之感（图3-17）。

2. 色定釉料

定窑还有黑定、紫定、红定等品种，但并非有专门的釉料配方，而是在特定烧成气氛下产生的窑变效果。在通常情况下，温度在1270℃左右时，黑釉如点漆，沉着稳重，光泽厚实，器物壁面呈橘皮状（图3-18），史称黑定；温度在1275℃左右时，釉由原来的黑色趋向紫色，俗称酱釉（图3-19），史称紫定；温度至1280℃左右时，开始由紫色变为红褐色或红色，此谓红定（图3-20）。色定中红定尤为名贵。红色纯正而又形体完美，尤为稀少。

图3-17 手刻鱼纹

图3-18 黑定

图3-19 酱釉印花瓷片

图3-20 定窑红瓷"岁寒三友"印花盘

与其他窑口色釉产品相比，定窑是细白胎，着以色釉，其特点是胎薄釉厚，光润透亮。黑定、紫定、红定属单一色釉，但由于烧成气氛、温度以及器物在窑内所处位置不同而有差异，呈现出不同色相或色泽，甚至在一件器物上产生一面黑一面紫，或一面紫一面红的现象。油滴釉（图3-21）、兔毫釉（图3-22）一般施于茶盏，高温烧成时，釉随造型变化产生流动，口沿釉层较薄，至底渐厚。上乘产品口沿呈紫金红边，呈现一种自然的美。兔毫、油滴是定窑色釉产品中的极品，圈足以上多施半釉，在高温作用下圈足部分形成垂釉。

色定釉色的变化除烧成气氛的影响外，最主要的原因是其成分中含有一种特殊的黄土，这种黄土在古定窑遗址附近储藏非常丰富，采掘面就在涧磁村村南偏西一侧（岗北村东侧），当地叫大营黄土。整个土

图 3-21 油滴盏 　　　　　　　　　　　　图 3-22 兔毫盏

层厚达 2 米左右，分为上、中、下三层，所含成分差异很大，颗粒细度与淘洗后的渣筛余也不同。上层土色黄，土质较细；中层土黄中蕴深，土质稍粗；下层土黄中偏红，颜色加深，土质相比中层稍粗一些。

第三节　成型工艺

在定窑兴盛时期的北宋宣和、政和年间，官营手工业和民营手工业都很发达。其时定窑当地窑炉星罗棋布，青烟蔽日，人声鼎沸，车水马龙，门庭若市，一派繁荣景象。

古代定窑生产没有留下文字记载，定窑发展到元代，由于频繁的战争摧残，官窑场不堪颠覆渐渐消失。而元代以后民间窑场仍有生产。除曲阳外，在辽宁上京、内蒙古赤峰、四川彭县、山西平定等地都传承着定窑技艺。解放前，曲阳县岗北、韩家村一带很多人家有瓷窑，田间劳作之外，皆能烧盆捏碗。时至今日，灵山、岗北、韩家村、王家村以及东、西燕川村仍有瓷窑生产，与定窑一脉相承。可以说，定官窑自元消亡，而在民间却一直生生不息。

定窑历史上以生产高档日用陶瓷为主，生产品类主要是盘、碗，其次是瓶、罐等，以拉坯成型为主，另有一些人物及工艺瓷枕等为小批量生产，以印坯、拓坯成型为主。

一、拉坯成型

（一）盘口瓶的拉坯工艺

定窑陶瓷生产以辘轳成型为主。

揉泥（图3-23、图3-24）。拉坯需先揉泥。泥的硬软是否均匀，直接关系到成品质量的优劣。揉泥重在"定方向，和熟之"。储泥室的泥虽已经过陈腐，但仍不宜直接使用，须通过揉练和调整。揉泥时必须按一个方向旋转揉搓，不能反手倒揉。乱揉将造成泥间颗粒排列纷乱，不利于成型，甚至出现泥的疵裂现象。即使成型时看不出问题来，到烧成工序，也会产生质壁松散不实之弊。揉泥的"熟"字很重要，通过反复揉练，能将每个细小局部都过于掌心，自三过而熟之。揉泥多为立式，即双脚一前一后，躬背俯首。两脚与按泥的手呈三足状。

上轮（图3-25）。即把揉好的泥放在拉坯轮盘正中心，双手把握，用力按压，使其牢牢地粘在轮盘上。同时，要注意使轮盘旋转的方向和揉泥时泥块旋转的方向相对应。这样，轮盘旋转的方向与手推动方向正相反，使泥的排列结构越致密。否则，越用力，泥的结构越松。泥放好后，端正坐姿，双手把泥准备操作。

把正（图3-26～图3-28）。在轮盘上把泥固定好后，启动拉坯机。双手握泥向前用力，与拉坯机的旋转形成相反推力。此时心要静，身要正，手要稳，稳中用力，不随泥的摇摆而晃动。把握住，泥自然就正了。泥把正了不要马上进行下一部操作，而要经过推起、按下反复两三个来回，使泥和轮盘牢牢地粘在一起。

图3-23 揉泥1

图3-24 揉泥2

图3-25 上轮

图3-26 把正1

图 3-27　把正 2

图 3-28　把正 3

图 3-29　打眼 1

图 3-30　打眼 2

图 3-31　提筒 1

打眼（图 3-29、图 3-30）。拉坯成型过程中在泥坨中心开口，形成器物内部空间。凡器皿底部大小、高矮的处理，都取决于打眼扒开泥时底部所留泥层的厚度与直径大小，根据设计要求留出相应的空间和修坯余地。就瓶、罐而言，器底与器壁的转折处宜圆不宜方，以保证器物在干燥与烧成过程中不易开裂变形。

提筒（图 3-31～图 3-34）。器皿的内底确定后，接下来是提筒。器物无论立型或卧型，大器或小件，均以提筒始。提筒的尺度、筒壁的薄厚等准确与否，直接影响下一步放型的操作。熟练的制坯工在取料、揉泥、上轮、把正、打眼、提筒诸步骤中，均能准确掌握，包括提筒时施水的次数都是非常讲究的。

提筒需要注意三个方面：一是留好底足的厚度。因为坯体拉好后，需要修整底足。底足高则留厚些，矮则留薄些。二是器物的壁厚与筒的壁厚是一脉相承的，提筒时下部略厚些，往上渐薄。三是注意提筒拉

图 3-32　提筒 2

图 3-33　提筒 3

图 3-34　提筒 4

图 3-35　放型 1

图 3-36　放型 2　　　　　　　　　　　　　图 3-37　放型 3

坯时，施水越少越好，不然容易造成器壁的软化和瘫倒。

　　放型（图 3-35 ~ 图 3-37）。根据造型要求，左手入筒内，右手抚外，自底向上逐渐推放，这个动作不是一步到位，需要反复三次或四次。但推放的同时必须注意坯壁始终是下厚上薄渐趋过渡的。放型的操作完全是凭手的感知，而不是用尺子去度量。其间左手在内、右手在外，半握之中如规如矩，旋转之中，形制已成。

　　放型操作需循序渐进，反复两三次即可。放型最忌用力过猛或推放幅度过大，这样势必导致器壁产生内伤，待坯子修好脱水后或烧成后则会显出弊端。放型方法不正确的另一个弊端是，底部、口部壁厚，肩部壁薄，拉坯时或修坯时没有察觉，待烧成后上下旋裂。故放型过程贵在心法与手法之契合感应，此正是拉坯妙处所在。

　　收口（图 3-38 ~ 图 3-40）。拉坯时里外两只手用力方向相反，放型主要是由内向外推，所以称为放型；收口则是放型到一定阶段时由外向内推，使器壁逐渐内敛，口部内收，这个由外向内推的动作，也应在三次左右完成，不能因着急而提速。待由外力向内推到一定程度，口部从内向外翻，形成一个外唇口，拉坯过程就结束了。

　　拉坯时双手内推外送形成的默契配合，形成了高矮、方圆、大小不等的器物。细观察内外两只手的推拉位置，通过上下运动正好是一条 S 形线。这条 S 形线的每一步都

图 3-38　收口 1

图 3-39 收口 2

图 3-41 下轮 1

图 3-40 收口 3

图 3-42 下轮 2

是一种向内弧和向外弧的连续动作，其内外弧转折处正是关键，只要认识到了这一点，拉坯的关键技术也就解决了。

下轮（图 3-41～图 3-43）。器物收口后，成型过程结束。下轮前还必须对泥坯底部一周的泥浆进行清理，随着轮盘转动，刮去泥浆，一件相对完整的器物坯子就算完成了。之后用割线蘸水，双手向器坯上部套过去，放置在轮盘平面上向怀中轻轻平拉，将坯体从轮盘上割下，然后双手托底，放在预备好的木板上自然晾干。

（二）修坯工艺

修底。与器物的口部用手拉坯的方法不同，器物的底足是修出来的。修底是按照预先的设计对拉坯提筒时留有的部位进行修整。

图 3-43 下轮 3

图 3-44　修坯·修底 1

图 3-45　修坯·修底 2

图 3-46　修坯·修底 3

图 3-47　修坯·修口 1

图 3-48　修坯·修口 2

图 3-49　修坯·修身 1

图 3-50　修坯·修身 2

修坯时先修底。由于坯体底部留有较厚的泥坯，底足有时不能一次修整好，这种情况下，可以稍晾一会儿，再修第二次。目的是为了拉坯作品做得更好，时间利用更合理。

修坯（图 3-44 ～图 3-50）。修坯是成型的最后一道工序，也是验证拉坯技术好坏的关键。拉制好的坯体从外观上难以看出破绽，尤其器壁厚薄不好掌握，修坯时不是打不正，就是一边先透孔，或者上下部干湿不均匀，无法在一定时间里修整好，这都是拉坯技术不成熟的表现。

熟练的拉坯工为了后道工序的顺利进行，在拉坯时已经考虑到修坯中所用的时间，有意把上道工序应该做的都做好，为修坯工序留足了方便。定窑拉坯工艺的成熟，除了因为定窑拉坯工具有娴熟的技术外，还有一个重要条件就是泥料的可塑性好，具有一定的韧性和立性。

因此，定窑产品的坯体都很薄。张守智教授曾说："南北陶瓷拉坯技术，拉得最薄最好的当属定窑。"

定窑生产前后延续近 700 年，每个历史时期都有自身的特点，造型以盘、碗、瓶、罐为主，兼制缸、筒、钵等器物，大都是适于轮制的圆形器物。《博物要览》："定器乃宋时北定州造也……时造甚有佳器，式多工巧，开列如后：兽面彝炉、子父鼎炉、兽头云板脚桶炉、胆瓶、花尊、花觚……长样两角碟、四角莲瓣碟、各种瓶罐、灯檠、大小碗、酒壶、茶注、蟾蜍注、瓜注、茄注、菖蒲盆底、坐墩、花囊，已上诸器，皆定器上品。"[6] 然据明代高濂所著《遵生八笺》说："瓶式之巧百出，而碟制万状。"[7] 各种器物大小高矮不一，均出于一轮之下，可见定窑拉坯工艺之成熟。

今天拉坯机已由手动改为电力驱动，转速按挡分级。但数千年来先人们以简易的工具设备生产出了千姿百态的作品，显示出了古代制瓷工匠们的聪明与智慧。

二、模具印坯成型

宋代定窑最基本的生产手段是辘轳拉坯。熟练的拉坯工每天可生产百件或更多，适应于大批量制作。辘轳拉坯为手工成型，每件产品虽出于一张图纸，但从造型形态到规格尺寸总有些微小差异。当代模具注浆成型则不同，是按照统一规格的模具进行连续生产，所生产的产品几乎没有什么差异，也因此缺乏了某种手工艺术自然变化的趣味和美感。

尽管拉坯是常见的传统陶瓷成型方法，但不是所有的产品都适合拉坯，比如，一些人物造型及一些异形工艺品；还有一些尺寸要求很严格的圆体器物，也不适合拉坯成型。因此就产生了模具印坯（拓坯）成型。模具是用与制瓷原料相近、颗粒较粗的坯料制成的，经低温素烧后成为陶模，主要用于印坯或印花装饰之用。这种模具与当代注浆用石膏模具功能相近，只是在制模材料及工艺做法上有所不同。

（一）人物瓷塑及异形工艺品的印坯成型

一般情况下，人物及异形工艺品造型比一些瓶、罐类造型要复杂，用简单的模具表现是不行的，所以必须进行分割、制模。分割前需先确定分割线，画分割线要根据原作的造型关系，做到前后照应，上下顾盼，线要画得准确到位。每个独立模具印出的效果最终要反映到整体作品上来，所以，要想达到作品的规矩和完美，必须保证分割的合理和准确。

这里以仿宋孩儿枕为例，人物形象为俯卧状，两只翘起的小脚需分割开来，分两部分制模，整个头与身体亦需分前后两部分制模。这样计算下来共有大小四个部分需独立制模，模型完成以后，即开始印坯。

拍按方法：按照局部模具的形式，以中心为起点依次向四周铺开，把准备好的泥片填充进去，然后用手指按实，使泥片与模具紧紧贴合在一起，不得留有缝隙，以防局部出现虚空。一般情况下，凡印坯模具都带有纹饰，这种纹饰不论是人物的衣褶，还是动物的肢体，抑或是花卉等，都强调装饰的艺术效果，故拍按时务必注意其牢固贴切，使泥片能准确再现模具上的装饰纹样。

拍按时除小心翼翼将模具所表现的纹饰印清晰以外，还须注意填充的泥片必须做到整体薄厚一致，才能在后道工序中顺利成型。每件模具局部拍印完毕后进行整体拼贴，然后放置一边，待其自然脱模后取下，按当初制模时的切割线拉下来，再分块进行整体拼贴，一件完整的印坯产品就完成了（图 3-51 ～

图 3-51　备泥

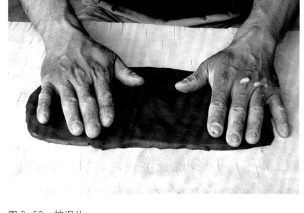

图 3-52　按泥片

图 3-53　局部填充

图 3-54　整体拼贴

图 3-54）。

　　拍按是印坯的关键技术，除此以外诸如泥料的干湿度、拍按力度都是不可忽略的。有时人们忽视泥料的干湿度，以为印坯靠拍按、填充，只要按要求操作，能清晰地再现其模具形状即可。但烧成后问题便显现出来了，或者变形或者开裂，这种情况下，再清晰的花纹和拍按技术也付之东流。所以，印坯泥料的干湿程度必须要掌握好。一般情况下以稍硬泥料为好，当然上手感觉要好。按入模具后，能有效进入纹饰的凹凸部位，不能太硬，使之无法"深入"局部，产生虚空现象。泥料过硬，印出的效果常伴有微弱纹裂。泥料软则不挺，按印时常常粘手，影响印坯，有时出现过早脱模现象。其次，泥水分大太软，烧成中易出现收缩变形的现象。故泥料的干湿要适度，以不粘手、易操作为宜。除泥料干湿度以外，拍按的力度也要均匀，从始至终均衡用力，尤其一些边角部位，按印时要泥料到位，力量到位。

　　（二）圆体器物拓坯成型

　　圆体器物是指能在轮盘旋转情况下成型的瓶、罐类器物。这类器物可以用拓坯方法生产。拓坯有三个优点：第一，生产周期短，只要预先做好模具，拓坯便可在短时间内成批量生产；第二，规格统一，用同一个型号的模具生产的器物，除去修坯、整型过程中的微妙差异外，规格统一；第三，其效果同拉坯成型相似，通过对内形和外形的修整处理，与拉坯产品基本一致。以上三点，显示了拓坯工艺的优势。故一些需量较大的圆体作品也不妨采用此法制作。

　　1. 原胎制作（大件）

　　因拓坯适应于不同规格的产品，其中一些难以用拉坯成型的器物更适于采用拓坯成型。

　　拓坯之始需先制作原胎，这里以大件产品的原胎制作为例说明。制作原胎，需先画图纸，然后根据图纸上轮旋制。上轮前要对该器物进行认真分析，以确定是直接在原胎上分段制模，还是将原胎分割后再分别翻制模具。一般情况下，50厘米以内的瓶、罐尚可在原胎上翻左右对开模。对开模印坯为拓坯工艺中最简便的一种，是从器物中间最大直径处分段拓印，然后粘接成型。如果器物较大，则须视实际情况将原胎进行分段制模。之所以分段处理：一是从技术上考虑到造型转折较大，必须多加一段模具才易于成型；二是由于器物较大，模具分段后仍然较重，操作中不便搬动，故须分割成多块。

大件产品分段轮制要求很严格，每段的衔接平面，必须严丝合缝，粘接时也不能完全依赖泥浆。从技术角度上讲，泥浆的黏合只是一个条件，两个粘接面的吻合才是主要因素。在粘接过程中，使用泥浆越少粘得越牢，使用泥浆越多越易出现裂缝，导致拓坯失败。

2．上下分段切割

从某种意义上说，拓坯工艺在一定程度是在模仿拉坯工艺，故原胎的分段切割必须是横向的。横向切割后分段制胎，然后再制作成分段模具，其接缝都是横向的。拓坯后上轮修整也是横向的，这样坯体上的刀线纹、旋削纹与拉坯形成的旋纹有一定的相似性。

3．内外修坯

拓坯主要是将切割后的分段拓件黏合成一件完整的器物。在粘接过程中，多少会留有一些痕迹，尤其是抹的泥浆。在两段坯体衔接时挤出的泥浆会留在衔接缝内外，这便需要修坯。修坯分内、外两种，内修难些，而且必须按顺序、分前后。这种顺序主要根据器物的造型形态，内修完成后再粘接，继而修整外型。外型修坯会模仿手工拉坯的效果。

4．粘接与修坯的干湿度

拓坯过程需要掌握泥料的干湿度，而粘接与修坯的干湿度则尤为重要。粘接配件时，如果粘接过早，坯件较软，取拿时易使其变形；若粘接过晚，因其坯件较硬，泥浆的粘接力较差，在干燥过程中则出现开裂。所以，把握粘接的时间是关键。

5．配件与小件的特别处理

拓坯工艺常常与拉坯工艺相结合，主要表现在一些小件和配件的处理上。比如，梅瓶的口或底，只要在体积和重量上允许，便尽量用拉坯方法成型。有些拓坯师常常把口或底，包括罐身以及一些其他配件都用拉坯方法制成，在掌握粘接时间的要求上与拓坯形成和谐统一。

第四节　装饰工艺

宋代定、汝、官、哥、钧五大名窑中，唯定窑以装饰见长。刻花装饰奔放、潇洒，运刀似行云流水。印花装饰制模规范，拍印精细，造就一种华贵典雅的气韵。另有刻划花、印花、剔花、堆花、贴花等，别开生面，各得其趣。

一、刻划花工艺

定窑刻划花装饰具有很强的艺术性和神奇的视觉效果。定窑刻花别开生面，自出新意，刀法泼辣、挺劲、险峭而又潇洒；线条奔逸、宛转、豪放而富有情趣。运刀方式无拘无束、曲直变幻、峰回路转、富于变化。在纹样的局部处理上，注重线条刻划的轻重急徐、亦虚亦实，或欲去又就，或若即若离，以表现纹样的含蓄、生动、意蕴。

（一）刻划花工具及刀法

刻花是定窑最主要的装饰技法，在定窑装饰艺术史上占有重要地位。由于刻刀在使转功能上，具备了行运、弯转等基本条件，所以任花鸟鱼虫千姿百态，皆能表现出来。

定窑刻花刀具种类繁多，但是总的来说不外三种，即单线刀、双线刀、组线刀（图3-55）。三种刀具可分别制成大、中、小三种型号。根据器物体积大小采用不同的刀具。其中组线刀除大、中、小三种型号外，还需分别做成凹、凸、平三种样式，以便根据器物表面的凹凸变化进行刻划。

刻花刀具刀头长约1寸，大号刀宽12毫米，中号刀宽8毫米，小号刀宽5毫米，采用钢筋淬火打制，宽窄、薄厚均须以实用为原则。双线刀、组线刀的齿口用钢锯条切割，后再用小什锦锉打磨而成。刀柄长5～7寸，截面约10毫米，宜用枣木、红木类较硬木料。

单线刀、双线刀刃部要平直，两个边为垂直的直边，这样在各种器坯上都能灵活地翻转运行。单线刀、双线刀为刻花的主要工具，组线刀是辅助工具，主要用于花叶筋脉的处理，有时也用来刻划水纹。组线刀形同梳子，有九齿、十一齿不等，齿尖呈锐角，六面挫打，以翻转时不切断线条为佳。齿间距根据刀具型号大小而定。

单线刀、双线刀、组线刀相互搭配使用，刀法相同，效果各异（图3-56）。单线刀刻出的线条可宽可窄，给人以直爽、痛快的感觉；双线刀刻出的线条典雅、秀丽，耐人回味；组线刀辅佐单、双线刀作善后补充，具有锦上添花之功。

另一种装饰工具为划刀。划刀一般为竹质或骨质，称为竹刀（竹签）（图3-57）、骨刀（骨签），划刀形同锥子，刀尖发钝，划痕为沟。一般为配合刻

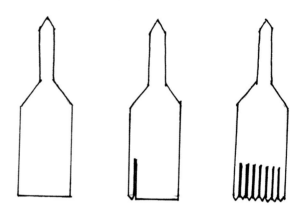

图3-55 三把刀（手绘）

图3-56 单、双、组线条

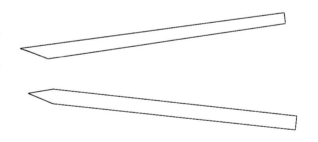

图3-57 竹签

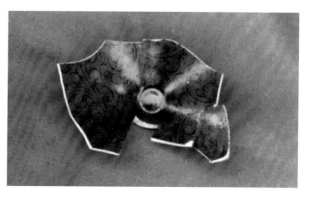

图3-58 黑釉划花瓷片

刀使用，形成多线条装饰效果，虽然线条变化不甚明显，但装饰功能却不可轻视。曲阳定窑遗址出土一黑釉划花纹盘残片，线纹呈深黑色，壁面为黑褐色，装饰效果清晰，可谓典型划花之作（图3-58）。竹刀的制作同样需要不同规格，意在同刻刀型号相配合。划刀有时也单独使用，形成单纯明了的装饰效果。所谓定窑刻划花，通常指刻与划的并用。

不论单线刀、双线刀、组线刀均需根据装饰的器物选择使用。组线刀中凹、凸、平三种规格，也要根据器物造型选择使用。圆形器如梅瓶、壶、杯、罐等凸起的装饰面，宜用凹形刀，正好与造型的凸面相吻合；盘、碗、碟等装饰面呈内凹的器物，要用凸形刀，因凸形刀与造型的凹状面相适应。即谓凹对凸，凸对凹，平对平。

单线刀和双线刀一般不分凹凸，因为单线刀和双线刀不论大小、宽窄，使用的是一个边锋，这个边锋在执使过程中，始终保持一个直角，形成洗练明快、飞动飘逸的效果。

刀具要做到保养第一，使用第二，常用常修，边用边修整。用钝刀刻花，线条圆滑乏味，没有骨力，不见精神。只有刻刀锋利时刻出的线条才会呈现出质朴爽健的刀风和优雅的装饰效果。刀具修整需一组什锦锉和高硬度的磨刀石。刀使钝后，先在磨刀石上打磨，然后用三角扁锉分左右及棱角处锉几下，刀锋又复锋利。竹刀或骨刀可用普通刀具削尖，再用砂纸擦拭，使用时能操刀如笔。

刀法即刻划使刀方法，或称使刀、用刀。定窑刻花有两种刀法：一种为侧锋用刀，一种为中锋用刀。侧锋用刀使用的是一个边锋，即外斜刀法：刻刀沿着所表现形象的外轮廓运行，刀行形外，以线托形。线条表现时宽时窄，时深时浅，均依装饰面的弧度变化作自然过渡。外斜刀法刻出的线条总是一边深一边浅，深面是纹样的外轮廓，浅面与器壁融合。单线刀、双线刀采用这种方法。中锋用刀，或称直刀法，是指整个刀锋切入坯体，直立运动。划刀（骨签、竹签）、组线刀采用这种方法。

刻花用刀关键在落刀、行刀和收刀的掌控，即用刀三要素。落刀分藏锋和露锋，收刀分回锋和出锋，称为用刀四法。行刀指使刀全过程，以落刀为始，以收刀为终，要求利落、干净、洗练，不拖泥带水。落刀如落笔，要精神集中、沉着，意在刀中，即纹样的大致轮廓、刻刀的倾斜度、刻入的深浅早已成竹在胸。行刀，是针对落刀和收刀而言。行刀需冷静，自始至终把握行刀轨迹和弯转程度，讲求准确、灵活，翻转不迟疑，不踌躇，成竹在胸，运刀自如。收刀，线条不论弯转平直必取收势，分出锋和回锋，意在与行刀方向趋一，按刀痕深浅灵活掌握。回锋刀宜稍作驻锋，以显其生动韵味及节奏美。

刻花用刀类似中国画和书法的用笔，讲横落竖行、竖落横行、露锋侧入、藏锋直入及出锋轻提、回锋重按等。刻花刀法重在奔放、飘逸、干练，线条重在得当、干净，挥之如阵马风樯，沉着飞动。刻花要一挥而就，不允许任何形式的复刀、描改，一刀定形、挥之即就。

（二）刻花工艺

刻花先刻花头，然后引出枝丫来，最后添花加叶。定窑莲纹刻花中的花头大体上有两种，一种是瘦瓣式，一种是肥瓣式。

1. 两种花朵

定窑人在发明刻花技法的同时，对刻花题材和内容进行了归纳、取舍和有针对性的删减。手刻莲花纹有两种：一种是肥瓣状花朵（图3-59），莲瓣圆浑，刻划时为每边一刀，一长线、一短线便成。花朵两边的花瓣须变换姿态，有疏密和大小变化，或一扬一抑，使有摇曳感。用刀为单线刀，中间筋脉用组线刀处理，分左右向内使刀。一种是瘦瓣状花朵（图3-60），花朵形式与肥瓣状大同小异，只是从形象上更挺瘦，神态上更疏宕潇洒。刻瘦瓣状花朵用的是双线刀，上一刀，下一刀，表现为每瓣都由一双线、一单线组合。

图 3-59　肥瓣状花朵

图 3-60　瘦瓣状花朵

执刀手法，不拘形，不拘反正，正手、反手均可。两种花朵表现两种神态，有着不同的情趣，刻划时可以随心所欲运用。

以刻莲纹花盘为例：大花朵、莲叶为主，小花朵、枝茎次之，卷草叶又次之，由双线刀、组线刀共同完成。

图 3-61　双线刀刻划出主体花头

图 3-62　浅势出刀

图 3-63　花朵部分完成

工序如下：先刻花头，落刀重按，顺而运刀，浅势出刀（图 3-61 ～图 3-63）；再刻划莲叶、缠枝及卷草叶部分（图 3-64 ～图 3-67）；而后用组线刀刻画筋脉（图 3-68、图 3-69）；最后用毛刷掸去刻下的坯屑（图 3-70），刻花即完成（图 3-71）。

2．一种缠枝

花朵刻好后，随手用双线刀刻花枝，即莲花茎。茎要刻得柔中有刚，不能疲软或拖带不净，一般为半弧线或 S 形线（图 3-72），其效果如同传统纹饰"缠枝"。运刀时重按轻推，刻刀入坯要保持固定深度，凭腕力推送，做到挺劲有力，不但线条刻得长，还必须准确，符合图案构成要求。

缠枝通常用的是大线条、长线条，长到可在器壁上划个对过。器物是圆状的，执刀运行时要考虑到弧度变化，否则刻线会深浅不一，抑或出现虚线现象。除长线条和大线条外，有时还会有短线条，如缠枝中的圆折状（图 3-73），两段长线中间绾一个圈，这个圈虽小，须两刀处理，即各刻一个半圈，使其在感觉上有衔接之意，千万不能接对，若刻意划一个无缝的圆，便失去了定窑刻花艺术的韵味。

3．卷草补充

定窑人刻划花时，当出现了疏密失度、轻重失衡之际，于是便随机应变，把一些卷草叶（图 3-74）与莲花茎组合在一起。卷草叶有两刀叶，即每边各刻

图 3-64　刻划莲叶、缠枝

图 3-65　主体部分完成

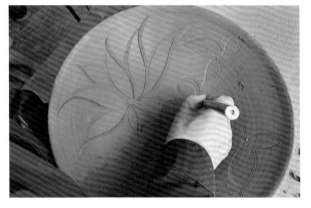

图 3-66　刻划卷草叶 1

图 3-67　刻划卷草叶 2

图 3-68　装饰筋脉纹

图 3-69　花头细部

图 3-70　掸去坯屑

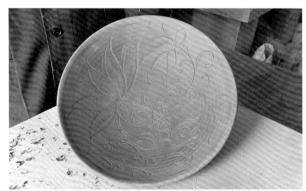

图 3-71　完成

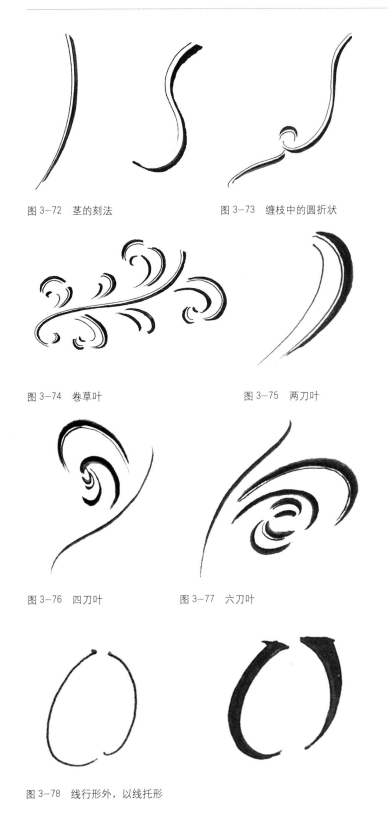

图 3-72　茎的刻法　　　　　　图 3-73　缠枝中的圆折状

图 3-74　卷草叶　　　　　　　图 3-75　两刀叶

图 3-76　四刀叶　　　　　　　图 3-77　六刀叶

图 3-78　线行形外，以线托形

一刀，两刀组合为一只小卷叶；有四刀叶和六刀叶（图 3-75 ~ 图 3-77），叶子卷作一圈，反手刻和正手刻相互交替即可完成。

艺术创作要敢于突破定律，将卷草叶与莲花茎结合在一起是一种突破，是一种创新。

（三）线条表现

线条是定窑刻花装饰中最能表现艺术形象、表达作者意志的语言形式，既忠实于装饰形象的形式构成，又赋予超自然的韵律神态，颇具定窑独特的装饰个性。

线条由刻刀刻划而成，刻刀的一个边锋切入器壁，成 90°落刀，依表现形象随形运之，即成线条。由于表现形象不同，刻刀的运用也分深浅、宽窄，主次、虚实，使线条产生丰富变化。可以把线条放宽或收拢，可以由窄渐宽，又由宽渐窄。有时是线，有时是面，有时是线面交融。线行形外，以线托形（图 3-78）。随形运之，精彩变化，意趣自然。

刻划花的对象千变万化，线条使用也讲究随机应变，不拘泥于固定的形式。大的形象轮廓用刀深，线面宽；小的局部用刀浅，线面窄。面深而宽的线条施釉烧成后，色调变化明显，立体感强；线条浅而窄，施釉烧成后颜色较淡。

定窑刻划花的方法少有定式，其线条的运用主要有三种变化：一为始宽线（图 3-79），或称方起线。落刀较重，刻刀与器壁成 70°左右。线面较宽较深，线行由宽而窄，刻度由深到浅。定窑盘碗和瓶罐上的莲花瓣线条就是始宽线。二为始窄线（图 3-80），又为尖起线。落刀轻微，力渐加重，线面由窄及宽，刻度由浅及深，与始宽线在刻划使转上正好相反，是背向用刀的线条。莲花右侧花瓣即采用这种线条。三为变化线（图 3-81），较随意，不拘束，落刀可藏可露，刻度可深可浅，线面可宽可窄。根据形象变化，行刀弯转平侧不定，随意变幻，线条可弯似钩、圆如月，呈抛物线状或为一波三折。刻划花中莲叶托底一刀即是。

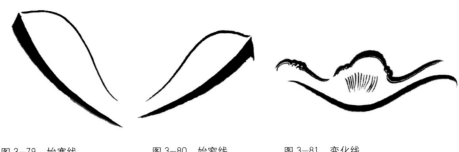

图 3-79　始宽线　　　　　图 3-80　始窄线　　　　图 3-81　变化线

　　由于受器壁硬度、弧度制约，刻刀不可能像用笔那样，提、按、顿、锉。又因刻刀用的是一个边锋，故行运弯转备受阻碍，尤其对一些长线条或较长线条根本无法表达。为此，刻花允许出现线条衔接，以表现装饰形象的整体效果和完美性。这种衔接线条不是严丝合缝的对接和实接，而是拉开一定距离的虚接、意接。如莲纹刻花中的四刀叶、六刀叶，叶子弯转 360°，甚至弯转两圈成 720°，采用弧状短线条，按形式方向衔接。笔断意不断，形断气不断。这是定窑刻花处理复杂形象的线条妙用。

二、印花工艺

　　印花，是古代定窑的主要装饰方法之一。始于北宋，完善成熟于北宋中期（图 3-82）。这种工艺的问世给定窑陶瓷装饰增添了新的生机，在其白中泛青或白中隐黄的釉色映衬下，纹饰清秀娟逸，意境空灵，形成定州白瓷高雅庄重的装饰风范。

　　印花，需先制陶范，然后把用辘轳拉好的器坯取来扣在陶范上进行拍印。稍缩水即可取下，然后修坯。分述如下：

1. 陶范设计

　　陶范是一种通称，一般指在制作过程中直接拓印器物的母模或作为压印器物纹饰成型的模具。古定瓷中的人物形和几何形瓷枕，包括器皿周身及口沿处装饰的龙凤贴花，都是用事先制作好的陶范拍印后再粘贴上去的。流行在民间手掌大小的泥模，实际上也是陶范的一种。

　　定瓷盘碗的印花陶范是一种有特定用途的陶范，以辘轳拉坯造型为基础，用于盘碗内壁纹饰的印制。所以，陶范形式为凸状阳模，亦称内模。陶范中的花纹为阴纹，印坯后盘碗中的纹饰为阳纹（图 3-83、图 3-84）。

　　制作陶范须以所做器皿的内壁线型形态作为陶范的

图 3-82　云龙印花盘

图 3-83　陶范（印花盘碗）

外形，陶范的高以器皿内底到口沿的高为准，壁厚则以适用为前提，以便能承受拍印时的冲击，一般为 20～30 毫米，同时依据使用时拍打的力度，小件薄些，大件厚些。

2. 陶范成型

　　印花陶范的材质一般为细瓷料，经低温素烧而成。定瓷印花工艺对陶范的形制规范程度和装饰刻制的

图 3-84　印花纹样稿

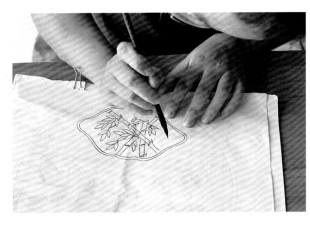

图 3-85　毛笔宣纸起稿

图 3-86　草稿线条不宜太粗

精细程度要求是很严格的。制作陶范时需要性能良好的泥料，然后根据造型的要求拉坯，做出质地致密和壁面光滑的陶范雏形。制作陶范的泥料比拉坯泥料含水量低些，这样以减少陶范半成品干燥及烧制过程中的收缩系数，保证陶范的规整程度。

陶范的烧成温度一般控制在 1100℃～1200℃之间。其基本要求：①烧成的温度不能太低。陶范必须具有一定的强度，因为在印花过程中要承受木条的拍打，这样才能保证成瓷质地致密，也不会因烧成温度过低导致质地松散而脆裂。②烧成温度不能过高，陶范要有一定的吸水性，为拍印后的脱模奠定基础。

陶范不能直接放在匣钵上装烧，而是用专用垫片或支垫，这种垫片或支垫同陶范是一种泥料，收缩一致，从而使陶范的制作和烧成相对完善。

3. 纹样拓印

刻制陶范。首先把所装饰的纹样拓印在陶范上，然后用刀细心镌刻。根据器物的造型和不同规格，拟定陶范纹饰的实际尺寸，用墨汁描绘在既定规格的宣纸或毛边纸上（图 3-85）。线型以铁线描为佳，线条宜细不宜粗（图 3-86），避免在拓印过程中画稿遇水，墨线扩散时造成纹样模糊不清。

因陶范为圆凸形（图 3-87），而所描纹样画稿为圆形平面（图 3-88），平面的画稿附在陶范上，二者不可能吻合（图 3-89），必然出现一些大大小小的褶子，会破坏整个纹样的疏密，影响设计的完美性（图 3-90）。根据实际情况，如盘类较浅的器皿可采用一体式平面拓图；而如碗类较深的器皿，则根据陶范凸起程度将画稿进行局部分割后再贴附在突起的陶范上（图 3-91），以达到拓印目的。

4. 刻制陶范

印花陶范是阴纹凹刻，这样的刻制方法称为阴刻。

阴纹刻制是一项细致的工作。先用铁锥或划针将整个纹样轮廓划线定型（图 3-92），防止在精刻过程中不慎蹭掉拓印墨线。定型之后，即可从某一部位开始刻制（图 3-93）。刻制陶范与刻花的用刀方法不同，不是一挥而就，而是碎刀镌琢（图 3-94、图 3-95）。以定型后的纹样轮廓为最深刻度，继之向内至中间浅斜而上，以至壁面。不论刻花朵、茎叶，还是刻龙躯、鳞爪，均用此法。印坯的纹饰呈凸起状，颇具立体感（图 3-96、图 3-97）。

图 3-87 圆凸形陶范

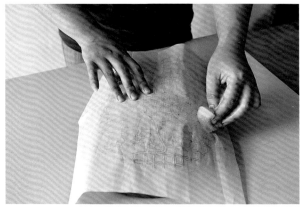

图 3-88 将平面的草稿附在圆凸形陶范上

图 3-89 拓印完成

图 3-90 陶范无法完全吻合平面草稿而出现褶皱

陶范刻制还必须考虑到拍印后坯体易于从陶范中脱模，刻制时要注意纹饰边缘的倾斜角度与印坯的开合方向。拍印时，泥坯进入陶范的装饰的低凹处，尤其是陶范边沿处与所印器坯几乎垂直成一条线，这一圈纹饰则极难处理，是需要仔细斟酌和巧用刀法的。否则，容易造成脱模不利，纹饰损坏。

5. 陶范印制

先把素烧好的陶范凸部向上平置在工作台上，然后取来稍缩水的坯子直接扣在陶范上（图3-98）。

拍印时，需先将口沿一圈用手轻拍进行固定（图3-99），进而轻按，使坯体各部位与陶范完全吻合（图3-100），然后用木条从口沿部位向上依次拍打至底部。起初拍打时可在尚未干透的坯体上加盖一层塑料薄膜，使木条不致粘黏（图3-101、图3-102）。拍打用力要均匀，由轻渐重，重复几次即可完成（图3-103、图3-104）。若拍打时用力不均，忽轻忽重，没有规律，容易使坯体受力不匀，造成

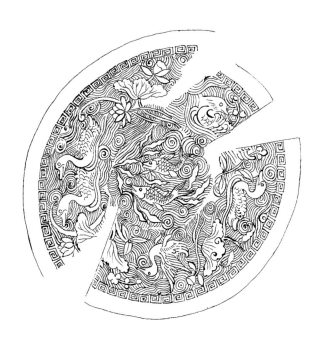

图 3-91 印花纹样分割图

内部结构破坏及局部空隙、折褶等缺陷，或形成坯体薄厚不一。之后，再用一木板压住坯体底部，一并翻转（图3-105、图3-106），脱模（图3-107），完成（图3-108）。

另外，拍印时陶范与坯体不能松动，以免造成纹饰重叠，形成"复印"现象。

印花用的坯体不宜太厚，若太厚则纹饰不易印清楚。坯体底部较厚部位印花前应削去一层（图

图 3-92　铁锥定型

图 3-93　刻制陶范

图 3-94　碎刀镌琢 1

图 3-95　碎刀镌琢 2

图 3-96　刻制完成

图 3-97　素烧之后的陶范

图 3—98　选取稍缩水的坯子

图 3—99　轻拍固定

图 3—100　轻按使坯体与陶范结合

图 3—101　覆盖塑料膜 1

图 3—102　覆盖塑料膜 2

图 3—103　木条拍印 1

图 3—104　木条拍印 2

图 3—105　倒置

图 3-106　平整底部

图 3-107　脱模

图 3-108　完成

图 3-109　修底

3-109），使修坯时不致缺材，印花时拍打更有把握。

　　陶范印坯除按照严格的工艺程序操作外，还要靠经验、手感去把握。

三、剔花工艺

　　剔花也是定窑装饰中的重要方法之一。利坯后，待坯体稍干便可剔花。一件剔花作品需要较长时间才能完成，从画面确定、铅笔勾稿（图 3-110）、划针定型（图 3-111、图 3-112）到剔刻完成（图 3-113 ～图 3-122），一般需要一天到两天，多则三五天。在剔花的间歇，要用塑料布将坯体包裹好，以免干得过快而影响操作。坯体过湿，刀痕粗糙，烧成后用手摸有扎手感，视觉效果也不好。坯体过干，剔花时则刀痕浮浅，烧成后虽细腻，但纹样清晰度不够，少精神。所以，坯体的干湿要适度。干湿的程度需要靠经验

图 3-110　铅笔勾稿

图 3-111　划针定型 1

图 3-112　划针定型 2

图 3-113　剔刻 1

图 3-114　剔刻 2

图 3-115　剔刻 3

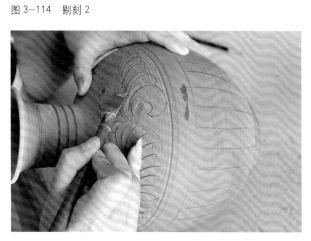

图 3-116　剔刻 4

图 3-117　剔刻 5

图 3-118　剔刻 6

图 3-119　剔刻 7

图 3-120 剔刻 8

图 3-121 剔刻 9

图 3-122 完成

图 3-124 剔花罐《祖国万岁》

图 3-123 龙首净瓶

掌握控制。

1. 剔花的纹样要求

剔花装饰要求主题突出，主次分明，纹样丰满。如：缠枝牡丹，花肥叶瘦，突出花头，枝叶作陪衬。布局饱满，画面丰厚，少留空白或不留空白。这是因为剔花装饰是由两个层面来表现的，留白处可以水波纹、浮云等作填充，使纹样与底面和谐统一。有些看似较丰满的纹样去底后会显得孤零、稀疏。所以，构图时一定要将纹样设计得充实饱满，这样烧成后的效果才恰到好处。

2. 剔花的刀法

剔花有别于刻花和印花。刻花，胸有成竹，一气呵成，像国画的大写意，活泼潇洒，淋漓酣畅；印花，先制陶范，精雕细琢，像国画的工笔重彩，细腻温柔，高贵典雅。剔花则介于两者之间，既有刻花运刀的笔触，又有印花的盈润优雅。

剔花，先确定器皿的装饰部位。一般圆形器皿，多作带状装饰（图 3-123），或上部或下部，或上下分开，依造型而定。异形器皿则作适合纹样。装饰纹样题材则依造型和作者表现意图而定。

剔花一般不画图纸，而直接在坯体上构图。确定装饰部位后，按装饰面积的宽窄、大小而设计。

如定窑研究专家和焕设计的剔花罐《祖国万岁》（图 3-124），其"祖国万岁"四个字，分四个方向分别嵌于四朵盛开的牡丹花头之中，字的周围留空，围成圆形，底作细致的划纹，既适合了花头的形状，

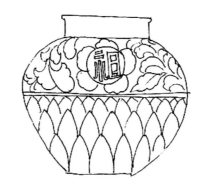

图 3-125　剔花步骤

又突出了文字的首要位置。其他部位则以枝叶映衬。文字显赫，花繁叶茂，生机勃勃。构思确定后，用铅笔在坯体上勾勒纹样。之后，用划针（最好用竹针，竹针划出的线条较光润圆滑，且有一定宽度，适合剔花操作）确定纹样轮廓。在用竹针划刻的同时还可调整或修改铅笔稿的不足。待轮廓确定后则开始剔花。

剔花（图 3-125）一般用直刀两面开刃，且越宽越好。直立刀（稍向花纹形象倾斜）按花纹轮廓行进，侧刀（形象外）则与器壁融合。轮廓线的处理需要一刀走过，不作复刀，以保持刀痕的生辣感。去底可以反复运刀，以将花纹以外的底部剔平，形成上下两个层面。还可以借鉴定窑印花的装饰手法，在所留花或叶的形象内，尤其是面积较大时作凹状处理，并用组线刀饰以筋脉纹或划痕，使形象的边缘突起，叶瓣丰厚、纹理清晰。再施之流动性较强的白釉，烧成后，高低起伏的纹理中釉色聚集，或深或浅，玉润晶莹，效果别致。

剔花，是一种装饰手段，看似简单，做起来却有很多可以探究之处，定窑工作者们在实践的同时不断探索、创新，力求为定窑的创新与发展做出贡献。

第五节　烧成工艺

烧成是陶瓷生产中的关键工艺，自古至今，陶瓷生产者都很重视对烧成工艺的探索和研究，找到适合自己的烧成方法，完善窑炉的功能和结构。

一、窑炉的结构及烧成曲线

历来陶瓷生产以及烧制技术的改进都将窑炉结构与功能的完善放在首位。从原始的堆烧到采用窑炉烧制，再到后来的直焰馒头窑，以至到今天的电窑、煤气窑，随着燃料的变化窑体结构几经改形，烧制技术也日趋精良，但靠火温辐射的原理却没有改变。

（一）窑炉及烧成气氛

时至今日，尚未发现保留完整的宋代定窑窑炉，只能看到窑炉底部的遗存。炉坑、烧成室都非常小，焰火通过炉坑流向若干个火口，最后通过烟囱排出。

从唐五代烧成的瓷器偏青色来看，早期定窑炉体体积小（图3-126），为2～3立方米，民间窑体积更小。烧成室以及灶坑根据窑炉大小而设，尤其烧成室所分布的焰火道流通性差，不可能均匀地通过窑内空间而到达各个部位，局部烧生、过火和烟熏现象时有发生。唐、五代定窑并非有意烧还原焰，而造成器物呈色偏青的主要原因是窑炉结构和烧成习惯，其中窑炉体积小、焰火不畅是形成其呈色与质量的主要因素。

北宋以来，随着烧成技术和窑具的改进，窑炉体积增大，有效空间可增至3～5立方米。灶坑、烧成室的焰火处理较前有了改进，焰火道由原来约5个增加到约12个，通向窑的主体及边角处以保证窑体焰火的有效辐射和温度的均匀分布。这时的定窑白瓷烧出了白中泛黄的釉色，加上孔心匣钵、盘形支圈、环形支圈的辅助，定窑出现了全新面貌。

图3-126　五代窑炉

（二）窑炉建造原理与民间火炕

陶瓷窑炉无论如何改造都是为了利用焰火烧成坯体，在这个前提下设计出合理的窑炉结构，寻找出最佳的烧成办法，是陶瓷生产者们的理想。定窑窑炉在建造过程中可能借鉴了民间火炕的结构形式（图3-127）。火炕是河北、山西等地农村农民们的睡寝之处。旧时，农村人家冬日取暖不设柴盆、炭炉，为了节约柴、炭，常把煤炉和柴灶建在火炕前面一侧。烧水、做饭时使焰火通过烧火口的焰道而进入火炕内部曲折盘旋的焰道，余烟通过烟囱排出。技术高超的火炕师能把火炕建得均匀通热而不留死角，烧一把火就可以见到烟囱冒烟。

民间火炕的构造与定窑窑炉的建构类似，不同的是火炕内空间较低，窑炉内空间则较高。火炕家家必备。火炕建造稍疏忽便会出现散烟、炕角或一侧不热的现象。华北一带冬日西北风较多，建造火炕还需考虑气候对灶口的影响，尽量避免逆风势，多顺风向建造，即让烧火口、出烟口与自然风向一致。从定窑窑炉的结构以及炉口、焰道、烟囱形式可以看出，它是借鉴了民间火炕的结构形式。

图3-127　传统窑炉（新建）

（三）民间火灶是窑炉的最早雏形

古代先民发明的各式炉灶可能是陶瓷窑炉的雏形。由早期的三根木棍搭建的吊锅，到后来用三块砖石支垫的简易炉灶，再到后来较为封闭的、由炉口、炉壁、炉栅、灰坑和烟囱组成的炉灶，可以看作是陶瓷窑炉的前身。火灶的产生年代应该说比窑炉要早得多。窑炉建造原理同火灶同出一辙，并在生产实践中不断改进。

（四）烧成曲线

陶瓷烧成一般有时间限定，即装窑完毕从点火到停火的这段时间，不论是窑炉形制还是烧成时间，均有一个由低渐高的烧成曲线（图3-128）。烧成曲线是窑工们从长期的烧成实践中总结出来的。

定窑烧成首先依坯釉最高熔点为限制，焰火有效控制在这个极限之内，烧成时间根据器物大小薄厚而定，一般为40～48小时。少则过急，容易造成产品炸裂、变形乃至滚釉，多则造成燃料的浪费。

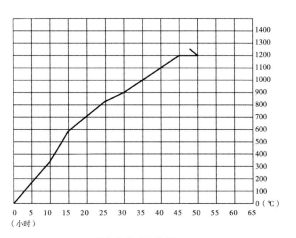

倒焰窑烧成曲线图

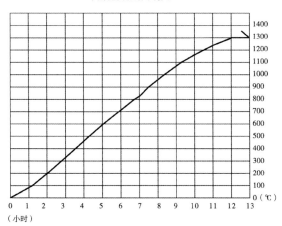

梭式窑烧成曲线图

图3-128　烧成曲线图

二、窑具的种类与特点

陶瓷生产尤其强调瓷器本身与窑具的密切配合。在长期的陶瓷制作中，人们逐渐懂得了窑具的重要性。

（一）陶瓷与窑具

什么是窑具？在陶瓷生产中，凡围绕生产所需的一系列辅助用具都归属于窑具范畴。窑具多数会随着瓷器烧制成功而被遗弃。从定窑生产遗迹来看，窑具因器而异，因工艺而异，多种多样，不一而足。

（二）定窑早期窑具的形成及功用

定窑在唐末的创造阶段就已经开始使用匣钵装烧，尽管这个时期所制瓷器多为粗犷之器，不论是白瓷还是粗瓷都表现出创始时期的原始特征，但它还是离不开匣钵装烧这个过程。就像用蒸笼蒸馒头一样，把已制好的坯子放置在匣钵内，然后将匣钵叠起来，呈柱状在窑内摆满，再点火烧成。所以，陶瓷匣钵也俗称"笼"，只不过蒸馒头靠的是热气，陶瓷靠的是火煨，道理无二。

1. 筒形匣钵

筒形匣钵是定窑早期的匣钵类型之一。形如一带底圆桶，高以所装器物为限（图3-129），根据高度和直径选择装烧器物品类，可以把同类型号或体积大致相等的产品装到同一个型号的匣钵内。

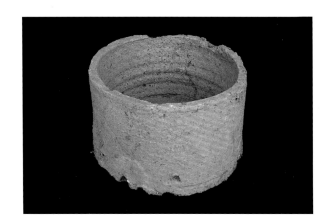

图3-129　筒形匣钵

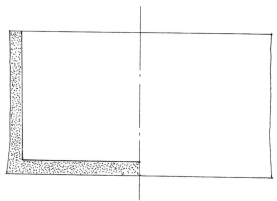

图3-130　筒形匣钵剖面图

这种匣钵一般较粗厚，口沿薄而往下至底部渐厚（图3-130）。匣钵一般无须修整，从辘轳上取下来晾干即可，内外壁均带有制作时的手痕，放置器物的内底也不平整。故早期的匣钵难以烧出精致的瓷器来，这也是早期定窑生产水平的表现。

图3-131 漏斗形匣钵

2. 漏斗形匣钵

漏斗形匣钵是一种专门用来盛装盘、碗的匣钵，形状如漏斗（图3-131）。上大下小，边沿向下有一直边，而后转折斜下至底呈平面。这种匣钵转折处有一圆平面，是上下匣钵用来相互咬合的。漏斗形匣钵边沿部位较厚，尤其匣钵间相互咬合的上下部位，它不单使匣钵一个个摞叠起来成柱状，以适于装窑烧成，更重要的是，这段加厚部位承担着上部各匣钵的重量，使匣钵具备了装烧过程的承载能力。

漏斗形匣钵的下半部壁较薄，旋削干净，规整度较好，是依据所装烧器物的体积设计的。因为器物（盘、碗）重量比较轻，故匣钵壁不太厚，可见宋代定窑匣钵的设计已很科学和成熟。

图3-132 匣钵内置放垫片标本

3. 垫片

垫片是定窑早期窑具之一（图3-132），用来支垫器物，是用于弥补匣钵底面不平整的一个辅助装置。早期的筒形匣钵，规整度较差，直接放置器物烧制，成品率不高，故需要置垫片垫烧。垫片的制作很简单，取一小块泥，经过搓揉，然后用木板在平板上拍打，状似手掌，大小不等，此为垫片。垫片大小根据器物底面积而定。垫片置于匣钵时，往往先在匣钵底上撒一些匣钵粉，以使垫片平整并易于烧成时收缩。

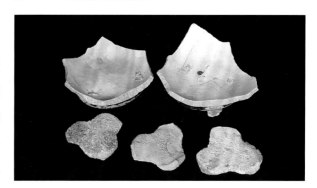

图3-133 三角垫片及三角垫砖使用标本

早期的垫片均由粗瓷泥料制成，拍打也不规范，大都为装窑时随手随器而作，在烧成中难以获得有效保障。加之，垫片为粗料，器物为细料，收缩比不一致，

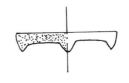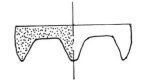

图3-134 三角垫砖大小高矮对比

很难达到和谐的收缩。由此而知，成瓷品的规整度得益于器物造型与质地本身，但垫片在其中所产生的作用也不可小看。

4. 垫砖

垫砖也称三角垫砖，分高、矮两种（图3-133、图3-134），也有大小之分。垫砖出现较晚，比普通垫片更具优越性。首先，三角垫砖缩小了与匣钵之间的附着面积，在高温烧成中易于收缩。同时，充分利用了数学中三个支点更趋稳定的原理。

三角垫砖并非随手而作，而是先制模具，后拓印而成，具有较好的规整度。三角垫砖分三方等距直立，顶面平整，在原料利用方面，也比普通垫片更加节省，是古定窑人的精心设计。三角垫砖同样为粗料，泥料收缩比仍存在很大差异，虽然从技术上得到了一些改进，但根本的垫置作用与理想的垫置效果仍有差距。

（三）北宋定窑窑具的使用

1. 开底式匣钵

开底式匣钵（图3-135）是相对于实底匣钵的一种样式，是从实底匣钵演变而来的。唐、五代时期定窑为仰烧，匣钵为实底，即直接在匣钵底上放置器物。到了北宋时期，用覆烧法烧成，匣钵也改实底为开底式，即在实底上挖一个圆孔，直径以所烧器物的支圈为限。这种匣钵规格一般不大，一匣钵内放一组器物，层层摞起，稳妥可靠，是北宋早期的一种窑具。

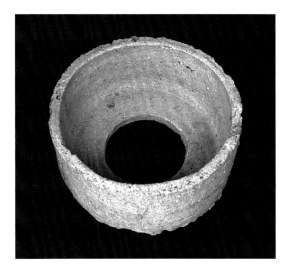

图3-135 开底式匣钵

开底式匣钵在形式上与筒形匣钵无多大区别，但从工艺制作上较前有了较大改进。变实底为开底，使烧成过程中烟火的运行更加畅通，减少了产品的烟熏现象；匣壁和匣底变薄，节省了原料。其底边与口沿有个吻合放置的平面，装窑时上下摞置较平稳，减少了在烧成过程中的倒柱因素，提高了烧成的成品率。

2. 高足空心匣钵

北宋时期，随着定窑生产的突飞猛进，人们对匣钵做了进一步的改进。开底式匣钵为高足空心匣钵所替代。开底式匣钵高度一般在25厘米左右，一个匣钵只能装一组（5只盘碗）；高足空心匣钵高约50厘米，可装置盘碗20只左右。况且匣钵可实行对扣，两个一扣为一套，一套一套摞起为柱（图3-136），大大提高了窑容率。

高足空心匣钵（图3-137）的设计在原有基础上有了改进。首先打破了之前的匣钵钵壁直立的惯例，采取了口大底小的形式，可在一个匣钵里装一组规格不同的盘、碗；钵壁下部较厚，至上渐薄，使底部有

图3-136 摞起的匣钵提高了窑容率

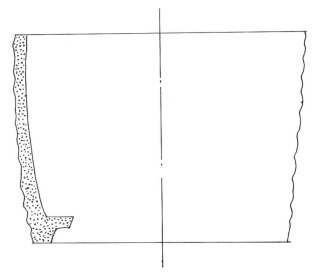

图3-137 高足空心匣钵

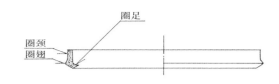

图 3-138 环形支圈

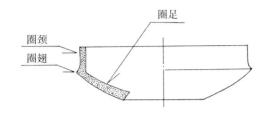

图 3-139 盘形支圈

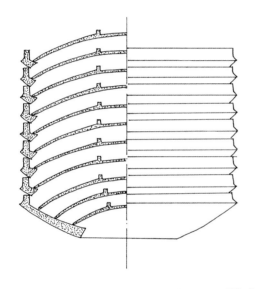

图 3-140 盘形支圈叠摆（盘形支圈在下，以上叠摆若干个环形支圈）

足够的支撑力承载坯件及支圈的重力。空心匣钵在匣钵设计的实用性上向前迈进了一大步，为定窑烧成工艺的进步奠定了坚实的基础。

3. 支圈

支圈是用来直接支垫器物的窑具，唐、五代时期多用垫片和三角垫砖。到了北宋时期，随着改仰烧为覆烧，支圈也开始由粗料改为与所烧器物料质一样的细料，可达到同步收缩的目的，为瓷器在高温中顺利烧成提供了条件。支圈的结构形式及其功能也较之前更加合理。

环形支圈（图 3-138）。这种支圈像一瓷环，由辘轳拉制而成，分为圈翅、圈足、圈颈三大部分。圈颈是指匣钵立面的高度，即从口到底足的总高。圈足指的是放置器物时口边所占的位置，一般为 3 ～ 5 毫米。圈翅则是在圈颈与圈足转折处一个向外拓出的三角形，为 3 ～ 5 毫米，圈翅的设计目的是在高温烧成中对支圈本身起到保护作用。没有圈翅的固定，支圈在高温中就容易变形。一个环形支圈放置一件盘或碗，即一圈一器，一圈一圈摆起来为一组，然后放在匣钵中，可根据匣钵高度确定放置坯体的数量。环形支圈的设计要特别注意局部的细节，除圈颈、圈足、圈翅外，还要注意支圈与支圈摆置之间的咬合形式，它虽然是一个平面，但有一个坡度，这个坡度是由外向内倾斜 3° ～ 5°。在烧成过程中，由于高温辐射，每个柱体皆由外向内膨胀，柱体越挤越紧，中心（重心）也越来越稳，可以有效避免出现倒柱的现象。

盘形支圈（图 3-139）。其外形像一支空心盘子，与环形支圈一样，也分圈颈、圈翅、圈足三部分。盘形支圈是作基础用的，上面可依次叠摆若干个环形支圈（图 3-140），圈壁较厚，圈底部最厚处约有 20 毫米，由底部向圈口沿过渡，至边口渐薄。可以将成组的环形支圈和盘形支圈装在一个独立的匣钵里。

盘形支圈具有三个特点。一是必须具有较厚的圈壁，目的是对以上若干个环形支圈有足够的负载力。二是要有与环形支圈一样的口沿、规格、口面坡度、摆置形式。三是盘形支圈的底为斜底，而不是平面。盘形支圈的底越小越好，它与匣钵的附着面积越小，在高温烧成中越利于收缩。盘形支圈在负载若干个环形支圈和盘、碗的情况下，愈加需要能在高温烧成中顺利收缩。

三、装烧工艺的发展

（一）唐、五代时期的仰烧工艺

唐、五代时期定窑采取仰烧工艺，一个匣钵里面只装一件盘、碗，或瓶、罐。匣钵底撒一层匣钵粉，上搁一垫片，再把待烧坯体置于垫片上。一匣一器，匣钵依次上摆，直至装满一窑，而后点火烧制。用这种装烧工艺烧成，成品率相对较低。现在定窑遗址上大堆大堆的废瓷残片，就与当时烧成品率低有很大关系。现将仰烧工艺存在的缺点分述如下：

一是浪费窑位。又厚又大的一件匣钵，只能盛装一件瓷器，且烧成的成品率很低，浪费窑位现象十分严重。

二是落渣严重。唐、五代时期窑炉狭小，匣钵粗笨，直焰烧成。瓷器装入匣钵，口沿不能平置，缝隙较大，烟尘蹿入，烧成过程中落渣严重。

三是容易变形。仰烧的产品，除小口瓶、罐外，其他盘、碗类产品变形都很大。这主要是由于垫片与器物所用坯料不同所致，瓷器由细泥料制成，垫片由粗泥料制成，粗泥片上置细瓷器物，烧成熔化中收缩比不一致，产品容易变形。

（二）覆烧工艺的出现

改仰烧为覆烧。首先改变浪费窑位的问题。一只匣钵能否装多件？一方面，将盘、碗倒过来放在匣钵底上烧制，结果内部无落渣，而底足又有落渣。又因为口沿与匣钵底收缩比不一致而造成更大的变形。另一方面，匣钵多为连续使用，除第一次使用有收缩外，而后几次使用都不再收缩，所以将细瓷器物置于其上，仰烧、覆烧都会变形。在匣钵底撒上匣钵粉、垫上泥片，均不能奏效。这种局部的改进，难以改变成品率低下的大局。

覆烧工艺的形成，最初是以细泥料与细泥料结合达成收缩比一致为始的。鉴于粗泥料收缩小、细泥料收缩大，不可能实现设计目的及成功目标，在认识了这个关键因素以后，人们才逐步对它们进行重新组合。

环形支圈和盘形支圈的使用，是解决产品变形问题的关键。环形支圈细泥粗制，根据形式构造，分为圈足、圈颈、圈翅。圈足长3～5毫米，以放置一件器物（盘或碗），以边口为限。圈颈以器物高度为基础，以不触及上部器物叠摆为限。圈翅，外拓一点，大小不等，一般为2～3毫米，以抑制支圈在烧成高温中的变形。

环形支圈以外还有一种盘形支圈，它像一个没有底的盘子，只有一段长长的圈足，按圈足直径大小，依次放置大小不等的器物。口沿外像环形支圈一样，外拓有圈翅，为3～5毫米，圈颈则以所装器物高度而定，盘形支圈的直径以环形支圈为准，以便叠摆。这种盘形支圈是与环形支圈配合使用（图3-141、图3-142）的，以盘形支圈作底，环形支圈套在上面，然后再层层上摆。环形支圈内每圈装一件器物，盘形支圈可装多件，这样一只匣钵即可装多件，解决了窑位浪费的问题。

在研究支圈变形问题时，所考虑的第一个问题是如何解决支圈自身在高温下能顺利成型，然后才能保

图3-141　盘、环形支圈

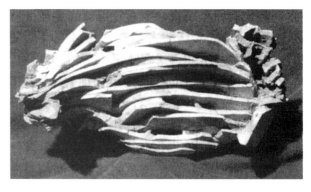

图3-142　配合使用的盘形支圈和环形支圈（座基的盘形支圈本身装有大小不等的浅盘4块，至圈颈开始装置弧形深盘，并开始配以环形支圈，共计装置14块深盘，私人收藏）

障以上多件支圈和器物成型。用作基础的盘形支圈是成套成组覆烧的关键窑具。盘形支圈的出现可能经历过一个由深到浅，由有底到无底的发展演变过程。

在长期的生产实践中，定窑人发现盘形支圈与匣钵之间接触的面积不能太大，盘形支圈的底面积过大时，负荷较大的盘形支圈与匣钵底接触面过大，很难顺利完成收缩。所以，将盘形支圈底足由平底改为空心。这样，就有效地解决了同步收缩的问题。

同时，盘形支圈的器壁与器底交接处的一圈向外突的凸棱圈翅也有效地解决了盘形支圈自身在烧成过程中容易变形的问题。

（三）装烧工艺的改革

在烧成过程中仍然会存在匣钵柱倾倒的现象，这从古窑址中出土的大量器物与匣钵等窑具粘连的情况就可以看出来。所以，在如何防止倒柱或倒窑方面，定窑人也做了大量的探索和实践（图3-143）。

问题的发现与解决的办法。

问题一：匣钵倒柱。匣钵容易倒柱的原因在于熟匣钵与生泥垫、泥片之间收缩率不一。匣钵可反复使用，烧过的匣钵再次使用时已不再收缩；而泥垫、泥片是软的，烧成期间会收缩，用泥片支垫在装窑时很方便，比如匣钵一层层上垒，凡是空隙大、

图3-143　器物与支圈匣钵粘连标本

或放不平、露烟、晃动处拍个泥片垫上就可以。有时匣钵柱之间，有不稳当的地方，除用熟匣钵片支稳外，还可以用生泥抹一下，这看起来似乎挺方便。但在高温阶段，生泥料会产生5%左右收缩，渐渐与匣钵拉开，匣钵柱即可能出现倾斜。

问题二：匣钵在装窑时不垂直，产生重心偏离。古代匣钵和支圈均为手工制作，虽有尺寸规定，但总有些许差异，这就需要匣钵与支圈组装时做到中心垂直。匣钵与匣钵也务必做到中心垂直，此前提是套装的器物也必须放置在匣钵中心，不得偏倚。这样围绕一个中心，由四方向中间收缩靠拢，同时歪斜部位用熟垫片支稳，窑柱歪斜弊端即可得到改正。

问题三：火刺、烟熏现象严重。产生火刺和烟熏的原因是多方面的，这里只谈覆烧工艺所引发的烟熏问题。成组的覆烧器物放置在匣钵内，然后将匣钵摆叠成柱，直到窑顶。从装窑的容量上超过之前仰烧很多倍。同时，由于匣钵内器物密集，烟火运行其间较多滞阻，导致产品发生烟熏缺陷。本来白净的瓷器，出现灰暗或褐黄之色，处于角落的匣钵，本来就受火不够，加之窝烟、气流不畅、氧化不充分，其颜色更是难看。在这种情况下，出现了空心匣钵，并适当加大匣钵尺度，使器物装进去周边不致紧贴匣钵内墙，烟火有流通回旋的余地。从底部匣钵起直到上部顶层的匣钵，中心为一孔到底，完全排除藏烟机会。同时窑炉体积也逐渐变大。最终，出现了宋宣和、政和年间生产的繁荣时期。

之后，定窑的覆烧工艺迅速流传开来，形成庞大的定窑系。"定窑的印花白瓷及覆烧方法影响当时一批瓷窑，河南鹤壁、山西介休、霍县、阳城、盂县、平定、四川彭县、江西景德镇都模仿定窑烧白瓷，形成了以定窑为中心的定窑系。"[8]

四、烧成温度与气氛

烧成应该遵循一定的规范，遵循渐进、不可操之过急，装窑完毕封好窑门，然后铺灶点火。烧火有三把火，

即小火、中火、大火。

点火之初为小火（400℃以下），小火如灯，颜色呈红色，火工精心调理，时而给炭，时而给风（图3-144）。火舌渐蹿渐高，满灶通明，这时火呈浅红色，这个过程称为"小火"。虽是小火，但也不可懈怠，稍不慎即有熄灭之忧。若是窑炉久不使用，炉灶潮湿，烟囱隔气，刚点火容易不顺风，倒呛烟，火势不旺。有经验的火工这时会往灰坑内堆火，为的是借火上攻，通过烟囱吸力加强窑内火势。此外，还有火工直接在烟囱下截处凿一洞，擎火下引上攻，一会儿即见风对流、炉火通畅。

图 3-144　小火

小火是基础，基础好了，就会烧得比较顺当。如果基础火弄不好，接下来不是局部不旺，就是前大后小，或者出现死角等。

中火（400℃～800℃）。中火是继小火之后一个承上启下的阶段。从小火到中火没有一个明确的界限，从颜色上看，应为橘黄色到黄色这个阶段（图3-145）。一般情况下，中火较好烧，为三昧火中较容易操纵的，但有一个问题不可忽略，就是为"大火"打好基础。中火时若没有打好基础，如局部焰火不匀、灶内不清、炉内有混灶现象等，就会影响到大火的烧成。

图 3-145　中火

大火（800℃～1300℃）。在渐渐进入大火时要特别注意，窑内器物在大火烤炙下出现收缩，釉层开始熔化、流动。所以，这个阶段焰火利用尤为重要，上火添炭讲究"三勤"，即勤添炭、勤摆布、勤观察。勤添炭指添炭时不能太多，为保证灶内大火的旺盛，添炭后几分钟内必须恢复添炭前的温度，并稍见提高。这就需要勤添、少添，不能添一次炭把火压得半天上不来。勤摆布，指密切关注灶内火和炭的情况，灶子清楚、炭火有序是上等灶。灶内火借炭生，炭应火需，不使滞流。上等灶分三层，

图 3-146　水煤气

即火层、炭层、灰层，三层有序，互不含混。第一时间添的炭产生焰火后，很快下沉到灰层，由后添的炭取代，这样火层始终是旺盛的。灰层要及时清理，如果清理不及时，新添的炭就无法生火，出现混灶。所以，灶内灰层、炭层、火层是一个严格的循环形式和过程。

大火阶段的操作很重要也很费心思。在这关键时刻，谨慎操纵火的同时，还要密切关注火的颜色，正确把握好保温和停火时间，不能因疏忽而造成损失。在这个阶段可以控制窑内的气氛，如果在所添的煤中掺入适量水，即生成水煤气（图3-146），窑内氧气量减少而产生还原反应，可以从烟囱冒出的黑烟来判定（图3-147）。大火阶段，火色已由黄色趋变为淡黄色，即白中发黄，烧至最后，炉火白中发黄或已完全呈透亮

图 3-147　还原气氛的黑烟

图 3-148　出窑

的白色，此时即该停火了。

停火也非常讲究，停火又称打窑门。打开窑门有两种方式，一种是全打开，一种是打开三分之一。如打开三分之一，中途不能再打开。若中途打开窑门，由于窑内已降温，没有抵御外部凉风的能力，外部凉风一旦蹿入，就会造成窑内惊瓷。所谓惊瓷，就是瓷器壁面开裂，成为废品。而一开始就将窑门全打开，全打开时窑体内温度高，火力强足，很快与外部温度融合，窑内外同时维持一种平衡状态，反而不会惊瓷（图 3-148）。

以上讲的是三昧火，这里还得弄清三种烧法，即缓烧、速烧、恒烧。缓烧是刚上火时的烧法。为什么要缓烧？刚上火时，窑内坯子必须是徐徐受火，升温过程必须掌握在坯子能承受的情况下（如 25℃）。坯子刚受火时的温度是窑内常温，夏天 35℃，冬天 20℃，秋天与春天 25℃ 左右。在常温下，外部辐射热太强、太快，容易使坯子炸裂。故此，小火阶段要缓烧。还有一种情况是要看坯体厚度，也就是器物大小件，烧大件器物时，需更谨慎缓烧，甚至延长缓烧时间，否则容易出现问题。

速烧是相对缓烧而言。所谓速烧，也是有时间和技术限定的，并非越快越好。窑体温度超过 400℃，已经过了缓烧阶段，窑内因火温出现炸裂的可能性已排除。此时，焰火可以上得快一些。譬如到 400℃ 烧了 8 小时，再烧到 800℃ 则 4 小时足够，火速就提高了一倍。所以，速烧容易缓烧难，只有速烧最为省心。

大火阶段又称高温阶段，速烧逐渐又回归缓烧。窑内进入高温阶段以后，坯体开始收缩变软，这时用火宜缓，徐徐点击，不使过猛，渐渐升高。升温过快、过猛容易使器物变形或瘫倒。尤其 1100℃ ~ 1300℃ 阶段非常关键，必须沉着、镇定、从容。这时窑炉内处于一种沉静状态，只有焰火熊熊，发出呼呼声。温度达到 1300℃ 接近停火时，按照要求需保温 2 小时，有时是 3 ~ 4 小时。保温时烧法为恒烧，即使窑火保持在一个恒定的温度。

古代定窑烧窑除需把式（技术人员）掌握外，还有一批看火先生，是专门为烧窑人家看火候的，以肉眼看窑火的颜色以裁定温度，故也被称为看色先生或窑眼。尤其是大火阶段一定要请一位窑眼来，他可以根据火之颜色判定火之温度。

第六节　工艺传统与文化艺术

宋代，从五代十国的分裂割据走向多民族政权的统一，在一段时期内形成了社会相对安定，商业、手工艺迅速发展的局面。同时，随着宋王朝建都于东京汴梁，其经济中心也向南转移，科技、文学、艺术都取得了空前的进步。

定窑萌发于大唐时期，盛唐文化赋予它一种空旷博大的艺术精神。定窑又从同时期的文化、艺术以及手工艺术中汲取营养，将铜镜、缂丝、刺绣的装饰形式，以及中国书画的用笔方法、构图方式引入到陶瓷造型和装饰中，因此受到朝廷重视，并最终成就了定窑的辉煌。

一、装饰工艺与传统文化

首先，定窑白瓷细腻的材质、莹润的釉色是成就定窑刻划花艺术的条件之一。其次，宋代人崇尚文人艺术，追求单纯、简洁、静谧的审美取向也是促进定窑刻划花发展的另一个重要原因。

1. 刻划花装饰与材质的"天人合一"

刻划花为宋代定窑装饰方法之一。定窑原料取于太行山遗脉的曲阳、唐县、阜平诸县，石料晶莹质净，土料细腻绵软，水质源深清冽，坯、釉均为精加工而成。定窑坯体的透光度虽然一般，但定窑釉色则玉润空灵，流动感强。釉过之处，如明纱透日，充满着岚光瑞气。

定窑人在充分认识原料性能的基础上，发明了三种刀具，即单线刀、双线刀、组线刀，以刀代笔，形成"外斜刀法，以线托形"[9]的刻花刀法。定窑人智运理念，巧施材质，使坯、釉材质的美与刻划花的装饰技艺有机结合，创造出了具有定窑特色的装饰技法。传说中定窑手刻鱼盘斟水鱼自游之说，其实不过是世人用文学的表达方式来赞美定窑材质美与刻工之高超技艺而已。

再者，"北定南迁"后，流落到景德镇的北方陶工，却没有烧出如北方定瓷般的艺术效果来，原因便是受原料的制约。南方气候温湿，原料成分与性能都和北方有一定差异，故形成了不同于北定的影青釉色，称之为南定。这也说明，定瓷刻划花艺术是装饰工艺与材质的有机结合。

2. 刻划花与中国绘画、书法的契合

定窑刻划花的刀法从中国文人画艺术中汲取了营养，将中国书画的用笔方法经过提炼概括，并运用到刻划花的装饰中。在陶瓷表面刻字作图的做法虽早已有之，但利用直面刻刀在器壁上按形象要求作到以形施刀、刀尽其美，则极具开创性和震撼性。

书法用单色墨表现，墨色中不强调过渡，用笔一挥而就。定窑刻划花同样也讲究"一刀挥就，不能复刀"。毛笔可以按要求表现粗画细画，能弯转，能撇捺，刻刀能改变使转角度，使线条有深浅、能宽窄，因器施刀，识形用线，线、刀合处，形象乃成。定窑刻划花体现着中国书法艺术的精神内涵。

定窑手刻纹样决非凭臆测随意勾画形象，提按顿挫，翻转仰卧，八面来锋。刀线分长短，有变化；刀法别深浅，见韵律；驻刀有痕，峰回路转，徐疾有致。中国写意画讲求用笔，随物敷彩，笔画之中，形质乃出。北宋文人画墨竹，讲求"成竹在胸"，要求一挥而就，以笔传神，借形立意，创造了"以深为面，以浅为背"的表现方法。定窑刻划花用刀正与此暗合，即"线行形外，以线托形"，深边为所表现形象的外轮廓，浅边与器壁融合，绝非画白描或直接去勾勒形象轮廓，而是依线条宽窄，借釉色来烘托效果，与文人画竹用笔一脉相承。

3. 铜镜艺术对定窑印花装饰的影响

装饰是定窑一大特点，对定窑装饰艺术影响较大的，当属铜镜工艺。六朝以来，铜镜广泛流行。六朝的铜镜继承了秦汉文化的传统，纹饰多神人车马、神话传说和历史故事等，题材广泛。铜镜工艺的装饰题材，成为定窑印花装饰纹样的参照模式。民国许之衡《饮流斋说瓷》中载"粉定妍巧极矣，而花纹源出秦镜，纯白一色，仍极雅净也"。中国近代陶瓷鉴赏家、小说家赵汝珍在《古玩指南·瓷器》"定窑"一节讲到：定器"花纹多仿自古铜镜，以牡丹、萱草、飞凤、双鱼之类为多"[10]。东晋北魏以来，铜镜开始出现莲花、牡丹等一些植物纹样，这也是定窑印花装饰常见的题材。

4. 丝织、刺绣艺术在印花装饰中的借鉴与运用

影响定窑装饰的另一方面是丝织艺术。隋唐的丝织工艺很发达，唐代就有专门机构对官办染织业进行统筹管理。丰富多彩的丝织工艺品，做工细腻、精巧，纹饰富丽、严谨。同时民间的染织、丝麻制品的生产也很发达，著名的唐锦便是这一时期的产物。唐锦品类繁多，以麒麟纹、龙凤纹、联珠纹为主，兼有花卉等，题材甚是广泛。宋代，丝织更趋发达，工艺愈加考究，是丝织发展的黄金时期。定州当时是缂丝的主要产地，定窑印花工艺的成熟，与这一时期的刺绣艺术有着密不可分的联系。"定窑印花纹饰似取材于定州缂丝，把缂丝纹样局部地移植于瓷器。因此，定窑印花装饰一开始就显得比较成熟，有很高艺术水平。"[11]

首先用毛笔描稿拓图，随之用刀精镌。花瓣如豆，筋叶似发，精到入微。刻刀如笔，刀线如色，任花鸟鱼龙层叠有序，遂使转刀法深浅俯仰亦自有别。

二、造型工艺的艺术表现

宋代是定窑发展的成熟期，尤其北宋，定窑呈现出前所未有的繁荣。与早期单调的品种相比，这时已拥有盘、碗、碟、洗、盏、托、瓶、罐、壶、钵以及炉、枕、熏、奁等器物，造型极其丰富。明高濂《遵生八笺》："定窑烧制的器皿式样繁多，工艺精巧。最好的有兽面彝炉、子父鼎炉、兽头云板脚桶炉、胆瓶、花尊、花觚等。"

（一）盘、碗的艺术风格

盘、碗是宋代定窑中之大类产品，各类碗盘形式多样，造型丰富，足有高低、盘有宽窄、器有厚薄。明学者、古器研究家高濂认为：宋定窑"碟子规格上万种"。高濂说此话决非妄言，但定窑有如此之多的盘子，归纳起来，也不过一式多变。按照陶瓷设计理论分析，均离不开两条线的曲直结合，无论是盘、碗均入此规范。

1. 阴阳合一，曲直有道

盘、碗造型是属卧状器物，线条设计做横向外斜延伸处理。这种造型设计常常限制在一定高度之中，其用线规则和线型形式变化不大，但器物个性却能体现得淋漓尽致。概括为阴阳合一，曲直有道。

器物设计中的两条线分为阴阳两线，正面为阳，反面为阴；内为阳，外为阴；上为阳，下为阴。"合一"指的是具体运用中离合并行之时的宽窄概念。阴与阳是对立的，又是统一的。两条线只能并行对接，永远

不能交叉。器物的薄厚取决于双线的离合远近。比如，盘子设计中的阳线（上面），按照器物弧度变化从底至口，基本上属于一条圆弧线，而下面阴线则大体上与上线平行，但在底部处理上要着重强调转折、错落，以加强器物在高温下的承受能力和抑变作用，这便是其秉性（图3-149）。此类器物的设计在线型使用上已成规律，从盘过渡到碗都不例外。阴阳二线要注意变化，并行线不能过长，在器物设计要求允许的情况下还要及时打破并行，以保证设计目的的实现，即以下要提到的"一波三折"。

2. 一波三折，丰富多姿

古来之器物尤其盘、碗线型设计有一个规律，就是一条弧线从始至终均离不开"一波三折"。一波三折是一种变化的美，没有一波三折的结合就烧不成。第一是说"一波三折"属于美的范畴，符合这个线型要求的器物具有丰富多姿之感；没有一波三折的线条，就显得直白、索然无味。第二，陶瓷设计中的一波三折还在于利用线型转折为器物烧造提供成型保证。线型过直或线型变化太少的器物在1300℃高温中往往流之于无束，容易产生变形，而在线型中略加进一些转折即可产生抑制作用。图3-150、图3-151两个设计中，口部的线从底部延伸过来后，反势向外，然后裹束，无形间建立了一个器物在高温中的自我保护机制。此处波为顺势，折为抑势，顺极而反，即以抑之，抑后再顺，陶瓷设计之道，概莫例外。

3. 足方口圆，俊俏健美

定窑盘、碗在700余年的生产历史中，形成了一种造型艺术规范。它特别体现在盘、碗器皿的口与底上。首先是口大底小（当然也有大底的，这样的器皿占大部分），底方口圆，即底的内外足墙比较直立，足底一刀平过，形成带棱角的方直底足。口部为唇圆状，这是定窑几百年间创立和保持的一个基本形式，以定窑"易定"款白釉碗为例（图3-152），此器物属五代时期产品，说明底方口圆的规范在五代时期已经初奠。再如北宋前期的"新官"款莲瓣口形碗（图3-153），底比五代时期的更为方直，口沿很薄，呈圆状。

与口接触的器皿口沿宜圆而不宜方，是为了方便使用，早期的青铜器及玉器多为如此。但底足呈方状而且方直，却是定窑的特点，正是这个方直底足使定窑盘、碗更加俊俏健美。这也是定窑人对制瓷艺术的开拓性认识。

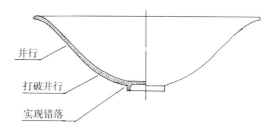

图3-149　定窑碗的造型设计

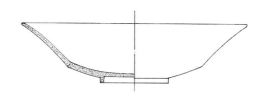

图3-150　定窑折腰盘的造型设计

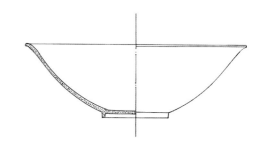

图3-151　定窑碗的造型设计

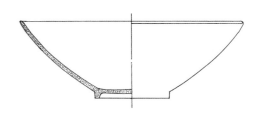

图3-152　"易定"款白釉碗的造型设计

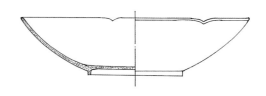

图3-153　"新官"款莲瓣口形碗的造型设计

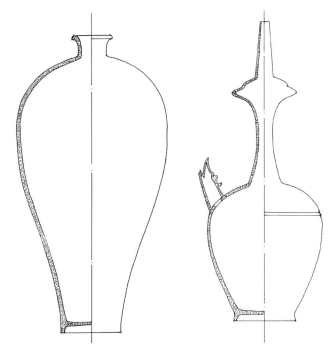

图 3-154　梅瓶的造型设计　　　　图 3-155　龙首净瓶的造型设计

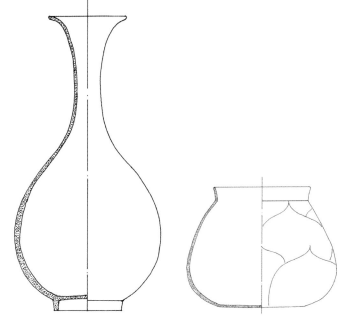

图 3-156　玉壶春瓶的造型设计　　图 3-157　莲瓣纹罐的造型设计

（二）瓶、罐的艺术表现

古代定窑瓶、罐类式样繁多，且不同时期所生产的某一品种也不尽相同，但基本上代表着那个时期的定窑艺术风貌；工匠工艺手法的变换也传递着一个时代的文化理念及艺术思维的变迁。

1. 刚健俊逸

宋代定窑的瓶罐造型已经形成了自身特色，与汉唐时期的瓶罐器物有本质的区别。汉唐时期，陶瓷处在变革发展时期，器物造型多笨拙、粗厚，缺乏灵动秀健。北宋逐渐脱离了汉唐的影子，开始向美观、适用方面靠拢。造型观念改变，作品设计也开始出现灵动挺劲，刚健俊逸，形成了北宋定窑瓶罐的特征。如宋梅瓶（图 3-154），它是北宋定窑典型的瓶类佳作，小口外翻，短颈，肩部稍耸，形以自然弧线至腹部渐敛，到底部时由内弧线变为外弧线，使底部直中稍带外翻状。只底部一段直中外翻的弧线委实不好操纵，太直显僵硬，如果外翻过了则显柔媚。正是这种刚健俊逸，这种大美，使定窑享誉数百年而至于今。龙首净瓶（图 3-155），又称圣水瓶或净手瓶，上端有一段直口，然后是伞帽，伞帽下把手处（瓶颈）有几道弦纹，龙首置于瓶身上端，瓶身与梅瓶造型相仿。由此而知，这种刚健俊逸的思维方式潜移默化间已体现在了这一时期陶瓷造型的审美风尚中。

2. 简洁舒宕

玉壶春瓶在历代瓷窑各窑口都不乏制造，而造型风格、形象特点却大相径庭。定窑玉壶春瓶（图 3-156），从开张的口部线条开始，通过颈部以柔和线型而下至瓶腹，饱满灵巧，舒放开阔，似一条 S 形线的起止轨迹，给人以简洁舒宕之美。

再如定窑莲瓣纹罐（图 3-157）。宋代定窑人是非常聪明的，造型用线大胆、彻底。这件作品舍弃了底足，取而代之的是一个与罐身相连的平底，别致而有趣味，使人们尽情体味简洁舒宕之美。

3. 自然淳朴

陶瓷之美或雄浑、秀丽，或雕琢、妩媚，定窑器物造型，从盘、碗开始到瓶、罐为止，都着重展示一种大朴不琢的自然淳朴之美，这种美是在宋代那个历史条件下受当时审美风尚的影响逐渐演变而成的，是

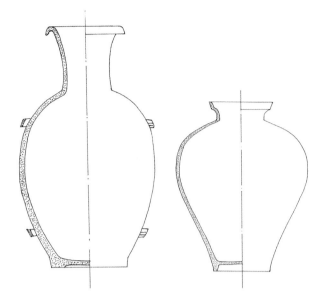

图 3-158　穿带瓶的造型设计　　图 3-159　洗口瓶的造型设计

历史上任何一家窑场所不具备的。五代时期定窑穿带瓶（图 3-158）就是从适用角度设计的一件艺术品。瓶身两侧的带孔由双泥条并拢横贴，目的在于汲水，方便携带，充分强调了以实用为目的的造型理念艺术。瓶颈较粗，瓶口平展，具有自然淳朴的气息。由于属定窑早期作品，颇有厚重感。

宋代定窑瓶罐类造型有一个特点，即瓶身如一，只在口部稍作改动。洗口瓶（图 3-159），瓶身与梅瓶出入不大，只上部口为洗状，短颈。自然淳朴是大美之精华，如诗如画，耐人品味，引人入胜。

（三）人物类工艺品于曲阳石雕艺术的借鉴

古代曲阳又是石雕故乡，早在北魏和汉代，曲阳石雕已崭露头角，为世所重，唐代所雕佛像已是非常精美。受石雕影响，定瓷在人物形象制作上也体现了精湛艺术，如美女枕及孩儿枕，应该说这些产品在雕琢制作上，其衣纹、五官以及技术处理上均与曲阳石雕有关。抑或说，潜移默化之中，定窑雕塑艺术在无形中接受着曲阳石雕的艺术渗透。

世间一切事物，不是静止的，而是运动的、进步的。人物以新换旧，长江后浪推前浪，是这个世界上的规律。定窑造型艺术的借鉴、成熟与发展，正是这个规律的一个缩影。

注释

[1] 邢窑在今河北省邢台市临城（一曰内丘）。

[2] 现在这两条溪壑涝年有水，旱年干涸，据前辈讲过去常年流水。

[3] 《重修曲阳县志》卷六（光绪三十年修）。

[4] 位于定窑遗址附近。

[5] 地址在曲阳县灵山、野北一带。

[6] （明）谷应泰：《博物要览》卷二，商务印书馆，1939 年，第 14 页。

[7] 《景印文渊阁四库全书》第 871 册，台湾商务印书馆，1986 年，第 712 页。

[8] 冯先铭主编：《中国古陶瓷图典》，文物出版社，1998 年，第 285 页。

[9] 陈文增、和焕：《定瓷刻花》，《河北陶瓷》1988 年第 4 期。

[10] 赵汝珍编述、石山人标点：《古玩指南全编》，北京出版社，1992 年，第 61 页。

[11] 中国硅盐酸学会编：《中国陶瓷史》，文物出版社，1982 年，第 233 页。

第四章 耀州窑制瓷工艺

第一节 耀州窑的历史与概况

一、耀州窑的窑址分布及地理环境

耀州窑有广义、狭义之分。广义上的耀州窑即"耀州窑系"，包括陕西、甘肃、河南、广东、广西等地的部分窑场。狭义上的耀州窑指陕西省铜川市王益区黄堡镇漆河两岸的"十里陶场"，以及周边印台区的立地坡、上店村、陈炉镇、玉华村、耀县的塔坡和旬邑县的安仁村等地的窑场（图4-1）。铜川属于古雍州，旧名同官，隶耀州辖治，故称耀州窑。耀州窑是宋代中国陶瓷"六大窑系"中最大的一个窑系，它的中心窑场的技艺，曾传播到浙江的龙泉窑、河南的汝窑和钧窑、广州的西村窑、广西的永福窑等地。

（一）黄堡镇窑

黄堡镇位于今铜川市南10公里处，南距西安市83公里，北距黄陵县80公里，处于关中平原通往陕北及塞外的交通要道上。川道两侧残塬沟壑纵横，梁峁相间，漆水河穿镇流过，向南在耀县与沮水汇合，是谓石川河，之后注入渭河，水运交通十分便利。黄堡建镇始于秦，为北地郡频阳县（同官县的原名）管辖，五代后隶属耀州同官县（铜川的原名）。当地在新石器时代就出产彩陶，初唐时期生产瓷器，五代时得以迅速发展，到北宋时达到鼎盛，以刻花、印花青瓷为主。金代创烧月白釉瓷，元代大量生产民用的铁锈花瓷，其间由于连年兵火，窑场停烧，到明弘治年间（1488～1505），该窑场完全废弃（图4-2）。从考古资料看，黄堡镇东北到原料产地泥池，南到新村沟口，均有窑址遗存，从出土的宋代窑炉分析，年产量可达300余万件，其规模之大可想而知，故称"十里陶场"。20世纪50年代，黄堡镇窑遗址区发现了"德应侯碑"（图4-3），该碑是中国目前

图 4-1 耀州窑在陕西的主要窑场

图 4-2 黄堡镇窑遗址

图4-3 宋元丰七年德应侯碑拓本

图4-4 玉华宫窑遗址

最早的窑神庙碑刻，它系统地介绍了黄堡镇的地理位置、周围环境、陶瓷生产的工艺流程以及精湛的工艺水平。德应侯庙建成后的数十年间，河南修武、禹州、宜阳、鹤壁，山西的介休、榆次等地的窑场，纷纷派人"远迈耀地，观其位貌，绘其神仪"。

（二）玉华宫窑

玉华宫窑遗址（图4-4）位于铜川市北约40公里的山谷中，南距黄堡镇约60公里。遗址范围包括玉华村及其周围地区。东西长约2500米，南北宽约300米，窑址多集中在北面山坡下，现遗存瓷窑8座，作坊、晾坯坊3处，出土各种器物残片、窑具万余件。从器物的时代特点以及窑炉结构判断，玉华宫窑的陶瓷生产应自唐代晚期一直延续到金、元时期。它的瓷器造型、窑炉结构、烧制方式、装饰手法等，与黄堡镇窑场基本相同。

（三）立地坡窑

立地坡窑遗址（图4-5）位于黄堡镇东约15公里处，古代曾为立地镇，后废镇为村。古窑场以今立地坡村的那坡、阳湾、寺坡为中心，向周边呈辐射状分布，窑场分散，大体在南北3.5公里、东西5公里的范围内。立地坡窑创烧于金代，以青瓷为主，兼制黑釉、酱釉瓷。元代有发展，烧造区扩大。明至清前期最为兴盛，清中晚期衰退，至近现代停烧。当时由于立地坡窑距离黄堡镇窑较近，它最早学习了黄堡镇窑的制瓷工艺技术，为以后上店窑、陈炉窑的兴起起到了传播作用。其兴盛时期曾为明秦王府烧造琉璃（图4-6）。据《同官县志》记载："传当时陶冶分三行，各举行头，不得乱烧。所制属黑窑及瓷窑，距镇五里之马家窠为碗窑。"这种瓷业行会制，在陈炉地区的三大窑场中，以立地坡窑出现得最早，应是竞争发展的结果。

（四）上店村窑

上店村窑地处陈炉最东边，距立地坡东北约7公里，创烧于金代，主要烧制印花青瓷，其工艺技术源于黄堡镇窑，是陈炉地区三大窑场中规模最小的一个。主要分布在上店村庄的周围，有村西的西沟、罗陵坡，村南的半坡和村东坡（图4-7）。元代是其

图 4-5 立地坡窑遗址

图 4-6 秦王府琉璃厂遗址

图 4-7 上店村窑遗址

图 4-8 陈炉镇窑遗址

兴盛期，明代衰落。新中国成立后有小规模生产，"文化大革命"前停烧，是陈炉地区三个窑场中烧造时间最短的。

（五）陈炉镇窑

陈炉镇窑遗址坐落在铜川东南方向的山坳里，西南距黄堡镇 20 公里，南距立地坡 4 公里，东距上店村 4 公里。窑场依山势而建，四角分别以西堡子、北堡子、南堡子、永受堡为界，东西长约 2500 米，南北宽约 1500 米（图 4-8）。

陈炉镇窑是耀州窑系的重要组成部分，是黄堡镇窑消亡后的承继者。从有关资料分析和陈炉出土的陶器来看，陈炉新石器时代和周、秦、汉、唐的陶器较为普遍，以灰陶为主，也有红陶和夹砂陶，表面多篮纹、绳纹，还有少量戳印几何纹及朱砂绘纹，造型有鬲、罐、豆、盆、甗等，制作较精良。

陈炉镇本地曾有三处窑神庙。东社南头的庙小，创建及废弃时间无法考证。北头的庙中等，两进院，有殿有像有碑记，毁于 20 世纪 40 年代，未留任何记载。西社湾里的窑神庙最大，"文化大革命"期间拆毁，但留有几通碑文拓片，现存于北京故宫博物院。志书也有录载，其庙梁间板有修缮庙宇的记载。上店和立地坡也曾有窑神庙，立地坡的窑神庙在该镇东圣阁附近，目前还没有发现遗物。

依当地考古发掘的标本及部分传世实物来看，陈炉镇尚未出现唐或唐以前的瓷窑遗址及瓷片标本，但宋代时已出产白瓷、黑瓷、姜黄釉瓷及少量青瓷，元朝以铁锈花瓷为主，明代新增了黑瓷瓦、琉璃瓦和大型的缸、盆类产品。清朝时受景德镇瓷影响，生产釉上绘兰花瓷。民国初年有白釉彩瓷，并有兰花瓷销往海外。新中国成立初期，私营作坊继续生产民间粗瓷。1955 年将私营陶坊按自然村和行业组成了七个瓷业

生产合作社。1958 年又将七社合成了集体性质的陈
炉陶瓷厂。1977 年试制恢复了失传八百年的耀州青
瓷，1980 年后又拯救了绝迹的民间兰花瓷和铁锈花
瓷，新创了黑、白釉剔花瓷和花釉瓷，开创了铜川
陶瓷的一代新风。此后，陈炉镇开始大量出口瓷器，
并数次在国内外办展，其中不少瓷器获奖。制品以粗
瓷缸、盆、碗、碟、青瓷和白细瓷工艺品为主，兴盛
时年产量曾达 1500 万件，占陕西省陶瓷生产规模的
70%，成为西北地区的陶瓷重镇（图 4-9）。

（六）塔坡窑

塔坡窑遗址（图 4-10）位于黄堡镇南约 10 公里
处，在耀州城北宝塔下面的台地上，新石器时代就有
彩绘陶器。1983 年在塔坡发现五处灰坑，其中有窑炉、
匣钵和宋瓷残片，以及配制的釉药残留物，据此判断，
塔坡窑在宋代生产青瓷，后因金、元兵火，窑场毁绝。

（七）旬邑县安仁村窑

安仁村窑遗址（图 4-11）位于旬邑县城关镇安
仁村，东南距耀州窑约 65 公里，在其窑址上发掘出
42 座宋至金、元时期的窑炉和晾坯场等，出土遗物
达 89101 件，其中完整和可复原的器物有 59 件。此
窑历史悠久，品种多样，其产品与耀州窑器有很多相
同之处，是耀州窑系的一处重要窑场。遗址里出土
最突出的是匣钵与钵盖，匣钵敞口，宽沿外翻下折，
圆底；钵盖有口，下腹折收，纽如圈足，如同浅盘倒
置。两种外壁均有螺旋纹，还有支烧圈、三足垫饼等。
从这些窑具中可以看出宋代耀瓷的烧制方法和工艺
特征，它也是判定安仁窑与耀州窑相关的重要依据，
该窑场在金、元时代还有烧制。

（八）其他外省窑址

1. 广东省广州市西村窑

西村窑是广东宋代烧制外销瓷的著名民间窑场，
位于广州西北方向西村增步河东岸岗地上。1952 年

图 4-9 陈炉镇窑场的药坯、晾坯场景

图 4-10 塔坡窑遗址

图 4-11 旬邑县安仁村窑遗址

发现瓷窑遗址，南北长 1 公里多，残存废瓷堆积三处，其中以皇帝岗的最大，出土 40 多种陶瓷标本，每种
又有多样型款与釉色。西村窑产品分粗瓷和细瓷两类，细瓷有青白瓷和青瓷，受耀州窑的影响，主要用于出口，
销往日本、东南亚等国家和地区，近年来在我国西沙群岛及东南亚地区都有发现。

2. 广西省永福窑

永福窑位于广西省永福县永福镇方家寨窑田岭至广福乡大屯木浪头一带，分布于洛清江两岸坡地上，

绵延约 7 公里。发现多处保存良好的宋代龙窑以及窑场作坊遗址，清理出的瓷器总重量达 60 吨。随后又发掘出 4 个明、清时期的葫芦形窑，以及大量的灰坑、柱洞等。出土瓷器中有独具特色的翠绿釉瓷、铜红釉瓷、瓷腰鼓等。据考证，永福窑的青瓷烧造技术为北宋中晚期由耀州窑南传而来。当时北方地区政局动荡，加上海外对中国瓷器的旺盛需求，促成了两个窑口之间的交流。该窑产品主要仿烧耀州窑，工艺较精致。

3．河南省临汝窑

宋代的临汝窑分为两部分：一部分烧宫廷用瓷，即宋代五大名窑之汝窑；一部分烧民间用瓷，今称为临汝窑。20 世纪 50 年代后，临汝县共发现古窑址 11 处，其中烧耀州窑风格印花、刻花青瓷的 3 处，分别在严和店、轧花沟和下任村。严和店遗址范围较大，窑址在北距县城 12 公里的蟒川西岸。今汝瓷厂以西150 米处有一条沟，沟东有 2 米深的堆积层，沟西有 3 个匣钵和瓷片堆。向南至蟒川，在长 200 米的地面上，遍地瓷片。临汝窑烧造时间始于北宋中期，盛于北宋后期，延续到金代。从印花纹饰看，与耀州窑址北宋晚期层所出的瓷器特征基本相同。

二、耀州窑的发展历史

1．唐至民国

耀州瓷出产于陕西省铜川市黄堡一带，与宋代五大名窑齐名。"耀州青瓷"一词首见于宋初陶谷所著的《清异录》中。

在黄堡镇漆水河两岸十几里的范围内密集地分布着制瓷作坊，史称"十里陶场"。自唐代创烧起，就是中国陶瓷的集大成者。因为唐朝定都长安，耀州距长安 70 公里，有条件接受到皇城都市的各种影响，所以出产的陶瓷有白瓷（图 4-12）、黑

图 4-12 唐代白底黑花瓷瓜棱罐

瓷（图 4-13）、青瓷（图 4-14）、白釉绿彩瓷（图 4-15）、花瓷（图 4-16）和三彩釉陶（图 4-17）等，几乎囊括了唐代的所有瓷种。五代以后青瓷居多，制作十分精良考究，杯（图 4-18）、盘（图 4-19）、碗（图 4-20）、碟规格趋于合理，只在素面碗内心凸贴一个小龟或花头，简洁明快。单线勾划的纹样在器物边沿上，以云水花草见多，流畅奔放而清丽飘逸。签压的碗盘圆口酷似海棠朵朵，均采用满身施釉裹足的支钉烧法（图 4-21），

图 4-13 唐代黑釉塔式盖罐

图 4-14 唐代青瓷瓜棱执壶

图 4-15　唐代白釉点彩净瓶残件

图 4-16　唐代花瓷拍鼓残件

图 4-17　唐三彩骆驼

图 4-18　五代青瓷茶托、茶杯

图 4-20　五代青釉葵口内支烧大碗

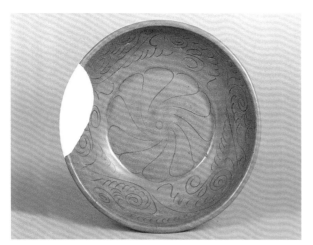

图 4-19　五代青瓷划花盘

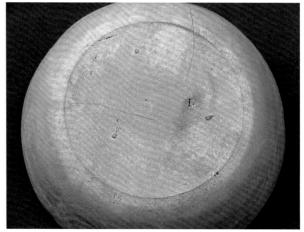

图 4-21　五代青釉葵口洗底的支烧芝麻点

图 4-22　五代"官"字款青瓷标本

图 4-23　宋代马蹄窑

图 4-24　宋代刻花莲荷纹盘

图 4-25　宋代印花牡丹纹碗

使器物更加珠圆玉润。遗址上发现了带"官"字款的青瓷标本（图 4-22），说明耀州窑当时曾为宫廷特制瓷器，属最早带有"官"字款的皇家御制。入宋以后，耀州窑青瓷率先掌握了马蹄窑（图 4-23）以煤炭为燃料的还原气氛烧成技术，结合本地含铁的黏土和高钙镁釉子，用 1320℃ 的高温，烧出了独具一格的青瓷，橄榄绿中闪黄的青釉配上釉下流畅犀利的刻花与活泼多样的印花纹饰（图 4-24～图 4-26），风格独特，把中国青瓷的技术与艺术推上了顶峰。曾进贡皇家，又远销海外。耀州窑具有相当的规模，《宋史·地理志》说，"耀州，紧华原郡……崇宁户一十万二千六百六十七，口三十五万七千五百三十五，贡瓷器"；比《宋史》更早的北宋王存《元丰九域志》中记载"耀州华原土贡瓷器五十事"，"五十事"是指瓷器的五十个品种。耀州窑在宋代的杰出成就使国内众多窑场竞相模仿，它为中国陶瓷技艺的发展做出了巨大贡献。

北宋末年，金兵攻进开封，掠走了二帝。靖康夏秋，宋与金在耀州城东南交战，结果宋王朝丢掉了古都长安，耀州窑的人才与技术损失惨重，只能烧制简单的黑瓷（图 4-27）、铁锈花瓷（图 4-28）和白瓷（图 4-29）。后来，经过一段时间的生养恢复，耀州窑再次出现辉煌，游牧民族的审美情趣被烙印在了耀州瓷上，推出了一种青釉淡白浑厚、光素无纹的月白釉瓷（图 4-30），这是钟爱蓝天、白云、绿色草原和白色羊群的审美观在陶瓷上的体现，

图 4-26　宋代刻花牡丹纹大梅瓶

图 4-27　元代黑釉双耳梅瓶

图 4-28　元代铁锈花玉壶春

图 4-29　元代白釉大碗

图 4-30　元代官窑月白釉茶钵

图 4-31　明代铁锈花牡丹纹盘

也是辉煌了近 700 年的耀瓷在无情的战火中留下的最后一朵艺术之花。在金代统治中国北方的一百多年间，耀州瓷器仍然是金王室的贡品，黄堡镇炉火是在明弘治中（图 4-31）寂声熄灭的。但在此之前，耀州瓷早已在铜川周围的立地坡、陈炉镇、上店村、玉华村和耀县的塔坡等地创烧生产了。

2．民国以前各种历史记载

“耀州青瓷”最早载于 960 ~ 967 年陶穀所著的《清异录》中：“雍都，酒海也。梁奉常和泉病于甘；刘拾遗玉露春病于辛，皇甫别驾庆云春病于酾。光禄大夫致仕韦炳取三家酒搅合澄窨饮之，遂为雍州第一，名瓷宫集大成。瓷宫谓耀州青榼。”而耀州则见于《宋史》卷八十七《地理志》：“耀州……崇宁户一十万……贡瓷器，县六：华原、富平、三原、云阳、同官、美原。”

陶穀百年以后，耀州的地方官阎充国因感于耀州瓷为本州的民众家国带来丰厚利益的恩典，亲自撰书奏报朝廷，将黄堡镇的土神和山神封为德应侯。神宗皇帝下诏赐封，于"大宋元丰七年（1084）九月十八日"立"德应侯碑"于该镇紫极宫中，是唯一钦定的陶家窑神。该碑共 588 字，称耀瓷"巧如范金，精比琢玉。始合土为坯，转轮就制，方圆大小，皆中规矩。然后纳诸窑，灼以火，烈焰中发，青烟外飞。锻炼累日，赫然乃成。击其声，铿铿如也；视其色，温温如也"。如此恰当真切地描述陶瓷工艺程序，比明崇祯十年（1637）宋应星著《天工开物》和清乾隆八年（1743）唐英、孙祜、周鲲、丁观鹏等绘撰《陶冶图说》，分别早 553 年和 659 年。而碑中记载为耀瓷技艺发展做出重大贡献的"专家"——柏林，与"德应侯碑"一起传向了河南修武的当阳峪窑、宜阳窑，禹县神垕窑、扒村窑，汤阴县的鹤壁集窑，被陶工们奉若神明。

南宋绍兴年间寓居杭州青波门的周辉著就了十二卷的《清波杂志》说："又尝见北客言：耀州黄浦（堡）镇烧瓷名耀器，白者为上，河朔用以分茶。出窑一有破碎，即弃于河，一夕化为泥。"陆游的《老学庵笔记》云"耀州出青瓷器，谓之越器，似以其类余姚县秘色也。然极粗朴不佳，惟食肆以其耐久多用之"。元代陶宗仪的《辍耕录》，明代曹昭的《格古要论》（图 4-32），清代朱琰的《陶说》、蓝浦的《景德镇陶录》、寂园叟的《匋雅》、许之衡的《饮流斋说瓷》（图 4-33），民国叶麟趾的《古今中外陶瓷汇编》等，都沿袭这种评价或云"仿汝"而"色质俱不逮汝窑"。唯有 1944 年出的《同官县志》，称耀瓷"精巧绝伦……虽瓯瓷之艳丽，景瓷之细致，亦弗能相匹也"。同时，许多外籍人士特别是日本专家的介入，使得因长久淹埋而莫衷一是的耀瓷更为扑朔迷离，常以秦窑、东窑、董窑、北丽水、北龙泉而冠之，记在汝窑账下者尤多。

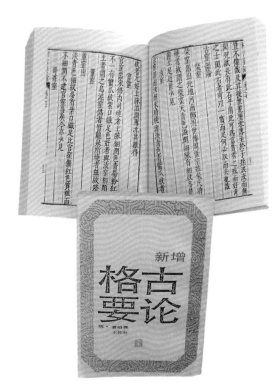

图 4-32 明代曹昭著《格古要论》

3. 新中国成立后的考古挖掘与文物研究

20 世纪 50 年代初，我国现代古陶瓷文物考古研究奠基者之一的陈万里先生在山西、河南考察古窑，因有所发现而专程到黄堡镇窑址（图 4-34），发现了"德应侯碑"。1953 年，北京广安门外基建工地出土了不少耀州瓷。1954 年，陕西省彬县又出土了 54 件耀州瓷窖藏。此三事堪称解放初期耀瓷研究的三大发现。由此促动了 1959 年陕西省考古研究所泾水队队长唐金裕（图 4-35）带队在黄堡镇、立地坡、上店村进行陶瓷考古发掘，收获器物和标本 8 万余件。

图 4-33 清代许之衡著《饮流斋说瓷》、寂园叟著《匋雅》

1965 年由科学出版社出版的《陕西铜川耀州窑》（图 4-36），是中国陶瓷窑址考古研究的第一部学术专著。1985 年后，该所在杜葆仁先生主持下又做了大面积、长时间的考古挖掘，形成了唐、五代、宋代三册考古研究专著，分别为《唐代黄堡窑址》、《五代黄堡窑址》和《宋代耀州窑址》（图 4-37）。1956 年，陕西

图4-34　1954年陈万里先生〔右二〕在考察窑址

图4-35　1959年唐金裕先生在黄堡镇

图4-36　唐金裕先生著《陕西铜川耀州窑》

图4-37　杜葆仁先生三册研究专著

省文管会和陕西省博物馆对立地坡、陈炉镇进行过调查、搜集，拓印了"明嘉靖十七年秦王府重修立地坡琉璃厂"、"明崇祯十二年重修窑神庙记"等一批珍贵碑刻资料。1993年，耀州窑博物馆对立地坡明代秦王府琉璃厂遗址进行了发掘，发现了一批"官"字款的琉璃瓦，对研究耀州窑"官"字款瓷器渊源及发展又增添了新的资料。2002年3月至9月，耀州窑博物馆、铜川市考古研究所联合组成陈炉窑考古队，对陈炉镇古瓷窑遗址进行了全面调查，对部分重点地区进行了局部地层发掘，2004年出版了《立地坡·上店耀州窑址》。2006年，陈炉窑作为耀州窑的重要组成部分，列入全国文物重点保护单位。

4．耀州窑的恢复与发展

1974年，中国现代陶瓷科学技术奠基人之一的李国桢先生，带领陕西省轻工业研究所的技术人员深入到铜川市陈炉陶瓷厂（图4-38），与厂方的老工人和技术人员联手攻

图4-38　李国桢先生〔左一〕在陈炉镇陶瓷厂

关，经三十多个物料配方和近 50 炉次的艰苦试验，于 1977 年使失传 800 年的耀州青瓷重放异彩。此成果
获 1978 年陕西省科学技术奖，论文《耀州青瓷的研究》也宣读于是年的上海古陶瓷学术会上。1988 年初，
国务院颁布黄堡镇窑址为全国文物重点保护单位（图 4-39）。目前，黄堡耀州窑遗址上已建成了内涵丰富
的古陶瓷专题博物馆（图 4-40）和两座遗址保护大厅（图 4-41、图 4-42）。此后，毕业于景德镇陶瓷学
院的耀州窑陶瓷世家第五代传承人孟树锋先生又竭尽全力，恢复完善了耀州青瓷和铜川民间瓷，开创了铜
川陶瓷的一代新风及产品出口、国内外技术文化交流渠道，奠定了耀瓷技艺的理论基础与发展方向。在他
的努力下，2004 年 10 月，《耀州窑传统工艺》被文化部确定为"中国民族民间文化保护工程"首批 18 个
项目中陶瓷类唯一的国家试点项目（图 4-43）；2006 年 5 月，国务院第 18 号文件颁布"耀州窑陶瓷烧制
技艺"为第一批"国家级非物质文化遗产"（图 4-44），中国工艺美术大师孟树锋成为这两个项目的主持
人和"最具有代表性、权威性、影响力的传承人"（图 4-45）。耀州窑陶瓷烧制技艺传承基地，在他的主
持下已经建成。

图 4-39　耀州窑遗址被确立为全国重点文物保护单位

图 4-40　耀州窑博物馆

图 4-41　耀州窑遗址外景

图 4-42　耀州窑遗址保护大厅

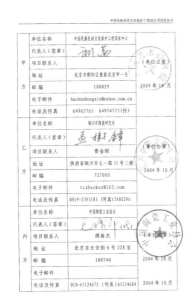

图 4-43　中国民族民间文化保护工程试点项目任务书

图 4-44　第一批"国家级非物质文化遗产"授牌

图 4-45　孟树锋大师被评为全国"非遗"代表性传承人

三、耀州窑的成就

1. 技术成就

宋代耀州窑率先掌握了以煤炭为燃料的半倒焰式马蹄窑还原焰烧制技术，为烧造耀州青瓷提供了技术和工艺条件。这是在五代用木柴作燃料，使用单烧匣钵、窑器全釉裹足、芝麻钉和三角垫饼支烧的基础进化而来的。天青釉瓷烧制工艺技术，成为当时国内各个窑口竞相仿制的对象。金代创烧了月白釉瓷。

2. 艺术成就

耀州青瓷的典型特征首先是青釉刻花。刻花有单刀法（图 4-46）、两刀法（图 4-47）。两刀法饰重器，刀法犀利、流畅，"为青瓷刻花之冠"。其次是造型。立件的为胴体方肩，雄浑峭拔（图 4-48）；平件的多为金银器和漆器象源，规整严谨，科学合理（图 4-49）。最后是釉色橄榄绿中闪黄（图 4-50），温润

图 4-46　耀瓷刻花牡丹纹盘（单刀法）

图 4-47　耀瓷刻花牡丹凤纹枕（两刀法）

图 4-48　耀瓷刻花莲荷纹方肩梅瓶（立件）

图 4-49　青釉单耳钵（平件）

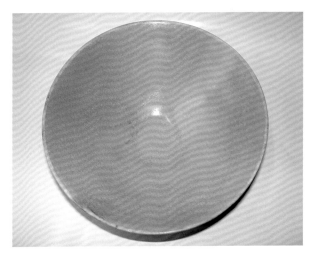

图 4-50　釉色橄榄绿中闪黄的斗笠碗

明净若玉，烧成温度高，釉面坚硬透亮，对花纹作了极好的映衬。

3．历史成就

（1）耀州窑属于民窑，但在五代、宋、金三个时期曾为皇室生产"官"字器和"贡品"。

（2）耀州窑的制瓷技艺广为传播，形成了包括甘肃、陕西、河南、广东、广西众多窑场在内的耀州窑系。它是宋代"六大窑系"中最大的，可以说是"北方青瓷的代表"，也是中国青瓷技艺的高峰。

（3）宋代黄堡镇的德应侯作为国内陶瓷产区唯一皇封的窑神，同"德应侯碑"一起传向了全国五个窑场。该碑也是三块记载中国古陶瓷著名碑石中最早、最完整、最具科学与学术价值的一块碑石。

（4）耀瓷艺术是深深扎根于这方土地上，是从唐朝至宋朝数百年来一代一代陶匠和民间艺人辛勤创造的智慧结晶。

第二节　耀州窑青瓷的原料及加工方式

一、原料

1. 原料产地及藏量

耀州窑青瓷胎用泥料为黏土，俗称"坩子土"，分布广、储量大。其主要产地有上店、立地坡、狼沟、土黄沟、那坡、高楼洼、陈炉镇，以及印台乡顺河沟至齐村、印台乡雷家沟至枣村、东南寇村等。现分述如下：

（1）上店坩：位于印台区陈炉镇上店村，坩土藏量 3243.2 万吨，其中高铝坩土藏量 66.7 万吨，属大型矿，矿区面积 0.812 平方公里，宜于露天开采。

（2）立地坡坩：位于印台区陈炉镇立地坡村，坩土藏量 196.3 万吨，属中型矿床，分布在村子的四周，宜于露天开采。

（3）狼沟坩：位于王益区红旗街狼沟，坩土藏量 17.9 万吨，矿层厚 0.3 ～ 3.2 米，分布在狼沟内的山坳里，表面地质结构较为坚固，宜于地下开采。

（4）土黄沟坩：位于王益区黄堡镇境内，坩土藏量 22 万吨，矿层平均厚 2.1 米，属小型矿点，宜于地下开采。

（5）那坡坩：位于印台区陈炉镇那坡村东北方向，坩土藏量 40 万吨，属小型矿点，宜于露天开采。铜川市陈炉陶瓷厂 20 世纪 70 年代曾在这里设置缸厂。

（6）高楼洼坩：位于宜君县太安镇境内，坩土藏量 346 万吨，属中型矿床，宜于露天开采。

（7）陈炉镇坩：位于印台区陈炉镇，分布在镇区和育寨、杨家坪、东山村、枣村等自然村。坩土藏量约 1000 万吨，宜于露天开采。

（8）印台乡顺河沟至齐村坩：位于印台区印台乡顺河沟至齐村一带，预测面积 55 万平方米，坩土藏量 357.5 万吨，宜于露天开采。

2. 原料的采掘

当地把有坩土的地方叫"坩窝子"，选择开采的坩窝子一般距离人群聚集区都比较远，目的是避免对居住区造成破坏。开采的方式有洞采和露天采两种，根据料源的埋藏深浅和地表的地质结构而定。

（1）洞采：这是针对埋藏较深或山根底下的坩土的开采方式（图 4-51）。洞采前先就近平整出一块场地，以方便堆积和风化采来的坩土。采挖坩土所需的工具有短把的锤锤镢、装坩的短把锨、挑运的藤

图 4-51　坩土洞采

条笼和小扁担，以及照明用的鸡娃灯。由于这些工具仅在狭小的洞内使用，因此必须短小。巷洞一般宽不过1米，高1.5米左右，由两人组合采掘，一人负责挖装，一人负责挑运。随着长期的挖采，采洞依山势的走向，忽高忽低、忽直忽曲，要把原料从窄且矮的洞里一担一担挑出，就更加不易，且随时有塌方的危险。如果要加固采洞，就需要木料，这样无形中增加了生产成本。有些作坊为了追求坩土的质量，往往不惜代价采掘。但若运气不好，遇见一次事故，就只能导致关门停业。把采挖的坩土倒在平整过的料场，采掘工序就算完成了。

　　（2）露天开采：所选的料源距离地表较浅或裸露在地表，便可露天开采（图4-52）。先挖掉表面的山皮，用镐头、镢头、耙子开采，遇有大块，用镐头砸成小块，以便风化。与洞采相比，露天开采非常安全，且省时省力，效率更高。

图4-52　坩土露天开采

　　3．原料的风化及运输

　　料场的坩土经太阳暴晒、风化等作用，发生崩解破碎，内部松散，形成颗粒状。传统的风化时间从秋季延续到次年开春，把已经风化的坩土再放一年，成土状的坩土最佳。其好处有三点：一是泥料内部物理结构更加稳定，化学变化更为彻底；二是缩短了耙泥时间；三是运输方便。

　　运输：坩土运输普遍使用的运输工具是马骡，是一种由公驴和母马交配所产的骡子。运料、耙泥、驮泥、驮煤、拉水、送货，都离不开它。马骡个子大，具备驴和马的优点，但比马更省草料，比马更有力量，寿命也比较长。因此，它成了人们的首选役畜。用马骡把风化了的坩土装上驮笼驮回到耙场，好的骡子一次可驮400～500斤，能抵3～4个人的劳力。

　　4．泥料的化学成分

　　（1）上店坩：

　　　　硬质坩：SiO_2：64%～71%，Al_2O_3：28%～45%，$Fe_2O_3 < 3\%$

　　　　软质半软质坩：SiO_2：61%～71%，Al_2O_3：28%～45%，$Fe_2O_3 < 4\%$

　　　　高铝坩：SiO_2：30%～35%，Al_2O_3：60.42%，Fe_2O_3：6.99%，TiO_2：1.64%

　　（2）立地坡坩：SiO_2：44%～46%，Al_2O_3：32%，Fe_2O_3：1.42%

　　（3）狼沟坩：SiO_2：59%，Al_2O_3：26%，Fe_2O_3：2.25%，TiO_2：1.01%

　　（4）土黄沟坩：SiO_2：52.5%，Al_2O_3：21.9%，$Fe_2O_3 < 2\%$，TiO_2：0.74%～1.34%

　　（5）那坡坩：SiO_2：53%～65%，Al_2O_3：21%～30%，Fe_2O_3：1.22%～3.22%，TiO_2：0.84%～1.4%

　　（6）高楼洼坩：SiO_2：64.44%，Al_2O_3：20%，Fe_2O_3：1.33%，TiO_2：0.83%，CaO：0.8%

　　（7）印台乡顺河至齐村坩：SiO_2：64.24%，Al_2O_3：14.51%，Fe_2O_3：6.14%，CaO：1.24%，MgO：1.33%

　　（8）东山坩：SiO_2：43.69%，Al_2O_3：39.47%，Fe_2O_3：1.45%

二、泥料的初加工

　　上述坩土系高岭石黏土岩和粉砂黏土岩，"多呈隐晶泥状结构，其中散有少量六方形和弯曲状、扇状体的高岭石集合体，还分散有少量氧化铁质点"。颜色有粉白、蛋青、灰黑、姜黄、褐红等，块状致密，具滑润感，易风化。好的坩土可单独成泥，一般由 2 ～ 3 种泥料软硬搭配而成。

1. 水耙法

水耙法是以水浸泡坩土，并在池内拌和成泥的加工方法。简单地说，就是把坩土运到耙场后，将三五种软硬坩按一定的顺序分类堆放，分拣除去杂质石块，经逾年风化后，到每年的三月八日开始耙泥，十一月中旬停耙。这段时间，要把一年用的泥全部耙好，存到蓄泥池里。一般三个小时耙一耙泥，如果风化不到位，四五个小时也是有的，早晨耙一次，下午耙一次，一天两次。耙泥装置由木耙、耙池（圆池）、泥池（方池）及流槽几部分组成。

耙池（图 4-53）是一个用石块垒起的圆形池子，直径 3 米，外帮高出地平面 1 米，内帮约 50 厘米。耙前先给池内放少量水，再把坩土均匀地摊铺到池内，两头骡子牵拉耙杆，耙杆连接池内耙齿连动慢转。通常是一小孩拿鞭随骡子转圈吆喝，大人按比例给耙池上土，经三个小时耙齿的搅动，铁犁翻动水中的坩土，并与耙齿、石头相互碰击，使风化的颗粒状坩土更小，逐渐同水混合成稠糊状，再注入适量清水略耙，稀释拌匀，最后开闸，使泥浆由迂回盘转的流槽放入泥池中沉淀陈腐。耙池要高于泥池产生落差，由流槽依势连接起来，同时耙池也要建在靠近水源的地方。

砌池子时，池壁预留进水口和出浆口（图 4-54），进水口距离池底约 0.3 米，出浆口距离池底约 0.2 米。池底中心嵌一块直径 0.5 米、高 0.5 米的圆柱形耙桩石（图 4-55），其上部与底平，中心凿有一个深 0.2 米、直径为 0.1 米的圆洞，砌成的池子要严丝合缝，不能有渗漏（图 4-56）。木耙由耙桩、三角耙齿、耙杆、拉绳等组成。耙桩粗约 0.1 米，长约 0.6 米，直插在 0.2 米深的耙桩石内，用木楔楔紧，使用时因有水的浸泡，非常牢固。三角耙齿是用硬木套榫铆制成的等腰三角形框架，顶角相交的两边外延伸出 0.3 米，边长 1.2 米，因此三角耙的两条边各长 1.5 米，顶角对边长约 1 米。三角耙做好后，还需给等腰的两条边上的前一个边装 4 个木齿，木齿下露 0.2 米，边与底边结点按一个铁铧；后一个边装 6 个木齿，与前一个边呼应岔开。用时三角耙与池底保持平行，小夹角插到耙桩中间即可，耙泥时铁铧翻边上的，耙齿覆盖没有死角。耙杆长 4 米，一头粗一头细，粗头在池内，刻 0.1 米宽的槽，在耙桩 0.2 米处，细处伸向耙外约 2 米以上，装置 4 个铁环，用拉绳套上牲口，

图 4-53　耙池

图 4-54　耙池出浆口

图 4-55　下耙桩石

图 4-56 石砌耙池

图 4-57 第一道截留口

图 4-58 第二道截流槽

图 4-59 泥池结构

就可转圈耙泥了。再用拉绳一端带钩拉住耙齿前一个边，另一端系在耙杆上，拉绳的长短根据耙齿与池底的平行而定。有的耙池还给耙沿上砌一圈非常光滑的石块，起固定耙杆和减少摩擦力的作用。

耙池的工作原理很简单，就是耙齿和耙杆同心固定在耙桩上，耙杆拉着耙齿，牲口拉动耙杆，朝一个方向做圆周转动。

耙泥是原料加工的第一道工序，把块状的坩土加工成液态，在加工过程中还完成了对胎料的配比。

2. 泥池的结构与性能

耙池的出浆口开闸后，泥浆从流槽中流走，池底 0.2 米厚的粗颗粒继续加坩注水待耙，这是第一道截留粗泥（图 4-57）。第二道截留是流槽，流槽是用红砖做的凹槽，泥浆顺着由高渐低的自然落差凹槽迂回盘转，细浆浮流进泥池，较粗的渣子在流动过程中逐步沉淀到流槽，当地人把它叫"油渣"。所以，泥池到耙池之间要有一定的距离，流槽还得相对平缓，不能有大的落差，不然粗渣不易沉淀（图 4-58）。

泥池（图 4-59）呈方形，四周用石头砌壁，池底用干净的坩土夯实，表面再衬些废泥，深浅约 1 米，宽窄不定。泥池建在耙池的下游方向，形成落差。排泥前，先给池底铺一层很细的炉灰，然后放满泥水。由于泥的颗粒大小及沙粒经过流槽还有不同的质量，因此在池中沉降的深度也不同，经过沉降、蛰淀（长时间的沉淀），上层成为清水，中层为细泥，下层是粗泥。上层清水排走或循环使用。泥料经过一年的陈腐，日晒风干成干块状后，才能开池取泥（图 4-60）。取上层细泥料制瓷坯，用下层粗料和油渣与细粉的坩土掺和制红砖、匣钵等。

泥池的功用：泥料经过一年的存放，粗料沉入池底，细料经沉淀和风吹日晒后，韧性、可塑性会更好，因而大大提高了成型速度。

3. 泥料的运输

运输泥料的工具是骡子和用藤条编成的"驮笼"。驮笼由驮笼鋬和藤条筐组合而成。驮笼鋬是两根直径约 8 厘米、长约 1.5 米的木棍，经水浸、火烤、绳拉

弯制而成为半圆圈状。再用藤条在两头弯下的地方编
筐，套住两根驮笼錾，两錾的间距约为一尺。筐笼在
驮笼錾两头一边一个，形成一个像架子一样的整体，
口大底小，口径约 0.5 米，深约 0.6 米。两个驮笼錾
的尖头要露出笼底约 15 厘米，以便撑在地上。用时
给骡子套好鞍子，把驮笼正好卡在鞍子上。取泥时，
扒开泥池的一角，这时的泥已成干泥块，看上去如干
涸龟裂的土地。然后一块块装进驮笼，驮到作坊里。

图 4-60　泥池池底

一趟驮泥约 200 多斤，由主家雇佣工负责驮运。到作坊后，卸下驮笼倒入泥场继续陈腐。至此，运输过程
就算完成。

三、泥料的进一步加工

1. 闷泥

泥料驮到作坊里以后，用水闷泡。闷泥的工具
是"铫子"（图 4-61），铫子形状像锨，只是窄得多，
且稍短一点，用来砸泥、翻泥，因为它的接触面少，
所以用起来省力。作坊里都有一个五六平方米大、
比地平面凹下去一尺左右的泥池子（图 4-62），把
干泥块放在泥池里（图 4-63），然后泼水闷泥（图
4-64）。泥干的时候，水一泼上去就能听到"吱吱"
泥块吸水的声音。待水分基本饱和后，接着可以砸泥，

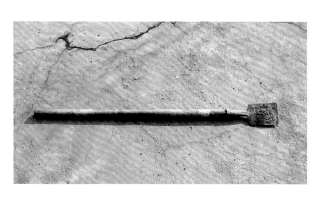

图 4-61　铫子

图 4-62　泥池子

图 4-63　干泥块

图 4-64　泼水闷泥

图 4-65　湿泥

图 4-66　砸泥

图 4-67　翻折

图 4-68　踩踏

图 4-69　刻铲

图 4-70　泥墩台

否则，泥就成了"夹生子"（图4-65）。砸泥（图4-66）是把泥从场子里用铫子翻一点，用脚踏一点，使其软硬更均匀一些，砸翻完堆成一个方块再行陈腐。这相当于泥料的粗练过程。等到拉坯用时，再把泥拿出来作精练。

2. 熟泥

在泥场旁边选一块地方，将粗练的泥通过翻折（图4-67）、踩踏（图4-68）、刻铲（图4-69）等方法进行熟泥。仍用铫子来回一遍遍翻甩成高约二尺的泥堆，再用脚转着圈一遍遍踩平，又用铫子甩垒成堆。照此方式重复数遍，把泥里的空气排出去。踩和踏不一样，一只脚叫踩，两只脚叫踏。如此完成熟泥的过程，就相当于现今用练泥机练泥。工作繁重，一般由体力好的青壮年来承担。

3. 揉泥

把熟好的泥用铫子铲下一块，搬到泥墩台（图4-70）上，反复甩拍，通过拍打把泥里面的空气排出来，最后卷合成一个尖顶平底、窝头形状的圆泥块。揉泥的过程有甩拍（图4-71）、揉搓（图4-72）、推瓣（图4-73）、卷合（图4-74）几个连贯动作，缺一不可。上述这些活计均是由作坊里的"工作者"（作坊里对于辅助工作者的称谓）来完成。

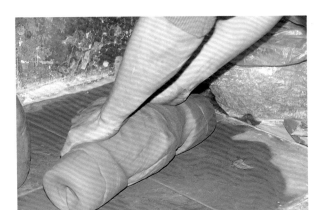

图 4-71 甩拍

图 4-72 揉搓

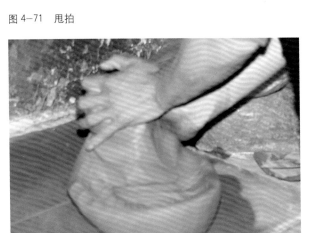

图 4-73 推掰

图 4-74 卷合

四、釉料

1. 釉料的藏量及分布

青瓷用釉料在铜川当地分布很少，主要用的是富平釉石（图 4-75）。富平县位于铜川市印台区陈炉镇东边山下十多里的关中平原北部，富平釉石就产于陈炉山下一个叫"塔尔山"的地方。釉石主要分布在塔尔山腰的岩石层间。与南方地区的高钙釉不同，这里的釉属于高钙镁釉。

2. 富平釉石的化学成分

SiO_2：65.33%，Al_2O_3：12.12%，Fe_2O_3：1.25%，TiO_2：0.20%，CaO：6.60%，MgO：3.30%，KO_2：2.49%，Na_2O：1.37%，总量：100.06%。外观状态为青色石块状，硬度为摩氏硬度 4 ~ 5。

3. 富平釉石的开采及运输

分布在山腰岩石内部的釉石，依着山势倾斜

图 4-75 富平釉石

45°向下延伸扩散，很难开采，也很危险。因釉石比较坚硬，当地人发明了铁质的专用工具"锤锤镢"。

锤锤镬的短木把长约 1 米，前端一边是大头的锤，一边是小头，上面有个深约 2 寸、直径 1 寸的圆洞，可以安装头尖的铁凿，一个人一天要用七八条铁凿。先用铁凿和长铁钎在岩石上挖开洞口，撬下石块，一点点采掘下去。洞巷一般高不到 1 米，宽 60～70 厘米。

由于釉石是洞采，又是斜洞，运料时先在斜洞左右两壁上凿出脚窝。人面朝里，背对洞口，坐在洞底面上，双手抓住装着釉石笼筐的笼鋬，两脚蹬着脚窝倒退上拽，将料笼拖出洞外。然后担挑到山下的唐家坡村边土窑洞内集中，再从唐家坡用骡子驮到陈炉山上。有时也有人背百十多斤，步行二十多里送到窑场的。洞采时间久了，里面形成一定的空洞，随时有塌陷的危险。再则，洞里积水，阴暗潮湿，时有虫蛇出入伤及采料人。采石洞因为坚硬，光凭人力和简陋原始的工具开凿，又不支搭巷柱，所以口子开得很小。洞小，开采掘进省力省时，不支巷柱也图小空间的稳固，但是进出运料的难度与体力费耗就大得多了。长久地蹬出溜进，经人体摩擦和筐笼料石的重压研蹭，巷洞底面磨得溜光。

4. 釉石的加工

加工釉石的设备是石碾（图 4-76）。石碾由碾轮和碾槽组成，碾槽由 21 块弧形石条组砌成圆环形，直径达 7 米。石条为砂石质，由石匠按照要求尺寸掏凿而成，弧度统一，衔接自然紧密，横断面呈凹形，凹槽深 0.07 米，宽 0.35 米。在环形碾槽的圆心位置安装有直径 0.25 米立轴的柱洞，安上中心木轴。又在长 10 米的横杆中心凿孔，插入中心木轴，两头伸出碾槽外 1 米多。在横杆与碾槽上下对应的地方镶进碾轮，石质碾轮直径 0.9 米，厚 0.15 米，边厚 0.08 米，中孔直径 0.14 米。碾轮正好塞搁在碾槽中，横

图 4-76 石碾

杆超出碾槽圈部分的梢头上钉有铁环，供拉碾的牲口拴挂拽绳。碾槽外围地面比碾槽低 1 米，并形成周圈形踩踏面。在凹形石槽两边帮围上，采用弧形石条帮砌，以加深槽壁和设置出料口。这一石碾现放置在耀州窑博物馆，该碾槽的整个设置，与宋应星《天工开物》中的碾石图基本相似。

石碾的操作程序：先将釉石锤砸成直径为 10 毫米左右的粒状，铺在凹槽内，注入清水，再由骡子或牛、驴拽动碾轮在碾槽内转动。碾轮在滚动过程中，靠自身重力和碾轮与料的摩擦力压碎块料磨细成糊状。当碾磨的细度差不多时，再注入清水碾搅均匀，将上面清的舀出或流出槽外，经过网筛，注入粗料缸沉淀陈腐。粗料缸注满后，搅拌匀起，把上面清的再经更密的网筛注入细料缸沉淀陈腐，以备后用，碾制釉料方才完成。这一工序类似耀州瓷泥料的水耙法，也近似于今天球磨机研磨釉料的湿式加工法。

5. 其他加工工具

（1）石碓（图 4-77），由石臼和石杵组成，料姜石是用石碓粉碎的。石臼的造型多样，有方形和圆形，有的还带有双鋬以便搬移，有的雕饰莲瓣以减轻重量并增加美观。大型的石臼有 50～60 厘米的口径，小的仅有十几厘米，内窝均是小圆底，壁较厚，是根据使用功能加工的。杵有石质、瓷质和铁质之分，有长圆状和圆锤状两类，瓷质杵的柄部还挂有釉。完整的长圆状杵面粗糙，长 40 厘米，径 14 厘米，顶端呈尖圆状。圆锤状的石杵，上端都钻有横圆孔或竖圆孔，用以安装木把柄。石碓一般用来加工釉用硬质料，使用时，将敲碎的小块料放入臼内，利用杵之重力冲击将块料砸击粉碎成细粉。

（2）擂钵，是一种小型研磨工具，瓷质，常用来加工彩绘颜料或试验用料。形制多为碗形，有的口沿

图 4-77 石碓

图 4-78 擂钵

图 4-79 擂锤

部位设有流口，以便倾倒。擂钵（图 4-78）外施黑釉、青釉等，内不施釉，但刻满各式划花篦齿纹样，以便增加摩擦力，提高研磨效率。最大的擂钵口径也不超过 20 厘米。与之配套使用的有擂锤（图 4-79），瓷质，圆柱柄，球状擂头，头部为素面，柄部挂有釉。使用时，将粗粉料盛入擂钵，加少量水使之成微稀糊状，然后一手持锤研磨，磨至所需细度。

五、釉料的配制

耀州青瓷釉料的配方：富平釉石、黑药土、料姜石、东山坩土、石灰石等。以釉石和黑药土为主，其他次之。具体含量为：釉石 45%，黑药土 35%，东山坩土 10%，石灰石 5%，料姜石 5%。釉石、黑药土为液体，其他为粉状，用时两者一兑，再加入粉粒即可。釉石也叫白药，黑药土叫黑药，黑、白药相配也可以烧成青瓷，但成色比较差。

六、黑药土的藏量及分布

黑药土即当地的一种黄土。铜川属黄土高原，黄土遍地都是，黑药是埋藏比较深、没有被风化的黄土，因此黑药土藏量非常大。黄堡镇的土黄沟、陈炉镇的那坡村和永受村的鬼门关，都有较好的黄土釉矿。

1. 黑药土的成分

SiO_2：56.57%，Al_2O_3：11.53%，Fe_2O_3：4.60%，TiO_2：0.65%，CaO：10.35%，MgO：3.81%，K_2O：2.25%，Na_2O：1.84%，总量：101.43%。外观状态为土黄色土块状。

2. 黑药土的漂洗

漂洗步骤：黑药土选采（图4-80）→露天风化（图4-81）→入缸注水（图4-82）→搅拌匀起（图4-83）→稍淀漂清→加筛舀出→另缸淀存（图4-84）。

漂洗时，把黑药土放到釉缸里用棍子反复搅拌、沉淀，再搅拌。关于试釉子，当地有句口诀："搅一搅，澄一澄，再看釉子清不清。"即用手在缸里蘸一下，看看水和釉的黏稠度。如果加工得还不是很细，釉子的颗粒大，沉淀得快，釉和水分离。当搅动起来后，用手指蘸试一下，手上能挂住釉就行。

图4-80 黑药土选采

图4-81 露天风化

图4-82 入缸注水

图4-83 搅拌匀起

图4-84 另缸淀存

第三节 耀州青瓷的成型技法

一、作坊

1. 作坊的布局及设施

制坯的轮盘有两个，平行安装在作坊门内约2米处，前一盘是做坯用的叫作"水轮子"，后一盘是修坯用的叫作"旋轮子"（图4-85）。两轮之间靠墙用红砖砌（或用河石垒）起高0.8米左右、横长0.6米、竖宽0.5米的墙体，上面正好搭一个炕砖，即揉泥的"泥墩台"。两个轮子后面靠墙放有师傅拉坯坐的瓷质坐窝（自制的坐台，上面呈凹半圆形），水轮子右边放"作水盆子"（盛有清水的小瓷盆，拉坯时手撩水润滑以便成型），前面放耙子（放作板的木架子，分上下两层），耙子下放作板（坯板），

图4-85 轮子的布局

作板长1.8米左右，宽0.15米，厚2厘米，用时抽一块放在耙子上，拉的水坯摆满一块作板后，端出去再放一块。旋轮子四周，围一圈0.4米高的木板框，可容一人坐下去旋坯，起拦挡旋渣的作用，左边用砖垒脚，上面放一块长1.5米、宽0.5米的厚木板，用来放坯。作坊的左边靠墙角盘一个燃烟煤的小火炉，是取暖和温水必不可少的设施。向右靠墙由前往后依次是烘干坯品的火炕、闷泥的池子和存泥的地方，大小根据作坊的面积而定。中间留出一片空间，是熟泥和人员活动的地方（图4-86、图4-87）。

图4-86 作坊布局1

图4-87 作坊布局2

2. 轮子的结构和性能

陶瓷的形状、大小、功能各有不同，因而有多种成型方法。耀州窑的成型方法有三种，即拉坯、印模、雕塑与合坯。"德应侯碑"记载耀州窑成型是"转轮就制"，即手拉坯成型，是古代陶瓷成型半机械化程度比较高的方法，生产能力相对较大，一盘轮子可以拉制任意大小的坯品，是今天的机器无法取代的。轮子是个总称，它是由砂石质轮盘、角子、面子、立轴（柏木轮轴）、木质轮腿、瓷质轮钏、发丝绳、铁圈、鹰架子、围瓮组成的。现分述如下：

（1）轮盘（图4-88）：圆形，砂石质，直径大小不等，在1米左右，厚0.15米。中心凿一圆孔以装"角子"，两边有对称的小长方形孔，面小底大以装轮腿，轮盘的边缘有一小坑叫轮窝，作搅动轮子用。盘底面凿有凹形内槽，起调整轮子转动时空气及风力平稳的作用。

图4-88　轮盘

（2）角子（图4-89）：传动器件，铸铁质，六角锥体形，镶在轮盘中心孔内的桐木楔子内，只露出一个锥尖。

（3）面子（图4-90）：传动器件，铸铁质，正四方体形，六个面均有四棱锥形窝，窝心与角子锥尖装配，接触面越小，轮盘在转动时的阻力就越小。

图4-89　角子

图4-90　面子

图4-91　立轴

（4）立轴（图4-91）：多为柏木质，长1.5米左右，上端直径约10厘米，下端直径约14厘米，上细下粗，安装时下端埋入地下80厘米，并用老崖上的干土夯实，上端镶面子，顶端用铁圈固定紧以耐用。

（5）轮腿（图4-92）：方木棒，高约60厘米，长6.5厘米，宽4厘米，上端镶入轮盘方孔内，下端有粗节块，在粗节块上捆扎轮钏。

图4-92　轮腿

图4-93　轮钏

（6）轮钏（图4-93）：瓷质，圆环状，外径0.13米，内径0.11米，厚2厘米。圆形环内圈挂釉，外圈正面为凹槽，用发丝绳将其与两个轮腿捆系一起，起到下部固定平衡作用，防止轮盘偏离中心。

（7）发丝绳（图4-94）：用女人的长头发搓碾而成，专捆轮钏于轮腿之上。这种绳坚固耐用，防腐，不变质，无论遇水、遇油、干湿和潮朽均不变形。

（8）鹰架子：在旋轮上空，有一个伸出墙的带孔横板，轮棍一头插入轮窝，一头从横板孔伸出。制坯时徒工握住旋轮上的轮棍不停地搅动，旋轮用皮带带动水轮转动，匠人可连续操作拉坯，提高了功效。

（9）围瓮（图4-95）：即切割过底的线瓮，瓮口径0.35米，底直径0.32米，高0.51米。轮子安装时，先把围瓮埋到地下，起固土、固立轴等作用。

图4-94 发丝绳

图4-95 围瓮

二、手拉成型

1. 手拉成型的技法

手拉成型的技法是手拉过程中的一系列动作，也就是使泥的方法。具体是：拓（行话中念 tā）泥——把揉好的泥团拓到轮子上。抱泥——利用轮子的转动，撩水后双手用力把泥"把正"的过程，这是因为把泥拓上去的时候重心不一定在轮子正中。擩泥——擩搓，掌握泥的平衡，将把正的泥柱擩成一个盆筒状。提泥——就是拔高，也叫"提筒子"，把泥提起来。最后是使泥——里外夹挤着塑形、出造型。使泥有两种，即顶泥子和抹泥子。

（1）顶泥子（图4-96）：右手在外稳住泥，左手在内呈半握状，以食指外廓向外顶泥，然后左手拇指塑形。用顶泥子手法多制作有唇沿的产品，如大夫子碗、圆碗、涮碗等。

（2）抹泥子（图4-97）：右手在外，左手在内呈平伸状，形如双手

图4-96 顶泥子

图4-97 抹泥子

夹泥，里面用手塑形。多制作黄大楼碗、缸工碗、苜蓿花碗、描沿碗等。有时候从器物的造型中就能看出

用的是哪种方法，这是碗窑特殊的拉坯手法。

2.手拉成型的工具

（1）等子：度量器，用木条或细竹竿制成，供拉坯时丈量口面大小和器身高低所用（图4-98、图4-99）。度量器皿外径是用铁丝制成的叉状物，类似现在的卡钳。

（2）托盘（图4-100）：陶质圆盘状。使用时将其以泥粘在轮盘中心，将泥块放置在托盘上拉坯，拉好后坯与托盘一并搬移，可减少坯品变形，也易于操作。小件坯则直接将泥放在轮盘上制作，拉好后将水坯（拉出大形未经修制的坯）取下放在托盘上搬移晾晒。

（3）刮子（图4-101）：多以青石板磨制而成，有不同型号，大小长短以造型而定，是为了压延泥料，使器内平整光洁的工具，同时也是控制规格、决定造型形制的工具。还有用陶瓷板自制的刮子（图4-102）。

（4）瓷板子（图4-103）：长约10厘米，形似瓷枕，面施釉，制罐、瓶用，瓮窑多用，为擩底的主要工具。

（5）促子（图4-104）：圆饼状瓷质器具，直径10厘米以内，总高3厘米以内，与瓷板子配合使用。鼓起的一面施釉，另一面敛口中空无釉，便于手抓，可使器内光平，又能减少泥料对手的磨损。

（6）作皮（图4-105）：坯体拉成后，用来修整口沿的皮子。早先用鹿皮制成，宽1寸，长5寸。现在一般用自行车内胎皮做成。

（7）割线（图4-106）：约1毫米粗的棉线，用于切割拉好的坯品脱离底泥。

（8）扣圈（图4-107）：大型口的坯体从轮子上搬离时，扣于坯口上，可防止坯口的变形。一般用草帽沿或轻质木板制成。

（9）作水盆子（图4-108）：盛有清水的小瓷盆，拉坯时手撩水润滑以便成型。放置于拉坯匠人的右边。

（10）作泥盆（图4-109）：匠人拉坯过程中，不时清理手上多余的泥浆，淋于轮子右侧稍后边的空盆中，然后回到泥场再利用。

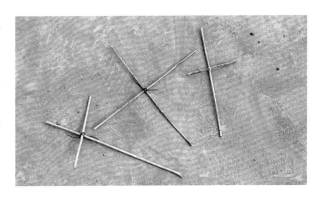

图4-98 等子1

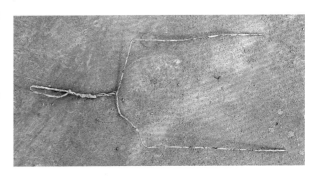

图4-99 等子2

图4-100 托盘

图4-101 刮子

图4-102 自制陶瓷刮子

图 4-103 瓷板子

图 4-104 促子

图 4-105 作皮

图 4-106 割线

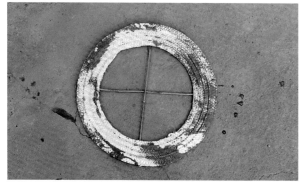

图 4-107 扣圈

图 4-108 作水盆子

图 4-109 做泥盆

图 4-110 正泥

3.手拉成型

将揉好的泥拓在轮子上，匠人自执轮棍对准轮盘边上的轮窝搅欢（搅动得飞快）轮子自转，趁着轮子惯性撩水"正泥"，或工作者搅动旋轮子传带水轮子，匠人"正泥"（图 4-110）。根据所制造型和大小的不同，用"顶泥子"和"抹泥子"的手法使泥，经过搋泥（图 4-111）、抱泥（图 4-112）、提泥筒子（图 4-113）、使泥（图 4-114）等过程，配以刮子、促子、板床、等子、作皮等辅助工具来完成，最后左手夹稳毛坯器底，右手捏住割线一端，并将另一端搭向坯底，随着轮盘的转动拉出割线，便将毛坯与底泥切离，

图 4-111　擩泥

图 4-113　提泥筒子

图 4-115　水坯

图 4-117　坐窝

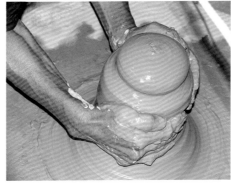

图 4-112　抱泥

图 4-114　使泥

图 4-116　修坯

图 4-118　旋刀

剩余的底泥可继续拉坯。轮子是整个工艺流程中最主要的设备，拉坯的匠人则是窑场最重要的技术人员；一样的轮、泥和造型，各位匠人的手法、速度、质量绝不一样，其优劣便是大师傅与小徒弟的区别。

4. 晾坯与修坯

刚成型的坯子叫水坯（图4-115）。匠人把所拉的水坯放在作板或托盘上，由工作者端离置于阳光好的屋外；冬天或阴雨天置于室内火炕上，晾晒烘烤到下道工序操作不发生变形的半干时，然后连作板一起收进作坊潮蜇（陈腐一段时间）到位，三五个一摞，放到耙子上备修。

修坯（图4-116）有专门的旋轮子，旋匠坐在坐窝（图4-117）上，搭上旋台（用泥做成的圆柱状台子，可根据待修坯口径的大小，决定台面的直径与高低。将坯倒扣在台上修整）。用轮棍搅欢轮子，用S形旋刀（图4-118）作旋削修理。一般先是正底、清底和掏底。用中指弹击或以旋刀拐角敲击听声来判断器底的薄厚。然后翻过来再旋口沿和上半身。但不论大小高低粗细，"均修外，不修里"，这是耀州窑陶瓷工艺的特色，更是当地艺人高超拉坯水平的表现。旋完一耙子，十个一摞转移到歇坯房，等待施釉。

图 4-119 印纹、贴花、印模

图 4-120 雕塑器印模

图 4-121 壶柄的印模成型

图 4-122 异形件水浴杯的印模成型

三、其他成型方式

1. 印模成型及模具的制法

最早的印模可能出现在新石器时代的仰韶文化，器皿的流、錾、纽、足等附件多用陶模印制出来后再粘接而成。器物的印纹、贴花（图 4-119）、雕塑器（图 4-120）及异形器的成型等亦多用印模完成。到 20 世纪 30 年代，石膏模逐渐取代陶模。但在新中国成立后陈炉窑场还有印模成型生产。

印模成型主要用来制作各种人物和动物雕塑品、仿生器皿、异形器和瓷枕等（图 4-121）。印模根据制坯需要多分为两半（即双合模），有前后双合模、上下双合模、左右双合模与单块模等。虽然不如今天石膏模合缝严密，但合面平整光滑，内合缝较严实，外表合缝外还须刻"合号"。

模具的制法：制作模具所用的原料就是当地的瓷泥。第一步，制作母模。母模用于制作子模，子模用来制坯。因此，制作母模的尺寸，要经过三级放尺，否则达不到实物尺寸。要考虑坯品干燥、烧成及子模、母模的总收缩率。对实物三级放尺后画出图样，依图制作厚胎毛坯，后对毛坯进行修制，待坯干燥，以泥不粘刀程度后，刻饰花纹，修光印面，干燥烧成，叫作"模胎"。第二步，制作子模。将泥片拍薄，分层压在烧制过的母模上，拍压紧实，待泥层与母模干燥至有细微间隙后脱模，或上下、左右，或分成几块。

脱模后的子模，进行表面纹饰补缺、打光精修处理，再干燥烧成。烧成温度在 1100℃~1200℃，模胎吸水率在 12%~15%，以明火烧成，模子使用性能才好，对泥料的适应范围也较宽。

印模成型的方法：将经过陈腐、揉制的泥团制成薄厚均匀的泥片，覆泥片于子模上拍压制出器皿的内形，待干燥脱模后，修出外形，再挖器足、作装饰(图4-122)。

2. 合坯成型

传统陶瓷的成型方法主要有手工拉坯、泥条盘筑、模具按印、手工合坯等几种形式，虽然不同窑场的原料、器具、个人手法有所区别，但基本上大同小异。四种形式中手工合坯是借助硬件器具(指拉坯的转盘、模具)最少、手工性最强的一种，具体做法为：

(1) 将熟好的泥按所需量揉搓成圆条状(图4-123)，搓时两手平掌，五指并拢，以掌心和掌跟力重向前推搓为主，掌稍及四指力轻往怀内拢圆为辅，顺着泥体滚动前后重复运动。双手用力要均匀，以使泥条粗细相同，这一道工序也是工作者通过揉泥认识泥性的过程。揉好后顺手将圆条压成扁条(图4-124)，用木质擀杖碾成厚约 1 厘米的泥片，取样板或角尺铺在泥片上，让出毛头裁分(图4-125)；再把各种规格的泥片分类平铺于木板上晾蜇(陈腐一段时间)。如果器物带有花纹，需要在陶范花模上拍印泥片，此时便可将毛坯泥片置于花模内印好翻出，花面向上、光面朝下铺于木板上同晾。

(2) 泥片精制：将泥片晾至半干时铺到工作台上，用拍板拍砸并挑放泥片中的气泡，使其更加致密。再用宽长光滑的竹、骨、铁刀把泥片表面压抹平整，把暗藏的小气泡挑放干净，直到确认泥片薄厚一致、光亮密实为止。依照模板或角尺按准形规(标准形)裁定泥片，即为坯品的正式组件，用湿棉布把单片泥包好，保湿蜇存，以候其他组件完成或下道工序使用(图4-126)。

(3) 把一个坯品的全部组件、辅助材料和工具备齐放在工作台上，依据坯品的形状和设定的顺序打开组件包装，在对接部位稍湿些水。待其表面不现

图 4-123　揉搓圆条

图 4-124　圆条压扁

图 4-125　取样裁分

图 4-126　泥片精制

图 4-127　对接准备

图 4-128　湿水划毛

图 4-129　对接部位刷浆 1

图 4-130　对接部位刷浆 2

图 4-131　对接擩压

图 4-132　配合拍砸

水渍，用竹排签或刀签交叉地划毛组件对接面，刷上泥浆。等泥浆稍有些蜇凝，便可粘接（图 4-127 ～图 4-130）。

（4）对接合坯：将各组件中相对稳定的一件铺于台上，把第一组合件粘接面按准，两手紧顶接合部从头至尾沿结合线擩压（图 4-131），使接合部两侧有泥浆涌出。确认两组件初步接合稳定后，左手扶住较易动的组合件，右手执拍板在此组合件上方沿线拍砸，使粘接面更加紧密严实（图 4-132）。其他组件按此法依序对接，并留出镶围泥的适当下手处。

（5）在各组件接合所形成内拐角突出的泥浆线上，将搓好的细泥条一头擩进泥浆线梢粘住，再用圆头粗竹签顺线把泥条顶塞进拐角，靠线上泥浆的粘力和签擩的压力，使镶围泥条与两组件的接合粘紧，再以

图 4-133　镶围泥 1

食指或中指稍把泥条左右压抹平整（图 4-133、图 4-134）。镶围泥的作用有二：一是扩大对接面，进一步增强、稳固合坯的结构；二是在造型线条的转化上达到吻接自然的效果。最后用粗竹签碾抹、用水毛笔或湿海绵将镶围泥与各接合部擦洗干净，使合坯内外结构浑圆规整，表面平洁，以至看不出合坯的痕迹（图 4-135、图 4-136）。

手工合坯虽在表面拍拍砸砸，但各道工序及动作却马虎不得，一定要准确到位，否则将功亏一篑。

图 4-134　镶围泥 2

图 4-135　整体修饰 1

图 4-136　整体修饰 2

一件合坯要能耐住胎体装饰、施釉干燥、低温素烧，特别是高温本烧的考验，尤其保证不出现开裂、变形、胀泡等问题。当然，要达到快捷无误、造型上更具个性、减轻后道工序的压力并抗住其他工作者的摆弄，是对合坯者整体能力的考验。所以，手工合坯技术虽然不常用，但却是基本功。

第四节　耀州窑的造型

一、平件

碗（图 4-137）：耀州窑碗类最多，造型非常丰富，以宋中晚期为例，有侈口深腹、浅腹，侈口折腹，敞口深腹、浅腹，敞口折腹，短直口折腹，侈口宽折沿等，而唐代高足包口的碗类是别处陶场所少见的，碗口内敛，碗身扁稳浑圆，碗足俏小高耸而底边翻唇，造型构成与使用功能的设计均十分默契。

盏（图 4-138）：盏有侈口、敞口、翻沿、花口多种，多是茶盏。大致造型为大口小足，斜直壁，外观呈倒置斗笠形，比例均匀，亭亭玉立，这种造型的盏，使茶汤易于沉淀。有青釉素面、刻花、印花盏，

图 4-137　耀瓷刻花莲荷纹碗　　　　　　　　　　　图 4-138　耀瓷刻花牡丹纹盏

其中耀瓷印花"熙宁"、"大观"、"政和"款牡丹纹盏，就是作为贡瓷进献皇室的。

　　钵（图 4-139）：钵一般都是直口微敛、微敞，有直壁、弧壁、束颈内收，下部折收，小圈足。其中耀州瓷刻花牡丹纹瓜棱钵比较典雅，钵身呈瓜棱形，颈部内收，浅圈足，比例协调，线条流畅，清秀灵动。

　　盘（图 4-140）：盘类有折边双线沿和敞侈口双线沿，以国家博物馆藏耀州瓷刻花牡丹纹盘最具代表，口沿外翻，弧壁，圈足，造型稳重，后来的大底平坦、直帮微曲的"揽盘"很有个性。

　　洗（图 4-141）：洗在口沿上变化较大，有荷叶口、花口等，有敞侈口，有深腹、浅腹，器壁有的签压成花瓣，足微外撇，端庄典雅。金代耀瓷青釉錾耳洗，敞口、浅腹、小圈足，口沿一侧为月牙形錾耳，

图 4-139　耀瓷刻花牡丹钵　　　　　　　　　　　图 4-140　铁锈花牡丹纹盘

图 4-141　耀瓷刻花牡丹纹洗

图 4-143　宋代耀瓷茶盏托　　　　　　　　　　　图 4-142　耀瓷刻花莲荷纹碟

耳下附着一精巧环饰，口沿外划两道弦纹，使造型语言平添了许多素美的感觉。

碟（图 4-142）：基本类同于盘，在尺寸上比盘要小，腹浅。宋代耀瓷刻花莲荷花纹花口碟，口沿雕出八瓣莲纹成花口，敞口外撇、浅腹、圈足，非常精神。

托（图 4-143）：托是附件，与盏、灯、酒具和茶具配套使用，分为两种。一种为盘式，盘中心凸起一圈，上放小盏或其他。一种上部与下部的托连为一体，托因上部造型而有不同的形状，有各种花形、动物形，基本是雕塑的空心形体。耀州瓷狮纹托盏，盏作浅碟式，折沿、浅腹、底接短柱形莲梗，刻重叠式仰莲、荷叶，下承空心狮子托。狮子挺胸仰首、小耳、圆眼、张口、露齿、卷毛，胸系一圆铃、壮臀、身披鞍、扁尾上卷，肌腱显露，强劲有力，四足挺立于长方形座上，为宋代耀州窑的珍品。

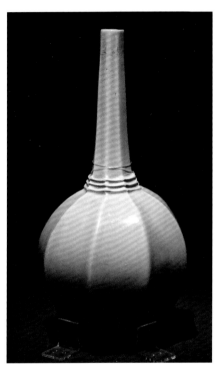

图 4-144　耀瓷八棱净瓶

图 4-145　耀瓷刻花牡丹纹鼓敦瓶

图 4-146　耀瓷刻花犀牛望月瓶

图 4-147　耀瓷刻花玉壶春瓶

二、立件

瓶：耀州窑的瓶类繁多，有葫芦瓶、双耳瓶、镂空鼓瓶、三足瓶、花口瓶、贴龙瓶、扁瓶、净瓶（图 4-144）、直胆瓶、鼓敦瓶（图 4-145）、圆瓶（图 4-146）、方肩梅瓶等。尤以方肩梅瓶、玉壶春瓶（图 4-147）最具有代表性，造型胴体方肩，雄浑峭拔。梅瓶多为小口短颈、丰肩、长弧腹，下腹斜收，瓶身比例匀称，修长挺拔，口径之小堪与梅之瘦骨相称，故名梅瓶。玉壶春瓶喇叭形敞口，长颈细直，外轮廓如 S 形。方肩梅瓶折沿小口，短颈深腹，平肩形胴体。

尊（图 4-148、图 4-149）：古代的一种大中型盛酒器，为圈足、圆腹或方腹、长颈、敞口，口径较大。尊盛行于商代至西周时期，春秋后期已经少见，耀州窑借鉴青铜器创造了多种尊的造型。例如，耀瓷押花佛手尊，形制似佛手，敞口、直

图 4-148　耀瓷刻花牡丹纹双耳瓜　　图 4-149　耀瓷刻花荷口出筋尊　　　图 4-150　耀瓷雕花三足宝塔罐
棱尊

腹、圈足外撇，镂空而透出了灵气。还有口沿形似荷叶的荷叶尊，腹像苹果的苹果尊，装饰龙纹的花口尊，压花出筋的葵口尊等，在吸收青铜器优秀造型的基础上，用陶瓷语言把尊形展示得淋漓尽致。

　　罐（图 4-150、图 4-151）：口径大，腹丰且深，颈部内收，大底足的称为罐。它与其他造型最大的区别是腹部丰满，有相当高度，这是因其用途主要用于盛放物品而决定的。有双系的、四系的（图 4-152），配上人物或动物形纽的盖，拴上绳子即提，保温保洁。造型有瓜棱形、冬瓜形、鸡心形等，显示了民窑面向大众、取材于生活的特点。现藏于耀州窑博物馆的一件唐代黑釉塔式盖罐，高 51.5 厘米，仿唐单层佛塔建筑而作，造型奇特。

　　炉：古代焚香用的器具，特别是熏炉，在上层生活中被广泛使用，用途有三：一是敬奉神明；二是燃香洁室；三是熏衣。耀州窑的匠人在炉的造型上，创造了镂空复层、花式、鼎式（图 4-153）、鬲式、豆形等数十种形制的炉。炉足分三足（图 4-154）、五足，兽面兽爪，斜面台阶状、喇叭状、力士等。代表性的有宋代耀瓷刻花折扇纹镂空炉（耀州窑博物馆藏）、宋代耀瓷刻花牡丹莲瓣纹力士香熏（图 4-155）（台北"故宫博物院"藏）、宋代耀瓷刻花牡丹纹九龙香熏（图 4-156）（台北"故宫博物院"藏），是存世耀瓷中最复杂的制品。

　　壶（图 4-157～图 4-159）：一般指盛酒器，宋代壶的种类丰富多样，精巧秀丽，它在继承唐、五代以来造型的基础上，还借鉴了商、周青铜器，生产了一批具有青铜器造型风格的器物。造型上极力追求利用线条自身的流动转折，构成了挺拔俏丽、刚柔相济的形体，并发挥刻、划、印花技法之长，形成了特色。例如宋代耀瓷刻花狮头凤柄倒装壶，壶身整体呈圆形，分五层装饰后，虚设壶盖与提梁衔接，提梁为凤形，弯曲成半圆，将酒从底部注入壶里，放正后倒出，是耀州窑工匠在千年前就掌握了连通器液面等高原理而创造的奇特造型。

　　杯（图 4-160）：饮酒器，是北宋时期耀州窑的大宗产品，造型各异，有直口弧腹平底、侈口直腹弧收卧足、侈口翻唇束颈鼓腹卧足等多种形式，有仿铜器造型的龙首八方杯，也有仿竹木编的柳斗杯。

　　枕：耀州窑陶瓷枕主要分为箱形枕（图 4-161）、象生枕（图 4-162）、象形枕（图 4-163）三大类。箱形枕最为常见，它是由枕面、四壁和枕底组成的中空体。宋代有长方形、银锭形、腰圆形、如意形、多棱形、方形等。象生枕可分为两类：一类为兽形枕，一类为人形枕。兽形枕是指把枕座或枕体做成写实的卧兽形，座上安枕面或在兽背上直接开出枕面，多有辟邪和祥瑞之意。犀牛枕和卧狮枕就属此类。人形枕多为卧姿

图 4-151 耀瓷刻花牡丹纹盖罐

图 4-152 月白釉四系罐

图 4-153 耀瓷鼎式炉

图 4-154 耀瓷三足炉

图 4-155 宋代耀瓷刻花牡丹莲瓣纹力士香熏

图 4-156 宋代耀瓷刻花牡丹纹九龙香熏

图 4-157　耀瓷刻花提梁壶

图 4-158　耀瓷刻花瓜棱执壶

图 4-159　耀瓷刻花狮头凤柄倒装壶

图 4-160　耀瓷水波纹杯

图 4-161　黑釉"状元及第"枕

图 4-162　青釉童子枕

图 4-163　耀瓷刻花莲纹枕

童子作枕座，手持荷叶或灵芝作枕面。象形枕即把枕座做成某种物体的形状，唐代耀州窑的黑釉四连环枕、车轮枕就属此类，这种枕形在国内其他窑口很少能见到。现藏于日本静嘉堂文库美术馆的腰圆形刻花凤穿牡丹纹枕和 1958 陕西省扶风县出土的不等边八棱形刻花飞凤牡丹纹枕，都是不可多得的枕中珍品。

三、雕塑件

　　宋代耀州窑的雕塑件主要分为人物和动物两类，其用途以玩具、吉祥物、明器、装饰为主。人物取材广泛，有世俗人物（图 4-164）、宗教人物（图 4-165）、外域人物。世俗人物有头戴冠帽的官吏，身佩长剑的武将，身着便服的士人，头戴皂巾、身穿短衣的侍者，表情谦恭的仆人。宗教人物包括佛教和道教人物。佛教人

图 4-164　耀瓷雕塑人物壶　　　　图 4-165　耀瓷雕塑人物　　　　图 4-166　三彩龙头套饰

物中有身披袈裟，弯腰弓背的僧人、罗汉，祖胸露腹、满面笑容的布袋和尚，头戴巾帽的维摩诘，还有跪坐负重的力士形象。道教人物中则有身着羽毛道服，手中持瓶的药王造型（故宫博物院藏）。外域人物塑中有蓄须卷发、深目高鼻的胡人形象。动物类有家禽、家畜、十二生肖等。匠人们在制作的过程中，抓住动物的瞬间状态和典型特征，从而给人以强烈的生活气息和亲切感。耀州窑博物馆有一件三彩龙头套饰（图4-166），长24厘米，高17.5厘米，宽13.5厘米，是建筑挑檐部位避免木质构件因风吹雨淋而腐朽的陶瓷装饰。它双眼圆睁，獠牙伸出的口中含着宝珠。

第五节　耀州窑青瓷的装饰与技法

一、耀州窑青瓷的纹样

1. 人物

人物纹题材有婴戏、飞天、官宦、仙女等，其中婴戏纹最生动，也最常见（图4-167），主要印、刻在碗、盘、罐上，有婴戏花、婴攀竹、婴戏葡萄、婴戏莲、婴戏石榴、婴戏犬等。如青瓷印花五子戏犬纹碗（图4-168），画中五婴分两组戏犬，其中三个小孩合力捕捉一只奔犬，一个性情温厚，单腿跪地，伸出两手，试图叫回奔犬。一个性情急躁则甩出拦绳，欲套奔犬，但因用力过猛，被犬拖倒在地，小犬奔跑的同时回头观望。第三个性情胆小，被奔犬吓得藏身树后，又忍不住好奇探头观望。另两个儿童在争戏另一只小犬，其中一个屈身伸出两手，企求抱抱同伴怀中的小犬，伙伴不给反而紧抱小犬扭身而坐，一脸的不情愿。画面把群婴的心理、性格、神态刻画得惟妙惟肖，活灵活现。

另有飞天纹，呈"喜相逢"式布局，手持花束，神态安详，容貌美丽，衣带飘飘，周围祥云缭绕，如天女散花一般。

图 4-167　耀瓷刻花牡丹纹孩儿枕

图 4-168　宋代印花五子戏犬纹碗

图 4-169　耀瓷刻花犀牛望月碗

图 4-170　耀瓷刻花水兽盘

2. 动物

动物（图 4-169）纹样有龙、凤、摩羯、狮、虎、鹿、鹤、雀、鸳、飞蜂、飞蛾、蝴蝶、鹅、鸭等兽类（图 4-170）、禽类动物。龙、凤是中国图腾文化的产物，人们赋予它们尊贵至上、威武祥瑞、荣华富贵的内涵，是帝王嫔妃的符瑞标记，耀瓷的龙凤纹器皿，多是为皇室烧造的贡品。摩羯纹（图 4-171）源于印度神话，有镇邪避灾之意，耀瓷摩羯纹，鱼龙变化的意味更浓一些，与水波、火珠、荷花同图，象征吉祥富贵。宋代模制瓷塑狮纹很有气势，画面非常生动，刻饰的狮纹工致细腻、纹饰华丽、装饰性强。鹿纹表现得安详、恬静。鱼纹（图 4-172）刻印在碗、盘内，形式多样，生动活泼，以三鱼构图最多，用简单的线条刻画出鱼儿游动的态势，再用梳齿刀或刻刀勾划出滚滚波浪，恰似鱼儿畅游在银光闪闪的波涛间，极富情趣。还有吉祥、富贵、长寿、太平等寓意的题材。

3. 植物

植物装饰是耀州窑应用最广泛的题材，牡丹纹（图 4-173、图 4-174）最常见，其次有菊花、荷花、梅花、海棠、葵花、兰花、葡萄、石榴、芭蕉、松、竹、卷草等。牡丹装饰有折枝、交枝、缠枝式。牡丹的花瓣讲究对称构图，有层层重叠式、双层多瓣式、单层多瓣式等，并从适合造型出发，多为圆形图案。瓶类构图装饰有二方连续式、四方连续式，常与动物、人物、文字组成图案，强化其吉祥富贵的象征意义。荷花又名莲花，早期的莲纹是以错落的莲瓣作边角纹样，到宋代饰纹图案各式各样，有团荷、束莲及缠枝莲等，常与水波、鱼鸭等组合构图。此外，还有婴戏莲、孔雀衔莲、鸳鸯戏莲等，表现了工匠们从生活中

图 4-171　耀瓷印花摩羯纹碗

图4-172　耀瓷刻花鱼纹碗

图4-173　耀瓷刻花牡丹纹盘

图4-174　耀瓷刻花缠枝牡丹纹盒

图4-175　青瓷博古碗

提炼题材的能力和以浪漫夸张手法写生的技艺。梅、兰、竹、菊是文人画家喜爱的题材，被赋予深而广的寓意，有"四君子"之称。松、竹、菊又合称"岁寒三友"。把这些题材与儿童、动物等组合应用，生活气息更浓。

4. 博古

在耀州窑博古装饰（图4-175）中，有琴、棋、书、画、暗八仙、如意、贡品、宝相花等，有些与梅、兰、竹、菊配图，再饰以云鹤、湖石，意境顿然而生，诗词名句也可作为主题纹饰，还有的作为边角纹样，寓意高洁清雅。

二、耀州窑青瓷的雕花技法

1. 雕花的工具

尖细刀、宽斜刀、弯斜刀、刻刀和签子。刀为铁质，刀把上套有竹竿，以便把握。签子为竹质或骨质。

2. 雕花的程序

雕花技法出现于五代，多施于器物外部或辅助装饰里，但总体来说应用并不广泛。至宋初，雕花纹饰得到发展，其艺术效果亦相当恢宏。它采用两刀法作业，先用尖细刀在纹样的边线上垂直扎划一刀，再以宽斜刀或弯斜刀沿扎线外一定宽度处与坯体平行削一刀，与扎划刀痕底相交把泥雕下来，即"半刀泥"的刻花方法。后用签子再在大块花瓣和枝叶上点划，使其更加丰富。雕花纹饰布局大多十分疏朗，枝叶稀散，重点刻划花头，瓣瓣差刀，依序推后，层次分明，立体感强。因空地大，故削刀宽深，基本不现素底。这种布局章法及雕法有石刻技法的影响，所以又称"减底法"。它成为后来耀瓷刻花装饰技法的坚实基础。此法固然层次丰富，装饰效果明显，然其雕刀过于宽深，易损伤坯体结构，导致成品率下降。纹饰起伏落差较大，施釉后高突部位的釉子容易磨落，烧成后的釉面也难以填平刀痕，故器物表面显得不甚平整，对视觉效果有一定影响，这便是这种装饰形式没有普及的原因。

三、耀州窑青瓷的刻花技法

1. 刻花的工具

尖细刀（图4-176）、宽斜刀（图4-177）、弯斜刀（图4-178）、平头刀（图4-179）、竹篦排划签（图

图 4-176　尖细刀

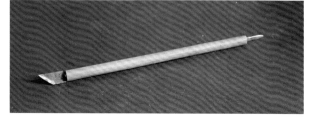

图 4-177　宽斜刀

图 4-178　弯斜刀

图 4-179　平头刀

图 4-180　竹篦排划签

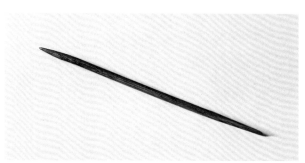

图 4-181　竹划签

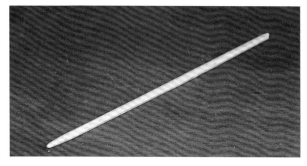

图 4-182　骨划签

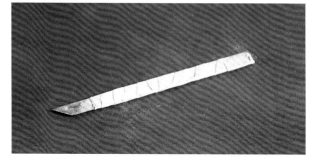

图 4-183　刻刀

4-180）、竹划签（图 4-181）或骨划签（图 4-182）与刻刀（图 4-183）。

2．刻花的程序

刻花的两刀法与雕花技法类似，只是第二刀吃泥较窄浅，"半刀泥"线条在运行之中讲究宽窄深浅的变化，注意到了坯体的薄厚和刻花纹饰的深浅，力求施釉烧成后釉子漫平器面，纹样布局合理周密。盛开的花朵妩媚动人，小花头含苞待放；繁茂的枝叶反转侧正，盘绕有序，把花朵铺衬得更加俏丽自然，且大都是用两刀法完成，表明这是耀州瓷装饰中的重要技法。刻花的一刀法是用平头刀或斜头刀于坯体表面垂直稍斜的角度直接刮刻，线条的宽窄粗细根据刀的用力轻重、吃泥深浅、角度正斜和纹饰结构而定。这种技法多施于碗盘类产品上。因为技法、纹饰的单纯和熟练程度较高，故施刻速度也快，自如的挥洒使力度与速度的最佳结合在线条中得到了最完美的体现，造就了流畅犀利、潇洒隽逸的艺术效果。以这两种刀法刻出纹样主线条后，用篦排划签在花瓣、叶内填上梳齿划纹，划纹及走向按花叶的结构、长势和面积大小而定，宽密窄疏不等，宽起窄收为规，排列工整活泼，张收自然流畅，将纹样填补得更加灵秀飘逸，强调了装饰内容上的主次关系和图案上的层次关系。这一技法貌似简单，操作起来比刻花还难，要想达到工整流畅，除熟能生巧外，在工具样式、泥料性能、坯体干湿等方面，都需要极好的掌控能力。技艺高超的艺人，也有先以梳齿划纹布阵，再施刀刻的，展现了一种老辣的大器晚成气势。因此，耀瓷刻花效果有大刀阔斧、奔荡不羁的，也有精绘细描、小家娟秀的。这多样艺术风格的形成，是不同材质、不同形式的工具与多种技法的运用的结果，也从一个侧面反映了耀州窑鼎盛时期"十里窑场"的宏大规模和制瓷人才的云集。同时，属于黏土质的耀瓷，有赖于铜川陶土的优越性能，可塑性极好，坯品强度高，完全在湿坯状态下着刀施刻，铁刀对软泥，好进刀，能宽深，易于快速运刀，能体现犀利奔放的刻花风格。由此造就了耀瓷技术水平和艺术水平不断向前发展。

四、耀州窑青瓷的划花技法

划花的主要工具有锥形骨签或竹签。

划花技法在唐代出现，到五代曾有段辉煌的时期，多施于器物的口、沿、肩、内心底或突出部位，常见二方连续的蔓草纹和云水纹。它用锥形骨签或竹签在坯体表面直划沟线成纹，签子尖的粗细决定沟线的粗细深浅，表现力较为单一。但正因为工具、技法和形式的简单，其勾划更为自由，洒脱奔放而流畅遒劲，欢快轻松而干净利落，把力度与速度的结合运用发挥到了淋漓尽致的程度。然而，此法与雕花、刻花相比较，仍嫌单调，只好作为雕、刻技法的辅衬了。

五、耀州窑青瓷的印花技法

印花是用半干的毛坯贴附在陶范上拍印而成（图4-184），多用于碗（图4-185）、盘、洗、碟等敞口类器物的内壁装饰，是北宋中晚期大量出现的一种装饰方法。印花的主要工具是陶范（图4-186）。制范方法有两种：一种是先拉坯成一个器皿，在坯内刻花后入炉焙烧，成为"母范"。然后把泥拍成片状，铺于母范花纹上用手按压印上图案，再将它们放到转轮上，手拉补上较厚的泥座，待泥范半干后，与母范

图4-184　陶范杯

脱离取出，入窑烧成"公范"，便可用于印坯了。另一种是直接拉出一个公范，修坯磨光后直接刻出花纹入炉烧成，但这种范的印花效果没有前一种方法好。公范大都低温烧成，以便保证它具有一定的吸水能力，方便印坯。耀州瓷泥土因可塑性良好，易于成型，故形成了注重拉坯，不太讲究修坯或只修外、不修里的工艺特点。印花陶坯的手拉纹在外壁，内壁因使用型板而较为平整光滑，贴附于范上直印即可。坯外的拍印痕迹经修坯后消除，或者刻上一圈折扇纹掩饰之（图4-187）。印花虽然不比刻花精致，但只要母范的制作比较讲究，即便经过了几次翻版也还比较清楚。此法快捷简便，但要达到印清印全、不推花纹、不变损造型和顺利脱范，却是非常艰难的（图4-188）。

图 4—185　印花牡丹碗陶范

图 4—186　印花陶范

图 4—187　内印花外刻折扇纹

图 4—188　牡丹碗瓷范

六、其他装饰技法

1. 贴花

贴花是唐代瓷器的一个主要装饰技术。耀州窑到五代时运用较多，入宋则减少，金、元时又增多。它是把纹样制成片状，粘贴在坯体表面上，做成具有较强的立体感装饰。一种是将纹样用模子印出贴到坯体上；另一种是用手捏出大形贴上后，再用工具刻划雕压出细部结构。坯体是按造型结构来决定其厚薄的，贴花无疑加重了局部的坯体厚度，给干燥、素烧、施釉，特别是烧成增加了难度。所以，贴花应用不广，纹饰更不能过大过厚，否则就易导致坯体破裂。因此，贴花图样一般都很小，却能起到画龙点睛的装饰作用（图4—189～图4—203）。

图 4—189　贴花 1

图 4—190　贴花 2

图 4—191　贴花 3

图 4-192　贴花 4　　　　　　　图 4-193　贴花 5　　　　　　　图 4-194　贴花 6

图 4-195　贴花 7　　　　　　　图 4-196　贴花 8　　　　　　　图 4-197　贴花 9

图 4-198　贴花 10　　　　　　　图 4-199　贴花 11　　　　　　　图 4-200　贴花 12

图 4-201　贴花 13　　　　　　　图 4-202　贴花 14　　　　　　　图 4-203　贴花 15

2. 签压

签压法在唐、五代时期是一种独立的装饰技术，宋代多与刻花配合使用。看上去只是器身上的几道沟槽，若要将圆形坯体压饰成花瓣状或瓜棱状，实不好做。坯体半干后修坯完毕，根据签压位置和压槽长短，多次均匀地往坯上喷水，使坯体逐渐吸水软化到一定程度再行签压（图 4-204～图 4-206）。

3. 软翻

软翻法与签压类似，它一般装饰于沿口、沿边部位，有圆软翻（图 4-207～图 4-214）和平直软翻（图 4-215～图 4-222）两种。将坯体软翻部位加湿到一定软度，用刀切割两端，把翻泥平折 180°，与坯体后部黏合，平整的沿口上便形成等分一致、相互间小落差的平宽豁口，这是耀州瓷特有的装饰方法。圆软翻的豁口两端不用刀切，豁口形和翻贴泥棱形如同一弯新月。这两种方法都要求对泥料性能、坯体结构、潮湿程度以及操作力度和方向有一个很好的把握。

4. 镂空

镂空法（图 4-223～图 4-229）是按图样将坯体用刀镂空刻透，形成虚空和明度的对比。如在器物较高的底足上开通几个双环形孔，使造型富有灵气；在高盘足熏炉身上透雕三圈枣核形孔，既是随形的装饰，又可给熏香底部通风助燃。

5. 戳印

戳印法（图 4-230～图 4-232）类似印章戳印。印戳的材质有木头、骨头和陶瓷几种。陶瓷戳是刻在泥戳上高温烧制而成。在不大的戳料上刻好图案，一只手执戳对准半干坯体的装饰位置，另一只手伸进坯内顶住要戳的地方，双手同时用力挤压，将纹样印在泥坯上。戳印一般用在边角装饰上，是一种二方连续的纹样，又因坯体造型的圆弧曲转，只能在有限的范围内戳印。所以，印戳不能太大，印面不能有边框，且必须是敞口或大口造型。

6. 捏塑

捏塑是利用手和工具所做的主体装饰，如执壶的嘴、把，盖盒的顶组，炉足和瓶耳等。以龙、凤、狮、马、猴、人和仰覆莲瓣为多。

图 4-204　签压 1

图 4-205　签压 2

图 4-206　签压 3

图 4-207　圆软翻 1

图 4-208 圆软翻 2

图 4-209 圆软翻 3

图 4-210 圆软翻 4

图 4-211 圆软翻 5

图 4-212 圆软翻 6

图 4-213 圆软翻 7

图 4-214 圆软翻 8

图 4-215 平直软翻 1

图 4-216 平直软翻 2

图 4-217 平直软翻 3

图 4-218 平直软翻 4

图 4-219 平直软翻 5

图 4-220 平直软翻 6

图 4-221 平直软翻 7

图 4-222 平直软翻 8

图 4-223 镂空 1

图 4-224　镂空 2

图 4-225　镂空 3

图 4-226　镂空 4

图 4-227　镂空 5

图 4-228　镂空 6

图 4-229　镂空 7

图 4-230　戳印 1

图 4-231　戳印 2

七、坯品的干燥

　　将装饰过的坯品放在歇坯房阴干，待其表面泛白后，再挪到晒坯场晾晒、风干，这一过程须注意均匀释放水分，要经常翻转坯体，否则，成瓷后就有可能变形。冬天还要上火炕烘干，加温慢慢干燥，等完全干燥后收起，准备素烧。

图 4-232　戳印 3

第六节　耀州青瓷的素烧

一、素烧的窑炉及结构

1. 素烧的原因

　　素烧的原因有三点：一是耀州窑泥料收缩幅度较大，坯品由湿到干有一定收缩，而浸法施釉则使干坯内外同时吃釉吸水，容易造成坯体的膨胀放大，以致损坏；二是耀州青瓷的刻花或印花纹样表面的起伏落差需要用釉子漫平，素烧过的干坯吸附能力较强；三是刻花或印花的线条较宽较深，某种程度上易破坏坯体的结构，双面吃釉吸水后，刻得较薄的地方容易发软松烂。所以，素烧是为了增加坯体结构强度和对釉的吸附能力。

2. 素烧的窑炉及结构

　　素烧与本烧的窑炉一样，只是烧成温度低、时间短，操作相对简易。古代也有专门素烧的窑炉，如在玉华宫窑遗址中出土有 3 立方米左右的小窑，可能就是专烧低温的窑炉。再如黄堡镇窑遗址出土有并排的两座窑炉，其灰道、通风道、燃烧室甚至窑体空间均不一样，其中窄燃烧室、分岔小通风道的窑炉可能就是素专用窑炉。

3. 素烧的装窑

素烧的装窑大体也同于本烧窑炉，不一样的是因为素烧时间短、温度低，坯体不着釉子，所以烧成比较简单。装窑时将干坯按造型分装进桶式匣钵或单烧匣钵内，不用垫砂，坯品可以叠摞、紧挨。匣钵有漏洞、豁口、裂缝都不要紧，只要将每一钵坯装满、装稳，一柱一柱摞齐摞稳就行了。匣钵之间不必用泥砂隔离。本烧中因磕碰损坏的匣钵，仍可用于素烧。每钵坯入窑，也要按柱、排、层和火路、风路的格式来，由窑炉底层起，从照背处往前退，层层摞稳，排排对齐，柱柱撑稳，后高前低，左右随窑炉拱形，至"烂前"收住。放在最上面的坯体也可不用匣钵，将坯体放于匣钵顶上即可，以装满、装实为止。

二、素烧

1. 素烧的燃料

前面讲过素烧的窑炉结构可能为两种，因燃料的不同，其结构也不太一样。素烧温度低、时间短，多半用木柴烧成，有时为降低成本，也用灌木、杂木或废旧木料替代。

2. 素烧烧成的工艺

素烧窑装好后，用大瓷片挡住烂前各柱之间的空隙，使火焰能够上扬至窑顶，再用砖块封住窑门，留出续煤、填柴口和观火口。燃煤素烧的话，其程序跟本烧差不多，留待后述。燃柴与燃煤不一样：燃煤是在"哨里"（燃烧室）盘好"母火"并点燃母火后再封窑门，燃柴则是封住窑门后直接把点燃的柴火由窑门口的续柴口扔到条形哨里。先是投放灌木类较软枝柴，在条形哨里的中间部位燃烧，低温徐升，使坯体、匣钵内含的自然水分逐步排出；接着将火向条形哨的两头逐渐延展，火势慢慢扩大，达到300℃左右。这时匣钵、坯体的自然水分基本排完。当手试窑顶外的"印窗"缝里冒出的烟体不湿不潮时，即将麦草和拉坯泥和成糊状，封住全部印窗，这一低温烘烤阶段需4～6小时。

待柴火铺满条状哨，即进入快速加温阶段，用较硬粗的灌木和劈开的杆状木柴填满条状哨并使其充分燃烧。这样的状态要持续一个夜晚和半个白天的时间，即20小时左右，直到窑内火色全部呈橘红色并通过"中巷"稍能看见照背为止。炉温在850℃左右，这时停止投柴，让窑内余柴自燃，火苗逐渐变短至火熄成灰，算是素烧成功，待完全冷却后出窑取坯。

素烧的特点一是不用控制气氛，氧化焰一路升温，直至窑红。二是不用"兆子"、"药计子"一类的测温指示物，这种1000℃以下低温完全可以凭目测和经验完成。三是素烧宜生不易老，因为素烧坯老熟的话，耗时长、费燃料不说，吸附釉子的功能下降，而且胎釉结合也不好。素烧后的坯子虽然已经不是干泥坯时的颜色和结构，但从工艺上来说，还应该是坯品阶段，所以叫素烧坯而不称素烧陶。

第七节　耀州青瓷的施釉

一、釉子的准备

1. 釉子的搅、筛、盛

耀州瓷敷施的釉子一般是根据一窑坯的多少来调配的。先将釉缸中的釉子用一根 2 米长、13 厘米宽、3 厘米厚的木板搅起。搅时将木板从釉缸边插入缸底，将板腰紧贴缸沿，双手左下右上握住木板稍用力，使缸内的板头由近前的缸底搅至对面缸腰，釉面的中间泛起一堆浪花，并发出"轰"、"哗"的响声。趁釉水的浮力将木板入缸的一头再依势划回、插入，反复多遍，直至釉水和匀。搅釉用的是猛劲儿和巧劲儿，下板用力猛短，务使浪花与声音泛出；回板用的是拉拽的巧劲儿，以板斜向回拖的弹力和泛力将浪花抹平，不能使釉水溅出缸去。釉水容易沉淀，若是上面的清水过满，便需舀出来一些，避免搅时溢出而浪费了釉子。釉汁较多且沉淀时间长时，缸底的釉汁已积多成泥了，故头几板不能插得太深，要循势深入。需调配的釉缸都得搅起，再根据坯量及需釉量进行调配。

按需要的量找一大的容器，另拿小盆到单釉缸前，在小盆口上放个筛箩，舀缸内釉水倒入箩中，漏到小盆内，满后再倒入配合的大容器内。箩是薄木帮圈，麻丝箩底，一般过面粉的箩即可。小盆本身就是经常用来配釉子的量具。各种单釉按需要的量倒入大容器后，另换木板，稍轻搅匀。

配好搅匀的复合釉由大容器内舀出，倒入经常施釉用的盛釉器中，盛釉器要大小适中，以双手能提搬得动、坯品浸入可以没过为准。因为施釉后坯品都是单件平铺摆放晾晒的，施釉的人需随时移动位置。容器太小施釉不方便，太大则不便搬动。

大件陶坯施釉时，多用体量较大的固定容器盛。施釉者来回穿梭于坯品、盛釉器、浸釉坯、晒晾处之间。

2. 釉子浓度的测试

耀州瓷所施釉子的浓度一般为 1.6，将密度表插入釉子中便可测得。但传统的测试方法，是用一根一尺多长的小搅板把釉子搅匀，将食指和中指伸直在釉子中蘸一下，然后观察手指上的釉料，若釉子很快由指尖滴下、露出指头肉色的话，釉子则显稀。解决的办法或是在大釉缸底掏些沉淀了的稠釉兑入，或是待釉子沉淀，舀去上面的清水后再搅匀。再次用手试釉子时，须将前次试釉子的手指搓干（湿手试釉子是不准的）。如釉子在手指上往下滴得慢，并蒙于手指上不见肉色的话，釉子则可能太稠，需加入清水搅匀重试。釉子稀稠合适的程度是手蘸釉子后，滴得不紧不慢，釉子之下隐约可见手指肉色，行话叫"刚能挂住"，即釉子在手上能停留得住。太稀时"挂不住"，太稠时"挂得太重"。

图 4-233　内部涮黑釉 1

图 4-234　内部涮黑釉 2

图 4-235　内部涮黑釉 3

二、涮釉

1. 内部涮黑釉（图 4-233～图 4-235）

耀瓷的立件如瓶、壶、罐、尊、坛等盛器，为了使用光洁和防止渗漏，在修坯前半干时就施内釉，内釉多为"黑药"或"软黑药"。自制一个陶瓷的小罐，可盛五斤左右，一边沿下安个小嘴，一边沿下安个把手，行话叫"调罐子"。把黑釉盛入调罐子里，右手大拇指抠住罐子内沿，其余四指扳住把手，对准晾坯行子，用点倒的形式将黑釉分别注入面前的几个坯内，其法戏称为"凤凰点头"，要倒得急、对得准、收得快，不能洒到坯子外面，更不能溅到其他坯上，如果溅到了要清除干净。注完黑釉后迅速放下调罐子，双手端起盛了黑釉的坯子，口朝上，底向下，反时针方向转晃几下，使黑釉涮匀底面及勾帮。接着坯口朝前，坯底对怀，将坯体稍斜躺于双手掌内，眼睛盯住略微翘起的坯口，黑釉积流的边界不能越出沿外，右手顺时针方向往上搬提，左手向下对接并递送，使坯体在转动中依然保持平躺状态，使黑釉在坯内左右晃荡的运动中铺匀内身而不洒出坯外，涮毕倒手正坯，反时针复晃一下，这个过程叫"调理"。好的调理根据坯体内面积的大小、坯的干湿程度、釉的稀稠、气候的炎凉等情况，注入的釉量正好合适，不多也不少；黑釉在坯体内界线整整齐齐，跟外釉浸施界线一样整洁。若是注入黑釉多了，要将多余的黑釉倒回调罐，用右手虎口卡住器物口沿，抹去流出的黑釉，或者再用干净的湿布、毛刷擦净。

另外，耀州瓷里面不装饰而需要涮黑釉的，均是未旋坯前的半干泥坯，即"毛坯"，其他不需要涮里釉的，全都是素烧后的素烧坯上釉的。

2. 内部涮青釉

涮青釉与涮黑釉的方法一样，不同的是因青釉不易加工，相对珍贵，故里釉涮得都很稀薄，只要烧出来胎面略光，不涩手就行了。

三、浸釉

1. 平件浸釉（图 4-236～图 4-240）

宋代耀瓷的碗盘类平件底部大多为圈足，只有少量的钵、碟造型为卧足。用右手大拇指、食指、中指

图 4-236　平件浸釉 1

图 4-237　平件浸釉 2

图 4-238　平件浸釉 3

图 4-239　平件浸釉 4

图 4-240　平件浸釉 5

和无名指的指头尖带指甲，卡住坯品的圈足根部，小拇指围拢辅助，使坯子口朝下、底朝上地稍斜一点伸入釉中，以手外部分先入釉，再回旋着往手内方向深入，直至坯子全部浸入釉浆里面。紧接着将坯子全部擩埋于釉中，压下后快速提起，不待坯沿出釉面，再猛地擩下，发出"噗"的一声，便"哗"的一声提出釉面，顿甩两下，釉不淌滴的话，翻手仰坯放置。整个动作要连贯快捷，一气呵成，其中的辍、涮、澎、提、甩组合默契，转瞬即成。不然釉面便会不匀、不整、不严或有"睁眼"（即因有气泡而使釉子未到所露出的胎点）。

2. 立件的浸釉（图 4-241 ～图 4-255）

立件浸釉的坯子如高在 20 厘米以下、大口、小口、衬里釉或不衬里釉的坯，均是右手的大拇指、食指、中指、无名指的指头抓住坯的底跟或圈足，擩进釉汁旋转一圈，趁坯体内部空气的浮力顺势上弹，待坯口不出釉面时再擩回原位，复提出翻手仰坯置放。高在 20 厘米以上、60 厘米以下的坯要在深腹的缸类盛釉器中浸釉，双手十指围卡住坯子下半部，将上半部浸入釉中，旋划半圈，抖动一下提出，口朝上置放，再依此法浸施下一个坯子。待上半部的釉子晾到半干的时候，再用手捏住坯子的口部或上半部，将下半部浸入釉中，略超过上半部浸釉的界限后，提出晾干。

平件浸釉是坯子的里外釉同时上，坯体内不能留一点空气，而立件浸釉则是事先已经涮过或根本不衬里釉，而且怕釉子进入坯体内部太多，所以还要专门憋气，等于是只浸外釉。但一要控制坯内憋气的多少，使釉子刚吃到内沿下部"一指"左右，并且界线整齐。二要将上下两半接釉的"茬口"对准、对齐、对平，不能一边接得太深，一边却露出胎体。三要根据造型事先选择好两半浸釉的接茬口，一般多在造型线条转折的地方相接，也有在装饰线上相接的。

图 4-241　立件浸釉 1

图 4-242　立件浸釉 2

图 4-243　立件浸釉 3

图 4-244　立件浸釉 4

图 4-245　立件浸釉 5

图 4-246　立件浸釉 6

图 4-247　立件浸釉 7

图 4-248　立件浸釉 8

图 4-249　立件浸釉 9

图 4-250　立件浸釉 10

图 4-251　立件浸釉 11

图 4-252　立件浸釉 12

图 4-253　立件浸釉 13

图 4-254　立件浸釉 14

图 4-255　立件浸釉 15

四、浇釉

1. 浇釉的工具（图 4-256 ～图 4-260）

体量大、分量重或比较高的坯子，因无法握持实施对接浸釉，只能采取浇釉的方式。施釉的工具如下：

铁锅：直径在 80 厘米或 1 米左右，用来盛、接釉子。

撑子：选择分杈、平整、顺直、粗细合适的树枝，总长度超过大铁锅口径，截去两头，形成一个双股叉，用来充当撑子。双股交合的杈丫部分有两三寸长就行了。也可用两根四棱的边梃长木料，中间等距离互凿母铆四个，用长五寸左右、带榫头的短木材连接，形成一个长度超过铁锅直径、宽七八寸的撑子，架在大铁锅上，放置泥坯。

盛釉器：用来盛放釉料的罐、盆、桶等。

浇釉器：从盛釉器中舀出釉子，浇到坯子身上的小盆或大碗。

2. 浇釉的方法（图 4-261 ～图 4-268）

浇釉需要两人配合，先将泥坯抬到撑子上。抬坯时，两人同时一手扶住坯件的口部，使坯件略向后倾，另一只手将一根弯头木棍插入坯件底部，双手同时用力抬起坯件，移到铁锅上的撑子上放稳。拿浇釉器稍斜着对准坯体浇下，一边围着坯转一边浇釉，使浇上去的釉头尾相衔接，以釉子能浇整齐为准。多余的釉子顺着坯体流到下面的大锅里。可以根据坯体的大小决定一次舀釉的量。若有漏浇的地方，再盛少量釉子，对准漏浇处补浇。浇釉时要注意避免浇釉器具碰到坯体，划乱釉面。同时，将坯件从撑子上抬下时也应注意不要碰到着釉之处。

图 4-256　浇釉准备 1

图 4-257　浇釉准备 2

图 4-258　浇釉准备 3

图 4-259　浇釉准备 4

图 4-260　浇釉准备 5

图 4-261　浇釉 1

图 4-262　浇釉 2

图 4-263　浇釉 3

图 4-264　浇釉 4

图 4-265　浇釉 5

图 4-266　浇釉 6

图 4-267　浇釉 7

图 4-268　浇釉 8

五、点釉及去釉

1. 点釉（图 4-269 ~ 图 4-272）

点釉不大常用，一般是用来补釉，修补漏浇的地方和釉面的气孔。因为耀州瓷坯面有起伏较大的刻、印花纹线，使坯面形成了许多狭小的拐角空间；另外浸施釉子的动作又很快捷，拐角处的气体未能及时排出而阻隔了釉子的附着，便会出现气孔。同时，素烧坯体很干燥，吸附能力很强，施釉后坯体内的空气来

图4-269　点釉1

图4-270　点釉2

不及排出，被釉面蒙挡，待釉面半干时，气泡崩开形成气孔，若不点补，烧出来就是缺釉。所以，素烧坯上釉之前，最好用毛刷蘸水刷一下，以预排坯内空气并帮助浸釉时坯内气泡的排出。补釉时，用毛笔蘸釉在缺釉处点补，点补的釉一般应高于之前所施的釉面，待补的釉干了以后，再用刀子刮去高出部分，然后用手指头抹平就行了。

2.去釉（图4-273～图4-278）

去釉是将釉坯底足与匣钵或坯体相挨部位的釉子去除掉，以免釉子熔融后坯体与坯体、窑具粘连，其方法有三种。

一是转轮去釉。事先在修坯轮子上安置一个泥台子，台子与坯体相挨的地方用棉布包裹严实，将干了的釉坯放在台子上，打正，拨转轮子，用旋坯铁刀旋刮掉底足上的釉，然后停住轮子取下坯体。也有熟练的师傅在转轮子不停的情况下取坯放坯，但要保证不会蹭掉坯上的釉子。因为在素烧坯上施釉，釉子的附着力不够强，稍有磕碰即会掉釉。

图4-271　点釉3

图4-272　点釉4

图4-273　去釉1

图4-274　去釉2

图4-275　去釉3

图 4-276　去釉 4　　　　　　　　　　　　图 4-277　去釉 5　　　　　　　　　　　　图 4-278　去釉 6

　　二是手刮去釉。师傅蹲坐着，在腿上铺垫一块棉布，左手取坯靠置于棉布上，右手大拇指、食指、中指捏住铁刀片或竹刀片，按在去釉部位，外向顺时针方向旋刮一下。刮时用力要均匀，只需刮净釉子，莫要伤及坯体。一般是先旋刮底足面釉子，去除平面的釉子后，再在底足外侧边上稍斜刀片，重复轻刮一遍，以防釉子流淌至底平面边上而发生粘连。

　　三是施釉不及底。有些立件或是需要套装的坯子，在上釉时着釉不到底，预先留出釉子流动的空间和部位，既免除了去釉之劳，又节省了釉料，也是常用的方法之一。

六、衬硳（施化妆土）

　　耀州窑瓷，胎料成色均偏灰暗，有些甚至发黑，其中铁点也不少；水耙法所制之泥亦略粗糙，可以用较白的黏土加工成釉料泥浆一般，均匀地敷施于坯体表面来遮挡底色，这一工序叫"衬硳"。

1. 硳料的制备

　　当地硳料按岩相的软硬分为"软硳"和"硬硳"两种。软的黏土好风化，摩氏硬度在 1 ~ 2。用加工"黑药"釉的方法来漂洗。即把硳土倒入大缸不超过一半，注入清水浸泡一阵，拿作板搅起匀拌，待稍澄定，用瓷盆将上部清的料水舀到另外一个缸里储存，入另一个缸之前需加筛倒入。硬硳风化较难，摩氏硬度在 3 ~ 4，需放在碾子上粉碎。用铁锤把硳料砸成直径半寸左右的块状，平铺于碾盘之上，厚 1 ~ 2 寸，加入清水，套牲口拉动碾硳，碾硳的人要用小铲子把碾硳挤出的料不断推到硳下，以提高效率。约半天功夫可碾一硳，停碾后，注入清水搅起，收上层清者加筛过滤，倒入硳缸储存。箩筛上的余渣复倒回碾台，与新料混合，注水重碾。

图 4-279　衬硳 1　　　　　　　　　　　　　　　图 4-280　衬硳 2

图 4-281　衬硐 3

图 4-282　衬硐 4

图 4-283　衬硐 5

图 4-284　衬硐 6

2. 衬硐 （图 4-279 ~ 图 4-284）

耀州瓷衬硐方法与施釉一样，也是浸法敷施。但北宋以前部分瓷器衬硐内外不一。里面追求净洁、美观，需要衬厚，但衬厚并不是浓硐一次衬施，而是稀硐多遍敷施。即器内涮釉法衬两遍后，第三次用内外同施的浸法，形成内三遍、外一遍的不同厚度，内外硐色、釉色明显不一的效果。这也是因为这种白净上好的黏土太少，采掘加工困难，所以使用起来就比较珍惜。

第八节　耀州青瓷的装窑

一、窑具

1. 匣钵的种类

匣钵种类较多，大致分两类。一类是叠烧或混装形式的匣钵。这类匣钵分桶式匣钵和盆式匣钵。桶式匣钵分两种，一种是直径 20 厘米、高 20 厘米的圆柱桶形匣钵，俗称"角盆"（图 4-285），套装直径 20

厘米左右碗、盘、盆叠烧的匣钵。另一种
是高 42 厘米、直径 23 厘米的"桶子笼"
（图 4-286），形状与角盆类似，是装口
径 18 厘米以下碗、盘的匣钵。盆式匣钵
高 20 厘米、直径 35 厘米，称之为"笼"（图
4-287），是装其他杂件的，如执壶、小坛、
小罐、灯、尊、枕、茶杯、茶托等。

　　另一类为单烧匣钵，为一器一钵，是
一种摞叠装烧的窑具，即漏斗形匣钵（图
4-288）或 M 形匣钵（图 4-289），当地
称之为"单笼笼"（图 4-290）。此类匣
钵装碗、盏、钵、盘、洗、碟等一类的平件，

图 4-285　角盆　　　　　　　　　　图 4-286　桶子笼

其规格从高 8 厘米、直径 27 厘米到高 25 厘米、直径 13 厘米不等，有近十个规格。

　　在烧制体量稍大的罐（图 4-291、图 4-292）、坛、瓶等产品时，常用较大的缸类产品充当匣钵。另外，
较大的罐、坛、盆等，也常被各地窑场用来代替匣钵。

图 4-287　笼

图 4-288　漏斗形匣钵

图 4-289　M 形匣钵

图 4-290　单笼笼

图 4-291　稍罐

图 4-292　毛头罐

2. 匣钵的制作

匣钵泥分两种，一是做角盆和单笼笼的泥，常用做坯时废弃的泥渣或脏泥制作；二是做桶子笼、盆式笼和大的单笼笼的加砂粗泥，加砂是为了增加匣钵的耐火度和支撑力。调配这种泥时，先在作坊的地上撒上一层砂，再放一层泥或"旋渣"，这样重复几次，形成一个小泥堆，泼上水，待泥水蛰后，挽起裤腿，光着脚板在泥堆上踩踏，把泥堆踩踏平后，用"铫子"将泥扎、铲、甩、砸、垒起成堆，再踩平，反复多次，直至泥砂和匀，其方法跟拉坯泥料的"熟泥"类似。

角盆用手工拉坯方式制作，每器拉成时必用竹棍制的等子量其高度和口径，以保证其规格符合标准。这涉及装窑时匣钵柱之间的层、排、行、柱的空间距离，所以每个必求准确。角盆拉成用割线割下后下轮子前，用一个扯去草帽顶的草帽圈、拿两根小竹棍十字相交地连在圈内，相交处粘上一块泥巴，起稳固和加重作用。将这个草圈子拓在角盆口上，用双手以大拇指、食指、中指合力端起，移坯于拓上端到外面晾晒。桶子笼和盆式笼的做法和角盆基本一样。

单笼笼造型复杂，难以一次成型，需分两次拉制。先在轮子上拉制单笼笼的内钵，成型方法跟做碗一样，到下轮之前，用刮子将内钵的内壁刮整洁。刮子在这里也起到确定规格的作用。内钵经晾晒半干，再端回作坊由旋匠旋修，去掉钵底的"泥把子"。旋修时将内钵扣于"水轮子"的台子上打正，将搓好的泥条盘于内钵外壁的翻沿处，待一圈盘齐，搅动轮子用手将盘的泥条拉匀称，使单笼笼的外帮成型并与内钵合为一体；用竹棍等子将单笼笼的外帮高低、直径大小量准确后，顺手用竹棍在外帮上向左上方斜扎，穿透外帮，形成一个直径约 1 厘米的孔洞。从轮子上拿下后，整口、粘砂、晾晒，同时在内钵壁上用刀一扎，刻出一个直径约 3 厘米的孔洞，使装烧时气氛与热量能上下通达。

3. 撑子、垫饼、药计子（兆子）

（1）撑子（图 4-293 ~ 图 4-301）是用手捏的哑铃式圆泥棒，两头大，中间细。大的长 10 厘米，大头直径 5 厘米，中间细腰直径 3 厘米。小的长 6 厘米，大头直径 3 厘米，中间细腰直径近 2 厘米。撑子是装窑用于匣钵前后、左右、上下之间起支撑作用的窑具。目的是使匣钵柱之间保持一定的距离，留开火路，稳定自身。撑子可以反复使用，装窑不够时再补进泥坯的撑子，但坯的撑子跟递补的坯的匣钵一样，一般都在装窑的顶层使用，这样耐压、弯折的承受能力就轻些。

图 4-293　撑子 1

图 4-294　撑子 2

图 4-295　撑子 3

图 4-296　撑子 4

图 4-297　撑子 5

图 4-298　撑子 6

图 4-299　撑子 7

图 4-300　撑子 8

图 4-301　撑子 9

图 4-302　圆片状垫饼

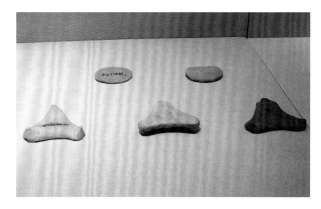

图 4-303　三角形垫饼

图 4-304　药计子

图 4-305　兆子

（2）垫饼是坯品装入匣钵时，在坯品与匣钵之间起间隔作用的窑具。其作用一是防止烧成时瓷坯与匣钵粘连，同时也避免匣钵内的衬砂粘到瓷器底足上。二是瓷器烧成中会产生收缩，尤其是熟钵装生坯时，坯缩而钵不动，钵面因有砂而较粗涩，会将收缩的器底拖住，从而发生掰裂；特别是对身高底大的器物，更容易产生此类情况。垫饼一般都是一次性的，呈圆片状（图 4-302），用拌砂的泥或废弃的坯泥捏制而成。根据所烧器物底部大小而有不同规格，大的直径 10 厘米、厚 1 厘米，小的直径 3 厘米、厚 3～5 毫米。也有三角形（图 4-303）的，用手捏出一个三角形的大样，在三个角上竖向捏起一个尖，三个尖高低相等，套坯时三个尖朝上，顶住器物的圈足内底、圈足底面或坦足的外底就行了。唐代的三角形垫饼多用于碗、盘、洗的摆装叠烧，垫饼的三个尖朝下，平面顶住器底，故器内皆有三个支点。三角形垫饼大小薄厚不等，依所烧器物来定。

（3）药计子（图 4-304），烧窑时放在窑内测试温度的窑具，与现代陶瓷工艺中的测温锥作用相同。做药计子的材料是漂洗黑釉时剩余的渣子，待其水分稍干成泥状时，搓成直径约 3 厘米、长约 15 厘米的圆柱后晾干。装窑时，以窑炉正中为界，从"照背墙"前往窑床口的"火台"边，留出 10 厘米以上的一道空间，即"中巷"；每层窑器装完，在该层对应的中巷砂底中插一个药计子。烧窑时火由火台前的燃烧室里发起，随着温度的升高，靠火台的窑器应先行成熟，其成熟的标志就是该层的药计子全部熔融，没入窑床砂中；依此直至照背墙下的"老线"，算整窑烧成。（老线是用黑药渣做的一个长方形拐角厚板子，架在窑炉照背底中心，距窑床砂面不足一尺的地方，用来测试窑内底层瓷器最终烧成达标的窑具。"老线笑了"就是指烧成已达到预定温度，到了停火钩窑的时候了。）所以，药计子便是用黑釉渣搓成用来计量窑温的窑具。

还有一种测试温度的窑具称为"兆子"（图 4-305），一般是用一个碗坯制成。将碗帮划割成八个左右的方块，每块似离非离，俨然一个整体，每方块正中穿一个直径约 1 厘米的孔洞，窑里烧的什么釉色，就给此泥碗上什么釉色。装窑时将它放在直向距窑门口最近的地方，置于一柱窑器的中间，用泥将碗底围粘在匣钵底上，用一个破口的匣钵罩住。待窑火烧到一定程度，将铁钩伸进兆子方块的孔洞里，趁兆子赤红发软，钩拉一块下来，挑出窑外，等兆子冷却后，观察兆子上的釉色，便知窑内瓷器釉子的发色情况。

二、套坯及装钵

1. 套坯

套坯指用桶式匣钵套装叠烧的方法，匣钵内盛装 10 个以上的碗或盘，入钵前将坯件预先摆好，俗称起摆子。因为手工制的坯虽经等子、刮子的统一修正，但仍会有一定差异，必须先将近似的坯集合到一块儿，组成一摆。摆子要起得整齐，10 个坯上下一条直线，相互之间的空当要疏密得当，名曰"风路"，是为了烧成时热量及热辐射在整摆坯体之间能够均匀一致，每摆的高低也几乎相等。其他杂件的套坯大致跟套碗盘一样，重点也是留开风路，取齐高低，防止粘连。

2. 装钵与垫饼的方法

把匣钵、窑具、起好的摆子及各种坯品搬运到窑炉门前，准备套坯装钵。装匣钵时，先将匣钵清除平整，上下翻倒，用笤帚或用嘴吹气的方法把匣钵内外积留、黏附的灰渣打扫干净，熟匣钵上个别粘紧的衬砂或窑渣，要用铁铲磕掉。将成摆的坯品装钵时，要一条长约 1 米的细线绳子，左手捏紧两个绳头，使绳子形成一个环状，把环绳套到最底层的碗或盘圈足的外侧两边拉紧，右手勾住环绳的另一头，平稳提起摆子坯，垂直装入桶式匣钵内。这样装好一钵，在钵口上盖上一钵，依照此法再装进一摆子坯，两钵为一组，端入窑内装好。摆子坯的第二种装法是"合套"，即依前法装满一钵后，将第二钵的摆子坯仍然摆在钵内的坯摆子上，把第二个匣钵底朝上、口朝下扣在摆子上，使上下两钵的口对齐合严，叫作"一合"。第三种装钵法是把摆子坯直接端入窑内，由装窑师傅放在头一排扣着的桶子笼底上，挪稳挪正后，再拿一个桶子笼，口朝下扣在摆子坯上即可。

一器一钵的单钵装法跟以上装法差不多，也需先清理匣钵，在单笼笼内钵底垫砂或放三角形垫饼，然后装坯入钵，再依次摆上钵装坯。小钵十钵一摆成一个组，中号、大号八个或六个不等为一组，端入窑内递给装窑师傅。在单钵装烧中有几种更精致的垫法，一是给单笼笼内钵底上衬砂，不能超出钵底平面的小圆圈，砂的细度在 1 毫米直径以内；基本上以拇指、食指、中指捏砂一撮，沿钵底平面小圆圈线内转撒一周，再用食指和中指第二关节的指背将撒的砂圈抚摸平整即可。二是把约 2 毫米直径的砂粒用面粉拌成糊，拿毛笔蘸砂糊分三点粘到碗盘圈足就行了。第一种砂粒细容易平整，而第二种砂粒略粗，需要一定高度，要保证点的三堆砂能将碗盘圈足支离钵底一定的空隙，不致发生粘连；因为这一类的碗盘多半都是裹足满釉，所以要粗砂高支，只有生面糊能把砂粒组合到一块儿并粘到圈足底面上，并且面粉在烧至四五百度时能全部挥发，不会对釉面和器物产生影响。三是给钵底平面小圆圈内垫三角形垫饼，再将坯件装于三角形垫饼的三个支尖上。这一类的器物跟第二种支法的器物一样，同是满釉裹足的精制之器。根据器物等级，有支点在圈足之内的，也有支点正好在圈足底棱上的。

三、装窑

（一）装窑的工具

1. 梯板

木质，厚约 7 厘米，宽约 50 厘米，长约 4 米，为便于长久使用，梯板的两头均用二三毫米厚、宽 6 厘米的"铁页子"（铁匠锻打的铁带）包住。马蹄窑的窑门与窑床之间隔着近 2 米空间的燃烧室，且燃烧室均低于窑门30厘米、窑床50厘米，燃烧室与灰渣坑是用耐火砖棚架的炉栅，不能踩踏，梯板就是架在燃烧室上的桥梁。装窑时，两人站于窑炉门口，抱起梯板，将一头递送到火台以内的窑床上约2尺，再放另一头于窑门外约1米，装窑的人由此板出入窑炉，作为装窑的主要通道。当装窑装到高层时，梯板还可拉入窑内，用两摞熟匣钵架起当架板用，所以装窑最少也需要两块以上的梯板。

2. 板床

长条形木板，厚约4厘米，宽约35厘米，长约1.6米，下安四条腿，高约1.5米，八字撇开。四条腿长向两侧各安一根长枕，短向两侧各安两条短枕，形成一个稳固的框架结构，其实就是一个放大了的板凳。待窑装到高层时，人就要站在板床上工作了。

3. 板子、担子

板子：长条形木板，厚2厘米，宽15厘米，长1.6米，板子两头竖着钉有两块跟此板宽窄薄厚一样、长约15厘米的板子，支起板面，底端剜一个三角或是半圆，是为两腿。板子是运坯的主要工具，运坯时将坯件在板子上排成一排，扛到窑炉门口。

担子：两块正方形木板，厚2厘米，边长60厘米，底面边上钉四条枕，中间撑一横枕。四个角上打孔，各孔拧两股长约1米的铁丝，汇聚到上方中央拧紧，形成一个平底板、拧四根铁丝筋骨的笼子；没有铁丝的就拴麻绳。两块板子再配一条扁担，就是一副担子了。使用时，将坯成摞平放于四方板上，注意不要碰上铁丝或麻绳，两边数量一致，然后挑起运送到窑炉门口。担子是运坯的主要工具。

这两种工具除装窑运坯外，在坯件成型、晾晒、衬硷、施釉的过程中，也常用来搬运坯件。

4. 铁锤、铁铲、笼子

铁锤：长约10厘米，直径约3厘米，一边作圆头，用于砸敲，一边为厚约0.5厘米的扁形，可以塞、砍。中间有一扁圆洞，用于安装锤把。锤把是长约1尺的木把。锤子主要用于去除本烧时落在匣钵上的粘渣、砸紧本烧过的撑子、塞实不稳匣钵中间的垫砂或小瓷片。

铁铲：一头圆一头扁的铁质工具，长不足1尺，直径约2厘米。一头多半打成剑形双刃样，中间厚、两边薄、钝刃、宽约3厘米的扁形。另一头少半保持原状，顶端有一个直径约3厘米的圆头。铲子跟锤子的作用差不多，只是磕粘渣时更优越于锤子，其扁形造型可以根据需要插到缝隙里撬、拐，尤其是出窑的时候，它是最主要的工具。

藤条笼：高约1尺，口沿直径约2尺，底直径约1尺的盆状条筐，中间横贯、拱起一根直径约3厘米粗的大半圆形木棍，是笼子的提手。笼子是用来盛撑子、垫饼的工具。

（二）装窑的方法

窑炉内窑床上一般都有一层厚约寸许的垫砂，装窑时，先要把窑床上的杂物收拾干净，将砂铺平，然后在窑底照背墙正中找好位置，确定中巷的点子和方向，再安置老线。

以老线为中心，向左右分置装满坯品的匣钵，一直摆到窑炉的边墙，算是起头层头排。这头层要起到1.5米左右，暂告一段，再装起二、三层。待三层起到同等高度时，便抬进装窑板床，或者抬进梯板起架，在板床上或梯板上将这三层匣钵全部装到窑顶。顶梢高度随窑炉顶部高低而定，一般要求距窑顶留有1～2尺的空当，以便火路通畅。每层窑在低排装完时，就要在中巷与该层对应的地方用砂围插药计子。待全梢顶的窑装到窑床入深中段偏前、约在窑顶印窗位置的时候，逐渐形成尺许的台阶状，低向窑床的火台边，以至到火台边头排窑的高度不及一人高。这一台阶式的渐低渐高，所留出来的空间，就是燃烧室后上空火焰升腾的去路。

装完火台上的最后也是最低的一层匣钵后，安顿好兆子的位置，再用瓷片将每柱匣钵在火台以上1尺左右的地挡住，拿破坏、脏泥拌麦草，把瓷片与各柱窑糊严。对于马蹄窑这种半倒焰性质的窑炉结构来说，起到"逼火墙"的作用，以便将燃烧室里升腾的火焰逼着扬起升高，以至于达到窑顶后梢，再由照背下的"鼻孔"吸入烟道，形成倒焰的流向，使窑温更趋于均匀，避免火焰由火台顶边顺着窑床底直奔照背烟道散出。

（三）看匠的结合

装窑的原则是正直稳当，层、排、柱整齐统一，风路合理均匀，基本是两边微向中间靠、前面微向后面靠，这是装窑匠人自装、自检、自依的基本做法。此外，装窑时还有一个专门的看匠，尤其是窑内不同规格的匣钵柱子较多，安排火位及空余风路较难处理的情况下，看匠的作用尤为重要。看匠一般都是年长的、经验丰富的装窑或烧窑师傅。他不亲自动手装窑，只是不时地看看窑内的情况，发现问题，随时命令装窑者调整到位。因装窑者在窑内距离太近，难以整体观照窑内情况，所以要有一个有经验的长者在旁边指导。装窑者除自身的认真严格外，更要与看匠紧密配合，方能避免倒窑等严重事故的发生。

第九节　耀州青瓷的烧制

一、窑炉的结构及性能

（一）建窑的材料

因马蹄式窑炉基本上是依着山坡的自然落差布局的，许多窑的后半截几乎就是插在山坡里头，山坡自然便成了窑炉外墙围帮。但由于当地处于黄土高原地带，这种黄土虽厚，却耐受不了1300℃以上高温，必须要用耐火砖来垒砌窑墙。砌窑用的土制耐火砖比现在的普标耐火砖还要粗，它是用水耙法把完泥后剩余的料渣与瓷窑烧煤的灰渣拌和而成的。用特制木质模子托出，厚3寸、宽6寸、长9寸，晾到半干，立坯拍打扎实。晒干后的砖坯装在马蹄窑较大的烟道里，利用烧窑的余热将其烧熟。为了保证窑炉的耐高温和坚固，也有在瓷窑里专门烧窑砖的情况。尤其是窑炉燃烧室周围、火台边及窑顶用砖，一定得是烧得很熟的砖，并且其中的料渣比例要加大。特别是棚燃烧室的炉齿砖，不但料渣比例几乎占到全部，而且在托坯时要用专制模子，立坯时要拿尺板丈量裁刮，六个面均需整齐光洁，晒干后装在火台前烧熟，有正方形、梯形、三角形几种。

砌窑砖时，中间加和的泥也有所不同。靠窑炉里面的泥基本上是用做陶瓷剩余的脏泥与破坏来和，内墙以外的加垒、帮墙用黄土泥和。若用黄土泥砌内墙的话，高温时黄土泥容易烧熔，使砖块之间形成空隙，窑也就没法用了。这两种泥的和法与用法也极有讲究，泥一定要和细、和匀，用的时候必须抹严抹实，不留空隙，像内墙与帮墙之间的加垒，几乎是用黄土泥糊灌注的，目的是严实，这样才能保温，经得起间竭性窑炉热胀冷缩的变化。

砌外帮墙时，也可以用些砂石、石灰石或河卵石等，但不能用石灰石砌内墙，否则一烧就碎了。

（二）窑炉的结构（图4-306、图4-307）及各部分的作用

耀州窑用的窑炉基本是北方常见的马蹄窑，因其俯视结构像一个马蹄而得名。从正面看窑炉，则酷似一个立放的馒头，所以又称为馒头窑。这种窑在黄河流域或长江以北地区较为常见，南方则以龙窑为主。与河南、河北、山东、山西等地的圆顶尖形馒头窑相比，耀州窑的窑炉底圆中偏长方，窑顶为拱形，弧度

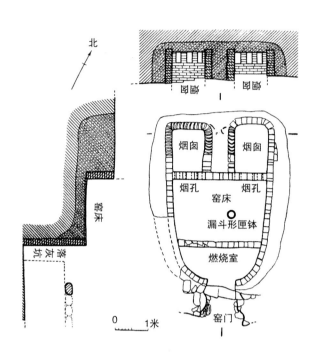

图4-306　马蹄窑炉的结构图1

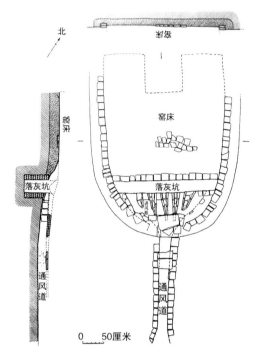

图4-307　马蹄窑炉的结构图2

不大，人可以在上面烤火取暖，甚至做饭。这种马蹄形窑炉是从新石器时代的竖穴窑逐步演化过来的，到汉代已有雏形，历经隋、唐，至五代时期逐渐完善。宋以前燃柴，宋代以后改为烧煤，还原焰烧成技术在此时达到顶峰。元代以后青瓷烧成技术失传，窑炉结构基本没有太大变化。

从正面立体地看，马蹄窑像龙窑一样，需要依靠山坡自然落差，组成下层通风道和出灰渣道、中层窑体、上层窑顶及烟囱三个层次。俯看窑体，也是燃烧室、窑床、烟道的三单元结构。现选一代表性马蹄窑，按结构分述：

1. 通风道（图4-308）

通风道位于马蹄窑底层，高约1.7米，宽约0.7米，是用砖块砌成的一个巷道。出口通外，一般离沟畔很近，一是利于通风，二是方便倒渣；另一头通到窑体内燃烧室底部的炉棚下面，既是用来盛放清理燃烧室底捅漏下来的炉渣，也是为了通风送氧，

图4-308　通风道

以助炉火燃烧。风道一般都是直的，也有个别因地形限制而转弯的。通风道至窑门的距离一般为10米左右，因为该通道的顶面即是窑炉门口的工作面，装窑、出窑、堆放匣钵、坯品、存储燃料等都在这里。

2. 窑门（图4-309、图4-310）

在中层窑体的最前端，高1.8米，宽0.75米，上面用砖砌成拱形。窑门是装窑、出窑的主要通道。窑装好后，用砖封闭窑门，中部正中位置留出宽约20厘米、高约20厘米的续煤口，上面也是拱形。续煤口的上部、窑门拱券的下面正中部位留竖向长方形小孔，宽约10厘米，高约18厘米，是个火焰观测孔，用一块半截砖塞住，看完火色随即堵上。续煤口一般用"挡板子"（"挡板子"用泥片烧制而成）遮挡，上面扎个小孔，填煤时用火棍扎进小孔，挑下"挡板子"，加完煤再用铁棍挑回挡好；除续煤外，此口还可以通过中巷观察火色。

图4-309　窑门

3. 烧成室（图4-311）

在窑炉的中层，呈略方的椭圆形，前面到窑门处略圆，后面烟道处略方；上面的拱顶也是前圆后直，中部微高。窑底最宽处2.8米左右，中部最高处近3米，由燃烧室、窑床（烧成室）、烟道三部分组成。

图4-310　窑门口

图4-311　烧成室

（1）燃烧室（图4-312）在窑门之内，是烧窑投放燃料的地方，约低于窑门口25厘米。窑床居于窑的中心部位，前面一道横坎名叫"火台"，将燃烧室与窑床分开。火台前面是半圆形的燃烧室。窑门中心正对火台中心，入深 1.4 米，火台高于窑门口平面约 30 厘米。从火台平面往下 60 厘米，是燃烧室的炉栅，炉栅用特制的梯形楔式砖（即炉齿砖）从窑门往火台纵深方向呈直线棚架而成。每 30 厘米一条，名曰"筋"，是梯形砖的长边在上、短边在下，而楔式窄面却在上、宽面在下，侧面看这条筋是中间略高、两头略低的一个拱形。筋的棚架叫作"使筋"，要先在使筋的下面支好券模，其弧度跟筋的拱形和砖的梯形相符，再把筋砖砌上去。砖与砖之间的缝子用泥极少。接着

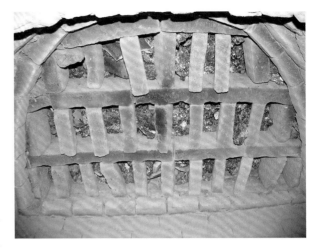

图 4-312　燃烧室

沿火台的横线往窑门前推，在 30 厘米的筋条空间卡上炉齿砖，叫作"撑燎牙"，也是横向间隔 30 厘米，但梯形的长边、楔式的宽面均在上头。架好的炉栅即成燃烧室、边长 30 厘米方框的一个中间层。它既是燃烧室的底，又是落渣坑的顶，能起到架空煤火、通风助燃、不使落渣积堵风路的作用。

（2）窑床（图 4-313）在窑体的中部，是装置匣钵、坯品的地方，从火台边往后约 2 米，到照背墙为止，照背下宽 2.8 米，火台边宽约 2 米，基本是个横着的长方形。窑床前高后低，以 4°～5°的倾角从前向后逐渐倾斜。其目的一是拢住窑床上所装的匣钵与坯品皆微向后倾，这样即便真的发生倒窑，也只能向后倒靠到后窑墙上，而不至于前倾完全倒入燃烧室，压塌炉栅；二是降低烟道的位置，目的是为了拉火，使扬上窑顶的火焰能下降到照背墙下的"鼻孔"吸往烟道，使火焰热量最大程度地到达最底层，保证所烧

图 4-313　窑床

瓷器的成熟。窑床上铺满一层厚约寸许、如豆粒大小的硬质黏土砂粒，保证底层匣钵可随时垫高减低和取平取稳。

（3）照背墙（图 4-314）是将燃烧室、窑床与烟道隔开的一堵满间墙。厚约 30 厘米，是窑炉高温烧成区与低温冷却区的界线。墙根左右两侧各有 3～4 个长方形竖孔，宽 20 厘米，高 40 厘米，称作"鼻孔"（图 4-315），是燃烧室燃烧的火焰上扬至窑顶，经过窑床，再下潜入烟道的通口。鼻孔的设置是为了将火焰拉下降低，更好地利用热能。烧窑前可根据季节、气象、所烧瓷器的品质和需用的温度气氛，通过在鼻孔中间加砖或减砖，调节与掌控烧成的温度。有些靠边墙的鼻孔稍大，以能钻进去一个人为限度

图 4-314　照背墙

便于人员进入烟道清理积物，也可利用烟道的空间和余热烧制红砖。

（4）烟道位于窑炉的最后端，分左右两个，入深 60 厘米，靠照背墙处宽 75 厘米，后面宽 60 厘米，

方中略带微圆，往上逐步缩小成圆形。烟道从鼻孔进来处往下降低约 10 厘米，形成洼坑，名叫"狗窝"，一是保证下潜的焰体持续顺畅，二是给积灰或其他意外掉入的杂物留有空当，不至于阻滞火路。烟道的作用主要是归拢收集前窑室里的火焰和热量。烟囱方中带圆、下大上小，也是为了增加抽力，圆形更适于焰体流通。

图 4-315　鼻孔

4. 窑顶

窑顶部分位于马蹄窑依山筑阁的最上层，由窑顶、烟囱两部分组成。

（1）窑顶（图 4-316）是一个比较缓的圆拱形，高出窑炉外帮墙和围土面 1 米左右，中心略凸起，前面偏圆，后面偏方。窑顶厚约 30 厘米，窑床至窑顶高约 3 米。在拱形窑顶从前面到后面的中轴线上排有大小不等的三个方孔，俗称"印窗"（图 4-317）。最前端的是一个竖向长方形孔，长 40 厘米，宽 30 厘米，垂直往下是燃烧室，即"下印窗"。顶部中心的孔呈方形，边长 30 厘米，称作"前印窗"。后面靠近烟囱与照背墙切线垂直的横向长方形孔，长 20 厘米，宽 15 厘米，叫作"后印窗"。印窗有两个用途：一是烧窑前期低温烘烤阶段排除窑内匣钵与坯品中的自然水分，即"跑湿气"，烧窑时用砖块大致堵挡，留条缝子即可；二是烧成结束停火后扒开，供散热冷却的。后印窗有时还置放测温与看釉色效果的"兆子"，本窑口行话称为"炷"。

图 4-316　窑顶

图 4-317　印窗

（2）烟囱（图 4-318）是烟道往上延伸，出了窑顶围土平面的部分，外形可圆可方，高约 2.5 米左右，外径或边长 80 厘米，到梢头略缩小。烟囱的粗细高低、距离窑体的远近决定了对窑内烟气的抽力大小。同时，在烧还原气氛时，除装窑前堵塞"鼻孔"、满窑后火台口的挡糊高低之外，在烟囱口上用大炕砖挡遮，也是控制火候和气氛的重要手段，所以不能太高。

5. 帮墙（图 4-319）

帮墙与围土在窑体的周围，在窑体内腔的砖墙之外，用废砖块、石块垒砌，用黄土稀泥灌注，填实砖块之间的缝隙，避免漏气，并经得起间歇性窑炉热胀冷缩的应力考验。最外面用较好的石块、砖块或废匣钵垒整齐，形成总体 1 米多厚的帮墙与围土，直至窑体适当的高度，这类窑多指平坡地上的窑体。也有靠着山体挖坑砌窑的情况，墙外的山体就成了窑体自然的外帮墙，只需把窑内腔做好就行了。

窑炉砌建完毕，要先空窑试烧一下，名为"烂（行话中念 lān）窑"，一是让窑初试火力，二看烧后

图 4-318　烟囱

图 4-319　帮墙

窑体有无安全隐患。烂窑结束冷却后，用做坯泥的废泥、脏泥调稀后加适量的长麦草拌匀，将窑体内除燃烧室和窑床以外的地方全部涂抹一遍，称作"泥窑"。其目的一是整洁窑室，避免落窑渣。二是糊住经第一次空窑试烧时裂开的小缝。但主要目的相当于现今建筑的内装修，为窑体结构做一个辅助层，并且每烧一次便刷泥一次，保证不漏气。所以烧得时间长久的窑炉，光糊泥层的硬壳子厚度都快要赶上窑体砖墙的厚度了。

二、耀州青瓷的烧制

（一）烧窑的工具、辅助工作和前期准备

1. 工具

烧窑的工具不多，主要有续煤的火锨、火柱子、火杆、火柱等。

火锨即续煤用的铁铲，用铁锻打而成，长 1.6 米，锨头为四方形平板，边长 20 厘米，也有略带长方形的，厚 0.5 ～ 1 厘米。火锨根部的锨把为直径 2 厘米的圆形铁杆，杆尾打成一个半封闭的喇叭形的圆筒，筒沿往铁杆方向下开一小缝至喇叭筒与铁杆连接处，宽不足 1 厘米，称作"库渠子"。因为烧窑属于高温操作，续煤时火锨的三分之二部分都要送入窑门上的续煤口，窑内的高温使火锨迅速导热发烫，人手难以把握，所以在口大底小的喇叭筒内安插一根将近一尺长的木柄，并在筒身的小缝中钉一个铁钉子将木柄固定，这样手握木柄时就不用担心烫手了。另用一只裁开的旧布鞋底子，将大头与小头作 90° 拐角连接，然后把平行的小头弯成半圆形，在圆凹内钉一片与其弯度相符的薄铁皮，再拿铁丝把它穿连到火锨杆上，这个东西就是"垫垫子"，也叫"挡挡子"。小头弯成半圆弯槽，与火锨杆子相吻合；铁皮钉上光滑，好使火锨杆子来回拉动；铁丝环套住杆子，垫垫子掉不了；大头竖立于平圆槽前，能挡住窑口火力的辐热。续煤时右手握紧火锨梢头的木柄，左手半握托着垫垫子，铲起煤炭送入窑口，前杆搭在续煤口底面上，右手用劲猛推向前，将煤扬撒到燃烧室内缺煤的地方。不用时，可以挂在窑门旁窑墙上的一根木棍上。

再锻打一根长约 50 厘米、直径 1 厘米的铁棍，一头磨尖，一头打成环圈，名曰"火柱子"。观火时手握住环圈，将尖头插入续煤口挡板子上的小孔内，挑起挡板子，移放于续煤口一侧，观火或续煤完毕，依然挑回原位。不用时，插塞在窑门面墙的砖缝里，或者放入面墙上的小"窑窝"里。

火杆也是用铁锻打的一条长棍，直径 3 厘米，长约 3 米，一头略尖，拐成一个小钩，另一头打成直径 10 多厘米的环圈。它的用途是用来捅火，当燃烧室里的煤火与灰渣余积到一定程度需要清理时，烧窑师傅与下面通风道里"漏哨"的师傅上下合作，右手握火杆尾部的环圈，左手拿一大块布，叠成数折，蘸上冷水，卷握住火杆，在燃烧室积渣厚密的地方或刨或钩，与下面漏哨的人配合，捅开口子将积渣漏下去。如果刨钩的时间太长，火杆太烫时，就得拉出火杆，用冷水浇凉后再继续工作，直到清理完为止。

火柱，又称"哨杆"，是一种捅火棍，也是用铁锻打的一根圆棍，长 1.5 米，直径 2 厘米，一头磨得稍尖，一头锻打成跟火锨把梢的库渠子一样，只不过要比火锨的库渠子稍深稍长一些，在上面安一根 1.5 尺左右长的木棍，用铁钉卡住。火柱是漏哨师傅下到通风道底的灰坑捅火用的，捅火时右手握住木把，左手衬布握住铁杆，并用衬布遮住手臂，将尖头捅进炉栅的方孔里捅透灰渣。一般情况下，"哨匠"在窑门口一看燃烧室内的火焰状况，就知道在下面该怎么捅了。个别时候要与烧窑的师傅配合，下面捅，上面看，相互高喊指挥，或用火杆刨钩帮忙。

2. 辅助工作

烧窑的主持者称为"窑匠"，一般需要两个人分白班黑班轮流烧窑，每 12 个小时替换一次。同时，还需要几个做辅助工作的人。

"哨匠"是专门下到通风道里面的炉栅底下用火柱捅灰渣的工作人员，也称"漏哨人"，此活技术性强，也极艰辛，能够干的人很少，所以在窑场上很受人尊重，被尊称为"哨匠"，也是会烧窑的师傅。哨匠只要在窑门口往窑内燃烧室里一看，就知道去下面怎么处理了。哨匠要根据窑烧的时间长短、所烧瓷器的性质、窑内的火色温度和气氛以及煤炭的性能、燃烧室内火堆的布局等情况来决定捅漏的方位与力度，要去掉火底下积余的灰渣，清通风道，还得最大程度地保证窑内温度、气氛的稳定，决不能捅个"透趟子"，更不能将炉栅捅坏。哨匠漏哨时头戴一个草帽，穿一身较厚的单层衣服，脚和小腿上绑一双用几层厚布做的像长筒袜子一样的"脚盖子"。将一个大手帕对折成三角形，蒙在口鼻上，将两个长角系在脑后绑紧，充当防尘的口罩。捅漏时干灰从炉栅底落入近 2 米的哨坑内，扬起的灰雾弥漫了整个通风道。灰太多时，白色的灰雾常会从通风道口喷出，哨匠的身上则会落满白色灰尘，由此可以想见哨匠的工作之辛苦、环境之恶劣。

"担水哨"是负责担水的，虽说技术性不高，但劳动强度却很大，需要一个专人来负责，要保证窑门前的几口大缸盛满水供烧窑泼煤时使用。有时候水源地距瓷窑门口几里开外，都需一担一担挑到窑前。同时还负责清理炉渣，将通风道里的灰渣用笼装满，再一担一担挑出倒入垃圾沟中，以保证风道顺畅。

"看火"的是最贴近窑匠的辅助工作者，一般需要两个人，跟着固定的窑匠轮流倒班，每班 12 小时。他负责将混煤堆中的块煤与沫煤用铁耙子搂出分开，将块煤集中堆放，以备漏哨后填补燃烧室里出现的较大空洞，尽快提升因漏哨而降低的窑温。再把清理出的沫煤用缸里的水泼湿拌匀，名叫"拌炭"，整理成一小堆移放到距窑门口 2 米的地方，供窑匠"填火"时用。将沫煤加水拌和，一是为了将松散的沫煤大致拌和成块状，供窑匠用火锨铲起送入窑中；二是为了避免扬煤灰，提高铲填效率；三是水里的氢、氧离子可以助燃窑内温度。烧一窑瓷需数十吨煤，均要看火的一耙耙搂开分拣、一盆盆用水泼湿、一铲铲用锨拌和成块，同时他还负责窑匠临时安排的一切杂务。

3. 前期准备

烧窑之前，窑匠带领看火的和担水哨的到窑门前，先清理燃烧室内因装窑、出窑所堆积的杂物，将燃烧室的哨底清理平整干净，叫作"刨哨"。再在哨底中间找个恰当的孔洞，填上软麦草，架上硬木柴，柴外垒起一圈易燃的块煤，形成一个小山包，叫作"盘母火"。接着用块煤在母火周围铺散，把整个哨底铺严实，叫作"铺底子"或"装哨"。做完这些，由看火的或担水哨的下到通风道底的燃烧室炉栅下面，将刚才盘母火时放到炉栅孔洞中的麦草引燃，叫作"点母火"。待母火堆中的烟火冒起，确定没有问题时，三个人才提砖和泥，砌封窑门。砖块用砌窑的大红砖，泥用破坯、脏泥加长麦草拌和。窑门续煤口以下近1米的空间是大红砖横着砌，约20厘米厚，到续煤口形成一个较宽厚的平台。续煤口是两个平放的大红砖，从相挨的中缝左右各画一个四分之一的圆弧，形成一个二分之一半圆，砍去画出的半圆即可，所以这个平台以上近1米的地方是大红砖平面立砌的，叫作"单砖漂"。单砖漂到窑门立墙完结处，大红砖跟最底层的横砌法一样，拉上一排，又形成一个小平台。这个小平台以上又是单砖漂，直至窑门的拱圈顶端，并在其中心留出一个半截红砖的观火孔。砌砖完毕，用剩余的麦草泥把整个砖砌窑门抹糊一遍，延至窑门边墙，泥厚约1厘米，封闭严实，不能露出丁点空隙。做完这一切，清理好窑门口，请窑主前来检查。

点火之前，要先有一个敬奉窑神的仪式。自古以来，一旦窑火点起，在传统窑场总会有许多难以预料和控制的事情，所以，便有了敬奉窑神、祈求神灵庇护烧窑成功的习俗。在窑门前支几块大红砖，形成一个简易的案台，台上放一个小香炉，窑主要洗手拈香，焚着作揖，插香于炉内，叩头跪拜窑神，祈愿神灵佑护烧窑成功。若是窑主不在，则由窑匠代替叩拜。当大火正式烧起，移香炉于窑门口右侧的小窑窝内，每燃一炷香便填一哨煤，起到计时的作用。

（二）正式烧成阶段

待母火燃起，燃烧室哨底铺煤全部燃红为止，是低温烘烤阶段，这一周期需8小时左右，温度可达到300℃左右，窑炉内本身的湿气、生熟匣体和坯品中的自然水分基本跑完。这时要挡住窑门的续煤口和观火孔，将窑顶上三个印窗用砖挡遮，缝子合严，用糊窑门口的麦草泥把四周封闭，之后开始烧煤。

接下来的续煤间次由长到短，窑温迅速提升，进入快速升温阶段，当地称之为"小火行功"。小火行功约20小时，直烧到全窑发红，火色略赤，从窑门的续煤口望进去，能透过火台上的"中巷"一直看到窑底照背墙下的老线，温度在1000℃以上，也叫作"小火亮巷"。下面即进入"大火行功"阶段，使窑温接近1200℃，进入高温氧化和成瓷阶段，窑匠们称之为"发药计子"。即随着窑温的升高，中巷里与每一排匣钵并排所插的药计子由火台口的第一排开始，一个个依次熔融倒下。哪一排的药计子熔了，就说明这一排已经成瓷，这一阶段需近30小时。这时是高温推进的时刻，并慢慢转入弱还原气氛，火色基本赤白，续煤要密要厚，烟囱顶上也用炕砖略作遮挡，以保证窑内产生一氧化碳。在最后一排的药计子熔掉，接近老线"初始软化点"时，实施重还原气氛。烟囱口几乎遮住大半，直到老线完全熔融，证明全窑已经烧熟成瓷，这一过程也得20小时左右。这时转入正常气氛，持续保温1小时左右，即停止续煤，结束烧成。这其中的温度掌握、火色观看、气氛调节、续煤干湿松紧、烟囱口部的遮挡多少，包括季节、气候、风向的结合，全凭烧窑师傅经验把握，是陶瓷最关键的一环，俗称"一火铸成"。

（三）罢火

罢火也叫作"钩窑"和"住火"，是历经百十小时烧成工作的结束。窑匠下令收拾家具，清理瓷窑门口，由看火的拿搂炭耙子上到窑顶，扒开三个印窗，去掉烟囱口的一切遮挡。再下到窑门口，用耙子打掉窑门拱圈下第二个小平台的全部单漂封砖，然后把第一个平台下窑门的封口砖挖开一个洞，让凉风吃进。这就是为什么窑门中部和上部单漂封砖的原因，目的就是罢火时容易打开。第一个平台下部也有用废桶式匣钵装满土封一排的，钩窑时将匣钵砸碎就是了。

三、出窑与检验

1. 出窑

罢火以后 3 ~ 4 天，窑内温度降低到 40℃ 左右，甚至更低一些的时候，打开封堵的窑门。这些砖泥全部落入哨里，出窑者踩着它通向火台口，先拿出中巷左右的两柱匣钵与瓷器，清理出棚架梯板的地方，由窑外的人递进梯板，架稳架实。出窑的主要工具是瓦刀，像现在泥瓦匠砌墙用的瓦刀一样，只是锻打得更厚笨一些，在瓦刀的梢头有个圆蛋，方便砸磕，其次是前述装窑中的铲子。

出完前两排后，便像装窑一样，起架或用装窑板床入窑，将架以上、窑顶以下的上层全部出完，名叫"撅梢子"。梢子撅完后就不用装窑板床了，直接站在窑底子上出完下层。出窑时用瓦刀把梢的圆蛋由下向上地在匣钵最厚处磕敲一下，打活匣钵搬起，取出瓷器送到窑外。

桶式匣钵是一匣提起，递给后面的人直接垒到燃烧室的哨里，再把瓷器递给另一个人送出窑外。单烧匣钵视其钵的大小高低，五六个不等地一摞子拔起，连钵带瓷一起送出窑外。

2. 检验

全部出窑、出钵的瓷器放于瓷窑门口，由检验者拿一块长 15 厘米、宽 10 厘米、厚 2 厘米的松木板（磕板子）敲击验瓷。如果是桶式匣钵内叠烧的摞子碗盘，就左手扶着摞子，右手执磕板子，用短边在摞子瓷器的每一个沿子上轻轻磕砸，由下到上，使每一个碗盘与摞子分离，直至打散一整摞子。磕砸瓷器既是分离摞子，更是验听每一件瓷器的声音，由回声判断瓷器的好坏优劣，加上目测检验，分出三个等级，按类堆放。若是单烧匣钵，则用铲子磕开每个匣钵，取出瓷器，逐个击声目测验视，分出等级。遇到瓷器上的落渣或粘渣、粘疤，则用铲子磕铲清除。盆式匣钵里的杂件也是直接掏出，叩声目测，如遇器底粘紧钵底，便用铲子铲磕取出。检验中磕板子用得最多，它的质地较为松软，不伤瓷器，铁铲太硬，能不用则尽量不用，以免损伤瓷器。

第十节　耀州青瓷的行业管理与运销

一、行业管理和酬劳

1. 耀瓷的行业管理

耀州青瓷的行业管理在明、清和民国时期的地方志中略有叙述。陶者以家庭作坊式小生产规模经营为主，由父传子、子传孙、兄传弟的宗族血缘式传承延续。随着需求的增多，生产规模不断扩大，形成了不同的手艺族群，原始性行业也越来越追求规模效益。这里按陶瓷种类分行业、以自然村为单位有做碗、盘、碟、盏的"碗窑"，有做缸、盆、罐、坛的"瓮窑"，有做瓶、枕、盒、灯及各种杂件的"黑窑"，是谓"三行不乱"。另一组织形式是按自然村的经济利益、宗亲关系等自愿组合成乡镇一级的"社"，推举望族大户作社头，下面再分出各村的小社头及本窑行有威望的"行头"。执行的是较为简单的乡规民约式的行业自律自保性质的规章条例。具体到每个作坊，由三部分人组成。"供主"负责出资金、生产资料、设施、设备者，"作头"则是一个基本生产单元的首领和工艺技术的权威，"工作"是本单元下的二等技术辅工和三等杂工，即所谓"三溜"，也就是今天的人所说的投资人、经营者和劳动者。

2. 酬劳

窑场的劳动所得和利益分配不是以货币的形式，而是实物分配。当瓷器出窑验定品级后，按装窑形式摆在场上，以中巷为界，供主占去一半，另一半按作头三、工作二或一分货为酬。各人拿货回家，自找"贩户"（专做瓷器经销的商人）出售，换得货币再购养家的生活必需品。所以，家家有存瓷，静待经销商来谈生意，故当地有句口头禅："家有瓷货不算贫。"

3. 计量单位

耀州瓷的计量标准自成体系，所有的制作者、经营者、贩运者均自觉使用这些标准。丈量单位多用丈、尺、寸。如窑炉的宽为两丈，轮腿的长度为二尺八，碟子的口沿直径有五寸或七寸。"拃"、"指"是使用最多的长度单位，主要是在生产中使用方便，如笼盆的沿厚为"一指"。至于具体标准，很难考证。对微量空间作表述，就用"一绳条"、"一绳子条"、"一线条"、"一筷子头"来比说。例如给瓶子上打的装饰线太高了，就说"再下来一线条子"。原材料的运输都是用骡子驮的，以前不用吨、斤的概念，而以驮笼为标准，如"二百驮土"、"十驮泥"、"三十驮炭"等。烧窑的工时不按天数和小时计算，而是按"件"计算，一件为12小时，如赵家的窑烧了"五件子"了。配釉是按"成"来论，按碗或盆数来定，如香色釉的配比是"八成"的黑药兑"两成"的白药，即"八碗"黑药兑"两碗"白药。产品运销和运费结算中要选一个标准件，叫作"折头"，是本行经济活动中运用最多、最重要、最公正、最服众的单位。以标准件为准，可以大小互折。如果这个标准件是个"三号缸"，那么一次运了一个大号缸，可得"六个折头"，即一个大缸折六个小缸或六个小缸折一个大缸。一回运了300个五寸碟子，才得了"三个折头"，即100个五寸碟子才抵一个小缸，一个小缸能折100个五寸碟子。这个折头相当于今天景德镇陶人仍在口头上使用的"件"，如"一百件"的瓶子、"三百件"大的瓶子等。

二、耀瓷的运销

历史上耀州窑在黄堡镇沿漆水河两岸设置窑场，这条黄金水道是该窑场耙泥、碾药、敷水成器乃至餐饮的生命线，也是陶瓷走水路船运的主要出口。漆河南流30多里到达耀州，与沮河相汇而成石川河，东南流经富平县至渭南入渭河。渭水在关中地区河面宽阔，水势平缓，历来都是周、秦、汉、唐十三代王朝关外经济的输送咽喉，耀州瓷自然也会随漕船东出潼关、西溯大漠。待窑场转移到了陈炉镇、立地坡、上店村一带，运销才由水路改成了"马帮"。据方志和历史资料记载，清末这一带有作坊120多处，年烧窑数338窑，总产量85031000件，产值7123950元。对以瓷为酬薪、以瓷养家糊口的陶人来说，销售和运输便成了由商品转化成货币的重要一环。但是制陶人从不外出跑市场，只是一门心思在窑场上做陶瓷，由此出资者和出力者便形成了固定的"窑户"与"瓷户"。销售则由本地大商号和外地来此的瓷器专营商负责，名曰"贩户"。当时实力强盛者有九家，他们常住瓷镇，有的甚至在此安了家，做着消费者与生产者之间的流通工作。把贩户收购的瓷器从窑场运到他们指定的地方，叫作"脚户"，也称"驮帮"。他们吆着驮有瓷器的骡子，由帮头带领，三五成群，八九结伙，亦有个别单帮。同时，驮瓷器所使用的鞍子、架子、篓子（用藤条编的扁形大筐，口沿处像花生形状，专装陶瓷小件的盛具）、牛皮绳子等，都是极为讲究的。

当时的商路分为两路：南路和东路。南路由陈炉镇向西南方向的立地坡、安村出同官县界，经耀县的孙家塬入耀县城，为最短脚站卸货，或由耀县南往三原、泾阳、西安等县、市交脚。东路则由陈炉镇经上店村下山，入富平县各集镇或至蒲城、渭南等县。现在富平县的底店村和陈炉镇的上店村，皆遗留下当时山上山下商贾众多客栈热闹的历史痕迹。经营很讲诚信，从不违规，运费结算以"折头"运距来定好价格，当即清付，脚间若有损毁则由脚户自负。贩户有铜川周围县市甚或外省人氏，脚户则多是耀县和富平县人氏，他们几代以此谋生，以忠实的商业诚信，同耀州陶人结成了生死攸关的、"四户分立"（窑户、瓷户、贩户、脚户）的利益共同体，是耀州陶瓷产业链的延长，也为耀州陶瓷的兴旺发达做出了巨大的贡献。

第十一节　耀州陶人的行业信仰

一、黄堡镇陶场的窑神

在黄堡镇"十里陶场"最集中的中心地段，即现今铜川市王益区黄堡镇铜川市第四中学的院内，据民国时期编著的《同官县志》记载，这里曾有供奉"德应侯"窑神的紫极宫，并立有"德应侯碑"。20世纪50年代初，陈万里先生曾两次到此寻访，却无一人知晓窑神庙一事。他踟蹰于田垄间捡拾瓷片而不得所向，唯见属于县立第三高级小学院内还有座像庙宇一样的古建筑，询人得知那是东岳庙时，便随意走了进去。陈万里先生进去后，发现食堂屋前有个石桌，上面还摆有师生餐饮的碗筷，拂去这些，"'德应侯碑'四个大字，赫然在目"。功夫不负有心人，由"赫然在目"便可想象到陈先生当时的兴奋劲了。该碑后移至西安碑林，现存于西安石刻艺术博物馆第三室西墙正中之下。

至迟在清代的时候，该庙及供神已经不存在了。因为故宫博物院专家在20世纪五六十年代考察黄堡镇窑址时，曾捡到一块明代弘治年间的瓷片标本，证明了该窑停烧的下限年代。且此时的耀州窑生产重镇早已转移到了陈炉镇和立地坡及上店村一带，此地窑场已经废弃，也无陶人，谁还来供奉窑神呢？后起的几个窑场从产品的制作技术和风格上来说，都应是黄堡镇窑场的延续，但奇怪的是，它们供奉的窑神中唯独不见德应侯的踪迹。有些专家认为"（黄堡镇）此地不陶，陈炉镇复祀德应侯"。但我们在现存于北京故宫博物院的数通陈炉镇西社窑神庙碑拓片及民间陶瓷爱好者手中的陈炉窑神庙碑拓片中，皆寻不见一点德应侯的影子。正像"德应侯碑"中对"陶瓷专家"柏林的记载一样，只是说他"游览至此，酷爱风土变态之异，乃与时人传火窑甄陶之术，由是匠士得法，愈精于前矣"。黄堡陶人为了回报柏林的恩典，在紫极宫的德应侯庙中给他建了祠堂，时常祭祀，并未明确地提到柏林为何时、何地的人氏，但却有许多中外的专家皆一股脑儿地说柏林是南方青瓷中心越窑的技术权威，来此支援了耀州窑。我们在"德应侯碑"588个字里，找不出半个越窑、青瓷、南方的字眼，甚至是字义，不知最先提出此论和以后多位引用此论的专家们的根据在哪里。

　　"德应侯碑"为当时耀州华原的最高行政长官阎充国上报朝廷，得宋神宗获批恩准的。立石者是陕西茂陵人马化成及其家人，撰文及书丹者是三秦张隆，助此好事者为太原王掌吉。该碑文把事情的前因后果、朝政方策、地理环境、人事作为、历史掌故安排得头头是道，特别是将耀瓷的工序流程叙述得科学合理、准确切实，形容恰当而别开生面，完全是一篇美文，更是一部科学专著，比明代宋应星崇祯十年（1637）《天工开物》中的"陶埏"和清代唐英等人乾隆八年（1743）《陶冶图说》早出553年与659年。由此，我私意揣之，张隆夫子接受"王从政"撰碑之命后，应是在黄堡镇窑场上做过为时不短的深入考察，并与制陶人交心攀谈过；或者说他家中就有制陶人，抑或自己也能做陶，因此才会描述得那么真切周详。

　　此碑确立四十一年后，河南修武当阳峪窑人"远迈耀地，观其貌位，绘其神仪，始立庙象于兹焉"，在崇宁五年建庙树碑于该窑场上。但不知为何，由耀州拓印过去的庙与神，没叫紫极宫和德应侯，却成了"百灵翁庙"。包括此后在河南宜阳三里庙窑、禹州的神垕镇窑和扒村窑、汤阴的鹤壁集窑所立之庙与神，均变为"伯灵翁"、"栢灵"、"百林"等，鹤壁集的"栢灵桥"碑干脆说这老爷子是"我汤邑尊者"。如今当阳峪庙毁碑在；神垕镇无碑，仅存外庙门、内戏台重檐的庙头和重檐下、拱形门洞上横额中镶石质康熙末年的"伯灵翁庙"匾；宜阳和扒村的庙碑皆荡然无存，只见录于当地地方志之中。笔者寻踪这些地方并揣摩国内各处窑神，初步认为：黄堡镇紫极宫中侍奉德应侯窑神，"民到于今，为立祠堂在侯之庙中，永报休功"的栢林作为配享，已有了明显的人神主次地位；抑或神无塑像而只供灵位，给作为"专家"的人——栢林在其祠堂里造了像，所以当阳峪人"绘其神仪"的约是栢林，当然模仿到他们那里的庙与碑也就成"百灵翁碑记"了。至于黄堡镇"德应侯碑"中的"栢翁者，名林"怎么到河南变得没一个与此相似的，我意有二。一是中国的陶瓷文化及陶人以瓷为媒的书画中假借字、代用字、同音字用得很多，如铁锈花瓷上的"绝胜烟柳满黄（皇）都"、"嘉請（靖）"等，所以"栢林"变成了"百灵"。二是河南方言多发上仄音，栢林中的"栢"与河南话语中的"百、伯"难分伯仲，而"林"字稍一转音就成了"灵"。所以，此番变化应是方言口语上的转音所致。但不管咋说，耀州窑与河南各窑口在工艺技术、产品风格、人员交流等方面均是十分亲近的，如《中国陶瓷史》中宋代"六大窑系"里"耀州窑系"，在河南的就有内乡窑、新安窑、宜阳窑、临汝窑、禹县钧台窑、宝丰清凉寺窑等；耀州窑由唐至元的黑瓷、点绿彩白瓷、黑釉绘瓷、柿釉瓷、铁锈花瓷等，跟河南的当阳峪窑、鹤壁集窑、登封曲河窑、禹县扒村窑的这类产品都很相似。特别是刻花、印花的青瓷，河南的一些窑口做得不比耀州瓷差，甚至超过了黄堡镇的水平，若不是长久浸淫、摸爬滚打在窑场一线，并借用现代材料学、分子学等科学手段加以仔细地逐个检测、具体分析比较，根本辨不明哪件是黄堡镇的耀州青瓷，哪件是河南新安、宜阳、临汝、宝丰、禹县、内乡的刻、印花青瓷。这一点，权当是本人多年深陷于此的一个体会吧。

二、陈炉镇陶场的窑神庙与窑神

　　陈炉镇与黄堡镇只相距30余里，然窑神庙不侍奉那尊唯一皇封的"德应侯"，却换成与"德应侯"毫无关系的多位主次群神。面南坐落于镇子中央的窑神庙占据着一个非常好的风水位置，是"鱼儿岭"鱼尾内侧山梁的崀头，属于孤阳穴位，与沟底小河对岸的"红崀疙瘩"形成一线，由南城堡和永受村城堡一条山梁连接的低洼口子望出。大庙前檐两边高耸的八字式博逢头砖雕十分花哨，中间的庙门不算太大，门东两祠侍土神、山神，门西两祠供牛、马二王，曰"四圣祠"。供山神和土神是因为制陶要取土于山，供牛、马二王是因为山区路窄，全是上下很陡的坡道，各种材料及陶瓷货物全是牲口驮运，耙泥拉碾也是牲口，故而奉之。大门内是近似于"一颗印"式的横向天井，西小门接禅房，东小门连外院。后面大殿的高台上，正中稳坐着冕旒龙衮的主神，是"陶于河滨"的虞舜，东厢是司火的太上老君，西边为造碗第一人——陕西省白水县大雷村雷公（名雷祥）。舜腰后有一条铁链，传说窑神曾化作一条白色大蟒游出庙门，朝西边巷坡跑出数 10 米，被看庙人曹彦真抱住捧回，放于神像后洞中封住，陶人害怕自己衣食父母的窑神走了，故以铁链锁住。高台前的大供桌上摆着康熙末年中举、做过翰林院庶吉士和湖北督粮道台、后在云南督铜的陈炉镇人崔乃镛在雍正四年敬献的三件套大香炉，炉两旁各放一对烛台和香筒（图 4-320）。窑神庙内原挂"地不爱宝"的匾额和仅存崔乃镛献的三件铜祭器。两旁墙根立着数通清朝各代增修庙宇的石碑，三面粉墙上彩绘着《封神演义》故事的壁画。大庙正前避开中轴线的西下侧，屹立着巍峨的大戏楼。每年正月二十日窑神爷生日，陶人请大戏、供三牲祭祀，并过会三天，至今有些老人这天还要包顿"疙瘩子"（即饺子），以纪念窑神诞辰。中秋节时又称"窑神爷会师"，同样热闹一番。"这里为陶人顶礼膜拜的神圣之地，通过两次'春秋报赛'的大型活动，表示他们虔诚的感恩和精神寄托，又以此增进同行感情沟通、交流技艺、凝聚精神、扩大贸易"。即使平常装完一

图 4-320　原窑神庙的匾额和仅存崔乃镛献的祭器

图 4-321　孟树锋 1980 年拓的窑神庙拓片

窑坯子起火点窑时，窑匠师傅也要烧上一炉香敬拜窑神，甚至每填一哨煤都要焚香一炷。这是对神灵的敬畏和祈求，更是对自己所从事专业的热爱和执着，体现了诚实堂正的行业精神。窑神庙里的碑文在 20 世纪 50 年代就由我国著名古陶瓷文物专家——冯先铭先生一行拓去，一份存故宫博物院，一份留陕西，那些文字对当地陶瓷各个方面记录之珍贵重要在全国是首屈一指的，可惜庙和碑石在"文革"期间被毁坏。碑拓中有孟树锋 1980 年拓的康熙十二年（1673）重修戏楼记，图 4-321 孟树锋所存的小拓片为群碑中最早者，且碑文中除有其他碑文"窑神庙无记可考，惟梁板墨书创自周至……"的记载外，首次出现了"绍兴"（1131～1162）和明朝永乐至崇祯的年号，确实难得，算陈炉镇窑陶瓷生产最少在此间就有的历史证明。该碑只有尺许见方，又是镶在戏台墙中，当时可能没有引起冯先生一行的注意，故而未拓，现在碑石早已不知去向。

陕西村镇之间的社仇由来已久，陈炉陶场按其自然村分为东三社和西八社，这间大庙便是西八社的窑神庙。东三社的窑神庙在北城堡之下面东的山坡上，规模较小，一进的院子也有神的塑像和碑石，崔乃镛献的铜祭器这里也有一套。庙的祭祀与西社大致相同，但庙在 20 世纪 40 年代国内战争时被拆毁，庙材被拿去建了军事设施，没有任何遗存与记载，只是在当地个别老人的记忆里有些印象。

陈炉镇立地坡的窑场较大，也曾有自己独立的窑神庙与窑神，传说供的是轩辕黄帝时期的陶官——宁封，因为该窑场废弃较早，没有留下任何遗迹。陈炉镇上店村窑场几乎连传说的窑神都没有。

第五章　钧瓷烧造的传统工艺

第一节　钧瓷的产生和发展

一、钧窑的地理位置与自然环境

　　钧窑位于中国河南省禹州市，是北方著名瓷窑。禹州境内在宋代以前就有闻名于世的古钧台，相传夏禹之子启在此承袭王位，大宴诸侯。北宋时期古钧台附近设有官窑，烧造的瓷器因地得名，故窑名"钧窑"，瓷名"钧瓷"。钧窑烧造规模广，传世瓷品丰富，质量精美，因而与定窑、耀州窑、磁州窑共同组成了北方四大窑系。钧窑以釉具五色、艳丽绝伦、端庄雄浑的艺术造诣成为我国宋代五大名窑之一。

图 5-1　神垕镇海拔 704.5 米的大刘山

　　河南又称中州、中原。中国古代划有九州，河南称豫，位于九州之中，故称中州。而河南境内平原居多，又俗称中原。中原文化博大精深，源远流长。钧瓷正是从中原文化深邃的历史中孕育而生（图5-1、图5-2）。

　　禹州市地处伏牛山脉之余脉与豫东平原的过渡地带，南部、西部、北部山岭地区有着储量丰富的瓷原料资源，为禹州市陶瓷业的兴起昌盛提供了先天的便利条件，成为钧瓷艺术之花蓬勃绽放的肥田沃土。禹州市神垕镇处于腹地，被伏牛山脉的群峰环绕。东有凤翅山、角子山；西有牛头山、凤阳山；南有大刘山；北有云盖山。群山植被丰茂，矿产丰富，煤炭、石灰石、高岭土、铝矾土、石英、紫砂土等，达二十余种。得天独厚的自然环境为钧瓷生产提供了强有力的支撑和保证。在神垕百姓中流传有"南山煤，西山釉，北山瓷土处处有"的民谣（图5-3）。

图 5-2　伯灵翁庙（窑神庙）

　　"神垕镇的山体主要由灰岩、砂页岩构成，制作钧瓷坯用的塑性原料和瘠性原料，釉用的基础釉料和呈色釉料一应俱全。原料中金属元素丰富，宋代铜

图 5-3　中原名镇——神垕镇牌坊

红釉的问世就是陶瓷艺人在当地原料中提炼出微量铜元素烧制而成。林木的茂盛及煤炭的富足，为火的燃烧提供了坚实的后盾。此外，耐火黏土、铝矾土是瓷器烧制时所用匣钵的极佳原料。而适合于制瓷的土料又为钧瓷的烧制提供了不竭的源泉。神垕镇陶瓷资源不仅原料品种多，储量大，质量好，而且覆盖层薄，容易开采利用。"[1]得天独厚的自然环境和矿产资源，为神垕陶瓷业的发展和壮大提供了重要的物质保障。"水火既济，大器乃成"。水是陶瓷制作的重要元素之一。禹州境内较大的有颍河、涌泉河、兰河、清漠河等，肖河、小青河从神垕镇穿流而过，为制瓷业发展昌盛提供了极好的能源条件。

图5-4　神垕旧民居

　　神垕镇制瓷历史悠久，据考古发现，近年来出土的夹砂红陶和篦纹灰陶，证明了在夏商时期这里就有人群聚居并从事农耕陶冶；秦汉时期的陶器也有出土；唐宋元时期的古窑遗址遍布境内，见证了古镇历史上陶瓷生产的繁荣和昌盛（图5-4）。在神垕镇，陶瓷艺术可谓是百花齐放、春色满园。除钧瓷以外，其他瓷种如白底黑花瓷、绞胎瓷、汝瓷、黑釉瓷、天目瓷、琉璃等，在这里也得到了很好的拓展。而这些不同种类的瓷器的发展，对钧瓷艺术的提高也起到了促进的作用。

二、钧窑的产生、形成与发展

　　钧瓷作为重要的文化承传载体，以其独特的方式不断延展着人类创造的足迹。通过一个个、一代代的钧窑器物的制作，把人类的智慧和文化意蕴"固化"，并世代传承。它系统地、完整地凝固着钧瓷文化的链条，印证着社会文明的步伐，记录着历史的进步和人性的发展历程。同时，它也有着自己发展的轨迹，并留下了自己的足迹。

　　早在原始社会时期，生活在中华大地上的先民们为了生存的需要，发明了制陶技术，进而为方便和改善自己的生活，使陶器的制造技术更臻完善，制造了多种功能效用和形式结构的陶器。随着历史不断地向前发展，到了商、周时期，我们的祖先经过千年制陶的辛勤劳动，工艺上积累了丰富的实践经验，进而，人们逐渐淘洗制陶原料，提高烧成温度，从粗糙的灰陶到精致的黑陶、白陶、印纹硬陶、釉陶，制陶工艺一步步地发展与进步，为瓷器的产生打下了基础。东汉时期浙江一带的陶工们成功烧制出了青釉瓷器，这种青釉瓷器在烧造温度、原料、釉的使用方面区别于过去的陶器和釉陶，在质上取得了巨大的变化。陶与瓷是两个不同的事物和概念，陶器是由黏土经水调和后烧结而成，吸水率在2%以上，不透明，敲上去噗噗作响。而瓷器的原料不是制造陶器的一般黏土，而是一种由高岭石组成的纯净黏土，又称瓷土。除了原料，瓷器的烧造温度高于陶器，陶器的温度不超过1250℃，而瓷器的烧成温度一般在1250℃以上。因原料和烧造温度的不同，瓷器的吸水率比陶器要低，一般在0.5%以下。瓷器的表面有一层结晶釉，因胎体致密，表面光滑，敲上去发出清脆的金属声。东汉时期瓷器的成功烧制是陶瓷手工业的伟大成就。其间，瓷器以青瓷为主，其胎内铁的含量明显降低，胎呈灰白色，通体施釉，釉层比原始青瓷显著增厚，有较强的光泽度，胎质坚硬，烧制温度已达1300℃。三国两晋南北朝时期，中国基本上处于分裂之中，北方战乱和南方的相对安定形成了陶瓷业北弱南强的局面，这一时期是南方青瓷独树一帜的时代。以浙江宁绍平原为主要产地的青瓷生产得到了快速发展，不仅产量增加，而且质量也不断提高。从西晋开始，生产艺术风格和工艺风格相似的青瓷产品的区域不断扩展，形成了中国第一个窑系——越窑系。北朝后期，随着战乱的平息，北方陶瓷手工业开始复苏。隋代的统一，为陶瓷艺术的大发展提供了可能，南方青瓷的持续发展与北方邢窑白瓷烧制工艺的日臻完善，形成了"南青北白"的新格局。

唐代历史揭开了中国古代文化最灿烂的篇章。李唐王朝在政治、军事上都非常强盛，南北统一、疆域广阔，社会安定、经济繁荣，手工业和商业极为发达。中外经济的繁荣，是唐代文化繁荣的基础，而文化的繁荣促进了艺术的进步。唐代手工业的发达，促使了唐代陶瓷制造业的发展，使陶瓷工艺呈现出新水平。唐代陶瓷工艺已出现多色釉的瓷器，许多瓷窑蓬勃发展，出现了以窑为名的具有不同特色的中心瓷区。《陶录》称"陶至唐而盛，始有窑名"。南方的越窑经过几百年的发展，在质量上得到了很大的提高，成为传统青瓷的典范。越窑以瓷的青色为美，它施釉均匀，釉色青翠莹润，追求造型美和如玉的质感；北方的邢窑为当时白瓷中的代表，其釉色如银如雪，釉面白而泛青。晚唐时期，随着定窑的兴起，白瓷朝着胎体更加轻薄而质地坚实的方向发展。在青瓷和白瓷两种主要釉色之外，花釉是唐瓷中的又一创新。

"（二十世纪）六十年代以后，故宫博物院调查河南郏县黄道窑时，发现了唐代窑变花釉标本，嗣后在调查窑址时又陆续在禹县下白峪、郏县黄道、内乡大窑店、鲁山段店及禹县赵家门等地发现了四处唐代窑址，均发现了窑变花釉和饰以斑点的标本。鲁山段店、禹县下白峪两处均采集到与故宫博物院所藏黑釉斑点拍鼓相同的拍鼓残片。五处唐代窑址发现后，初步判明了钧窑创于唐，并看到窑变花釉与斑点装饰对宋钧窑的影响。"[2] "七十年代末期，禹县瓷厂在小北峪钧窑址发现唐代窑址。唐窑的遗物有黑釉斑彩装饰的壶、罐、拍鼓等物。提示了钧窑早期历史与唐代花瓷有关。"[3]

花釉瓷器的窑变特征、釉色、斑点、装饰及酱褐色胎与钧窑有相似之处，表明了它们之间的渊源关系。因此，有人称之为"唐钧"。"唐钧器物……施釉方法大多是在较深或较浅的底釉上，饰以与之色彩对比强烈的另一种彩色斑块。这种利用不同金属氧化物呈色不同的原理，成功地掌握了两色釉技术，形成唐钧独特的艺术风格。唐钧在陶瓷装饰领域中的成功探索，突破了唐代以前陶瓷生产中'南青北白'的单调格局，使陶瓷的制作逐渐向多彩化装饰方面发展。钧瓷在北宋成为中国五大名窑之一，也是与唐钧的这一成果分不开的。"[4] 唐花釉使用两种色釉结合，在烧制过程中由窑内高温产生物理变化，导致釉料部分成分转移而形成乳光釉的装饰工艺，和钧瓷的窑变艺术可谓一脉相承。这种利用各种金属氧化物呈色不同，并使用两种色釉结合的装饰工艺技术，在宋代得到了继承，并生产出了精美无比的钧瓷釉。钧瓷窑变艺术在唐花釉技术的启迪引导下形成，唐花釉为钧瓷装饰艺术开启了先声。

"唐末爆发的黄巢起义，动摇了唐王朝的统治，但在镇压农民起义中，藩镇乘机大肆扩张，终于酿成了五代十国的分裂局面。中原地区频繁的朝代更替和连年战火，使经济文化遭到了破坏。宋朝的统一，结束了五代的封建割据局面。在一段时间内，社会保持了相对的安定，中原的经济、文化得到了恢复和发展，商业、手工业出现了空前未有的繁荣。"[5] 随着宋代社会经济的发展，人们的生活方式也有所变化。为了满足皇室贵族、富商大贾装饰居室和观赏收藏的需要，陈设用瓷的需求量不断增加，使宋代制瓷手工业在生产规模、制作技术和艺术水平上都达到了一个极高的程度。宋代制瓷手工业的发展，与当时科学技术上取得的重大成就密不可分。宋代科学技术相当发达，指南针的发明、造船技术的进步和航海业的发展促使对外贸易的扩大，从而极大地促进了陶瓷生产的发展（图5-5）。

从窑址残留的遗迹来看，宋代早期的钧窑遗址很多，其中以禹州市刘庄古窑遗址最为典型。这个窑址内窑炉密集，其形体多为馒头式，是就地挖筑的土质窑。烧制器物精致，胎骨细腻、切削规整、工艺精细；

釉色以青釉为基调，以氧化铁为着色剂，在还原焰中烧成，呈现出天蓝、天青、月白、葱翠青等色，还有天蓝色饰铜红斑的，釉色多样，质地莹润；造型主要是盘、碗、罐、洗等。1949 年后曾在这里出土了完整的带把洗、莲花式大碗、香炉等工艺精细、釉色莹润的珍品。器物采用支钉烧法，盘和洗底部均有小支钉痕，瓶和碗为垫饼烧，圈足釉到底，足中心有轴，部分足部涂褐色护胎釉。由此可以看出刘庄手拉坯的成型方法和烧制技术已经达到了很高的水平。钧瓷的别致自然被统治者看中，由此建立了官钧窑，专为宫廷生产部分皇室陈设用瓷。1975 年第 6 期《文物》中记载："河南禹州钧台窑遗址被发掘。出土的产品，种类繁多，造型复杂，釉色光亮莹润，钧瓷窑变红紫相映。造型有各类花盆和盆奁，如莲花盆、海棠盆，还有出戟尊、鼓钉洗等，与故宫博物院所藏传世宋钧完全一致，在官钧窑遗址中还发现刻有'奉华'等字样的器物和'宣和元宝'钧瓷钱模一具。"[6] "宣和"为宋徽宗年号，"奉华"为北宋一宫殿名称。由此可证实北宋宣和年间为官钧存烧年代（图 5-6、图 5-7）。

钧瓷在北宋时期能以卓越的艺术成就驰名当世，进入名窑、官窑之列，与宋徽宗赵佶有密切关系。徽宗时期，朝廷在汴京城东北隅修建"寿山艮岳"皇家园林，将全国各地的奇花异草、珍石怪树移植于此。为了布置室内、装饰庭院，在平江、苏杭设"应奉局"，寻求南方名贵花木、奇石异珍以供奉宫廷之用，名曰"花石纲"。"由'花石纲'之故，朝廷为了种植远路运来的奇花异草和制作怪石盆景，便在河南禹县建立了官钧窑，以烧制宫廷陈设用瓷。"[7] 官钧窑的工匠都是从民间精选而来的能工巧匠，官窑由于人才集中、不惜工本、选料精良、工艺精湛，制品的精细程度和艺术品位都达到了前所未有的高度。官钧窑器物造型大多为宫廷摆设的各类花盆、盆托以及尊、洗等艺术陈设品，釉色有玫瑰紫、海棠红、天青、月白等，乳浊感强，色调过渡自然，窑变意境美丽。这类官钧窑瓷器底部分别刻有不同的"一"至"十"的数目字样，这些数字标明每种器物都有从大到小的十种型号，数目字越大，器物尺寸越小。像这样的钧瓷珍品，出窑后即被选送入宫廷，世代相传并保存至今，它代表了宋代瓷器的最高水平（图 5-8）。

宋代钧瓷从生产性质而言，有官窑与民窑之分，官窑烧造专供皇家使用的陈设用品，而民窑生产民间商品用瓷。这

图 5-5　宋钧窑月白出戟尊（台北"故宫博物院"藏）

图 5-6　宋钧窑天青葡萄紫六方盆托（台北"故宫博物院"藏）

图 5-7　宋钧窑天蓝葡萄紫仰钟式花盆（台北"故宫博物院"藏）

两种瓷窑的生产目的不同，所以产品的造型、质地和装饰风格有很大的区别。民窑的生产是为了供应人们的日常生活需要，生产盘、碗、罐之类的生活用品，产品以天蓝色釉居多，有的器物上施铜红色或紫红色斑块做装饰。官钧窑建立之后，对民窑生产加以限制，严禁民窑继续烧造。在此情况下民窑不得不停烧或改烧其他瓷种。一方面，由于官钧窑的建立对钧瓷烧造垄断，使民窑处于停止状态，滞碍了民窑生产的发展；

图5-8　宋钧窑天蓝葡萄紫鼓钉洗（台北"故宫博物院"藏）

另一方面，由于人才的集中、选料的优良、工艺的精湛，在一定程度上促进了钧瓷艺术的发展。一个是高端的发展，一个是极度的衰落。这种两极分化的结果，形成了这个时期钧瓷生产的一个特点。

1127年，金政权结束了北宋的统治，中原地区纳入了金人的统治范围。宋金对峙，曾使中原的陶瓷手工业遭到空前的破坏，中原窑工们的南逃，致使许多窑口处于荒废状态。"靖康之变到金大定以前（1127～1162）这三十多年的时间内，北方陶瓷由于战争原因，处于中断荒废的状态。……金大定以后，瓷器生产开始恢复，北方瓷器在一定程度上又得到了发展。"[8]"根据调查和发掘资料，北方广大地区金元时期的文化遗址、墓藏和窖藏钧瓷出土的情况相当普遍。"[9]"不仅今河南省内钧瓷的瓷窑有了显著的增加，而且影响及于今河北、山西两省，形成了一个钧窑系。"[10]钧窑系以禹州为中心向外辐射，窑址遍布四省二十七县。河南省除禹州外，汝州、郏县、新安、鹤壁、安阳、林州、浚县、淇县都有钧窑系窑址发现。河北省磁县、山西省浑源县和内蒙古自治区呼和浩特市也有烧制钧瓷的窑址出土。

宋元以来，钧瓷自成系统，影响到南方许多著名瓷窑。南宋迁都临安（今浙江杭州）后，北方富商大贾及技艺工匠聚集临安，钧瓷技艺传播南方，江南地区仿钧日趋盛行。

明代的钧窑处于没落时期。

《明太祖实录》记载："中原诸州元季战争受祸最惨，积骸成丘，居民鲜少。"又说："今丧乱之后，中原草莽人民稀少。"《禹州志》（民国版）中也说："明太祖洪武四年六月，将山西3.5万户迁徙钧州等地。"《钧瓷志》中还记载："在禹州境内，特别是在神垕古钧窑区，多次调查与访问当地居民，他们都不是当地老户，多从山西或外地迁此，更查不到明以前的钧瓷世家。上述可知，因元朝末年的战乱、灾荒，禹州居民死亡惨重，人口稀少，钧窑也因窑毁人灭而停烧。"[11]《陈万里考古论文集》记载："在明代宣德年间的《大明会典》里有'命钧磁二州每年进造酒坛、瓶坛'的记载。由此不难看出由于元末战乱，一个能够烧造五彩渗化、色泽艳丽的钧瓷窑场，衰退到只能奉命供应酒缸、酒坛的地步，那时候，已经不再有烧造变化无穷的精美钧瓷的能力了。"[12]

钧瓷在明代衰退之后，于清末进入了复苏期。清晚期，具有千年历史的传统钧瓷因釉质肥厚、釉色丰富、造型古朴而受到青睐。当时，世界各大博物馆和众多收藏家争相收藏，一件宋代钧瓷价格高达银元数千，一片宋官窑钧瓷片达银元数百。当时民间有"家有万贯，不如钧瓷一片"之说。

光绪五年（1879），以神垕镇民间艺人卢振太为代表的卢氏家族立志恢复钧瓷。他们跋山涉水寻找矿料，反复烧制，屡次试验，经数十年的潜心探索，终于取得了突破性的进展，用风箱小炉窑捂火还原的烧制工艺烧制出仿宋钧瓷。虽然规模小、产量低，但积累的经验却为近代钧瓷的恢复生产开了先河。他们用风箱小炉窑在高温中用还原焰烧制的钧瓷称为炉钧，又称"卢钧"。炉钧每窑只能烧制一件或几件，均为小件，釉色天青加紫红彩，多为手拉坯。

光绪二十八年（1902），禹州知州曹光权为给慈禧太后庆寿，组织卢天恩等工匠在州衙内设窑烧造贡瓷。这是继宋以后，钧瓷再次作为贡瓷进入宫廷。光绪三十年，曹光权在神垕建立钧窑瓷业公司（钧兴公司），聘用卢天恩等工匠烧制钧瓷，此时，产品规整，工艺考究，造型以瓶、炉、洗为多，釉色以简单的天青、月白、天蓝为多，釉质较薄。至民国年间，因政治混乱、自然灾害频繁等，钧瓷窑业停办。

1949 年，钧瓷的研制工作又开始恢复，《钧瓷志》记载："1949 年 4 月，神垕解放不久，战争创伤未愈，国民经济尚处恢复时期，禹州神垕便成立了人民工厂（后改名为地方国营豫兴瓷厂）。1953 年，神垕成立禹县钧瓷工艺美术一厂；1954 年，神垕成立禹县钧瓷二厂。这些瓷厂的先后建立为钧瓷的恢复奠定了较好的基础。"

1963 年，中国科学院把恢复宋代钧瓷列入科研项目，钧瓷厂在李志伊等工程技术人员的指导下，艺人和技术人员相结合边实验边研究，边试烧边总结，成功地运用倒焰窑以还原焰烧制出了丰富的钧瓷窑变釉。1976 年以后，中国实行改革开放，国民经济得到了快速的发展，钧瓷需求量开始进一步扩大。钧瓷厂家重视发挥艺人作用，大量培训技术人才，同时更新设备、加强管理，使钧瓷的造型、工艺、釉色等方面有了较大的进步。随后，国内一些著名的美术家如韩美林、周国桢、高庄等纷纷来神垕进行实地创作，使钧瓷的造型更加丰富多彩。此时期的钧瓷的胎质瓷化程度高，为深灰胎，底部有芝麻酱釉，无款识。釉色可以说千变万化、莹润透活、自然天成。有知名的玫瑰红、海棠红、鸡血红、胭脂红、火焰红；也有多种釉色相互渗透形成的自然色调，可谓五彩缤纷，相映生辉；还有的形成了动物、人物以及自然意境；也出现了鱼子纹、珍珠点、蚯蚓走泥纹等。

1991 年，禹州钧瓷研究所成立，吸纳了包括中国工艺美术大师刘富安在内的禹州瓷区优秀人才，对钧瓷进行全面的研究和开发。1993 年，钧瓷研究所技术所长任星航研制成功了液化气钧瓷窑炉。使用这种窑炉烧制的钧瓷产品，釉色亮丽，成品率也大幅提高，极大程度地降低了劳动强度和成本，并减少了对环境的污染，被所有钧瓷厂家接受并使用至今。液化气钧瓷窑炉的使用，使钧瓷进入了一个新时代。

钧瓷从失传到重新研制、复苏、成熟和创新经历了艰难曲折的历程。20 世纪 50 年代初，已有窑变钧瓷烧制成功。特别是进入 80 年代后，中国实行改革开放政策，经济发展迅速，市场繁荣稳定。在教育事业快速发展的基础上，一批接受过系统教育的技术人员、设计人员，更有一些设计大师、美术大师加入到钧瓷生产的行列中来，使钧瓷在设计、造型、工艺方面有了新的突破。近代钧瓷产品或艺术品有的漂洋过海出口外国，有的作为国礼赠送政界名人，有的参展参赛屡获大奖，有的飞入寻常百姓家。人民物质生活不断提高，精神生活日益丰富，坚实有力的社会环境保障和经济基础，使得近代钧瓷艺术的发展空前繁荣。

三、钧瓷独特的工艺技术创造

钧瓷是中国陶瓷历史上的杰出创造，在工艺技术和艺术表现方面都取得了突出的成就，以其盛誉称著于国内外。钧瓷工艺的影响是深远的，广东石湾的"广钧"，江苏宜兴的"宜钧"，都是在钧窑瓷器工艺的影响下发展起来的，并且逐步形成了地域特点，丰富了中国陶瓷艺术的百花园。禹州钧瓷工艺开启了中国陶瓷史上颜色釉陶瓷发展的新篇章，充分发挥了工艺材料和工艺技术的特质，通过造型艺术设计，充分体现创意构思，烧造出精美的陶瓷艺术作品。禹州钧瓷的突出特点是以陶瓷的本体语言构成形式特征和艺术风格的表现，完全靠相对抽象的形式语言，结合变化丰富的颜色釉表现，使造型和色釉结合，构成独特的形式语言，达到无与伦比的艺术效果，因而，有人称之为"纯粹的陶瓷艺术"。

禹州钧瓷工艺在材料选择、制备、技术的合理和纯熟，以及烧制方法及窑火的控制方面都是相互联系和配合的，形成了一个完整的工艺系统，需要深入挖掘和总结，对于发展陶瓷艺术具有重要启示。

瓷器发明以来，从商代的原始瓷，战国至南北朝早期青瓷，唐代的越窑、婺州窑、洪州窑，以及宋代的汝窑、官窑、哥窑、龙泉窑、耀州窑都是以青瓷为主，它们的釉色都是单纯的青绿色，以铁为着色剂。从制作原理分析，钧窑属于北方青瓷系统。所谓青瓷，是指釉中含有氧化铁，在还原焰中烧成的釉色。钧釉中也含有一定数量的氧化铁，也同样在还原焰中烧成。所以陈万里先生称："钧瓷是在青瓷中异军突起。"[13]

宋代钧瓷工艺并不是偶然发生的，它经历了一个由偶然到必然、由不成熟到成熟的漫长发展过程。钧窑首先突破了单色釉，它在唐代花釉瓷工艺的基础上，改变了过去青瓷那种单纯以铁的氧化物做呈色剂，巧妙地利用氧化铜的还原作用，配上铁、磷、锡多种金属元素，分别配釉、分层挂釉。加上独特的还原焰烧制工艺，使钧瓷的釉层结构复杂，第一次烧成了与青釉相互辉映的红、紫等釉色，创造出了鲜艳夺目的铜红釉，收到了重大的艺术效果（图5-9）。

图5-9　宋钧窑海棠红莲花式盆托（台北"故宫博物院"藏）

钧瓷釉色的形成是先施一层不含铜的青色钧釉，然后再挂一层含铜较多的红釉，这两层釉在烧制的后期，由于气泡的搅动作用产生了复杂的交叉变化，因此烧成后更加绚丽多彩，流纹也更加生动多变。这种利用含不同金属氧化物的各种釉料，有意安排多次挂釉的方法，不仅在当时是一个创举，而且对后世陶瓷艺术釉和其他装饰技术的发展，都有很大的影响（图5-10）。

钧瓷的釉色是在窑内烧造的过程中形成的。窑内火候的高低、还原的程度、装烧的窑位，都会直接影响到釉面的呈色。因此，钧瓷的呈色不完全以窑工的意志为转移，同时也可以得到适当的控制。钧釉中的玫瑰紫、海棠红釉的装饰效果，与合理的窑炉结构以及娴熟的烧窑技术是密切相关的。宋代官钧窑遗址发掘资料证明，烧造这种玫瑰紫、海棠红釉色的钧瓷窑炉是在平地上深挖下去的土质窑，

图5-10　宋钧窑天蓝海棠红渣斗式花盆（台北"故宫博物院"藏）

窑室呈横长方形，窑体由窑门、火膛、窑室与烟囱四部分构成。有并列的双乳状火膛，火膛内不设窑箅，烧窑用的燃料是木柴而不是煤炭，东火膛有圆形气孔，西火膛留有窑门，在窑室后壁中间和两角处，共设有三个扇面形烟囱。"这种地下土质窑不仅保温性能强，而且十分严密，是烧强还原焰比较理想的窑炉。从传世至今的这类钧瓷观察，釉色艳腻，还原充分，器物的上下内外通体色泽整齐统一，这与该窑炉的性能和所用的燃料是分不开的。"[14]

宋代官钧窑瓷器造型吸收青铜器式样加以变化，形成端庄肃穆、雄浑古朴的陶瓷造型特点，其工艺技术精湛，风格严谨而含蓄，具有极强的艺术魅力。出戟尊、鼓钉洗以及花盆、奁，多为方形、长方形、六方形、八方形、菱形和各种花瓣形，其造型的成型难度之大、精密度之高，是其他瓷窑所罕见的。宋代钧瓷追求端庄典雅。艳丽的铜红釉与乳浊的青釉错综相映，又产生出既绚烂又含蓄的特殊窑变艺术效果。玫瑰紫、

海棠红等绚丽多彩的窑变釉是钧窑釉的典型代表。红釉的稳定烧成以及神奇的窑变，使得钧釉青如蓝天，月白如玉，深红如海棠，紫红如玫瑰，紫红相映如光润的玛瑙，凝厚深沉，晶莹润泽，充分体现了瓷器特有的美的韵味。

钧瓷工艺是以其造型与釉色的结合构成自身特点的，属于厚胎厚釉的陶瓷类型，厚釉陶瓷的造型处理应符合整体效果的要求，在继承和吸收以往陶瓷造型的基础上，比较明显地吸收了青铜器造型的基本结构，并加以整合与转化，以符合陶瓷材料和工艺的特点，成为钧瓷造型独特的艺术风格。

第二节　钧瓷的原料与制作工艺

一、坯与釉的主要原料与加工

禹州市境内南部、西部、北部山区，有着丰富的钧瓷原料矿藏资源，具体分布于神垕镇、鸠山乡、文殊乡、磨街乡、苌庄乡、浅井乡、无梁乡、鸿畅乡，诸乡镇的大刘山、鸠山、云盖山、二龙山、逍遥山、蛛候山、灵山等山区。在禹州市的周边县市，也有优质的钧瓷原料矿藏，如宝丰的碱石、鲁山的鲁山黏土、郏县的黄道土、登封的长石、新密的耐火土、泌阳的瓷石等都是很好的钧瓷原料，但由于距禹州较远，运输不便，故生产原料基本以禹州本地所产为主，一般不从外地引进。

现将钧瓷原料的分布情况介绍如下：

（一）瘠性原料

瘠性原料大多为一次黏土，一次黏土也叫"原生黏土"或"残留黏土"，是火山熔岩母岩风化后残留在原地所形成的残土，因风化而产生的可溶性盐类溶于水中，被雨水冲走，留下黏土矿物和石英砂等。这类黏土的杂质较少，颗粒较粗，可塑性较差，烧结温度较高，在生产中用于坯料配制，起骨架作用，有减少坯体收缩、防止器物变形、提高干燥速度的性能（图5-11～图5-14）。

图5-11　瘠性原料：砂石岩　　　　　　　　　　图5-12　瘠性原料：石英

图 5-13　瘠性原料：黄长石

图 5-14　瘠性原料：红长石

禹州市境内发现开采的瘠性原料矿藏主要为以下三种：

1. 石英岩

石英岩矿脉主要分布于浅井乡书堂山的西岭地带。为白褐色粗颗粒矿物，其氧化硅（SiO_2）含量在 98% 以上，氧化铝（Al_2O_3）、碱金属氧化物及氧化铁（Fe_2O_3）等有害物质含量都很低，是生产钧瓷的优质瘠性原料。禹州其他山区也有出产，但不及浅井乡集中。

2. 旱水泉土

旱水泉土产于磨街乡旱水泉岭，属平顶山砂石类。其矿脉分布于禹州西部、南部、白塔山、大刘山、云盖山、玉旗山、官山、杏山等区域。呈灰白等色，砂粒结构。在生产中用于坯料，其功用与石英岩相同，可作为石英岩和长石的代用品。氧化硅（SiO_2）含量为 92%，氧化钾（K_2O）、氧化钠（Na_2O）含量均为 3% 左右，氧化铁（Fe_2O_3）含量不足 1.5%，是钧瓷生产所必需的优质原料。

3. 豆腐石

豆腐石产于神垕镇、鸠山乡、方山乡等山区的地层中。外观呈灰白色，含少量云母，氧化铁（Fe_2O_3）含量低于 2%，氧化硅（SiO_2）含量占 67% 左右。在实际应用中，其支撑坯体、防止器物变形等性能稍逊于石英岩与旱水泉土。

（二）塑性原料

塑性原材料多为二次黏土，二次黏土也叫"次生黏土"或"沉积黏土"，是母岩风化后，受雨水、风力的作用迁移至其他地点沉积下来而形成的，由于沉积的黏土颗粒很细，而且在漂流过程中夹带了有机物质和其他杂质，因而可塑性较强，烧结温度较低，是钧瓷产品坯体的重要组成部分（图 5-15～图

图 5-15　塑性原料：罗王土

图 5-16　塑性原料：西寺土

图 5-17 塑性原料：刘家沟土

图 5-18 塑性原料：槐树湾土

5-18）。禹州境内所产塑性原料较多，现将主要的塑性原料阐述于下：

1. 神垕黏土

神垕黏土又叫神垕瓷土，属次高岭土类，为二次黏土，是制作钧瓷的主要原料。可塑性好，干燥强度高。主要出产于神垕镇、磨街乡、浅井乡等山区。外观呈青褐色颗粒状，氧化硅（SiO_2）含量为40%左右，氧化铝（Al_2O_3）含量为44%左右，有害杂质少，是优质的塑性原料。

2. 桐庄黏土

桐庄黏土产于磨街乡、文殊乡等地山区，也叫花子土、富山土。其化学组成与神垕黏土近似，氧化硅（SiO_2）含量为40%左右，氧化铝（Al_2O_3）含量为44%左右，氧化钾（K_2O）、氧化钠（Na_2O）含量为2%～8%，外观呈灰褐色，层带状，质地细腻。

3. 碱石

碱石外观呈青白色，质极细。氧化硅（SiO_2）含量为45%左右，氧化铝（Al_2O_3）含量为38%左右，氧化铁（Fe_2O_3）含量一般小于0.5%。其矿脉主要分布于方山乡、浅井乡、神垕镇、文殊乡等地山区的地层中，是制作钧瓷坯胎的主要原料。

4. 毛土

毛土又叫紫木节或黑黏土，为二次黏土。产于煤系地层和黏土页岩共生的软质矿层。外观一般呈暗紫色、褐色或红褐色，可塑性好，收缩性小，是提高坯体强度、改善泥浆流动性能的主要用料。氧化硅（SiO_2）含量为60%左右，氧化铝（Al_2O_3）含量为15%～33%。主要产于浅井乡、磨街乡、张得乡等山区。因其产地的不同，毛土可分三种：北山毛土属碱性黏土，可塑性强，杂质较多，产于浅井山区；南山毛土属半酸性黏土，杂质含量少，可塑性较北山毛土差，产于张得乡三峰山区域；西山毛土属酸性黏土，可塑性最差，杂质含量亦最低，产于磨街乡山区。

（三）熔剂原料

熔剂原料是指在一定温度条件下能够熔化的矿物质。熔剂原料在钧瓷生产中能降低产品的烧成温度，使钧瓷器产生一定的低温液相和高温液相，加速坯体的烧结。用于釉料中可以促进釉料的熔化过程，增强釉的流动性，减少黏度，促进釉料的呈色反应，增强釉层表面的光洁度。

禹州境内所产的熔剂原料主要有下列六种：

1. 方解石

方解石是石灰岩、大理石类矿物质组成的矿物。其主要化学成分为碳酸钙（$CaCO_3$），并含有镁、铁、硅、锌等。有多种种类。禹州产的方解石外观呈黄白色，脉状或层状，有玻璃光泽，矿脉主要分布于鸠山乡、浅井乡等地山区，主要化学成分是氧化钙（CaO），含量在 52% 左右。在配制坯料时，方解石分解前起瘠化作用，分解后起熔剂作用，会和坯料中的黏土及石英在较低温度下起反应，缩短烧成时间，并能增加产品的透明度，使坯釉结合牢固。方解石是重要的钧瓷釉原料，能增大釉的折射率，提高光亮度，从而改善釉的透光性。

2. 石灰石

石灰石是一种氧化钙（CaO）含量高、质地较纯的岩石，外观呈青灰色或灰褐色。矿脉分布在神垕镇、鸠山乡、无梁乡、方山乡、浅井乡等地山区。石灰石可代替方解石用于配制釉料。

3. 瓷石

瓷石是鸠山乡等山区地层中的岩石，外观呈淡红色。氧化硅（SiO_2）含量为 76% 左右，氧化钾（K_2O）、氧化钠（Na_2O）含量为 6%～8%，为钧瓷釉用原料。

4. 高钾铝页岩

高钾铝页岩产于石炭系地层中，是和铝矾土共生的矿石，非晶质结构，外观呈红白色，主要代替长石，用于坯料和釉料中。氧化硅（SiO_2）含量为 55% 左右，氧化钾（K_2O）含量为 6%～12%。矿脉主要分布于方山乡山区。

5. 白云石

白云石是碳酸钙和碳酸镁的固溶体，属三方晶系，一般为灰白色，有时也微带浅红色，具有玻璃光泽。氧化钙（CaO）含量为 30%，氧化镁（MgO）含量为 20% 左右。产于无梁乡、浅井乡、鸠山乡等山区。白云石和方解石一样，会改变釉的乳浊状，增加透明感，所以多作为熔剂用来配制釉。

6. 草木灰

草木灰为钙质粉末状固体，黑褐色，是钧釉熔剂。主要成分为钾、钠、钙的氧化物的混合物，三者均能产生助熔作用。草木灰颗粒微细，易研碎，好混合，适用于钧瓷釉料的配制。在使用前都需要经水淘漂、筛淋、干燥处理，以浸去易溶于水的碱性物质，使灰成分纯净，耐久贮而不变质。由于草木灰中五氧化二磷（P_2O_5）含量在 0.5%～2.6%，而骨灰中五氧化二磷（P_2O_5）含量高达 40% 左右，故骨灰亦作制釉材料应用，特别是多用于需含磷量大的釉料中。

禹州市境内除上述主要钧瓷原材料外，还生产耐火黏土、铝矾土，是烧制修建窑炉的耐火砖和匣钵的原料。矿脉主要分布于方山乡、神垕镇、苌庄乡、鸿畅乡、浅井乡等地山区。

钧瓷原材料的化学成分不同，导致它们的物理性能也不同。具体原料化学分析可参见表 5-1。如黏土中氧化硅（SiO_2）含量高，尤其是含有较多的游离石英时，可塑性必然是低的，但收缩性会小些。如果原料中有一定数量的氧化钾（K_2O）、氧化钠（Na_2O），烧结温度就会较低。原料中氧化铝（Al_2O_3）含量如果高于 35%，就难以烧结。原料中的氧化铁（Fe_2O_3）会影响产品烧成后的颜色。如铁的氧化物小于 1%～2.5%，坯体烧后的颜色则呈浅黄或浅灰。细分散的铁化合物还会降低黏土的烧结温度，超出一定数量会使坯体在烧成中起泡。钙和镁的化合物会降低原料的耐火度，缩小烧结范围，过量时同样会使坯体起泡。含有机物质多、吸水性强的原料可塑性一般比较高，干燥后强度较大，但收缩性也较大。自然界中钧瓷原料矿物很少以单矿物出现，大多是数种黏土矿物共生形成的多矿物组合。根据结构与组成的不同，分为多种类型与用途。黏土中有益的杂质矿物为石英、长石等，有害的杂质矿物为钙和镁的碳酸盐矿物、金红石、铁质矿物等。但钧瓷原料的优劣不能以某种元素含量的多少来一概而论。由于钧瓷器物的大小、形状的不同，对原料的化学成分的要求也不尽相同。历代钧瓷工匠在实际生产过程中，不拘泥程式，因势制变，灵活掌握，

表 5-1 钧瓷原料化学分析表（单位：%）

原料	产地	氧化钠 Na_2O	氧化钾 K_2O	氧化钙 CaO	氧化镁 MgO	氧化铝 Al_2O_3	氧化铁 Fe_2O_3	氧化硅 SiO_2	氧化钛 TiO_2	氧化锰 MnO	氧化铅 PbO	氧化铜 CuO	氧化锡 SnO_2	氧化磷 P_2O_5	氧化锂 LiO_2	烧失量 IL	总计
铁足土	神垕镇	0.12	1.90	0.52	0.94	19.48	3.34	66.21	1.29							5.81	99.62
白土	神垕镇	0.04	0.66	0.66	0.26	48.8	0.34	33.26	1.64						0.13	14.38	99.51
碗釉石	安阳市	5.24	1.05	3.85	1.54	17.15	0.23	69.24	0.24						0.20	0.94	99.68
硬土	神垕镇	0.14	0.73	0.76	0.47	22.49	1.22	65.47	0.91							7.69	99.88
石英	神垕镇	0.78	1.15	0.24	0.26	6.57	0.30	89.23	0.21							1.07	99.81
碱石	神垕镇	0.05	/	0.38	0.15	38.79	0.35	45.36	0.47	/					0.08	14.08	99.71
瓷石	汝州市桃木沟	0.09	9.08	3.94	3.72	13.43	3.85	55.58	0.64	0.05		0.03				9.10	99.51
黑土	神垕镇	1.71	0.14	0.46	0.80	23.05	2.13	62.38	1.08						0.16	6.58	98.33
铜矿土	神垕镇	0.14	0.33	31.9	17.25	0.34	3.36	2.21	0.55			0.18		0.10		43.87	100.39
黄长石	宝丰县	0.10	6.20	0.42	0.19	8.47	0.20	83.36	0.21							0.43	99.58
王山石	禹州	0.17	11.36	1.96	0.35	12.19	0.34	71.12	0.25							1.78	99.52
长石粉	汝州市	0.15	9.26	0.30	0.11	11.64	0.34	76.93	0.12							0.70	99.55
白长石	南召县	2.66	11.20	0.33	0.49	17.10	0.12	67.37	/						0.06	0.44	99.77
黑药	神垕镇	1.65	2.33	5.29	2.73	10.97	4.55	64.35	0.83						0.11	6.90	99.71
草木灰	神垕镇	0.46	1.27	41.77	3.53	3.28	0.93	13.88	0.15					1.79	0.30	32.85	100.21
方解石	神垕镇	0.12	/	55.78	0.48	/	微量	/	/						0.15	43.82	100.35
骨灰（牛骨）	各地	1.31	/	53.77	1.87	0.74	微量	/	/					40.72		0.98	99.93
玻璃粉	各地	13.82	1.27	7.69	3.54	2.18	0.45	71.64	0.06								100.5
本药	各地	2.31	7.30	0.80	0.54	13.12	0.41	74.70	0.20							0.6	99.98

选择适用的原材料，最大限度地利用原材料的特质与性能。

（四）原材料的开采与加工制备

　　钧瓷制作的基础是选择性能好、杂质少的优质矿藏，而瓷土矿一般都在几米、十几米甚至几十米的地表之下，需要进行开采挖掘。原料的采掘方法可分为横坑法和竖坑法两种，横坑法是从山的侧面穿一隧道，隧道空间用木料横直支撑，人进入隧道内进行挖掘。之后，将带有滑轮的方斗车滑入隧道，将采挖到的原料装入方斗车，用人工绞动滑轮将原料拉到地表之上，并运往窑场（图5-19～图5-21）。

图5-19　横坑式原料矿洞

图5-20　采挖到的原料装入方斗车，用人工绞动滑轮将原料拉到地表之上

图5-21　原料场

　　竖坑法是由上往下掘，方法简单，土质原料只需用锄掘之，石质原料要用铁凿凿下，由人工或粉碎机敲碎至鸡蛋大小的块状，再经石碾多遍研磨，加工成粉状，运至料场。原材料开采之后，还需要风化处理，精炼加工，以改变其物理性质。原料在风化过程中，会有杂物落入，加工之前须将杂物拣去，以保证瓷土的纯度（图5-22～图5-27）。

图5-22　开采后的原料还需进行风化

图5-23　瘠性原料的开采

图 5-24　瘠性原料的开采

图 5-25　瘠性原料的加工 1

图 5-26　瘠性原料的加工 2

图 5-27　瘠性原料的加工 3

二、坯料的加工与多种成型方法的运用

（一）钧瓷坯料的加工

钧瓷泥浆的配制是将按比例配好的瓷土原料装入球磨机中，加入 1：1 的水量后，由球磨机进行粉碎加工（图 5-28 ～图 5-32）。坯体原料由瘠性原料和塑性原料组成，即由一次黏土和二次黏土组成。由于硅、铝元素含量所占比例多少的差异，又称硬土和软土。硬土如旱水泉土（平顶山砂石类），氧化硅含量高达 92%；豆腐石（石英粉砂岩类），含硅量高达 67%。软土如神垕黏土、桐庄黏土（高岭土类），氧化硅含量为 40%，具体配比视所制作的器物大小尺寸而定，不能一概而论。器物巨大者，如 2 米高花瓶，坯胎原料中瘠性原料要占 75% ～ 80%，粉碎的颗粒也相应大些（最大直径可达 0.3 ～ 1 毫米），而制作体量小的器物，塑性原料则占 70%，颗粒也相应细小，粉碎后过 200 目筛。坯体原料配比根据坯体的体量和耐火强度灵活掌握，体量大的需要硬度和耐火度高一些，瘠性原料由于硅含量较高，具有硬度大、耐高温、防变形的性能。塑性原料由于硅元素含量少，黏性大，

图 5-28　各种原料经科学配比后，装入球磨机进行加工

容易制作而且不容易炸裂。另外，有些黏土如西寺土，氧化硅含量在 45% ~ 50%，属于软土偏硬的黏土，这类黏土被称为"一货土"，在制作小器物时，不和其他原料组合，可以直接粉碎使用。钧瓷坯体含水量大约在 23%，干燥收缩率为 6%，烧成收缩率为 10%，由于收缩率较大，所以钧瓷坯料讲究软硬性质的黏土的配比适宜，如果硬土所占比例过小，会导致在高温烧制下坯体变形，如果硬土过多，也会因为黏度小而在烧成时出现坯体开裂。

当原料按科学配比加工成泥浆后，要先过筛，筛去粗颗粒及杂物，再除铁，以保证原料的细度与纯度（图 5-33）。过筛、除铁后的泥浆注入一个砖砌的泥池中，泥池底部铺设新砖数层，再垫以大的细布单，用布单将泥浆包紧不外流，利用砖吸水的方法，待其自然干燥，至泥浆滤水、干燥成泥状后，再移入泥房陈腐。还有一种方法：通过滤泥机，利用液压使泥浆直接挤压过滤成泥片状，放入泥房进行陈腐。入泥房陈腐的泥料，由于混合不均匀或干湿不一致，若直接用来制坯，坯体在干燥过程中收缩不一致，容易导致制品变形，又因泥料中含有气泡和泥料内应力的存在，会降低泥料成型的可塑性，也容易造成分层或开裂等缺陷。所以，泥料一定要经过陈腐，以便自然消解内应力和气泡，使水分逐渐均匀。泥料陈腐期一般为 3 个月左右，由于有机物的腐烂可提高泥料的可塑性，所以陈腐的时间越长越好（图 5-34、图 5-35）。

图 5-29 在球磨机口处放上漏斗是为了装料时更便利

图 5-30 坯料装入球磨机加工

图 5-31 矿料装完后再加入适量的水

图 5-32 封闭球磨机的装料口后，打开电闸使球磨机运转，原料在其内翻滚研磨；根据原料使用的粗细程度确定研磨的时间

图 5-33 加工后的原料要过滤、除铁

图 5-34　经滤泥机除去水分

图 5-35　放入泥房陈腐

（二）钧瓷多种成型方法的运用

　　传统的钧瓷成型方法可分为两种：一种为古老的轮制手拉坯成型，一种为模制印坯成型。手拉坯成型多用于制作圆形器物，而制作异形器物多采用模制印坯成型，二者在成型技法上有所不同。以下以圆器荷口盘、钧瓷钵为例，介绍钧窑传统手工拉坯成型的主要操作工艺。

图 5-36　先将泥房内经过陈腐的泥料取出踩练

1. 拉坯

　　拉坯在当地俗称做坯，拉坯成型首先要熟悉泥料的性能，掌握泥性的软硬程度、收缩率，之后根据品种大小和器物的造型式样予以操作。

　　拉坯之前，须先用泥铲将泥房内经过陈腐的泥料取出踩练。踩练的第一步是踩泥，踩泥需用赤脚有规则地踩练，要求一脚跟一脚，沿边缘打圈向中心方向踩练，踩练的主要目的是使泥料的干湿进一步均匀。每踩完一层用泥铲逐渐堆砌，依次踩练三次后，再用手工揉泥。手工揉泥的目的是为了将泥料中的残余气泡排出，以防止烧制过程中产生气泡、变形和炸裂。揉泥的方法有很多，如菊花揉、揉羊头等，而钧窑传统的揉泥方法为推揉法。钧窑的揉泥操作一般是在长木板或平整的青石板上进行，木板前低后高，便于用力，操作者双手用力，揉压泥团，搓揉成长条后，用手掌层层推泥，依次将空气排出，之后，

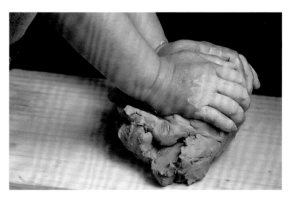

图 5-37　采用一脚跟一脚的方法沿边缘向中心方向踩练，俗称踩莲花墩

图 5-38　揉泥时双手用力揉压泥团

进行第二次揉搓，使泥料的可塑性进一步加强。如此反复数次即可（图 5-36 ~ 图 5-41）。

以钧窑传统的荷口盘制作为例，其操作方法如下：首先将泥捧搭在轮盘中心，然后转动陶轮，转速的快慢视器物的大小而调整。双手蘸水，用力将泥团抱紧，俗称把正（图 5-42）。当泥团坐中时，缓缓向上捧起，使泥团在盘中心竖起形成泥柱，变得细长，再用手掌徐徐压下，使泥变得粗短扁平，如此反复数次揉练，使揉泥时留下的少数气泡在反复拔高压下的过程中得到释放。拉坯时，双手同时在泥柱上端捏泥，泥量的多少视盘的大小而定，熟练的拉坯工一般将把正、拔高连在一起操作。拉碗盘的时候，将大拇指从泥柱中心插入，并徐徐向两边扩成喇叭状，再一手内一手外，按盘壁弧度拉出盘形（图 5-43、图 5-44）。将盘口均分多份，用左手卡住每份，右手食指往外拨压口沿，使口沿形成多份花瓣状，然后再转动轮盘，修整盘心，在轮盘转动的过程中花瓣口会往外自然展开（图 5-45 ~ 图 5-47）。最后，在盘的底部用手指把坯与泥柱分段，再用割线将湿坯与泥柱分离，放在长形板上（图 5-48）。

钧瓷大钵的拉坯方法：将一个石膏盘用泥浆在轮盘上打正（图 5-49），把揉练好的泥块放置轮盘中央，两手用力将泥往上推，将泥柱拔高，再两手推泥柱往下压，拔高下压的动作反复数次，使泥缕的走向顺应手的走向，同时也使泥与轮盘同心旋转（图 5-50、图 5-51）。一手从泥柱中心用力往下压，使泥柱成为筒状，另一手在泥筒外配合里手，两手统一用力提拉将下面的泥往上行。当泥柱成为粗的筒状的时候，两手从外面的底部用力地往上拔高，筒状由粗变细，此时再一手在里一手在外，两手同时用力提拉泥壁，将泥壁由厚变薄，使泥筒由低变高。然后左手在泥筒里面，均匀用力使泥壁向外扩，右手在外配合里手稳定泥壁的外轮廓（图 5-52 ~ 图 5-54）。之后两手同时在里面均匀用力使泥壁向外扩展成大钵的形状，而后，左手在里继续轻轻地将泥壁向外扩，右手在外随里手向外扩的形状校正坯体的外部线条，由两手默契配合使大钵的里外线条一致（图 5-55 ~ 图 5-59）。最后，两手配合使口沿向外撇，用海绵整理口部。直径 50 厘米的大钵完成（图 5-60、图 5-61）。

拉坯操作要求眼准手稳，动作敏捷，由于双手捏泥向两边扩展时，无法准确地停留在圆弧上，这样，迅速旋转的泥坯随着双手间距离微妙的变化，器物造型不时地变化着，呈现出椭圆形，给人以柔软而富有弹性的感觉，最后拉成比较规整的圆形。此外，拉坯时陶车的速度不宜过快，也不宜过慢，过快则双手难以掌控泥团，容易导致破坏；过慢则无法使坯体厚薄均匀和完整。拉坯时用水不宜过多，否则容易使泥团软塌下沉，在收形以后，更不能有水停留在碗心，否则极易造成裂底。

此项工艺看似简单，实则不易，也就是说随意拉一个形状并不难，关键在每个碗形状、大小均相差无几，泥量控制的这种量感，就很不容易，需要三年以上精巧熟练的技术。

手拉坯成型是最古老的成型方法之一。由于这种特殊的成型方式没有模具规矩可依，全靠操作者心手相应来完成心中设想的形体，并留下手工制作的痕迹，所以，它不单纯是一种技术方式，还有掌握工艺技术的人的思想的存在，并且包含着艺术创造的成分，表现着浓厚的人文精神。之所以是艺术创造，是它的制作不同于一般的机械复制，它贯穿了创造精神和特有的美学意识，它以泥土为本，集造型、装饰、材质于一体，忠实于美的规律，努力去创造美的形态与形体。钧瓷的手拉坯制作过程不只是因为可以得到一个美的作品，更重要的是创造者通过制作过程，使自己的身心得以安宁、自由。不同的力度感、节奏感、和谐状态诸种因素的综合作用，构成不同形式的器物。当器物的造型曲线表现了强烈的节奏和韵味时，人的观念和心灵便已被熔铸其中，人把自己的情感也融入自然，在与泥土的对话中完善自己，体现自己的力量和情感。钧瓷在手拉坯制作的过程中，一方面发展着器物的美的形式结构，另一方面也发展着人对这种特殊的艺术形式的美感，并不断地赋予器物以生命。在器物上凝固着人性，物化着心灵，并折射着人的精神世界。

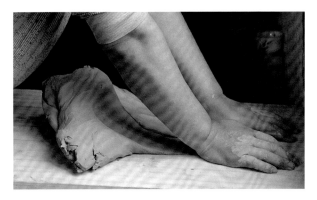

图 5-39 用掌心层层推泥，使泥料中所含气泡排出

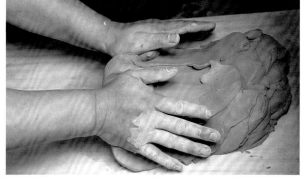

图 5-40 揉推泥料数遍

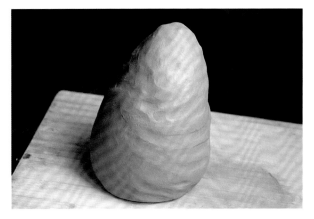

图 5-41 将泥揉成团以便使用

图 5-42 把正

图 5-43 拉坯时，双手同时在泥柱上端捏泥，泥量的多少视作品的大小而定

图 5-44 再一手内一手外，按盘壁弧度拉出盘形

图 5-45 将盘口均分多份，用左手卡住每份，右手食指往外拨压口沿使口沿形成多份花瓣状

图 5-46　花瓣均匀

图 5-47　打开转盘使花瓣自然舒展开

图 5-48　制作完成后使作品自然干燥以待修理

图 5-49　用泥浆粘放上大石膏盘并打正

图 5-50　把揉练好的泥块放置轮盘中央

图 5-51　两手用力将泥柱往上拔高，拔高下压的动作反复数次

图5-52　一手从泥柱中心用力往下压，使泥柱成为筒状，另一手在泥筒外配合里手

图5-53　均匀用力使泥壁向外扩

图5-54　右手在外配合里手稳定泥壁的外轮廓

图5-55　用力使泥壁向外扩

图5-56　左手在泥筒里面，均匀用力使泥壁向外扩

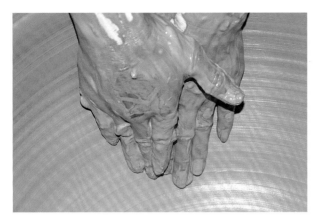

图 5-57　两手同时用力向外扩展

图 5-58　右手在外随里手向外扩的形状校正坯体的外部线条

图 5-59　两手同时在里面均匀用力，用工具使泥壁向外扩展成大钵的形状

图 5-60　两手配合使口沿向外撇，用海绵整理口部

2. 印坯

印坯成型是传统的成型方法，钧瓷传统印坯的模具用制坯黏土制作而成。其工艺是先用黏土制作出器物形状，根据器物特点，再用黏土分段分片紧贴于器物之上，稍微脱水后与器物分离，修整片与片之间的接缝，使之平整光滑，对接严丝合缝，成为黏土模具。最后将做成的黏土模具进行 800℃ 低温烧制，冷却后，成为陶范，其吸水性及强硬度与石膏模一致，也可反复使用，是石膏出现之前钧瓷印坯所用模具。印坯一般适用于非圆形的海棠盆、葵花洗、六方盆等异形器物，或大龙缸、大鱼盘、大花瓶等大件作品。

现以 1.5 米的大瓶为例介绍钧窑的印坯方法：瓶身的模具为左右两瓣，左右两瓣还需再分成上下两节。先合模具下部。将模具下部放置在轮盘上，并用绳子捆紧。陈腐后的泥料经过多遍摔练后可以用来印坯（图 5-62）。把泥料揉搓成直径为 15 厘米的泥条（图 5-63），将泥条放置在捆好的模具内，转动轮盘用

图 5-61　直径 50 厘米的大钵完成

图 5-62　陈腐后的泥料经过多遍摔练后可以用来印坯

拳头均匀捶打（图5-64、图5-65），先把底部做好。继续搓粗细相当的泥条往上盘筑（图5-66），用拇指下压的方法使泥条上下粘接结实（图5-67），用拳头捶打使泥条往上舒展成厚度为8厘米的泥片均匀吸附在模壁上，直到模具的下部完成后，用刮子将泥壁抹平，修理规整（图5-68、图5-69），之后将中部的两瓣模具放上，合严模具的缝隙并用绳子捆紧，继续往上盘筑并捶打泥条，使泥壁厚薄均匀（图5-70～图5-75）。由于模具过高，印坯过程中人需要借用凳子的高度直到模具的中部印坯完成。模具的下部和中部是瓶身的部分，模具的上部是瓶子的肩部，肩部由于是弧形，为了防止印坯过程中泥条下陷，肩部的印坯单独做（图5-76～图5-78）。依然用泥条盘筑的方法将泥条盘筑在模具中用拇指按压，用拳头捶打，使泥条成为厚薄均匀的泥片吸附在模壁上，用工具修去边口多余的部分（图5-79～图5-85）。然后由两个人抬起瓶子肩部的模具，反扣过来，扣置在瓶身的模具上，再用手将需要粘接的缝隙修整好（图5-86～图5-88）。大瓶瓶身印坯的过程就结束了。由于泥性太软，不保护好会产生塌陷，所以印好的坯还需要适当的温度，钧窑一般采用灯泡烘烤的方法使泥坯快速地有硬度和支撑力（图5-89）。

当泥坯有适当的硬度的时候，就可以打开模具，先打开模具的肩部，半小时之后再打开模具的中部，等坯体自然风干半小时便可以修坯了（图5-90～图5-93），由于大瓶印坯用的是粗泥料，修坯的时候，会刷上多遍细泥料，以保证烧制后釉面的光滑（图5-94）。瓶子的上部修坯完毕后，便可以打开模具的底部，用同样的修坯方法刷上细泥料将底部修理规整（图5-95～图5-97）。

大瓶除了瓶身之外还有头部，用同样的印坯方法完成头部（图5-98、图5-99）。

大瓶还有装饰的部分，也叫耳饰，通常是有吉祥寓意的龙或凤的造型。耳饰也采用印坯的成型方法，模具多是两瓣。根据造型的大小，取适量的泥料搓成泥条放置一瓣模具中，用手将泥料用力压实在模具中的每一个部位，保证每个部位不缺泥、不留气孔。再用同样的方法完成另一瓣。两瓣模具中的泥坯上各自刷好粘接泥浆，将两瓣模具合在一起用力挤压，使泥坯粘成一体（图5-100～图5-102）。然后，打开模具取出泥坯，修去模缝，即可粘接在瓶子适当部位（图5-103、图5-104）。为了防止烧制过程中坯体塌裂，钧窑的大瓶多采用素烧一遍后，第二次釉烧时才把瓶身和瓶的头部放在一起。

图5-63　把泥料揉搓成直径为15厘米的泥条　　　图5-64　泥条放置在捆好的模具内

图 5-65　转动轮盘用拳头均匀捶打，先把底部做好

图 5-66　继续搓粗细相当的泥条往上盘筑

图 5-67　用拇指下压的方法使泥条上下粘接结实

图 5-68　用拳头捶打使泥条往上舒展成厚度为 8 厘米的泥片均匀吸附在模壁上

图 5-69　用刮子将泥壁抹平

图 5-70　将中部的两瓣模具放上

图 5-71　将中部的两瓣模具放上

图 5-73　继续往上盘筑

图 5-72　合严模具的缝隙并用绳子捆紧

图 5-74　捶打泥条使泥壁厚薄均匀

图 5-75　用右手均匀捶打使泥壁厚薄均匀

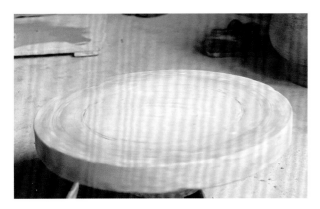

图 5-76　印坯用的轮盘

图 5-77　把肩部印坯用的模具放在轮盘上

图 5-78　把模具里面擦干净

图 5-79　用泥条盘筑的方法将泥条盘筑在模具中

图 5-80　用拳头捶打泥条

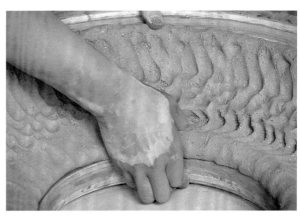

图 5-81　用拇指按压

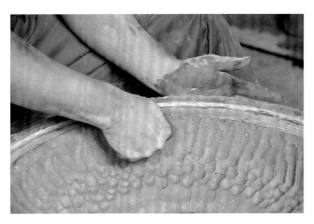

图 5-82　用拳头捶打使泥壁厚薄均匀

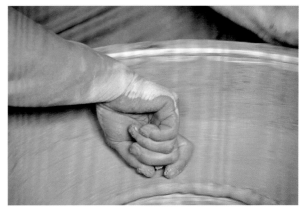

图 5-83　用刮子修刮泥壁使之平滑

图 5-84　用工具修去边口多余的部分

图 5-85　整理口沿

图 5-86　瓶子肩部的模具由两个人抬起

图 5-87　扣置在瓶身的模具上

图 5-88　用手将需要粘接的缝隙修整好

图 5-89　采用灯泡烘烤的方法使泥坯快速地有硬度和支撑力

图 5-90 打开模具的肩部

图 5-91 再打开模具的中部

图 5-92 坯体自然风干半小时便可以修坯

图 5-93 修出肩部的装饰线和弧度

图 5-94 刷上多遍细泥料

图 5-95 打开模具的底部

图 5-96 同样的修坯方法刷上细泥料

图 5-97 修理规整的瓶身

图 5-98 大瓶的头部用灯泡烘烤至能修整的硬度

图 5-100 取适量的泥料搓成泥条放置一瓣模具中

图 5-99 修整后的头部

图 5-101　取适量的泥料搓成泥条放置另一瓣模具中

图 5-102　两瓣模具合在一起用力挤压，使泥坯粘成一体

图 5-103　打开模具取出泥坯，修去模缝

图 5-104　粘接在瓶子适当部位

3.修坯

修坯是最后确定形状的关键环节，能够使器物的造型特征突出，局部变化得到表现，表面光洁，形体连贯，规整一致。修坯不仅要熟悉泥料的性能，而且要熟练掌握造型的曲线变化和烧成时各部位的收缩比，以及各部位留泥的厚薄程度。一般来说，在同一器物的不同部位，坯体厚薄应该各不相同。因为在高温烧成时，器物不同部位的收缩率和受力情况不一致，在修坯时，应控制不同部位的泥坯厚度，以防止烧成变形。修坯不仅是成型工艺的最后工序，也是造型艺术表现的重要环节，形体的过渡与转折，边口与底足的规整程度控制，都要通过修坯来完成。此外，还需根据坯件的大小和形状的不同，搓制修坯用的工具，否则难以达到修坯的质量要求（图5-105）。

修坯操作的方法是将坯体放在转台上，先打正。打正是修坯的基础，具体的方法是左手扶坯，右手轻击坯体，使之与轮台同心旋转，然后按盘壁的曲线变化，运刀修削。修坯时应注意坯体的厚度。从口沿到圈足都要求精确。修坯时，对坯体厚薄程度的控制及识别方法是掌握修坯技术的关键所在，修坯的作用除了使外形美观，也是为了尽量减轻瓷器的重量，使作品更显精致。但过薄的坯体容易变形，故修坯时应注意不同造型、不同部位的蓄泥情况。蓄泥不当，易导致作品烧成时产生沉底、凸肚、软塌等缺陷。按一般经验，测坯体的厚薄，需用手指上下抚摸，并轻轻弹击，以听其不同部位的响声来判断，为此，修坯时应及时倒出多余的泥屑，随时用手指弹听其响声（图5-106～图5-109）。

图 5-105　修坯用的工具

图 5-106　将泥坯放置转台上把正

图 5-107　用修坯刀修出底足

图 5-108　测量坯底的厚薄需用手轻弹、听音

图 5-109　修后的坯体待干燥后入窑素烧

三、釉料的加工制备与施釉方法

钧瓷釉料的配制是将矿料按比例进行配比，釉料的配比直接影响窑变效果，差之毫厘，谬以千里，配方比例必须精确合理。将按比例配好的矿物原料装入球磨机中，加适量的水后，由球磨机进行粉碎加工。当原料加工成釉浆后，先过筛，筛去粗颗粒及杂物，再除铁，以保证釉料的细度与纯度。然后放置在装釉

的大缸中，以待使用（图 5-110 ~ 图 5-116）。

　　钧窑传统的瓷器制品色彩精美，施釉的好坏直接影响器物呈色的优劣，因此施釉工艺极为重要。施釉的方法有很多，如浸釉、浇釉、涂釉、荡釉、吹釉等。实际操作中，视造型品种与形制的大小，或分别采用，或数种并用。钧窑所有的坯体在施釉之前，都要先经过 900℃的低温素烧，以提高坯体的强度和吸附釉浆的能力。施釉工具如图 5-117 所示。施釉前，先把釉搅拌均匀（图 5-118），并用筛子过釉，清除釉中所含的杂质（图 5-119），再用浓度计测量釉的浓度（图 5-120）。素胎施釉前先要擦干净，以免灰尘或杂物影响釉浆的吸附力。钧瓷传统的施釉方法为：

图 5-110　釉料加工的球磨机

图 5-111　各种矿物原料按比例配制

图 5-112　装入球磨机中

图 5-113　按比例加水

图 5-114　釉料装完毕将球磨机封闭

图 5-115　釉料加工后需过筛除去杂物

图 5-116　装入釉缸待用

图 5-117　施釉的工具

图 5-118　施釉前釉要搅拌均匀

图 5-119　过筛除去杂物

（一）浸釉

浸釉又称蘸釉，是将坯胎的外面用较快的手法，在釉中一浸即提起，使素胎附着一层釉浆，而釉浆的厚度由釉浆的浓度和浸釉时间的长短来决定。此方法的优点在于能使釉层均匀，而且操作方便。钧瓷为多层施釉，第一层底釉一般采用浸釉（图 5-121）。

（二）荡釉

荡釉俗称涮釉，是器物内壁施釉的方法，钧窑称此工艺为涮里儿。其方法是，用釉勺舀釉浆，倒入素胎内，左手扶口沿，右手置底足，双手转动素胎带动釉浆在壁内旋转，使釉层均匀覆盖整个内面，然后倒出剩余的釉浆，再轻轻转动素胎，使口沿的余釉均匀吸收。荡釉一般用于中小器物（图 5-122、图 5-123）。

图 5-120　用浓度计测量釉浓度

（三）涂釉

涂釉是用排刷或毛笔蘸取釉浆，涂抹在坯体上。涂釉所用的釉浆浓度较高。钧瓷的厚釉多采用涂釉

图 5-121　浸釉

图 5-122　荡釉（又称涮里儿）

图 5-123　荡釉后将剩余的釉倒出

图 5-124　涂釉

的方法，多次均匀涂抹，使其烧成后釉层肌理复杂，窑变色彩丰富（图 5-124）。

（四）浇釉

浇釉法多适用于大件器物，大件器物无论用蘸釉或荡釉均有所不便，唯有将釉浇在坯胎上。施釉时在釉盆中放上轮盘，将坯胎放在轮盘上，把釉桶置于高处，使釉从浇管中流出，由器物的上部往下部淋浇，并转动轮盘，使釉层均匀吸附在坯胎上。

（五）喷釉

喷釉借助于喷壶，利用气压的作用，使釉浆雾化后吸附于坯体表面。喷釉时，转动坯胎，以保证胎体表面得到厚薄均匀的釉层。喷釉时，釉的浓淡、喷釉距离的远近、气压的大小、坯胎转动的快慢，均会影响釉的厚薄。此方法在钧瓷传统的施釉工艺中不常用到。

（六）清釉

施釉的最后工艺是清釉，把胎体足部多余的釉用修刀规整地清理掉，再用干净的海绵将露胎处擦拭干净，施釉工艺才能完毕（图 5-125、图 5-126）。

钧窑传统的施釉方法多采用浸釉、涂釉和荡釉。浸釉和荡釉具有便于掌握厚度、吸釉均匀、操作方便的特点。圆器内壁荡釉时应注意，舀入胎体内的釉浆要适量，釉过多不易操作，还容易增加釉层厚度，釉少则容易出现流荡不满和釉层偏薄的现象。此外，舀釉应一次性完成，切忌中途加补，以免造成釉层厚度不均。

钧釉的釉浆较稠，釉层厚而颗粒细，干燥过程中釉面往往会开裂，烧成后，会自然形成蚯蚓走泥纹等纹路。

图 5-125　用修坯刀清除底足多余的釉

图 5-126　用海绵擦拭露胎处

第三节　钧瓷的烧成工艺

一、传统窑炉的形式结构与效能

钧瓷是火的艺术，窑炉对于钧瓷，如木之本、水之源。钧瓷艺术的核心精华更在窑变。窑变现象以其自然、稀有、不可预期的独特性能，将火的艺术演绎得酣畅淋漓、尽善尽美。作为火焰展示的舞台、孕育窑变艺术的母体的钧瓷窑炉，在钧瓷烧制中的重要性可想而知。

人类烧制陶器最初是在新石器时代，平地堆烧的原始窑炉即所谓的坑地为窑的穴窑，已经发明并被应用。穴窑大体可以分为横穴窑和竖穴窑两种，构造非常简单，就地挖坑后，布置简陋的火膛、火道、火眼和窑床。窑室都很小，最大的直径只有 1 米左右，在窑室上开个孔供排烟之用。火焰的流向自下而上，属于升焰窑。

西周时期的陶窑已经开始用稻草拌泥砌筑窑墙，窑室高出地面，可以建成圆形或方形，窑墙上部有了弧度，容量也有所增加，比前期穴窑有了进步。这时的陶窑也属于升焰窑。到了西周后期，有些窑的后墙有排烟孔，通过排烟孔的抽力作用，可以控制进入窑内的空气量。这种排烟孔陶窑的出现和发展，为馒头窑和龙窑的问世，提供了必要的条件。至商周晚期，有些陶窑的排烟孔逐步发展成为烟囱，此时的烟囱位于窑室上部。到了战国时期，大多数陶窑为了保持窑室的温度，把烟囱移到窑室的后部。这在稳定窑室的温度上是一个重要的革新。战国秦汉之际，陶窑的窑床都做成了平台，火膛从窑床下面移到前面，使火焰直接进入窑床。这为提高烧成温度做了进一步改进。

唐代以来，随着历史的发展和科学技术的进步，开始有了馒头窑。馒头窑因其外形像个馒头而得名，它是在前期陶窑的基础上发展起来的，多分布于华北一带，我国历代很多不朽的北方名瓷均出自此种窑炉。馒头窑靠夹墙式烟道产生的抽力来控制进入窑室的空气量，烧成温度可达1200℃～1300℃，并能烧还原气氛。馒头窑的出现，是我国窑炉发展史上一个重大进步。

在钧瓷历史上，钧瓷窑炉数度变革，所用燃料几经更易。钧瓷窑炉博物馆展示有唐代麻斗窑，宋代双火膛窑，元代的马蹄窑，清代的炉窑，近代的倒焰窑、直焰窑、无匣钵窑和现代的液化气、天然气窑等十余种钧瓷窑炉。这些窑炉形状不一、燃料各异、结构有别、性能不同。它们在各自的历史时段内，根据钧瓷烧成的基本原理和特点，延续演绎着窑变艺术，构成了独特的钧瓷窑变艺术现象，将钧瓷史册渲染得多姿多彩、灿烂辉煌。体味这演绎钧瓷的历代窑炉，会使人体会到钧瓷之美来之不易，更会为历代能人巧匠的智慧所折服，被他们坚守并传承民族文化遗产所付出的艰辛所感动。

现将几种在钧瓷发展史上产生过深远影响的窑炉简述于下。

（一）唐代麻斗窑（图 5–127）

唐代烧造唐钧的麻斗窑，是指火膛和窑室连接在一起的升焰式圆形窑炉，是钧瓷萌芽时期所用窑炉，因形似当地百姓使用的麻斗而得名。窑炉面积稍小，燃料为柴，烧成温度高达 1300℃，能烧成还原气氛。它的优点是容易保温，特别易于烧制厚胎陶瓷；缺点是升降温度慢，烧成时间长，产量不大。

从唐窑遗址考察得知，唐代窑炉一般都临崖畔或沟、河岸而建，多为穴式或半穴式，但挖成的窑壁和窑顶为普通黏土，不耐高温，工匠们用耐火泥从内部一层层将窑壁和窑顶敷厚，直到达到能经受高温的厚度为止。唐代窑炉一般都不大，容积在 1 立方米左右，下部为长方体，上部为拱形。烟道开在窑室后面底部，火膛设于前方，窑门在火膛上方。装窑后封闭窑门，留大小不同两个孔，用来观察火势。唐窑以柴作燃料。唐钧（唐花釉瓷）即在这种窑炉中诞生。唐代花釉瓷胎质细腻，釉色匀净光润，这是因为唐代具备了许多优越的烧制工艺条件，如窑温可达到1300℃，可控制氧化焰、还原焰。考古发掘证明，隋唐时期，我国制瓷工艺日趋完善，主要表现在窑炉结构的改进与装烧工艺的提高。

图 5–127　钧瓷窑炉博物馆 1 号窑（仿唐代麻斗窑唐钧窑炉，创建于 2004 年）

（二）宋代双火膛钧瓷窑炉（图 5–128）

宋代官钧窑遗址发掘资料证明，双火膛钧瓷窑炉是宋代官钧窑烧制御用钧瓷的专用窑炉，窑身体积不大，由窑门、火膛、窑室与烟囱四大部分组成。窑室呈横长方形，前方设计并列两个火膛，呈双乳状。双火膛设计不仅增加了火膛面积，同时可使两个火口交替添加柴薪，保证窑内温度平稳，避免因添柴时打开火口导致窑温下降。窑室后壁中间底部和两角处共设三个出烟口，呈扇面形通向烟囱。此窑是在平地上深挖下去的土质窑，窑顶距地面 1 米左右，

图 5–128　钧瓷窑炉博物馆 2 号窑（仿宋代双火膛钧瓷窑炉，创建于 2004 年）

窑顶与窑底距离约 1.5 米，窑体宽 2 米。整个窑位于地面 1 米以下。这种地下土质窑，保温性能好，从内部敷上一层耐火泥，便具有耐高温特性，是烧制还原焰的比较理想的窑炉。

宋代双火膛钧窑以柴作燃料，由于双火膛增加火网面积，双火口轮流添柴，柴燃烧得快，燃尽后柴灰落入灰坑，所以火膛内没有厚的燃烧层，利用勤、快、少的添柴烧制方法，为烧制过程中窑温平稳上升提供了有利条件。柴燃烧时火焰长，火势柔和，在烧制过程中整个窑室内火焰升腾，有利于充分排除窑内残存的空气，并且不给外界空气进入的机会，以保证窑内器物在烧制过程中不受任何氧化。所以，传世的宋代官钧窑制品还原都比较充分，其釉色渗化过渡自然，器物上下内外通体色泽一致，釉面呈现温润典雅的艺术风格，这些都与双火膛柴烧钧瓷窑炉结构的合理、性能的优良有着内在的紧密联系。

（三）元代马蹄窑钧瓷窑炉（图5-129）

马蹄窑是元代钧窑系形成时期所用窑炉，是烧制钧瓷、日用瓷的通用窑炉。窑门建于火膛上方，因窑门以上有一马蹄状遮避风雨的出檐，俗称马蹄窑。窑内圈拱似蛋形蒙古包状，也称蛋窑。元代的马蹄窑无论是外观还是内部构造，都具有明显的时代特点。窑内用耐火砖坯或耐火砖，外部用普通黏土砖建造，窑底位于地平面上，窑呈纵向椭圆状。烟道开于窑后壁底部，为半倒焰型窑炉。火膛建在窑门下方，火网底部低于地面以下，以煤作燃料，渣坑在火网下面。马蹄窑比较大，小者几立方米，大者几十立方米。马蹄窑在历史上存在时间长、跨度大。在清朝中后期钧瓷断烧之后，马蹄窑依旧作为生产日用瓷器的窑炉继续使用，直到新中国成立之后很长一段时间，民间仍继续使用它来烧制大缸、粗碗等一般日用瓷。1958年前后的钧瓷"大火蓝"即出自此窑。但此窑的制品艺术品位不高，品相较宋钧差距较大。

图5-129　瓷窑炉博物馆3号窑（仿元代马蹄窑钧瓷窑炉，创建于2005年）

（四）清代炉窑钧瓷窑炉（图5-130）

由于受诸多社会因素的影响，钧瓷在清中期之后断烧。至清朝末年，国内外收藏界对钧瓷的追捧再度升温，古董商在求购钧瓷而不得的情况下，转而购买钧瓷残片而牟利。"家有万贯，不如钧瓷一片"，"雅室无钧，不可夸富"等流传于禹州境内的民谣，都产生于这个时期。在这样的时代背景下，禹州神垕瓷区的陶瓷工匠们开始了恢复钧瓷生产的尝试。于是，钧瓷炉窑应运而生。

炉窑是钧瓷复苏时期的特种窑炉，它起着承前启后的作用，在钧瓷艺术史上占重要地位。炉窑的特点是体积不大、结构简单、烧成速度快。炉窑外观高约1米，长约0.8米；炉腔直径0.5米左右，深2尺许，下有炉条，炉条下有渣灰洞。

图5-130　钧瓷窑炉博物馆4号窑（仿清代炉窑钧瓷窑炉，创建于2004年）

右侧有风道连接风箱，炉腔上方有盖，后方有排烟孔道。炉窑一次添加燃料烧成，一次只能烧一件瓷器。每次烧制需要6～7个小时。炉窑烧制时只能用肉眼观看火苗颜色来判断温度的高低，升温速度也只能靠通风大小来掌握。操作难度大，成品率极低。窑炉结构和烧制的方法致使大多炉窑制品都有裂底的缺陷，完整者十分少见。当时人们对还原气氛在窑变呈色中所起的作用还缺少了解，所以从恢复起，釉色一直在天青、月白类单色间徘徊，没有大的突破。

清代炉窑是社会的产物，它的体积、燃料都带有鲜明的时代特征和烙印。

钧瓷恢复时期及之后相当长的一段时间内，禹州处于动荡不安的社会环境中。清政府灭亡之后，军阀割据，兵匪为患、水旱蝗灾频发，使禹州百姓处于水深火热之中。恢复钧瓷的陶瓷工匠没有用大窑烧制钧瓷的财力，只能用小炉窑试烧。炉窑又称"炭窑"，但"炭"也不是用木材或煤制成的炭，而是日用瓷窑生产时没燃尽的煤渣，色泛蓝，当地人称为"蓝炭"。也就是说工匠们当时已经买不起煤之类的燃料，只能用捡来的煤渣烧制钧瓷。至于煤渣烟少、升温快，适宜于作炉窑燃料，则纯粹是一种巧合。

清代炉窑以炭作燃料，一次烧制一件作品，一次性添加柴料，用风箱通风控制窑温，这种特殊的烧成方法和特殊的燃料，使炉内的一氧化碳相对较淡，而不利于铜元素成色，所以炉窑制品以天青、月白单色居多，形成了自然恬淡、质朴无华的艺术风格。清代炉窑以简陋、便捷的生产方式，复燃并延续了钧瓷艺术的星星之火。

（五）近代倒焰窑钧瓷窑炉（图 5-131）

倒焰型钧瓷窑炉在近代钧瓷发展史上占有重要位置，具有划时代的意义。

新中国成立之前，禹州神垕瓷区的钧瓷生产基本停顿。新中国成立之后，神垕各瓷厂曾在生产日用瓷的窑炉内搭烧钧瓷制品，人称"大火蓝"钧瓷，其釉色单一，品相粗糙，艺术品位无法和宋代传世之作相比。20 世纪 50 年代后期，政府号召恢复钧瓷生产，但炉窑一次只能烧一件，且"十窑九不成"，无法担负起发展钧瓷艺术的重大使命。在国家的号召与支持下，经过神垕钧瓷技术人员的努力，倒焰型钧瓷窑炉走上了钧瓷艺术的舞台。

图 5-131　钧瓷窑炉博物馆 5 号窑（近代倒焰窑钧瓷窑炉，创建于 2005 年）

倒焰型钧窑有方形、半圆形、长方形，容积有 1 立方米、2 立方米、6 立方米不等。窑体由火口、火网、拦火墙、窑室、吸火孔、烟道、烟囱组成。火口、火网位于前方，火网与窑室之间筑一道半米高的拦火墙，以防止火焰直接触及匣钵造成匣钵柱倾斜。吸火孔位于窑底，吸火孔的多少根据窑室体积及火网面积而定。吸火孔下连窑后壁处的烟道、烟囱。烧制钧瓷时，火焰越过拦火墙直扑窑室顶部后旋转而下，从吸火孔经烟道入烟囱排出。烟道上设有活动闸板，用来调整烟囱拉力，以控制窑室内还原气氛的浓度。窑顶设天眼，可供早期排湿和住火后降温之用。窑门开于窑体一侧，门上留有观火孔，用来观察窑内火势和取放"火样"。倒焰型钧瓷窑炉结构科学合理，有利于窑变现象的形成，是继宋代双乳状柴窑之后以煤作燃料的优质钧瓷窑炉。

以煤作燃料的钧瓷窑炉，由于煤燃烧的时间长、不易燃尽，容易烧结成较厚的燃烧层，在操作过程中松动燃烧层时，往往会引起窑温骤升。煤所产生的热量相对较大，火势猛烈，在不同阶段产生的一氧化碳气氛浓度差别较大。这些客观条件即使在合理的烧成制度的控制下，也为窑变效果的形成起到了先决性作用。釉汁在高温下的流动受窑温的起伏和一氧化碳气氛浓淡的制约，容易产生色调强烈、对比鲜明的艺术效果。煤窑烧制的钧瓷作品具有热烈奔放、生机勃发的艺术风格。

（六）当代（液化气、天然气）抽屉式钧瓷窑炉（图 5-132）

20 世纪末期，液化气钧瓷窑炉以其节能、环保、易操作、成品率高等优点迅速普及，数年之间，几乎完全取代了煤烧钧瓷窑炉，成为钧瓷生产的主导窑炉。

液化气抽屉窑，由窑门、活动推板、轨道、喷火嘴、窑室、烟囱几部分组成。窑门多为活动式，开后可将推板顺轨道拉出窑外，装、出窑可以在窑室外进行，方便快捷。

图 5-132　钧瓷窑炉博物馆 6 号窑（当代液化气、天然气抽屉式钧瓷窑炉）

喷火嘴设于推板稍下方两侧，喷火嘴的多少依窑室体积而定，由管道与外面气源相连，烟囱位于窑室后上方，烟道上方有闸板来调节烟囱拉力的大小。在烧制过程中，操作者可根据需要决定喷火嘴使用的数量和调整气压的大小。

钧瓷的生产历来有"十窑九不成"、"生死看烧成"之说，烧成阶段是钧瓷作品"生与死"的分水岭，是"土变黄金"的关键程序，而窑炉的构成与燃料的使用则是关键程序中最基本、最关键的保障。液化气抽屉窑的建成与使用，为钧瓷的烧制起到了良好的保障作用。与传统的窑炉和燃料相比，它具有鲜明的时代性和社会性，它有以下明显的优点：一是缩短了生产周期，降低了劳动强度，提高了生产效率，减少了生产成本，特别是对产品烧成的质量有了较好的保障，变"十窑九不成"为"十窑九都成"。二是以人为本的宗旨得到了体现，特别是减少了对自然的污染和过度采掠（如对柴、煤等原材料的依赖）。三是为钧瓷艺术品的生产提供了更广阔的空间。液化气便于调节气氛和温度，对一些造型复杂、装饰较多的艺术品的烧成有较好的保障作用。

当代钧瓷窑炉以液化气、天然气为燃料，燃料纯净，杂质少，燃烧完全。火苗由喷火口控制，喷火口的大小多少在人的掌控之中，是最容易操作的钧瓷窑炉。炉火的纯净，升温曲线的平和，为釉面的平稳呈色提供了空间。气窑烧制的钧瓷作品色彩亮丽、色泽明艳，在合理的烧成制度下，也能产生丰富多彩、品味高雅的艺术效果。

（七）煤气混烧钧窑（图 5-133）

煤气混烧钧瓷窑炉是钧瓷烧制技艺在时代大潮下发展创新的产物。20 世纪末，液化气窑炉基本取代了煤烧钧瓷窑炉，成了钧瓷生产的主流。但是，煤烧钧瓷作为带有鲜明艺术特色的品种，有着液化气烧钧瓷无法替代的艺术魅力，社会各界对煤烧钧瓷的热情不减且有持续升温之势。面对煤烧钧瓷在烧制过程中烟尘排放量大、污染环境、劳动强度大、成本投入大的客观现实，钧瓷窑炉博物馆任星航另辟蹊径，寻找新的解决办法。煤气混烧钧窑就是在这样的历史背景下应运而生的。

图 5-133　钧瓷窑炉博物馆 7 号窑（节能环保型柴烧钧瓷窑炉，创建于 2006 年）

煤气混烧钧窑的外部形态，上部为半圆形，下部为长方形，长 3.18 米、宽 2.96 米、高 2.24 米，内部容积 1.82 米 ×1.68 米 ×1.5 米，火膛面积为 1.01 米 ×0.48 米。由窑室、轨道、推板、喷火嘴、液化气管道、阀门、活动窑门、吸火孔、烟道、火网、火口、拦火墙、渣坑等部分组成。倒焰型结构，火苗升至窑室顶部后再从两侧而下，从底部的吸火孔经烟道排向烟囱。

煤气混烧钧窑采用混烧技术，利用煤燃烧时产生的一氧化碳气氛为钧瓷窑变效果的形成营造有利环境，利用推板、轨道等气窑构造提高窑炉的实际操作性能，降低煤的使用量和减少余热烟尘的排放指数，以实现产品既有煤烧韵味又最大限度地降低成本，将煤窑的火焰、一氧化碳气氛优势和气窑的节能减排优势相互融合，取长补短，达到节能环保的目的。

（八）节能环保型柴烧钧瓷窑（图 5-134）

为了解决柴烧钧窑在烧制过程中产生烟尘，对环境造成污染的问题，2010 年，禹州钧瓷窑炉博物馆任星航设计建造了节能环保型柴烧钧瓷窑。节能环保型柴窑，下部是长方形，上部是半圆形，由窑室、火网、渣坑、拦火墙、吸火孔、烟道、烟囱、火口、观火孔、天眼、窑门等部分组成，内部为双火膛结构。

图 5-134　钧瓷窑炉博物馆 8 号窑（现代小型柴烧钧瓷窑炉，又称公主窑，创建于 2010 年）

技术改新的先进性体现在以下几个方面：

1．建筑材料的改进

传统柴窑是用瓷土烧成的耐火砖建造的，而地下土质是用瓷泥层层贴敷成耐火层的。这种窑体散热较快，保温性能有一定的局限性。新型柴窑用轻型砖和耐火纤维棉作保温材料，大幅度地提升了窑壁的保温性能，为节约燃料提供了基础保障。

2．火口、火网的改新

无论柴窑或煤窑，它们设计的火口、火网与窑室都处于同一中轴线上，这样的优点是烧火操作、观测火势比较便利，但缺点是添火时冷空气直接由火口进入，并通过火网进入窑室，容易对窑室的温度造成波动，在火口风力的作用下火网火苗越过拦火墙进入窑室的实验相应猛烈，也容易对匣钵造成伤害。节能环保型窑炉将火口位置进行了改革，设计在窑体一侧或两侧，这样，火口跟拦火墙不能直线相望，而处于直角的两端，添火时冷空气不能直接进入窑室，有了缓冲的机会，这就为窑温平稳上升提供了有利因素。

3．余热利用

传统柴窑烟道短，一般 1 米左右，火苗夹裹烟尘从烟道进入烟囱排向天空，这样排烟时间很短，烟尘没有滞留下落的空间，对空气造成不良影响。新型柴窑将烟道延至几十米甚至上百米，烟道从窑底延伸出来后，平行或略微上行至造型、成型工房，在工房中构筑泥板烟道，使热量作为烘干器物坯胎之用，最后将延伸环绕工房后的烟道连接烟囱，将余热排出，烟尘经长长曲折的平行烟道时，大量烟尘下落在了烟道底部和窑壁上。这样，最后排出烟囱的柴烟所带的灰尘就只剩下了极少一部分，最大限度地抑止了烟尘对空气的污染。同时有效地利用了烟道热能，实现了节能的目的。

4．科学的烧成制度

为了让窑炉最大限度地发挥节能环保性能，其烧成制度也作了相应调整。在水分蒸发期间和氧化期，烧成时间分别为 3 个小时左右，反应期和还原期烧制时间约为 2 个小时，最后中性焰期为 1 个小时左右。整个烧制过程下降至 11 小时左右。

新型柴窑因烟道加长，对闸板的开放尺寸需要根据温度变化和还原气氛浓淡程度灵活掌握。其余操作要点和注意事项与传统柴窑大致相同。

新型柴窑与传统柴窑相比，可节约柴薪三分之一强。新型柴窑制品在烧制时，反应还原充分，窑变呈色一般可达到预期目的，产品具有宋代柴窑清丽雅致、艳而不妖的艺术风格。

二、窑具的制造和利用

在钧瓷的发展进程中，出现过各种类型的窑炉，结构不同、形状不同、燃料不同、性能不同、操作方法也不同，它们直接导致了相应窑具的出现。有些窑具为所有窑炉通用，有些则为某种窑炉所专用。这些窑具和窑炉一样，是钧瓷在某个历史时期发展的产物，带有鲜明的时代痕迹。

（一）匣钵

匣钵是柴窑、煤窑、炭窑通用的窑具。制造匣钵的原料分瘠性原料和塑性原料两种。前者起骨架支撑作用，如含硅、铝量高的高铝石、蓝晶石、红石等，后者为一次黏土或二次黏土，有充填功能。

匣钵原材料加工的方法是，塑性原料用球磨机粉碎，而瘠性原料则用粉碎机或机电碾磨粉碎，二者都按需要的规格过筛。匣钵因为烧制器物的规格不同而有大有小，有高有低。大匣钵直径70厘米，小匣钵高不满20厘米，直径15厘米。匣钵大，自身承重量大，匣钵壁相应较厚，最厚的可达2厘米左右。小匣钵壁稍薄，最薄的1厘米左右。制造匣钵的瘠性原料和塑性原料配比是：大号匣钵是50：50，中型匣钵是25：75，小型匣钵是18：82。匣钵越大，瘠性原料比重越大，而其颗粒也相应较大，最大颗粒直径可达3～5毫米；相反，匣钵越小，瘠性材料所占比重越小，颗粒直径也小，应在1毫米以下。

制作匣钵俗称"割笼"。匣钵为直径大小不等、高低不等的圆筒形。传统手工制作方法有盘条、印坯两种。盘条即将配好的原料加水和成干湿适宜的泥团，然后根据需要搓成均匀的细长条，盘成一定直径的圆筒状，边盘边用双手用力挤压，使泥条成为厚薄一致的匣钵壁并随即用手揉光，直盘至所需高度加底即可。印坯与成型印坯方法一样，将泥团依靠模具拍打成型，稍干后去掉模具即可。

20世纪60年初期，机械成型技术在陶瓷制造业被推广应用，机械压制方法制造匣钵降低劳动强度，效率高，迅速取代了传统手工艺。为了充分利用窑室空间，匣钵在使用中都是相同直径的叠放在一起形成窑柱，所以匣钵底扣一定要平，这样在使用过程中，匣钵柱才不致倾斜歪倒。为节约燃料，匣钵使用前一般不经烧制，干燥后直接装入器物入窑烧制。匣钵只要不破烂损坏，可以重复使用多次。匣钵是烧制器物与外界的隔离品，为制品提供了安全的保护空间，具有防烟、防尘、防火刺的功用，从古至今一直为钧瓷煤、柴、炭窑的烧制所使用。

（二）垫饼

垫饼是垫在器物底部与匣钵之间的隔离物，目的是不让器物底部与匣钵直接接触，防止器物在烧制中与匣钵发生烧结粘连。垫饼是将泥团拍打成厚薄一致的大小不等的圆饼，干燥后即可使用。为预防使用时垫饼与器物或匣钵烧结粘连，使用时应在垫饼上下方都铺上一层高铝粉或石英砂。垫饼在钧瓷烧制中被广泛应用。

（三）支钉

支钉的作用和垫饼一致。支钉是将泥团拍打成宽8厘米左右、厚薄一致的泥片，根据器物底部形状，圈成大小适宜的圆形、椭圆形或三角形的泥圈，然后再将一边刻成间距相等的锯齿状，干后即可使用。使用时将支钉平面贴匣钵放，将器物底部放于朝上的锯齿尖上。烧成后去掉支钉，器物底部即留下细碎的芝麻状印痕。古代常用支钉烧制钧瓷，支钉印痕是古代钧瓷的显著标志，如今支钉常用于仿古器物烧制。支钉烧制一次后大多变形，不能重复使用。

（四）楔子

楔子即大小厚薄不等的匣钵碎片。在装窑时需要用厚薄大小适宜的楔子垫平加固棚板或匣钵，避免倒柱现象发生。

（五）炉条

炉条是柴、煤、炭钧窑通用的重要窑具，生铁铸造，长短粗细根据火膛长度而定，两端呈扁形，中间呈三角形，使用时尖角向下，平面朝上，纵向棚架于火膛之上，每根炉条之间留下了3厘米的空隙，作为氧气进入支持烧的通道，也是煤渣柴灰下泄的出口。炉条横架于渣坑和火膛之间，使燃料形成燃烧层。

（六）煤铲

煤铲是煤烧钧窑专用窑具，烧火时添煤使用。熟铁打造，片状，长方形，后装 1.5 米左右长度的木柄，便于操作。煤铲大小不等，依火口大小而定，一般煤铲宽度小于火口宽度，长度大于宽度，这样添火时进出火口自如，不致碰坏火口。

（七）火撬

火撬，又称"烧火棍"，是煤烧钧窑专用窑具，熟铁烧制，是长 2 ～ 3 米、直径 20 ～ 30 毫米，一端呈尖状的铁棍。煤在燃烧时往往结成硬块压在火膛上不利于燃烧，需要撬动蓬松，加快煤的燃烧。另外煤渣烧后易结成大块，不易从炉条间隙落入渣坑，也需要用火撬将其捣成碎块，便于其向渣坑下落。

（八）火钩

火钩是长 2 米、直径 8 厘米左右的铁棍，一端弯作小环状，便于手握，另一端在 15 厘米处弯成直角成钩状。火钩是钧瓷柴、煤窑所用窑具。柴、煤在燃烧过程中，燃烧层会形成高低不平的现象，有时会出现空洞透底，需要用火钩将燃烧层推拉平展。燃烧层下方的渣、灰达到一定厚度时，也需要用火钩下渣。用火钩从炉条下方钩动煤渣柴灰，促进其下落。

（九）风箱

风箱是清代钧瓷炉窑所用的窑具。桐木制造，长 1 米左右，高 65 厘米，宽 35 厘米。前后两端各有两个直径 8 厘米的风眼，前端装有连接两根拉杆的手柄，拉杆深入风箱内部，顶端连着装有鸡毛的风板，推拉拉杆带动风板，将风由风道送进窑室助燃。风箱是中原地区民国时期的日常生活用具，民间多用于炊事灶台，打铁铸造业也用风箱为炉火吹风助燃。风箱虽有大小之别，但结构原理则完全相同。

（十）碳化硅板

碳化硅板是液化气烧窑炉专用窑具，碳化硅板以石英、瓷石、高钾铝页岩等硅含量高的矿石为原料制成。原料先粉碎成颗粒状，按比例混合均匀，由机械挤压成方形、圆形两种类型，规格尺寸不一。干燥后用还原焰烧成。

（十一）碳化硅立柱

碳化硅立柱所用原料与制造方法和碳化硅板一样，为高低不等的方的立柱，上下端均为圆饼状，便于站立，起撑托碳化硅板的作用。液化气烧钧窑在烧制时不用匣钵，可以将器物直接放在窑车上烧制，为充分利用窑室空间，用立柱和硅板将窑室隔成多层空间，可以装入多层产品，增加入窑数量，提高产量。

三、燃料的种类与烧成方式

钧瓷的烧成在生产中是决定成品质量的主要工艺过程，"生在加工，长在成型，死活看烧成"即指此而言。

钧瓷烧制分两次烧成，即在釉烧之前进行一次低温焙烧，称为"素烧"。素烧能增强坯胎强度。钧瓷釉层厚重，需要作为附着体的坯胎具有一定的强度。没有经过焙烧的坯体干燥后虽然也有少许硬度，但遇水即会瘫软成泥，所以坯胎在釉浆的浸润下会软化变形，甚至损坏。经过低温焙烧的坯胎改变了物理结构，有了一定的强度，这就为厚釉的吸附创造了条件，为在施釉环节中坯胎的完整提供了保障。

素烧能增强坯胎的吸水性能。制成的坯胎虽然经过了阴干，脱去了部分水分，但胎体中仍存留有一定的含水量，一般干燥后的坯胎含水量在 7% 左右，对于厚重的釉层来说，它的吸水强度不够，也就是说，由于吸水性弱，坯胎与釉层的黏合强度不够。直接上釉，容易发生釉层剥落现象，俗称"脱釉"。坯胎经低温焙烧之后，胎体水分蒸发，含水量为零，吸水率达 20% 左右。低温素烧只是排除水分，坯胎并没有烧结，坯体仍具有疏松的特性，所以表面对釉浆就产生了很强的吸附性。素烧后的坯胎和釉层的黏合度大幅度增强，可以杜绝釉烧时脱釉的发生。

素烧的另一个重要作用就是优化坯胎质量，剔除不合格的劣质坯胎。因为各种主观客观因素，制成的坯胎总会有部分存在某些方面的质量问题。通过低温焙烧，这些隐藏的问题进一步扩大凸现。素烧后通过检测，将那些存在变形、开裂、炸底等质量隐患的坯胎淘汰掉，留下品质优良的坯胎上釉烧制。这样，减少了投入，降低了成本，提高了成品合格率。

传统坯胎素烧，一般用匣钵烧制。装窑需注意匣钵柱的疏密松紧，窑内温度高的部位装得紧密一些，温度低的部位装得稀疏一些，用来调节窑室内温度的均衡，争取烧制过程中窑室内温度基本一致。

素烧对窑温控制相对不严，200℃之前是坯体排除湿气的时候，窑门不闭紧，烟囱的闸板打开。200℃时关闭窑门，合上闸板，200℃～500℃每小时升温110℃～120℃，500℃～950℃每小时升温150℃，只要温度上升平稳，窑室内温差不大即可。点火之后，烧火要稳，从小火至中火再到大火，缓慢进行，不可升温过急，防止因窑温骤升而造成坯胎炸裂。焙烧过程中，如果窑室内温差较大，就要顿火一段时间，俗称"熬火"，就是让窑温在某个温度阶段保持一段时间，以求得窑内温度基本一致。素烧时间因窑炉容积大小而异，一般3～4立方米容积的窑炉需8个小时左右，1～2立方米容积的窑炉需5个小时左右，窑内温度平均达到950℃，即可住火完成素烧。

素烧后的坯胎称"素胎"，坯胎素烧后因原材料成分的差异呈粉白色或粉红色，因为刚出窑的素胎吸水性最好，附着力最强，干净无尘，是最佳的施釉时机，应尽快进入施釉工序。如果素胎放置一段时间之后，坯胎会因空气中水分子的进入而降低其吸水性，减弱其与釉层的黏合力度。另外，放置时间久了，也会沾染一些灰尘杂质，对坯胎与釉层的黏合产生不利的影响。所以素烧坯胎如果不及时上釉烧制，就要选择干燥防潮的地方存放，并采取防灰防尘措施，避免影响素烧坯胎的质量。

素烧后施釉，再经过釉烧。釉烧是钧瓷烧成的关键，要求较高。窑内温度、气氛的波动会使窑内不同区域的产品形成不同的艺术效果。大致来说，钧瓷釉烧整个过程中，一氧化碳含量需控制在6%～10%之间，在这样的浓度范围内有利于窑变效果的形成；一氧化碳含量大于10%，产品会出现吃烟的效果；一氧化碳含量低于6%，釉料中的铜离子就会氧化而不利于釉料呈色。钧瓷窑炉有以柴、炭、煤、液化气或天然气为燃料的不同烧制方法，虽然烧成原理相同，但由于窑炉内部结构的不同、燃料的差异，其烧成制度也不一样。现将不同时期、不同结构的窑炉使用不同燃料的钧瓷烧成制度简述如下：

（一）仿宋代双火膛柴烧钧瓷烧成制度

仿宋代双火膛柴烧钧瓷窑炉烧成制度可分为五个阶段：

1. 起火阶段（也是水分蒸发阶段，0℃～350℃）

此阶段大约需要3个小时，主要是为了排除窑内及坯胎内残余的水分。点火时先在火膛中放易燃的柴草，点火之后，开始放易燃的细碎木屑，之后逐渐添加块状的柴料。柴料的长度要比火膛的宽度短，否则不利于关闭火口。烧火时投柴要勤，每次投柴量要少，由于柴灰不凝结，容易下落，所以尽量不要碰落柴灰，从而使柴灰在窑中形成一定的厚度，以便保温。此时不合闸板，不封闭天眼，添火口可半闭，让新鲜空气大量进入，以利于柴的燃烧。当窑温达到350℃的时候，天眼排出的烟气不再湿润，说明窑内湿气已经大部分排出，即可转为小火阶段（图5-135、图5-136）。

2. 小火阶段（又称氧化阶段，350℃～600℃）

此阶段大约需要5个小时。窑温在氧化气氛中逐渐升高，继续排湿，这时，窑内需要大量的热量，投柴要勤，

图 5-135 双火膛柴烧钧瓷窑炉点火时用秸秆引火

图 5-136 烧制时用的硬柴

投柴量要大而均匀。柴投入火膛后要呈散开状，柴与柴之间要有缝隙，柴灰不可下得过勤，柴灰燃烧层的厚度要保持在 40 厘米以上。两个火膛交替添柴，保证窑内温度平稳，避免因添柴时打开火口导致窑温下降。这个阶段，升温要稳，窑温至 600℃时，天眼中喷出红色火苗，说明窑内水分已经排尽，此时可封堵天眼，转入中火阶段（图 5-137、图 5-138）。

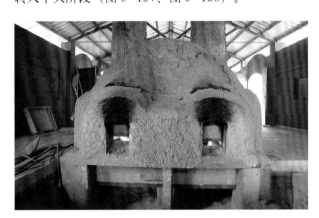

图 5-137 双火膛的作用是为了交替添柴

图 5-138 交替添柴保证窑内温度平稳，避免添柴时因加柴或打开火口，窑温骤降

3. 中火阶段（又称反应阶段，600℃～900℃）

此阶段大约为 4 个小时。此阶段继续烧还原焰，保持窑温平稳上升，为窑内坯胎硬化、釉面膨胀以及一些矿物质受热分解提供充足的热量。一般来说，只要有序地增加投柴频率和数量，窑温就能按烧成需要不断上升。至 900℃左右，观火孔有火苗喷出，说明窑内氧化分解反应基本完成，坯胎及釉料中的有机杂质分解成气体基本挥发，即可进入大火阶段（图 5-139）。

图 5-139 低温阶段火膛内的火苗颜色柔和，呈橘黄色

4. 大火阶段（又称还原阶段，900℃～1280℃）

此阶段需要 9 个小时左右。大火阶段也是转火阶段，转氧化焰负压烧制为还原焰正压烧制。合闸板要循序渐进，多次进行，具体开合的幅度要根据窑内一氧化碳气氛的浓淡是否适应烧成需要而灵活掌握，窑内的一氧化碳气氛太淡，就将闸板合得多一些；窑内一氧化碳太浓，就将闸板合得少一些，以烧成需要为准。

此时炉膛内火势要大而稳，以窑温只升不降为准则。由于闸板关合使烟囱抽力减少，此时观火孔喷出的火苗长度将达 10～15 厘米。此阶段是坯胎烧结、釉面熔融流动、还原呈色的关键时期，所以，投柴、调整闸板、观测窑温、察看火样的操作一定要谨慎细心、准确及时。在窑温达到 1280℃时，釉面熔化后所产生的气孔已经完全闭合，即可转入保温阶段（图 5-140、图 5-141）。

5. 保温阶段（又称中性焰阶段，1280℃～1300℃）

此阶段需要 1 个小时。保温是为了让窑温更加均衡，使釉面呈色更加亮丽。此时窑温上升幅度不大，可适当开放闸板，让适量的新鲜空气进入窑室，将还原焰调整为中性焰。至窑温达到 1300℃时，即可停止添柴，打开观火口、天眼，让窑温缓慢下降，至此烧制完成（图 5-142、图 5-143）。

（二）仿清代炉窑炭烧钧瓷烧成制度

清代炉窑烧成温度在 1280℃～1300℃之间，烧成分小火、中火、大火各个时段。因烧成时间在 7 个小时左右，各时段过渡紧凑，再加上一次添加燃料烧成，所以窑温一般是从点火的自然温度直线上升至烧成温度。炉窑烧制时，先在炉条上放一层易燃的柴草，在柴草上铺一层 10 厘米厚的炭（即未燃尽的煤渣），用木棍捣平捣实，然后在上面放上装好坯胎的匣钵，在匣钵周围填满炭块，边填边用棍捣实。炭的虚实要有度，不可太虚，亦不可太实。太虚燃烧快，会因达不到温度而生烧；太实则易导致温度过高而烧残。匣钵上盖与炉腔上沿有 10 厘米左右的距离，炭填至与炉腔口平，从炉条下点火，用风箱强力通风。

炉窑以炭为燃料，用风箱强力通风以助燃烧。点火 40 分钟后，窑炉上方火苗呈暗红色时，炉温已有 700℃。盖上炉盖，用泥浆将炉盖与炉体之间的缝隙封合，待烧制 80 分钟左右，炉顶观火孔喷出的火苗由淡红色到鲜红色过渡时，炉温已达到 900℃左右。这时，用匣钵盖住观火孔，捂火还原，同时加大风量，促使炉温上升，2 小时后，窑顶火焰已由黄白色向炽白色转变，说明窑温已上升至 1280℃左右。这时，

图 5-140 高温阶段火膛内的火苗颜色呈刺眼的炽白

图 5-141 还原焰烧制阶段观火孔喷出的火苗长达 10～15 厘米

图 5-142 停烧保温阶段时火膛内达到"炉火纯青"

图 5-143 由火样的釉面呈色可得知停火的时间

停止风箱通风 10 ~ 15 分钟，进行保温。由于通风停止，窑顶的火焰即由白转蓝，待火焰转化为橘黄色时，即可移开炉顶，打开下面渣洞，等到窑中上部焦炭微微发黑时，即可取出匣钵让其在空气中自然冷却。炭窑的烧制要点在于对炉温的准确把握，而炉温的高低取决于通风量的大小。烧成时的温度确定主要靠肉眼观测火苗的颜色来把握，这需要操作者长期实践，才能总结出其内在关系。

（三）近代倒焰窑煤烧钧瓷烧成制度

近代倒焰窑煤烧钧瓷窑炉的烧成制度大致可分为五个阶段：

1. 低温阶段（0℃ ~ 400℃）

从点火到 400℃，这一阶段主要是排除匣钵、产品及窑内的残余水分。这个时段不宜升温过快，应该用小火烘烤，缓慢升温，防止作品内的水分迅速挥发带来气体膨胀从而导致产品炸裂。为了使水分顺利排出，要注意加强通风。天眼一般在此阶段不关闭。

2. 氧化焰阶段（400℃ ~ 1040℃）

窑温达到 400℃ 之后，窑内水分已基本排掉，此时可以关闭窑顶天眼，在氧化气氛中逐步升温。产品中的结合水是黏土分子结构的一部分，因而在脱水时，需要大量吸热，因此要供给足够的热量，但温度却不能上升过急。脱水反应一般在 900℃ 结束，氧化分解反应通常在脱水终结时开始。此时的分解反应主要是一些存在于黏土中的杂质，如碳酸盐、硫酸盐受热分解出二氧化碳与二氧化硫，故在此阶段必须烧氧化焰。此时，窑内坯体重量急剧减轻，硬度与强度增加，体积稍有增大。釉面由于受热开始初步膨胀，表面呈未烧结的多孔状态。由于氧化，釉内的各种有机杂质及低温沉积在釉面上的碳离子基本挥发，为使反应完成，必须供给大量空气和给予适当的保温时间。此阶段需要 6 ~ 7 个小时。

3. 还原阶段（1040℃ ~ 1150℃）

还原气氛是指窑内燃料不能充分燃烧而产生的一氧化碳，一氧化碳有助于釉料中的着色氧化物（氧化铜、氧化铁、氧化锡等）还原着色。窑内还原气氛的形成，是由人控制燃料的燃烧程度来实现，即通过人为的调节闸板来控制窑内新鲜空气的进入量。若要形成较强的还原气氛，闸板稍合一些，烟囱的抽力会减弱，流入窑内的新鲜空气会少，窑内的气体流会变得缓慢；反之，闸板稍开一些，烟囱的抽力加大，窑内的气体流动加快，流入窑内的新鲜空气变多，还原气氛就相对减弱。但仅靠调节闸板控制烟囱的抽力来掌握气氛，常会有一些不利因素而影响烧成，如闸板过低，煤柴燃料层不能充分燃烧，热量减少，窑内升温速度减慢；而闸板过高，窑内一氧化碳气氛和温度波动大，不利于釉料呈色。因此，要形成理想的还原气氛，常常需要通过多方面的协调配合才能实现，有时采取对燃料加湿产生水蒸气的方法也可以形成一定的还原气氛。

在此期间，要准确把握转火温度。转火温度是指从氧化焰转入还原焰的临界温度，这一温度是决定釉面光泽度的关键，一般在窑中放一些火样，根据火样釉面闭合的程度确定转火时间。当火样釉面由于液相的出现，收缩趋于封闭时转火为宜，这时釉面刚刚闭合，但尚未流动，即釉面仍是凹凸不平的。转火温度要根据釉的熔融能力来决定，不同的釉化学组成不同，对转火温度的要求也不同。如果转火过早，由于釉面尚未封闭，气氛中游离的碳离子就会进入釉层内部，釉完全熔化后，碳离子不容易从釉中挥发，产品就会出现吃烟现象。如果转火过晚，釉面闭合后不能进行还原，产品就不能得到鲜艳的色泽。如果釉中碱性成分多，釉熔点低，转火温度就低一些。相反，釉中碱性成分少，釉熔点高，转火温度相应就要高一些。在实际操作中，为保证窑内气氛均匀，保证釉层充分还原，往往需要多次转火。

当窑内温度升到 1150℃ 时，产品硬度与强度增加，釉面已开始铺平并完全封闭，气孔率与通气性减小，体积缩小，色泽改变，此时应拉开闸板，增加通风量，使窑内还原气氛减弱，转入中性焰阶段。

4. 中性焰阶段（1150℃～1270℃）

中性焰是为了拉平窑内各处温度，减小温差，使得釉层在高温下流动，从而消灭釉泡和针孔，使釉面更加光亮。这一时期以弱还原焰为宜，必须严格防止氧化发生，并防止降温。

5. 停火阶段（1270℃～1300℃）

钧瓷与其他瓷种不同，是靠自然窑变来呈色的，停火时间非常关键，在温度达到所需的温度时，应立即停火，过早会发生生烧现象，过迟会造成因釉汁流过足部而致残。停火之后，打开添火口，去掉炉条，让大量新鲜空气流入窑内，这是釉面形成五彩交相辉映效果的主要因素之一。一般需要让产品在窑中自然冷却，一昼夜时间即可出窑。

（四）煤气混烧钧窑烧成制度

煤气混烧钧窑烧成也经过起火、小火、中火、大火、保温五个烧制阶段。

从起火至中火期（从水分蒸发阶段至反应阶段），利用液化气作燃料烧制，操作要领及注意事项与液化气烧钧窑相同。这个阶段燃煤系统处于关闭状态。

中火后期，烧制进入还原期之前，将火网上的煤燃烧层逐渐烧旺至一定厚度。这样，在还原期煤燃烧所产生的热能能满足烧制的需要，成为烧制的主要能源，而气烧系统可以根据窑温的需要完全关闭或部分关闭。煤燃烧时产生的还原气氛会满足釉层中各种矿物元素还原呈色的需要。

煤燃料的介入主要是为窑变现象的形成提供浓淡适宜的还原气氛，基于这种原因，可以根据实际烧制需要，灵活调整煤、气在烧制时所占的比例。同样，为了达到最佳效果，对烟道闸板的开放尺寸也要以此为原则，灵活掌握。

从还原阶段开始，煤气共同烧制或专用煤烧可延续至烧制完成。在保温阶段，煤烧火膛住火停烧，启动气烧系统，直到住火。这样既可减少燃煤产生的烟尘排放量，又可排除燃煤在停火时易发生窑温波动的弊端。

煤气混烧一般需16个小时左右。煤气混烧在决定窑变效果质量时所提供的各项条件指标与煤窑基本一致，所以烧制的器物一般都能达到预期的效果，具有传统煤窑制品热烈奔放、深沉浑厚的风格特征。

第四节　钧瓷色釉的工艺特点与审美价值

一、钧瓷釉料的呈色原理

钧窑的特色多见于过去的文献记载，方以智在《通雅》中记载："钧州有五色，即汝窑一类。"《南窑笔记》称："钧窑，北宋钧州所造，多盆、奁、花盆器。颜色大红、玫瑰紫、月白，有一、二数字样于底足之间，盖配合一副之记号也。釉如葱蒨肥厚，光彩夺目。"以上记述共同说明钧窑制作已突破单色釉范围，在青釉之外创造了红色釉，即铜红釉。自唐以来河南巩县、禹县一带就已发现铝土矿、煤矿和铜矿的开采。这是钧窑在北宋得以发展的重要条件。

钧窑的釉色是一种装饰性很强的艺术釉。钧瓷的釉料巧妙地利用氧化铜的还原作用，烧成了与青釉错综掩映的铜红釉，其釉色红紫相间，光彩夺目，构成了钧窑瓷器釉色丰富多彩的特点。著名的釉色有茄皮紫、胭脂斑、海棠红、鸡血红、天青、月白等。故宫博物院所藏传世玫瑰紫花盆，即是一件极佳的代表作品，釉色滋润均匀、华而不俗。就色釉发展史来看，铜红釉的产生可以说是一件划时代的大事，影响极为深远。

钧釉和一般陶瓷釉不一样，上海硅酸盐研究所对宋元时期的钧釉作了较为系统的研究，结果表明：钧釉是一种典型的二液相分相釉，在连续的玻璃相介质中悬浮着无数圆球状小颗粒，这种小颗粒称为分散相。钧釉的分散相是一种富含氧化硅的液滴状玻璃，连续相则是富含磷的玻璃。分散相的颗粒度介于 40 ～ 200 毫微米之间，比可见光波小得多，因此，能使釉面呈现出美丽的蓝色乳光。钧釉在化学组成上的特点是氧化铝含量低，而氧化硅含量高，还有 0.5% ～ 0.9% 的五氧化二磷。钧红釉的呈色是氧化铜的作用所致，氧化铜在还原气氛中还原为氧化亚铜，在釉中形成胶体而呈色。但胶体粒子极小时呈黄色，稍大时呈红色，更大时则呈青色。钧红釉料中的氧化铜的加入量一般在 0.2% ～ 0.5% 之间，过多过少都达不到理想的效果。钧釉的红色是由于还原铜的呈色作用，红釉中含有 0.1% ～ 0.3% 的氧化铜，还含有差不多含量的氧化锡，钧釉中的紫色，是由于红釉与蓝釉互相融合的结果。

叶喆民先生的《中国古陶瓷科学浅说》一书中说："造成钧釉乳浊现象和特殊颜色的有效成分经科学研究的结果表明：钧釉中除一般瓷釉所共有的成分外，另外含有元素为磷、钛、铜、锡四种。钧釉的乳浊现象是由于磷酸和氧化铁的作用。当釉中的铁变作氧化亚铁时，所呈现的釉色与青瓷一样；而一部分铁与磷酸结合，成为磷酸亚铁，所出现的色泽为灰绿色；大部分的磷酸与钙结合，成为磷酸钙，磷酸钙在釉中极难溶解，变作细微的颗粒，融合在釉内，使釉呈现乳浊状态。高温中，磷酸亚铁和磷酸钙便进行分解，磷变成气体形成釉中残余的气泡，而气泡亦会使釉产生乳浊感。气泡在光的作用下，通过不同角度的光量的反射以及光波的长短的不同，而呈现出釉的乳浊现象。"[15]

钧釉是乳浊现象的青釉与含铜成分的釉混合在一起，经高温还原焰烧制，而呈现出赤、青、紫、白等鲜艳的色彩。此外，钧窑器的口边因釉熔融得极透显出乳青色，不出现乳浊现象完全透明的部分，仿佛是北方青瓷。同时在北方青瓷中，器物局部厚釉难熔之处，也可以看到如钧窑系同样的乳浊现象，这些迹象足以表明，钧瓷与北方青瓷以及汝窑彼此之间的关系颇为密切，说明了"钧汝不分"的一部分道理。由此得知，钧窑瓷用还原焰烧成，它的蓝色乳光是由氧化铁和釉的乳浊现象而产生的。钧釉中玫瑰紫和海棠红是在基础釉的成分上，加入含有铜的氧化物作为呈色剂，也含有锡的成分。而产生乳浊现象的原因，则是釉中含有磷酸的缘故。

钧瓷釉料按制备的用料可分为生料和熟料两种。生料是指岩石矿物质直接用于釉中者，熟料是指熔块及经过加工的化学原料等。较常用的釉料矿石有白长石、瓷石、玉山石、黄长石、莹石、方解石、白云石等，产于禹州市神垕镇、鸠山乡及宝丰县三间房，汝州市桃木沟等地，而矿石中所含氧化物又有碱性、中性、酸性之分。根据釉料配方中熔剂或助熔剂的成分不同，料料组方可大致分为长石釉、灰釉、钙釉三大类，现将它们的基础组方分述于下：

（一）长石釉

长石釉是指以长石为熔剂的釉料。长石又分为钾长石和钠长石两种。钾长石又名白长石、正长石，产于禹州西、南部山区，汝州市、南召县亦有出产，其特点是光洁度大，较稳定。钠长石产于安阳善应镇，稳定性较差，但熔点较低。长石釉的基础配方为：汝州长石 60%；玉山长石 18.5%；石英 13%；孔雀石 4%；铜灰 0.5%；白土 2%；黑土 2%。

表 5-2　长石釉化学成分及比重

化学成分	SiO₂	Al₂O₃	CaO	MgO	Fe₂O₃	TiO₂	K₂O	Na₂O	CuO
比重	73.370	11.200	1.883	2.729	0.493	0.677	7.868	1.269	0.509

长石釉釉式：

$$
\left.\begin{array}{l}
0.396 \ K_2O \\
0.095 \ Na_2O \\
0.321 \ MgO \\
0.160 \ CaO \\
0.028 \ CuO
\end{array}\right\}
\left.\begin{array}{l}
0.514 \ Al_2O_3 \\
\\
0.014 \ Fe_2O_3
\end{array}\right\}
\begin{array}{l}
5.759 \ SiO_2 \\
\\
0.038 \ TiO_2
\end{array}
$$

（二）灰釉

在钙釉发明之前，柴灰、骨灰等长期被陶瓷界广泛应用，柴灰釉也是钧瓷生产中的主要用釉，钧瓷恢复时期的炉钧所用的就是柴灰釉。其基础配方为：禹州本药 60%；玉山长石 18.5%；玉山石 11%；玻璃 8%；铜灰 1%。

表 5-3　灰釉化学成分及比重

化学成分	SiO₂	Al₂O₃	CaO	MgO	Fe₂O₃	TiO₂	K₂O	Na₂O	CuO	P₂O₅
比重	65.775	10.779	10.390	1.453	1.997	0.191	6.322	1.609	1.08	0.385

灰釉釉式：

$$
\left.\begin{array}{l}
0.204 \ K_2O \\
0.079 \ Na_2O \\
0.564 \ MgO \\
0.110 \ CaO \\
0.043 \ CuO
\end{array}\right\}
\left.\begin{array}{l}
0.323 \ Al_2O_3 \\
\\
0.040 \ Fe_2O_3
\end{array}\right\}
\begin{array}{l}
3.340 \ SiO_2 \\
0.006 \ TiO_2 \\
0.009 \ P_2O_5
\end{array}
$$

（三）钙釉

以方解石作为助熔剂用于釉料，起始于 20 世纪 40 年代，方解石的主要成分为碳酸钙。方解石对于形成分相、降低温度、增加流动非常有利，效果良好。其基础配方为：黄长石 31%；白长石 30%；方解石 18%；石英 15%；铜矿石 5%；氧化铜 1%。

表 5-4　钙釉化学成分及比重

化学成分	SiO₂	Al₂O₃	CaO	MgO	Fe₂O₃	TiO₂	K₂O	Na₂O	CuO
比重	72.666	7.940	13.767	1.240	0.434	0.184	2.496	0.104	1.169

钙釉釉式：

$$
\left.\begin{array}{l}
0.083 \ K_2O \\
0.005 \ Na_2O \\
0.768 \ CaO \\
0.097 \ MgO \\
0.047 \ CuO
\end{array}\right\}
\left.\begin{array}{l}
0.245 \ Al_2O_3 \\
\\
0.009 \ Fe_2O_3
\end{array}\right\}
\begin{array}{l}
3.811 \ SiO_2 \\
\\
0.007 \ TiO_2
\end{array}
$$

（四）熔块釉

熔块是指将硼砂等矿物质冶炼成结晶体后用于釉料配制，俗称"烧珠子"，分有铜无铜、有锌无锌及有无铅锡含量等种类。熔块的基础配方为：硼砂23%；长石20%；方解石12%；石英25%；铅丹20%（此配方合成的熔块叫"无锌熔块"，加入某种元素即成某种熔块）。

上述各种釉料是独立的也是相互关联的，可单独用也可混合用，一切视实际需要而定。也就是说，可以根据釉用原料在窑炉内高温状况下的呈色原理，灵活地调整原料的用量和配方。

钧釉是在1280℃以上的还原焰中烧成，氧化还原反应的条件是决定金属氧化物呈色的关键。高温阶段的氧化反应使釉熔融，当釉熔时改为还原反应，使釉料发生化学变化，促进金属氧化物还原呈色。钧釉在烧成的过程中，窑室内氧化还原的气氛使釉色变化非常大，有时毫厘之差，也会使铜红釉产生黄、绿、青、白等色彩。像这种窑变性很大的铜红釉在烧成过程中极不稳定，不易掌握，但是从艺术的角度来看，正是这种独特的釉料配方工艺、独特的施釉工艺和极难控制的烧成工艺，使钧瓷的窑变艺术更丰富、更独特。因为钧釉的釉层厚且失透度很强，烧制后自然给人一种浑厚温润之感。古人用"夕阳紫翠忽呈岚"的诗句赞美钧窑，以此来形容钧瓷窑变色调的丰富多彩。

二、代表性的传统造型样式解读

钧窑是宋代的名窑之一，钧窑瓷器的精美绝伦，不仅体现出制瓷工艺技术的高超，而且体现出特有的审美情趣和艺术风格。它反映着当时物质发展的程度，也反映着当时的社会心理和精神风貌。

北宋末年，文人间复古风气盛行，对古代器皿，尤其是青铜器的嗜好成为时尚，它在某种程度上极大地影响了南北方以供应官方为主的瓷窑的品种，宋代官办钧窑生产的尊即为仿商代青铜出戟尊式样。珍藏在北京故宫博物院和台北"故宫博物院"的北宋宫廷陈设钧瓷造型变化颇为丰富，仅花盆式样就有近十种，如葵花盆、莲花盆、海棠盆、仰钟盆、六方盆，另外有各式盆奁、鼓钉洗、出戟尊等，造型变化极为丰富。这些仿古器物做工极其规整、精细，造型古朴典雅。

宋代官钧窑器物在造型形制方面重视器物构造。通过曲直的线形对比，构成形态的变化，使器物在艺术上加强形体的统一和完整，在功能上也显得更为简洁、质朴和实用。宋代官钧窑鼓钉洗，圆口外翻，颈下束收，呈圆润曲线，底部饰有云头三足，将器物悬空，通过虚空间巧妙地协调了器物的整体造型，既精巧别致，又不失端庄典雅。加之窑变色彩绚丽，配以鼓钉装饰，古朴庄重。它的造型体现了钧瓷早期实用

图5-144　宋钧窑玫瑰紫釉鼓钉三足洗（上海博物馆藏）

性与观赏性相结合的特点，鼓钉洗摆放于桌面既可洗墨又可观赏。在造型中，点、线、面的完美搭配，以及底部对虚空间的利用，可谓独具匠心（图5-144）。

宋代官钧窑器物的造型和釉质达到完美统一。现藏于故宫博物院的钧窑玫瑰紫釉葵花式花盆，敞口折沿，口沿起边，足为葵花式圈足，与口沿和器身花瓣一一相对，外壁通体为窑变玫瑰紫釉，工匠们将整件花盆转折的棱形处理得恰到好处，他们利用棱线部位不容易停釉的特征，使其露出黄铜色的胎骨，与变化的色彩形成了俗称为"出筋"的对比效果。出筋的胎骨虽然显露，但毕竟掩映在一层薄薄的釉层之下，因而胎骨若隐若现，使器物的造型结构既清晰又含蓄。整件花盆利用釉色和造型中线与面的起伏变化，使原本单

图 5-145　宋钧窑玫瑰紫釉葵花式花盆（故宫博物院藏）

图 5-146　宋钧窑月白釉出戟尊（故宫博物院藏）

图 5-147　宋钧窑月白釉紫斑碗（故宫博物院藏）

一的造型显得多姿多彩、典雅华贵，体现了皇家御用陈设器豪华高贵的气魄（图 5-145）。

宋代官钧窑器物在造型与装饰中体现一种法度严谨、古朴端庄、线条简洁的特点。现存于北京故宫博物院的出戟尊便是宋代钧瓷的典型代表之作。"出戟尊是仿商周青铜器造型：敞口，颈部束收，鼓腹，束腰，外撇，圆足。器形曲线优美，柔韧的线条赋予了器形丰满挺拔、古朴含蓄的美感。器身分上中下三段，比例协调，在鼓、束、收、放的层次中形成了张弛、开合的对比效果，十二条直线状的戟均匀分布于颈、腹、足三个部位，其棱角分明，对称合理，整齐一律，给人一种稳重而有气势的视觉感受。出戟尊整个器形设计吻合了美学形式中'多样统一'的原则，使作品在外部形态多样性、变化性中，又展现出一种内在的和谐和统一。官钧窑注重工艺性，以儒家的工艺美学思想做主导，以人伦为中心、工整严谨、庄重高雅，追求气质脱俗超凡。"[16]（图 5-146）

宋代钧瓷有官窑和民窑之分，正统的官方审美情趣与民间的大众审美情趣之间的区别形成了两种不同的精神内涵。作为数量巨大的民窑，它体现着普通民众的审美情趣和人生理想，瓷器朴实拙雅，富有生活情趣和生命力，是官窑所不能代替的。民钧窑作品以天青釉和天蓝釉装饰居多，有的器物上施铜红色或紫色斑块作装饰，没有官钧那种玫瑰紫和海棠红的器物。双耳罐别致清新；蓝釉钵空灵饱满；紫斑碗釉色莹润，宛如盛开的小花；单柄洗的天蓝釉凝厚滋润，造型清新淡雅。如果说官窑为宋代瓷坛的阳春白雪，那么民窑可谓众彩纷呈，作品多显朴实、粗放、古拙、简洁，它的返璞归真、清新自然，往往带有浓郁的生活气息，更符合道家的工艺美学思想。讲求实用的民窑日用器皿，在造型上与官窑的陈设用瓷形成了两种完全不同的艺术风格（图 5-147～图 5-150）。

在文化大交流、民族大融合这一社会趋势的带动下，元代钧瓷艺术成就辉煌。此时，钧窑炉火蜂起，遍及北方四省十二县，形成了规模庞大的钧窑系。"与中国历史上一切巨大的动乱相同，元时蒙古人的征服在艺术领域内不会不留下印记，成吉思汗斗士们的烈马旋风般地掠过中华大地后，蒙古人的文化习俗也洒遍了所过之处，融合着多种民族精神的陶瓷作品在这种新的环境下诞生了。"[17]

从各地元代钧窑出土的遗存得知，钧瓷在元代依然继续生产着天蓝釉、月白釉和蓝釉红斑的器物，元代钧窑场大都

图5-148 元钧窑月白紫斑双耳罐（台北"故宫博物院"藏）

图5-149 元钧窑蓝釉钵（故宫博物院藏）

图5-150 宋钧窑天蓝釉单柄洗（故宫博物院藏）

是在宋钧的影响下设窑烧制的，继承了宋代传统工艺技术，创造出了独具特色并具有时代风格的元代钧瓷。元钧造型以碗、盘、炉、罐、壶、瓶之类的日用瓷器为主，粗犷高大，胎骨厚重，制作粗糙，釉面多棕眼，施半截釉，底部露胎不施釉，器表光泽较差，釉色以天蓝、月白为主。元代钧瓷中不见了盆、奁、尊之类的陈设器物，也不见了紫红交融的玫瑰紫、海棠红釉色。元钧非常注重釉面装饰，其方法有两种：一种方法是含铜较高的釉药不规则地涂在器物上经高温还原后，呈现红色斑块；另外一种方法是堆贴镂雕，图案主要有莲花、兽面纹、铺首和兽形足等，一般装饰在器物肩部或腹部，此装饰手法是元代钧瓷所特有的。在元代的钧瓷中有不少优秀作品，如北京后桃园元代遗址出土的钧窑双耳连座瓶，瓶体高达63厘米，口沿呈翻卷五瓣花形，细长颈，上腹圆鼓，下腹微收，腹部两侧饰有两个凸起衔环的兽面纹，瓶身下部为五只攒尾骆驼组成的高座。器物硕大，造型浑厚凝重，钧窑瓷器以五彩缤纷的窑变而著称，这件造型别致的双耳瓶通体施天蓝色釉，配上紫红色艳丽的彩斑更显华贵，为元代钧窑器中的珍品，现藏首都博物馆（图5-151）。

内蒙古自治区呼和浩特市出土的一件元代钧窑堆花三足炉，高为23.6厘米，直口，口外有八个乳钉，颈部略细，一面贴有团花，另一面贴有凸龙，龙双爪撑于器物肩部，腹部为扁圆形，贴有两个铺首，间有四朵花，下承三个兽形足，双耳高过炉的口沿，耳为带孔的四方形，从孔中穿过的双耳连接颈腹部，整个器物通体施天蓝色釉，釉层较厚。这件香炉造型浑圆饱满，胎体厚重，具有典型的元代特征，现藏内蒙古博物院。像这样大的器物在元代钧窑中不少见（图5-152）。

再如元代梅瓶，小口、短颈、肩下渐收敛、圈足无釉，盖为覆杯形，盖沿及盖内壁无釉，灰色胎体，盖及瓶腹均涂紫红色斑，犹如片片彩霞，这种装饰完全出自工匠施釉时随意涂洒，烧成后呈现诗意的画面。作为酒具的梅瓶在钧窑中极为少见，这件带盖的钧窑梅瓶造型与装饰虽不失亭亭玉立秀美之气，但仍带有洒脱奔放之风（图5-153）。

元代器物从日用瓷到陈设瓷多是体大厚重。其原因或许不仅仅在于元代统治者喜食豪饮，还在于这是一个"尚武"的强悍时代，是一个不断向外扩展取得辉煌战果的时代，在粗犷、豪放、刚劲的器物造型背后，更多地体现着元代统治者心理上的满足感和勃勃雄心。元代钧瓷造型厚重粗犷、朴实无华且近乎草率。作品中彰显的刚健豪壮、真淳天然的艺术风格，与元代贵族统治者由游牧生活培养成的粗犷、豪放、不拘细节相得益彰。

三、独特的色釉装饰效果与陶瓷本体语言的最佳表现

钧瓷虽然是在青瓷的基础上发展起来的，属北方青瓷范畴，但"钧窑瓷器独特之处在于它是一种乳浊釉，

图 5-151　元钧窑贴花兽面纹连座双耳花口瓶（首都博物馆藏）

图 5-152　元钧窑贴花鼎式炉（内蒙古博物院藏）

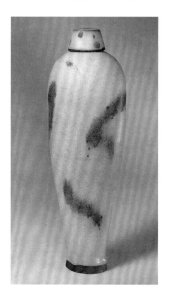

图 5-153　元钧窑天蓝釉红斑带盖梅瓶（故宫博物院藏）

釉内还含有少量的铜……烧出的釉色青中带红，有如蓝天中的晚霞。青色也不同于一般的青瓷，虽然色泽深浅不一，但多近于蓝色，是一种蓝色乳光釉。是青瓷工艺的一个创造和突破"[18]。窑变是钧瓷与其他瓷种的最大区别。它以"钧不成对，窑变无双"的独特性，以"入窑一色，出窑万彩"的丰富性，以窑变后形成的釉面变化、釉色多样、釉纹奇特的艺术特色，在中国陶瓷界独树一帜。冯先铭先生在《中国古陶瓷图典》中这样解释窑变：瓷器在窑内烧成时，由于釉中含有多种呈色元素，经氧化或还原作用，出窑后，釉面色彩斑斓，呈现意想不到的效果。它本出于偶然，由于呈色特别，又不知其原理，只知经窑中焙烧变化而得，自古称之为"窑变"。[19]《稗史汇编》中云："瓷有同是一质，遂成异质，同是一色，遂成异色者。水土所合，非人力之巧所能加，是之谓窑变。数十窑中，千万品而一遇焉。"宋代河南禹县钧窑生产的铜红釉窑变，可谓鬼斧神工、变化莫测。《钧瓷志》说："钧瓷的窑变现象是指钧釉在高温下熔融流动，乳浊和着色色彩发生复杂的交错变化，而使釉面变得绚丽多彩，紫红蓝白交相辉映，给人一种大自然瞬息万变的美的享受。"[20]

钧瓷的窑变是人类的智慧与自然力量的完美结晶。多彩的釉色与窑变意境的千姿百态，都是自然形成的，不存在人为描绘，这是钧瓷和其他瓷种的最大区别。智慧的先民们在钧瓷釉料的配制中加入了铜、铁、锡、铅、磷、钛等各种微量的金属氧化物，这些氧化物在高温烧制的过程中相互熔融，在窑火内一氧化碳气氛的影响下发生物理化学变化，形成"同是一质，遂成异质，同是一色，遂成异色"的窑变现象，为钧瓷艺术的精华所在。钧瓷的艺术效果是在烧制过程中自然形成的，它不以人的意志为转移，既不能预先设计又不可预测，带有很大的偶然性。钧瓷窑变现象的产生对各种条件要求十分苛刻，一件钧瓷珍品的出现，需要炉温、釉料组方、放置位置、还原气氛、冷却时间、气候变化等有利因素的最佳组合才有可能产生。钧瓷的窑变是极其复杂而又神奇的过程，大多依赖"天成"，人为的因素在烧制过程中占很小的比例，即使一切条件都具备，窑变产生的釉色变化也是人力无法掌控的，真正意义上的钧瓷还要靠窑变才能产生出最佳的艺术效果。

钧瓷的色彩变化神秘莫测，釉面变化多姿多彩，纹路的形成奇异多变，开片的声音美妙悦耳，如同大自然造就的江河湖泊、高山云霞、烟霭漫天。中国人崇尚自然之美，把天地造化推为美的最高境界。钧瓷则利用窑变，酣畅淋漓地演绎着"自然"。

（一）钧瓷窑变的釉色

窑变后的钧瓷产生的釉色变化神奇、精妙灵动。"入窑一色，出窑万彩"，"钧瓷无对，窑变无双"，

"千钧万变，意境无穷"等钧瓷产地流行的民语，充分概括了钧瓷窑变后色彩千变万化、巧夺天工的状态。钧瓷釉层厚重，不透明，乳浊感强，色彩丰富，是窑变效果的主要特点。钧瓷在发展历程中，形成了多种名贵釉色。根据基本色调大致可分为两类：一类为单色釉，即器物的通体上下基本为同一色调；一类为复色釉，这是钧瓷窑变最常见的，也是最有艺术震撼力的色彩。

1. 天青、月白

天青、月白是钧瓷两种传统单色釉色。偏青的叫"天青"，偏白的叫"月白"，只是一个统称。青有豆青、梅青、蛋青、粉青、靛青、翠青之分；白亦有玉白、牙白、莹白、鱼肚白、粉白之别。无论是青是白，色彩都浓淡各异、深浅不一。现藏于故宫博物院的宋代单柄洗，通体呈月白釉色，给人以静洁、空灵、雅致之美感。这类釉色追求乳光玉润的质感，如美玉、如凝脂，给人一种高贵典雅的视觉享受，打造一种"白玉为魂色不妖"的审美境界（图5-154）。

2. 钧红釉

钧红釉是钧瓷的基本釉色之一。创烧于北宋时期，是在釉料中加入适量铜元素而产生的。钧红釉在经自然窑变呈色过程中，都会带少许其他如赤、紫、青、白之类的色素，所以不呆滞、不艳俗，于浓艳中见雅，于热烈中见奇。比较著名的釉色有海棠红、朱砂红、鸡血红、石榴红、玫瑰红等数个品种。铜红釉的产生是钧窑对中国陶瓷的重大贡献，对中国陶瓷的发展影响深远（图5-155）。

3. 紫色釉

紫色代表着富贵。"钧以紫贵"的审美观念早已深入人心。紫釉钧瓷制品以浓淡皆宜的色彩、如岚如雾的画面、深邃莫测的韵味、似幻似真的情调，成为主要品种之一。比较典型的紫色有玫瑰紫、葡萄紫、丁香紫、茄皮紫等品种。北京故宫博物院的钧瓷藏品钧窑玫瑰紫釉葵花洗，造型丰满端庄，花盆外面披挂窑变玫瑰紫釉与器里天蓝色釉相映成辉，加之边棱线釉薄处呈现酱色釉相衬，使得花盆色彩越加绚丽夺目，宛如一朵盛开的葵花，富丽典雅（图5-156）。

4. 蓝釉

蓝釉亦是钧釉中常见的釉色之一。恬淡沉静，优雅明快。蓝釉不像天青、月白釉那样清丽脱俗，亦不像紫红釉那么热烈奔放，它如秋日之天，亦如秋日之水，给人以天地清明、神清气爽之感（图5-157）。

5. 复色釉

图5-154 宋钧窑月白釉瓶（故宫博物院藏）

图5-155 宋钧窑海棠红釉葵花洗（故宫博物院藏）

图5-156 宋钧窑玫瑰紫釉葵花洗（故宫博物院藏）

复色釉是钧瓷的主要釉色之一。钧瓷呈色不是单一的，往往相互渗化，相互交融。复色釉是赤橙黄绿青蓝紫七彩毕具，不分主次的，经自然窑变呈现的釉色云蒸霞蔚、花团锦簇，釉汁在烧制过程中的流动，极易形成奇妙的意境景观（图5-158）。

图5-157 宋钧窑天蓝釉鼓钉三足洗（故宫博物院藏）

图5-158 宋钧窑天蓝玫瑰紫渣斗式花盆（台北"故宫博物院"藏）

钧瓷之所以美，只因丰富的窑变艺术极富弹性，既能拉长，又能缩短。有弹性所以不呆板，各种阶层的人在不同的环境都会喜欢它；有弹性就不陈腐，今天看有今天的趣味，明天看有明天的趣味，你看有你的趣味，我看有我的趣味。这种弹性恰好反映出钧瓷艺术的价值，因为只有经得起时代淘汰的钧瓷作品才可谓是上乘的艺术品。

（二）钧瓷窑变的纹理

钧瓷的纹理是经自然窑变形成的釉面装饰，不同于由人工雕刻而形成的其他各种纹饰。钧瓷的釉层特别厚，坯胎在上釉前先经素烧，因而促使裂纹和缩釉等现象出现。裂纹如果出现在日用瓷上，是致命的缺陷。但作为观赏瓷器，钧瓷的纹路则别具韵味。钧瓷经自然窑变所形成的纹路多种多样，回环百结，错落有致，视若锤击，抚之无痕，各有情趣，各臻奇妙。

1. 冰裂纹

俗称"开片"，是钧瓷釉面常见的纹路之一。钧瓷烧成时先素烧固胎，后上釉烧成。由于胎、釉的膨胀系数不同而形成的釉面开裂即为"冰裂"。出窑时伴随着丝竹般悦耳的声音，冰裂纹开片的纹路不断出现。有的在多年之后，瓷器开片仍然继续着。开片后的钧瓷的釉面呈现出经纬相连、纵横交织的纹片，纹片有长有短，有疏有密，有粗有细，有曲有直，布局丰富多变。钧瓷开片的"缺陷美"已被社会普遍认可，并成为钧瓷审美的一个重要特征。

2. 渔网纹

钧瓷名贵纹路之一。纹样类似开片，与冰裂纹的区别在于：冰裂纹的裂块有各种形状，多不规则，裂痕不弥合；而渔网纹的裂块则大多呈大小不一的菱形或长方形，比较规整，似渔民捕鱼的渔网，裂痕弥合。渔网纹也是由烧成先期釉面开裂后又由釉汁弥合的结果。

3. 珍珠点

也叫"鱼子纹"。呈或疏或密的点状物出现于釉面上，似珍珠也像鱼子，大小不一，色彩各异，与各种色彩相互交融的釉面相得益彰、相映成趣，成为极具美感的釉面装饰。

4. 蚯蚓走泥纹

钧瓷名贵纹路之一。蚯蚓走泥纹，即在釉中呈现一条条逶迤延伸、长短相间的釉痕，如同蚯蚓在泥中游走，这是由于钧窑瓷胎在施釉前先经素烧，施釉后釉层因干燥或再烧初期产生裂纹，在烧制的高温阶段又被黏度较低的釉流入孔隙而形成。蚯蚓走泥纹的形成因素人们无法掌握，出现的概率很小，可遇而不可求，在一般产品上难得一见，是钧瓷珍品的重要标志（图5-159）。

钧瓷窑变后的纹路还有很多，除了冰裂纹、蚯蚓走泥纹，还有兔丝纹、蟹爪纹等。钧瓷纹路是特殊的釉料和独特的烧成工艺的产物，不能预先设计，也无规律可循。长期的探索和经验可以证实：钧瓷纹路产生的基本原因是钧瓷的胎料与釉料的膨胀系数不一致，不能达到完美的结合。但这种缺陷若从审美的角度来看，又不失其艺术哲理：我们居住的世界是最完美的，就因为它是最不完美的。这世界之所以完美，就在于有缺陷，就在于有希望的机会、有想象的余地。钧瓷开片亦然。钧瓷严谨的造型、斑斓的色彩，加之奇妙的开片，使它形成了一个完美的整体。

（三）钧瓷窑变的意境

宗白华在《美学散步》中说：意境是什么？意境是"情"与"景"的结晶。

意境是中国美学里的重要概念，是艺术家审美体验、情趣、理想与经过提炼加工的生活形象融为一体而形成的艺术境界。它具有生动的形象、强烈的情感、精湛的技术技巧，含蓄地唤起欣赏者的想象。它体现了中国古典美学天人合一的艺术境界。"艺术家以心灵映射万象，代山川而立言，他所表现的是主观的生命情调与客观的自然景象交融互渗，成就一个鸢飞鱼跃、活泼玲珑、渊然而深的灵境，这灵境就是构成艺术之所以艺术的'意境'。"[21]宗白华的艺术意境论为钧瓷的意境作了准确的注释。

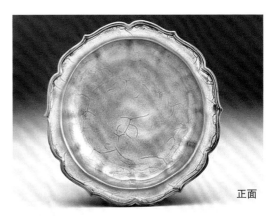

正面

侧面

图5-159 宋钧窑天蓝葡萄紫莲花式盆托（台北"故宫博物院"藏）

钧瓷窑变的经典是以"意境"取胜。

钧瓷釉层厚重，在烧制过程中釉汁因高温熔化而下垂流动，呈色后各种色素相互交融渗透，容易形成类似自然风光的图画景观，有的如巍峨的山峰，有的如飞泻的瀑布，有的如春日旷野，有的如深秋霞晖……好像中国写意山水画一样，自然挥洒，妙趣横生。"艺术意境的创构，是使客观景物作我主观情思的象征。我人心中情思起伏，波澜变化，仪态万千，不是一个固定的物象轮廓能够如量表出，只有大自然的全幅生动的山川草木，云烟明晦，才足以表象我们胸襟里无尽的灵感气韵。"[22]由于钧瓷窑变的自然景观的意境迎合了人们这种审美需求和情感宣泄的需要，所以成了钧瓷自然窑变中最具艺术魅力的部分。

挂盘"寒鸦归林"是钧瓷界公认的极品佳作。挂盘釉色浓润，色彩自然，因窑变而形成的画面意蕴深长。窑工在兴奋之余，为其取名"百鸟归林"，并赋诗一首："钧窑幻出奇妙景，树木成林鸟雀鸣。釉色光韵含神艺，白鸟纷飞归林中。"著名作家姚雪垠欣赏此作品后，将其改名为"寒鸦归林"，题诗一首："出窑一幅元人画，落叶寒林返暮鸦。晚霭微茫潭影静，残阳一抹淡红霞。"并阐述此名源自元代画家的一幅《寒鸦归林图》。同一事物看法多种，所看出来的现象也就有多种。物的形象随着观者的性格和情趣而变化，个人所见到的形象都是自己性格和情趣的映照。正是这丰富的意境之美，完美地体现了钧瓷窑变后的精髓和魅力。

朱良志先生在《中国艺术的生命精神》中说："在中国人看来，生为万物之性，生也为艺术之性。艺术是人的艺术，表现的是人对宇宙的认识、感觉和体验，所以，表现生命是中国艺术理论的最高准则。"[23]画家傅抱石说："一切艺术的真正要素乃在于生命，且丰富其生命。有了生命，时间和空间都不能限制它。"中国艺术家以体验生命为艺道，生命被视为一切艺术的最终之源。

圆盘"凤凰涅槃"是采用宋代官钧窑柴烧工艺烧制而成的（图5-160）。它以生命的艺术形象表现着中国艺术的生命精神，是极具生命艺术震撼力的经典艺术作品。圆盘四周由于釉汁在高温中向盘中心流动，微露胎骨，使盘的边口形成少见的铜口，宛如天工镶嵌。盘内半边呈青白色显示出烈火过后的冷静与沉稳，中间一大鸟，身首毕现，脖颈稍侧，颈下羽毛奋张，似要腾身飞举。而它身后则自然窑变出一抹嫣红，似血痕，似火光，亦如红霞。那，是一只凤凰！她，在烈火中重生！那一种活泼泼的样态，不仅使圆盘化静为动，那追求活态的背后又蕴藏另一种"生意"，既有宇宙生生之精神，亦有生命超脱的意义。这就是"凤凰涅槃"。这种呈现出神奇窑变的钧瓷作品，用鬼斧神工、巧夺天工来形容，绝不为过！

钧瓷是火的艺术，窑变是钧瓷最重要的特征。窑变中所蕴含的自然的强大力量，正是钧瓷美的本质所在。也正是这种本质和特征，使艺术家的激情与火的艺术相结合，使钧瓷产生了独特的艺术效果和审美价值，把钧瓷艺术推向自然美、生命美、动感变化美和崇高的理想美融为一体的艺术高峰。

图 5-160　钧釉圆盘"凤凰涅槃"（钧瓷窑炉博物馆藏）

注释

[1] 谢一菡、谢玉好：《中国钧瓷美学》，人民教育出版社，2009 年，第 37 页。

[2] 河南省文物研究所编：《河南钧瓷汝瓷与三彩》，紫禁城出版社，1987 年，第 3 页。

[3] 中国硅酸盐学会编：《中国陶瓷史》，文物出版社，1997 年，第 260 页。

[4] 赵青云：《钧窑》，文汇出版社，2001 年，第 12 页。

[5] 王伯敏：《中国美术通史》，第四卷，山东教育出版社，1996 年，第 1 页。

[6] 文物编辑委员会：《文物》，文物出版社，1975 年第 6 期，第 57 页。

[7] 李辉柄：《宋代官窑瓷器》，紫禁城出版社，1993 年，第 40 页。

[8] 李辉柄：《宋代官窑瓷器》，紫禁城出版社，1993 年，第 49 页。

[9] 苗锡锦：《钧瓷志》，河南人民出版社，1999 年，第 43 页。

[10] 中国硅酸盐学会编：《中国陶瓷史》，文物出版社，1997 年，第 260 页。

[11] 苗锡锦：《钧瓷志》，河南人民出版社，1999 年，第 48 页。

[12] 紫禁城出版社编：《陈万里考古论文集》，紫禁城出版社，1997 年，第 135 页。

[13] 紫禁城出版社编：《陈万里考古论文集》，紫禁城出版社，1997 年，第 135 页。

[14] 李辉柄：《宋代官窑瓷器》，紫禁城出版社，1993 年，第 47 页。

[15] 叶喆民：《中国古陶瓷科学浅说》，轻工业出版社，1960 年，第 47 页。

[16] 谢一菡、谢玉好：《中国钧瓷美学》，人民教育出版社，2009 年，第 63 页。

[17] 郑宁：《中国传统陶艺的审美精神》，载《2006 年中国清华大学国际陶艺教育年会论文集》，河北美术出版社，2006 年，第 21 页。

[18] 中国硅酸盐学会编：《中国陶瓷史》，文物出版社，1997 年，第 261 页。

[19] 冯先铭：《中国古陶瓷图典》，文物出版社，1998 年，第 197 页。

[20] 苗锡锦：《钧瓷志》，河南人民出版社，1999 年，第 95 页。

[21] 宗白华：《美学散步》，上海人民出版社，2007 年，第 70 页。

[22] 宗白华：《美学散步》，上海人民出版社，2007 年，第 72 页。

[23] 朱良志：《中国艺术的生命精神》，安徽教育出版社，2006 年，第 5 页。

第六章　德化窑制瓷工艺

第一节　历史沿革

德化地处福建中部，位于"闽中屋脊"戴云山麓，是泉州市最北边的一个县。东与仙游、永泰县毗邻，北与尤溪县交界，西与大田县接壤，南与永春县相连。

德化是一个具有悠久历史的千年古县，德化窑则是我国南方地区以烧造白瓷为主的重要窑场，也是我国古代外销瓷重要产地之一。该窑的发展得益于得天独厚的地理条件和自然资源，境内群山环抱，重峦叠嶂，森林茂盛，为陶瓷烧造提供了充足的燃料资源；河谷深邃，溪流纵横，水量丰沛，主要河流铲溪和涌溪分别穿过戴云山南北两侧，构成环形水系，丰富的水力资源为陶瓷生产提供了充足的动力保证，也为交通运输提供了便利（图6-1）。最为重要的是，当地有着储量丰厚的瓷土资源，多达百处的采土矿点遍布全境，其中有很多属于优质的瓷土。

图6-1　德化县城内铲溪穿城而过

由于德化窑属于民窑，历史上少有记载，窑址的烧制年代也较难认定，给德化窑分期带来一定困难。从瓷质和釉色来看，德化陶瓷烧造大体可分作唐、宋、元、明、清几个阶段，其中唐、五代烧青瓷，宋、元主要烧青白瓷和白瓷，明、清则主要生产白瓷和青花瓷。

历史上德化陶瓷生产规模大，分布广。从20世纪90年代初的资料来看，已发现唐、宋、元、明、清至民国期间的窑址达237处，分布在16个乡镇，67个村[1]。后来又有新的窑址逐渐被发现，其中唐、五代1处，位于美湖乡阳田村。宋、元42处，主要分布在盖德乡、浔中镇和三班镇区域内。明代30处，主要分布在城关以及城关周边的三班和盖德两乡镇、西部的上涌和葛坑两乡镇。清代177处，民国55处，

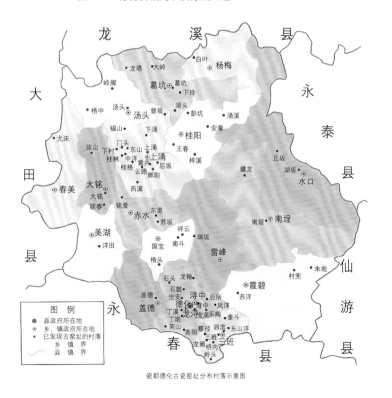

瓷都德化古瓷窑址分布村落示意图

图6-2　德化古瓷窑址分布村落示意图

累计 300 余处。清代至民国的窑址虽然遍布全县，但相对集中在东部的城关地区、三班镇和西部的上涌镇。有很多窑址烧造延续时间较长，重重叠叠，几乎贯穿宋、元、明、清几个朝代，如屈斗宫窑、岭兜窑、后窑、后所窑、大草埔窑、内坂窑、垅窑山窑等。有些因年代久远，已湮没无痕。这些古窑址从东部与仙游交界的朱地到西部与大田交界的尤床，从北部与尤溪交界的双溪口到南部与永春交界的岭头，星罗棋布，到处可见诸如车碓岭、窑垵、碗坪仑、碗洋坑、窑垄山、碗窑山、窑垄仔、瓷窑岭、瓷窑垄、瓷窑岐、瓷窑坪、瓷窑坑、瓷窑仑、瓷寮坝、新窑、旧窑等带有陶瓷特色的地名（图 6-2）。

始烧于唐、五代时期的德化窑，宋、元时趋于繁荣，明、清期间达到鼎盛，清末至民国逐渐衰落。新中国成立后，尤其是改革开放以来，德化陶瓷作为该县的支柱产业步入了新的辉煌时期，传统雕塑、西洋工艺瓷、日用瓷并驾齐驱，产品远销 150 多个国家和地区，德化成为全国最大的工艺陶瓷生产、出口基地。

一、唐、五代时期

德化窑始烧于唐和五代时期。由于缺乏相关的记载，以前对于德化窑的始烧造年代一直存在着不同的说法。起初人们大都认为该窑场始烧于明代，20 世纪 50 年代中期，南京博物院宋伯胤先生作了比较详细的调查后，明确提出德化窑在明朝以前就开始烧造瓷器。70 年代中期，福建省博物馆、厦门大学历史系、德化县文化馆再次对盖德乡碗坪仑和屈斗宫两个古瓷窑遗址作考古发掘，证实碗坪仑窑为北宋和南宋旧窑遗址，屈斗宫窑为元代遗址（图 6-3）。由此得出德化窑始烧于北宋中、晚期并一直延续到明、清两代的结论。[2] 再后来，有学者根据《龙浔泗滨颜氏族谱》关于唐代后期泗滨村颜化彩著有《陶业法》、《绘梅岭图》用于传授制陶工艺的记载，推断唐后期德化三班、泗滨一带已有陶瓷生产，德化窑可能始烧于唐、五代时期。[3] 只是《陶业法》一书失传，使这一推断缺少了证据的支撑。及至 1995 年 3 月，文物工作者在德化美湖乡阳田村墓林发现了一处唐代陶瓷生产遗址，残存有长 21 米的窑基，出土 20 多件窑具和 50 多件青釉器。这些青釉器与当地博物馆所藏

图 6-3 屈斗宫瓷窑遗址

周边地区纪年墓出土的唐代青釉器基本一致，由此判定德化在唐、五代时期就已生产陶瓷，[4] 只是这一时期生产的是青釉瓷，与后来的纯白瓷有较大不同。2007 年 11 月，三班镇辽田尖山发现了商周时期原始青瓷窑址，将德化陶瓷历史向前推进了一大步。[5] 由于在德化商周原始青瓷和唐代青釉瓷之间尚有缺环，故将德化窑陶瓷生产的始烧年代暂定为唐代。

这个时期主要烧制青瓷，拉坯成型，器物多平底，胎质较疏松，有一定吸水性，用过的瓷器常出现釉裂现象。造型有壶、罐、碗、花口洗等，以素面为主，少有装饰。

二、宋、元时期

德化窑的发展还借助于政治和经济的因素。宋代，由于陆路交通阻塞，政府十分重视海外贸易，视此为增加国家财政收入的一项重要措施。宋元祐二年（1087）宋哲宗正式批准在泉州设置市舶司，专门负责管理泉州港的海外交通事务，确立了泉州作为重要贸易港口的地位，促进了泉州海外贸易的繁荣。这极大地刺激了德化瓷业的发展以及德化窑与沿海地区窑口和国内名窑的交流。德化生产的青白瓷、白瓷在宋代开始外销，成为"海上丝绸之路"的重要出口产品。南宋时期，疆土顿缩，税源锐减，这时的对外贸易显得更为重要，发展海外贸易成为宋王朝的一项重要国策。"宋末，荷兰人由福建贩运瓷器至欧洲，价值每与黄金相等，且有供不应求之势。"[6] 随着海外贸易的日益发展，瓷器外销的数量也在不断增大，大量瓷器源源不断地从泉州港输往国外。德化窑业在此融合与交流的过程中崛起。

宋代德化窑主要生产青白瓷，也有青瓷、酱釉瓷、黑釉瓷等。青白瓷呈淡青色或水清色，釉薄处显白，釉厚处呈淡绿色，晶莹润泽，光泽度较高，由还原气氛烧成。这一时期，在拉坯成型的基础上开始出现模印成型，工艺上主要受景德镇窑影响，出产的青白瓷与景德镇宋湖田窑的影青瓷色调相似，质地薄而坚硬，釉面光润。产品以日用器皿为主，有碗、盘、碟、盒、壶、炉、瓶和军持等，最具特色的是各种精美的盒类产品。器物装饰有刻划花和模印堆贴等。刻划花盛行卷草、篦纹、莲花、流云、团花、牡丹等图案，模印堆贴以瘦长的莲花瓣和缠枝卷草较多，改变了唐代器物多为素面的做法。

元代，泉州港已发展成为东方第一大港，也是当时世界最大的贸易港口之一，与98个亚非国家和地区建立了贸易关系，对外贸易达到了全盛期，瓷器成为泉州港输往海外的重要商品。德化瓷业这时有长足的进步，不断取得令人瞩目的成果，无论是生产规模，还是烧造技术都得到了迅猛的发展。元代晚期，泉州港的渐趋衰退对陶瓷外销产生了一定的影响，但由于海外市场的需求，泉州地区的陶瓷仍通过周边港口不断运销海外。

这期间德化窑主要生产白釉瓷，呈乳白色或白中微微闪黄，类似猪油白，胎质坚硬，釉面莹厚。也有部分青白瓷。造型有盘、碗、杯、洗、壶、瓶、盒、钵等。以模印装饰为主，兼有堆塑。装饰纹样有莲瓣、缠枝卷草、蝴蝶、飞凤、菊瓣、折枝牡丹等，其中盒类装饰最为丰富，有梅花、葵花、菊花、飞凤、婴戏、狮球、钱纹、莲花、牡丹以及福字和寿字纹等。

宋、元时期德化白瓷进贡朝廷，据《安平志》载："白瓷出德化，元时上贡。"

三、明、清至民国时期

明初，朝廷重视恢复和发展生产，人民生活比较安定，农业、手工业和商业得到迅速发展。明代政府实行严厉的海禁政策。成化八年（1472），福建市舶司由泉州迁往福州，泉州港已没有了往日的繁盛。但东南沿海的海上交通并未因此而停滞，民间的商贸活动仍趋于繁荣，不仅和东南亚有经常的贸易，和欧洲也有了直接的海上往来。明代晚期，荷兰人在台湾开辟了赤嵌港，以台湾为中转站，进行大规模的瓷器贩卖。在这种情况下，从福建各港口出口的瓷器先运到台湾，再被转运到世界各地。这一期间，德化窑用优质原料生产出了温润如玉的白瓷新品种，即"猪油白"、"象牙白"瓷器。

明代是德化陶瓷生产的重要时期。该窑依靠得天独厚的资源优势和传统制瓷技艺，生产出富有特色的乳白瓷器，烧成以氧化气氛为主，也有部分为还原气氛。与其他窑场的釉色迥然不同。在生产工艺、烧制技术、产品质量、造型品种等方面都超过宋、元时期。瓷质洁白致密，胎釉结合紧密，莹润似玉，滑腻如脂。

产品有日用器皿、文房用具和书斋陈设，还有很多模仿古代铜器或其他种类器物的造型。造型更趋多样，装饰越发丰富，以模印、堆塑为主，兼有浮雕装饰。同时，德化瓷工还认识到瓷土可塑性强的特点，大量生产各种神仙佛像和人物瓷塑。瓷塑形象生动，造型优美，代表了当时白瓷生产的最高水平，广受人们欢迎。瓷塑大师何朝宗、张寿山、林朝景、陈伟等，更将德化瓷塑艺术推到了一个前无古人的境界（图6-4）。德化窑出产的白瓷有很大一部分销往国外市场，独树一帜的"象牙白"、"猪油白"瓷器和瓷塑在欧洲被视为瓷器中的珍品而竞相购藏，并获得了"中国白"的美誉。德化白瓷由此得以在我国白瓷系统中占据重要位置，明代也成为德化历史上瓷塑艺术最为繁盛的时代。

明代中晚期，是德化窑发展的鼎盛时期。日益扩大的海外市场对中国瓷器有着大量需求，景德镇青花瓷供不应求。为了满足市场需要，福建沿海地区占得地利优势，瓷业蓬勃兴起并大量烧造青花瓷，德化窑开始烧制青花瓷和五彩瓷，德化窑青花瓷也由此得到快速发展。

图6-4　明代张寿山款"负书罗汉"

入清以后，青花瓷成为德化窑最大宗的出口产品，尤其是康熙、雍正、乾隆三朝最为繁荣，从瓷窑遗址的调查来看，这时全县出产青花瓷的窑址猛增到上百个，几乎所有清代窑址都生产青花瓷，生产规模之大，产量之多，达到空前程度。

清代初年，郑成功以厦门、金门为根据地在东南沿海坚持反清斗争，并利用其父郑芝龙建立的商业网络进行海外贸易，厦门成为其对外贸易的中心。清政府为镇压郑成功的抗清义师，在沿海地区实行迁界和海禁，拆毁市镇村落，强迫居民迁入内地山区，严禁商民下海贸易，沿海一带瓷窑随之衰落，陶瓷生产集中到了北部山区的安溪、永春和德化等地。自郑成功于顺治十八年（1661）驱荷兰人出台湾，至清军于康熙二十二年（1683）收复台湾，其间二十余年，福建陶瓷外销受到严重影响。[7]但地处内陆山区的德化窑，瓷业生产却没有停止，并有了一定发展。受景德镇和外销瓷市场需求的影响，德化仍大量生产青花瓷。清政府在平息了台湾抗清运动后，鼓励发展生产，扩大贸易。康熙二十三年（1684）后，再次解除海禁，逐渐放宽对海上贸易的限制，加上之前民间互市和走私贸易兴盛，福建的陶瓷贸易传统一度衰败之后，又开始走向繁荣。德化白瓷生产全面兴盛并取得高度成就，青花瓷也迅速发展，数量大增。这时，闽南陶瓷出口逐渐由漳州月港移至厦门，厦门遂成为德化瓷器主要的出口港。

清代德化白瓷雕塑沿袭了明代的制作技艺，除生产出了大批高水平的白瓷雕塑外，还大量制作日用的青花瓷和五彩瓷器。尤其康熙、乾隆年间，青花瓷的生产进入全盛时期，许多白瓷作坊改烧青花，新瓷窑雨后春笋般涌现，以至青花瓷逐渐取代白瓷成为主要品种，德化也由此汇入中国外销瓷的大潮之中。德化烧制的五彩瓷器有黄、绿、红、蓝、紫五种颜色，以红、绿两色居多。由于五彩瓷器先前相对少见，加上旧窑址并没有发现烤花炉遗迹，以致有人误认为德化五彩瓷都是在外地彩绘或出口国外后才彩绘的，实际情况并非如此。

清乾隆以后，随着专制统治的没落，国力衰退，社会生产力低落，德化陶瓷产量逐渐减少，品种和质量远不及前代精巧和丰富。至清中晚期，白瓷只保留了部分雕塑产品，青花瓷占据了主导地位，五彩瓷和色釉瓷形成特色。这时，日本瓷器已经崛起并运销世界各地，福建陶瓷失去了传统的日本市场，但瓷器外销仍保留欧洲、东南亚地区。到了清后期，随着欧洲烧制出真正的瓷器并能自产自足，海外市场对陶瓷的需求大幅下降，德化的瓷器出口逐步减少，制瓷业渐趋衰落。

清末至民国，德化陶瓷进入艰难时期，虽然还在勉强生产，但与兴盛时期相比，优质瓷土越来越少，原料加工不够精细，生产数量减少，制作工艺粗糙，器物造型粗笨，产品质量下降，出口贸易停止，导致艺人流散和制瓷技艺严重退化。

但民国时期，德化陶瓷也出现了一些新气象，瓷塑艺术得以复兴，五彩瓷、粉彩瓷兴盛。著名瓷塑艺人苏学金博采众家之长，潜心瓷塑烧造，所创制的捏塑瓷梅花于1915年在巴拿马万国博览会获特别奖。他的人物瓷塑同样工艺精湛、神形兼备，颇有明代瓷塑大师何朝宗的遗风。1916年，德化的有识之士开始对瓷器造型、装饰进行改革，产品有日用陈设类瓷器，也有宗教题材的瓷塑。瓷塑艺人许友义创作了木兰从军及各种古代仕女、神话人物和龙舟等；彩画艺人郑少陶恢复古彩并由彩瓷商林凤鹏购入日本洋彩颜料和金水，使德化彩画瓷器有了新的面貌。1930年，瓷塑艺人许友义三兄弟为仙游龙纪寺精心塑制了五百罗汉系列瓷塑，开了瓷器组塑之先河。

从20世纪30年代中期开始，德化在省建设厅和教育厅的资助下，创办了省立陶瓷职业学校及德化改良瓷厂，并派人到其他产区考察学习。这一时期，引进了石膏模具成型工艺，将快轮拉坯成型改为石膏模注浆成型，建立了实验室，改进了生产工艺和手工彩绘技艺，取得了较好效果。但总体上，瓷业仍处于风雨飘摇之中，帝国主义的入侵，军阀连年混战，社会动荡以及洋瓷的倾销，使瓷业生产整体上趋于没落。德化窑场此时仅有五六十处瓷窑作坊，主要生产素白瓷和粉彩、五彩瓷器。到中华人民共和国成立前夕，全县瓷窑几尽倒闭，陶瓷生产的数量和质量都跌入历史低谷。青花瓷的生产在民国期间逐渐减少、停烧直至销声匿迹，以至于20世纪50年代相关专家在德化调查时发现，似乎连当地陶工也不知德化以前曾烧制过青花瓷。[8]

四、中华人民共和国成立以来至改革开放时期

中华人民共和国成立后，德化的陶瓷生产逐渐恢复，为发展产业陶瓷，建起了各种形式的陶瓷厂，逐渐改为工业化的生产方式，机械成型代替了手工成型，手工拉坯基本被废除。为了能生产出明代"象牙白"质地的白瓷，20世纪五六十年代，德化瓷厂成立攻关小组。经过不断的探索，反复试验，终于在1965年研制出可与明代白瓷相媲美的"建白"瓷，但之后因原料短缺被迫中断。1972年春，德化瓷厂再次成立试验小组，以故宫博物院收藏的德化白瓷为样品，参照出土瓷片，用本地瓷土做原料，从选矿、粉碎、淘洗、配料直至烧成，经反复试验研究，终于成功地研制出了原料配方，恢复了"建白"瓷的生产。

20世纪80年代中期以后，随着改革开放的深入，德化瓷业再次面临新的转折，集体、联合体、股份制、个体等多种经济形式并存。该县政府在努力实施"科技兴瓷、艺术兴瓷"发展战略，稳定艺术陶瓷市场的基础上，凭借邻近港口城市的优势，大力开拓外销工艺陶瓷市场，为推动当地经济高速增长起到了积极作用。传统陶瓷雕塑、日用陶瓷以及专供海外市场的工艺瓷生产都得到了很大发展。

在努力发展生产的同时，该县还非常注重环境保护。在烧成技术上，德化人先后经过以煤代柴、以油代煤、以气代煤、以电代煤的改革，在保持德化白瓷材料特质的基础上，努力通过科技创新，开发利用新能源，改革烧成工艺，坚持走可持续协调发展的道路，为传统陶瓷的发展探索出了一条可资借鉴的路线。

第二节　工艺沿革

在德化陶瓷发展过程中，主要出现过三种类型的陶瓷，即早期的青瓷、青白瓷，中期偏冷或偏暖的纯白瓷以及后期的彩绘青花瓷，其中中期纯白瓷又可分成器物和瓷塑两大类。但纵观德化陶瓷的发展历史，会发现真正为德化赢得世界性声誉的还是独具特色的白瓷。

一、青瓷的起始

唐、五代是德化窑的初创时期。德化窑早期主要生产青釉瓷，生产规模不大，胎色灰白，釉色青中泛黄，釉汁薄，有冰裂纹，这似乎与取料地点和泥料处理工艺有关。其化学成分具有含硅量不高、含铁量偏高、含钾量较高的特点，烧成温度偏低，与宋以后瓷器胎釉成分有较大差异，说明当时在瓷土选料、加工和器物制作等方面尚处于原始粗糙状态。这时的青瓷虽然工艺简单、品质较差，但为宋、元时期白瓷的发展奠定了基础。

二、白瓷的兴盛

宋代，德化开始烧白瓷，但由于烧成火候和气氛的原因，这时的瓷器的呈色并不稳定，有青白色、灰白色或青灰色，属青白瓷类。釉汁薄，有光泽，有的已较洁白，胎质较细腻、坚致，可以说是白瓷的前身。主要器物有碗、盘、碟、洗、钵、壶、瓶、炉、军持、粉盒等，其中粉盒的数量最多、品质最好。装饰的纹样有牡丹、莲花、菊花、卷草、荷花、莲瓣和鱼、鸟等。

元代，德化已大量生产白瓷，产品多为各种生活实用器物。这种白瓷胎釉白中微微闪黄，晶莹滋润，光泽柔和如凝脂润玉。有时由于温度或气氛的原因，瓷器也会出现或灰或黄、或深或浅的变化，其中偏暖色的白瓷即人们常说的纯白瓷或"猪油白"、"象牙白"。元代白瓷的造型较为多样，主要品种有碗、盘、碟、壶、罐、洗、盅、盒、高足杯等十余种。装饰方法有印花、划花、贴花、浮雕等。装饰内容丰富，有的在图案花卉中点缀以吉祥文字，如福、寿、金玉满堂、寿山福海、长寿新船等。

从明朝初年起，德化在烧制日用白瓷的同时还大量烧制白瓷雕塑。明代的日用白瓷有碗、盘、碟、盏、杯、盅、盒、匙、钵、罐、洗、勺、执壶、糕模等生活用器，还有瓶、炉、鼎、觚、灯、砚、砚滴、托架等陈设性用瓷。有些造型还有多种变体形式，如杯类就有梅花杯、犀角杯、八角杯、花口杯、筒式杯、乳足杯等。有很多产品是印坯成型的，装饰也多以模印和堆塑为主。这种浮雕性质的立体装饰与瓷塑的发展有着密切联系。

瓷塑的兴起，除受市场需求、工艺技术、原料特性等因素的影响之外，主要和人们的宗教信仰有很大关系。福建地区佛教历来兴盛，随着后来禅宗的兴起和发展，佛教的内容和人们的宗教观念都发生了变化。为了满足善男信女向寺庙捐献祈福和在家中朝夕供奉的需求，各种小型供像开始流行，并得到较大发展。

图6-5　明代福禄人物瓷塑

图6-6　西洋风格瓷塑工艺品

德化瓷塑中的很多宗教瓷塑，已摆脱了早期佛教仪轨的严格限制，雕塑面目为之一新。尤其是晚明的观音、达摩、弥勒等形象，更是超凡脱俗，气度高雅。与此同时，以道教神祇王母、帝君、八仙、麻姑、文昌、寿星等为题材的瓷塑也很流行（图6-5）。

到了清代，瓷塑取材范围更加广泛，有嫦娥奔月、天女散花、牛郎织女、吹箫引凤、哪吒闹海、盗取仙草、七仙女下凡等神仙故事，以及各种动物和盆景等。

德化瓷塑题材丰富多样，材质温润洁净，塑造技艺高超，制作工艺精湛，呈现出多姿多彩、五光十色的面貌，成为德化白瓷中的优秀品种。为了适应外销需要，部分瓷塑融合西方雕塑样式并有新的变化，一些来样加工的西洋人物瓷塑，也成为市场上的抢手货，这都为德化瓷塑的发展开拓了更加广阔的天地（图6-6）。

三、青花瓷的远播

德化青花瓷的烧制始于明代后期。在县博物馆藏有一块明代嘉靖己未年（嘉靖三十八年，1559）间的瓷板墓志铭，铭文用釉下青料书写，款字青色浓重并微泛紫，表明当时在色料选配方面已经比较成熟。[9]但可能是因为当时德化白瓷在国际上仍占有很大市场，所以，青花瓷在德化并没有大量生产。到了明代末期，德化白瓷产量减少，质量下降。这时，在国际市场上中国的出口瓷器中青花瓷所占份额越来越大。在荷兰东印度公司档案中就有"从万历开始（1604），销往欧洲的瓷器差不多全是青花瓷器"的记载。受此影响，闽南沿海地区出现了很多烧制青花瓷的窑场，德化开始烧制青花瓷。

入清以后，德化的青花瓷得到迅速发展，其窑场分布范围之广，产品数量之多，超越历代白瓷的生产水平，成为德化瓷业全盛的重要标志。德化的青花瓷除供本地使用外，大都运销海外。随着青花瓷的兴盛，传统的纯白瓷生产渐趋衰落。

青花瓷在德化崛起有其特殊的历史背景。首先，清代初期，政府为了在沿海一带加强镇压郑成功抗清义师，致使沿海许多青花瓷窑停烧，很多窑工进入地处山区的安溪、永春、德化。德化有丰富的自然资源，具备生产优质陶瓷的条件。其次，德化原本就有生产外销瓷的传统，在海外市场对青花瓷存在广泛需求的情况下，德化凭借天时地利顺势促成了青花瓷的发展。后来，清政府在平息了台湾抗清运动后，鼓励发展生产，扩大贸易。德化地近沿海，可在官办港口或通过民间走私船只进行陶瓷贸易，这些都成为德化青花瓷发展的有利条件。[10]

从明末到清康熙、雍正、乾隆时期，德化青花瓷经历了从兴起到鼎盛的发展过程。早期青花瓷从造型到纹饰，都以景德镇青花瓷为范本，明显受景德镇瓷绘风格的影响。后来，当地艺人从传统水墨画和民间版画中汲取营养，融合本地特色，勇于创新并以市场需求为导向，走出了一条适合于自己的发展道路，逐渐形成了德化青花瓷的独特风格，为中国瓷绘艺术增添了一笔绚烂的亮色（图6-7）。

图6-7 清代青花瓷盘

德化青花瓷的兴盛和衰落，是外来因素和市场调节双重作用的结果。

德化青花瓷的造型种类繁多，实用性较强，除常见的杯、盘、碟外，还有撇口碗、侈口深腹碗、敛口深腹碗、弧腹大盘、折腹盘、凤尾尊、花觚、筒式炉、折沿鼓腹三足炉、盖缸、直口深腹罐、梅瓶、棒槌式瓶、水盂、砚台等（图6-8）。装饰内容丰富，取材广泛，主要可分为以下几个类型：

图6-8 清代喜字纹青花瓷碗

1. 人物题材

有历史故事、神话传说和福禄寿三星等；有表现耕牧、渔猎、攻读、下棋等社会风俗的画面；有表现文人墨客、游仙高士的内容，画中人物或流连于松林泉石之间，或醉卧于竹荫山野里，或徜徉于青山绿水中，体现了文人隐士超凡脱俗、悠闲恬淡的生活情趣（图6-9）。有的人物画中还题有"志在书中"、"晨兴半炷香"的字句，抒发了人们向往仕途、追求功名的思想感情。

2. 自然景物

主要有生活小景、城楼行船等，或截取日常生活中某一景致，配上简短抒情的语句，如"咬得菜根，百事可为"、"画栋朝飞南浦云，珠帘暮卷西山雨"等，具有浓厚的生活气息。有些山水小品明显受文人绘画影响，画面简洁深秀、清静幽冷。

图6-9 人物纹青花瓷盖罐

图 6-10　对狮纹青花瓷盘

图 6-11　花草纹青花瓷盘

3. 动物图案

较常见的有水中游鱼、林中飞鸟、云龙火珠、缠枝牡丹、凤朝牡丹、团凤、麒麟、雄狮、梅雀、虫鱼、松鹤、蜂蝶、蝙蝠等（图 6-10）。

4. 植物图案

常见的有梅、松、竹、菊，以及葡萄、佛手、牡丹、兰花、牵牛花、葵花、芭蕉、灵芝、莲花、盆花、花篮等花果静物等（图 6-11）。

5. 装饰图案

有蕉叶纹、莲瓣纹、博古纹、卷线纹、雷纹等，还有以吉语文字为主题的图案，如"喜"、"寿"、"福"等，以及和宗教有关的佛梵字、八卦图、八吉祥等纹饰。

此外，有些碗底还用青花料书写商号款识，如"月记"、"合裕"、"建全"、"信玉"、"石玉"、"双玉"、"吉"、"珍"、"顺"、"南"、"光"、"合"、"玉"等，体现了商家期盼生产发展、生意兴隆、财源广进的愿望。

第三节　原料加工与处理工艺

一、原料的产地和特点

1. 泥料产地

德化陶瓷的发展得益于优越的自然条件和地理优势。这里山地的地质以中生代火山岩及花岗岩为主，瓷土矿藏丰富，分布面很广，水力和林木等自然资源充足，为德化瓷业的兴起和发展提供了物质基础。徐曼亚在《瓷史》一书中对德化瓷土矿的分布有过描述：德化为闽中之腹地，处于万山之中，而戴云山雄立于县之西北，沿西北行之山脉，如汤岭、下店、双溪口、上涌、葛坑，沿东南行，而瑞坂、南埕、科荣、东漈，均系瓷矿山脉；县之西南山脉，由山岐而儒山、土坂、高洋、凤翥山、观音崎、五凤山均系瓷矿山脉，依全县山脉之探测，可谓尽是瓷矿。[11] 现已发现矿点 100 多处，经常采用的 30 多处。

瓷土矿的分布可归纳为三个环形矿带：一是以浔中镇的坂仔、观音崎（图 6-12、图 6-13），盖德乡的宝坑、山坪、有济、林地，雷锋镇的潘祠、蕉溪，霞碧镇的苏洋、硕儒为代表的浔中环形矿带；二是以美湖乡的金竹坑、双尖、上田、黄石、阳山白岩格，春美乡的双翰、桂地，赤水镇的大尖山、永嘉，国宝乡的佛岭头等为代表的美湖环形矿带；三是以上涌乡的桂林，桂阳乡的王春，汤头乡的半岭，葛坑乡的富地、湖头等为代表的桂阳环形矿带。[12] 另外，与德化相邻的永春县也出产优质瓷土，德化瓷塑用泥多采于此。（资料显示，金竹坑矿体长 1200 米，宽、深均在 20 ～ 25 米，储量约 50 万吨。经取样化验，含二氧化硅 44% ～ 71%，氧化铝 15% ～ 37%，而氧化铁低于 0.05%，不含硫化物，属优质高硅高岭土。）

图 6-12　观音崎是德化瓷土原料的主要产地之一

图 6-13　人们在观音崎路旁设立的高步岭矿宫神龛

2. 泥料特点

德化白瓷之所以形成独特风格，与其胎、釉的化学组成有密切关系。德化富产瓷石（图 6-14）。20 世纪 40 年代高振西的调查报告中曾有记述："德化瓷土皆由石英斑岩或长英岩等富含长石之岩石风化而成。多呈脉状或其他不规则之形状，大都生于白垩纪火山岩系中……近地表者，风化程度甚深，可作瓷土（制胎）。深处之新鲜部分（风化程度较轻），可为瓷釉，盖取其长石成分，此亦可间接证明其成因矣。

图 6-14　德化瓷石原料

德化瓷土，磨细漂净，即可直接制坯。不须调和其他原料。大都较软，不须太高温度即可成瓷。颜色洁白，可省漂制手续，均其优点。但因质软，故易变形。烧制盘碗，径口在八寸以上者，每多拗曲，较小者亦不能太薄。致成品稍显笨重，不甚精巧。"[13]

不同矿点的泥料也有一定差异，三班的瓷土被大量用来生产器物类产品，这种土做瓷雕容易变形，做瓷雕的土采自永春北部的四班。四班距德化三班十余里，当地瓷土颇多，均为火山岩系中石英斑岩侵入体风化而成。

德化瓷石经矿物鉴定，其主要组成是石英和绢云母，由于产地不同和风化程度不同，有时会含有一定量的高岭石和长石。将德化瓷胎化学成分与瓷石成分相比较，结果非常接近，由此证明在德化窑整个烧制历史中，始终只采用瓷石作为制瓷原料，即所谓一元配方。由于 Fe_2O_3 和 TiO_2 的含量都很低，可以说是烧制白釉瓷的优质原料，只是到了现代，德化瓷的化学组成中才有意加入了高岭土。

德化白瓷有几个明显特点：一是色白质软；二是透光性强、透明度高。这与德化白瓷高硅低铝的成分有很大关系。这一特点使胎的烧结温度范围较窄，产品在高温下易产生变形。德化白釉瓷胎中的 SiO_2 主要来自瓷土中的游离石英。德化瓷土含硅量较高，含绢云母较多，含钾量高，属于我国南方多产的瓷石类型，其中 Fe_2O_3 和 TiO_2 以及其他杂质（CaO，MgO）含量都很低，质地优良、洁白，且坯釉结合紧密，色泽洁白，滋润光亮，是一种天然混合的高质量白瓷矿物原料。这也是德化白釉瓷的白度高于景德镇白釉瓷的原因（德化白瓷在传统白瓷系统中是白度最高的产品，白度为85%～100%）。由于原料中含钾、钠化合物较高（胎内 K_2O 含量高，一般在6%～7%），在高温阶段可形成较多的玻璃相，能增加半透明的美感。由于钾玻璃在高温下的黏度变化较迟缓，所以，尽管胎中玻璃相含量高，产品的变形也还是比较少的，但如果烧成温度控制不当，则容易产生变形。因而烧成温度较低，接近软质瓷。正如高振西所说：烧制盘碗，口径稍大的极易扭曲变形，即使是小件器物也不能太薄，故致使成品略嫌笨重，不够精致轻巧。

德化白瓷胎的透明度较高，是因为胎内含玻璃相较多。比较明、清时期德化白釉瓷胎和釉中 K_2O 含量，就会发现在某些瓷器的胎、釉中 K_2O 的含量几乎相等，甚至有的胎中 K_2O 含量比釉中的还高，K_2O 含量的增加使得胎中生成大量的玻璃相而增加了胎的透明度，加上德化瓷釉层都十分薄，因此半透明洁白的胎加施一薄层光亮洁白的釉，会使整个瓷器呈现出某种半透明玉石般的质感。

二、原料的开采与制备

原料是陶瓷生产的先决要素，原料质量的优劣直接关系到产品品质的高低。原料采自山上凹处，或从横向的山洞中挖出，再运到溪边用水碓粉碎。含部分风化长石的软土用来做坯，较硬的用来做釉。

明代陈懋仁《泉南杂志》1604年版序中对德化的泥料加工与处理有过描述："坯土产程（田寺）后山中，穴而伐之，硬而出之，碓极细滑，淘去石渣，飞澄数过，倾石井中，以滤其水，乃砖埴为器，石为洪钧，足推而转之薄。"[14] 高振西先生在调查报告中对德化制瓷泥料的加工方式也有叙述。如在制土一节中提到瓷土经水碓舂细后，放入沉降池中，其上细颗粒部分称为软土，其下粗颗粒部分经过再舂细，再沉降。所得细颗粒部分称为硬土。一般均将软土与硬土配合成五五及三七两种比例，称之为五五土及三七土用以制坯，可见德化瓷虽只用瓷土作为原料，但也用原料处理的精粗来调节它们的化学组成。[15]

民国年间，美国人苏顿（W.J.Sutton）曾到德化近郊的瓷土矿山观音崎参观，并对泥料的开采和加工过程做过记录："瓷土是从坑中开采的，开采的矿坑在半山腰中，距离山的顶峰约有四百英尺，一般是横的走向。这些小的矿山，距离城镇约有一英里或半英里，岩石运送到地面后，就严格地要求在水里一次又一次地净化，这些精密的要求就像十七世纪那样。除此之外，现在使用水的动力——磨坊来帮助工人们的工作。在磨坊中，用钢制成的倾斜的锤子不断地捶打、捣碎岩石。它是由一个直径八英尺左右的水轮发动的，这种磨坊的形式，在人类记忆所不能及的中国远古时代就已经发明了，但那是舂稻米用的。在许多小时的捣碎后，岩石在水坑里搅拌，开始从粗糙的岩石中分离出完美、良好的微粒。然后再碾磨，反复澄清，并且经过干燥，成为合适的合成原料，供瓷器工匠们生产时使用。"[16]

观音崎瓷土原料的开采一直延续至今，直到2010年，该处的瓷土矿洞才被封闭（图6-15）。但其实早在十多年以前，德化就已开始从闽西龙岩等地购进质量更好的瓷土原料。

粉碎原料的水车和作坊如今在德化仍能看到，水车一般设在溪流旁，也有挖掘水沟引水带动水车转动的。

加工瓷土的方法大致程序如下：

（1）粉碎磨细。用水车旋转带动碓杆摆动冲臼粉碎瓷土。水车样式有好几种，有利用小溪流水落差建成的冲顶式水车碓（图6-16），还有在溪岸建成的拖底式水车碓和戽斗式大轮车碓，后者加工能力成倍提高（图6-17、图6-18）。

（2）淘洗。把粉碎磨细的瓷土和瓷石粉放入水池搅拌，使渣与粉末分离，再用戽勺淘洗，从粗浆到细浆，通过二至三个沉淀池使泥浆逐池过滤沉淀（图6-19），然后把沉淀后的泥浆移入泥库存放，并自然脱水成泥。

（3）陈腐。把泥堆放在泥库中，保持适当湿度，使其自然陈腐并产生黏性。

（4）练泥。用铁铲铲出泥坨，用力摔成堆，边摔边用铁铲拍打，俗称"拌土"，是传统的练泥方式。使用之前还可以通过踩踏、揉练使泥料软硬适度。

图6-15　观音崎的瓷土矿洞口

图6-16　冲顶式水车碓

图6-17　拖底式水车碓

图6-18　水车带动木碓粉碎瓷土

图6-19　沉淀池

三、釉料的配制与特点

1. 釉料的配制

德化的釉色大致可分为两种：一种是近乎影青系统的白釉，洁净莹润，光泽强，出现在宋、元时代。另一种是白釉，洁白无疵，滋润莹净，主要出现在元、明、清时期，以明代的最为典型。

釉料配方是陶工在生产过程中为研究胎釉结合所做的成分添加和试验的总和，是一种经验的总结。德化瓷釉的配制方法历来少有记载，但根据化学组成，基本上可以将其分为两大类：一种钙含量大，钾含量小，钠的含量亦甚微，属于钙碱釉或钙钾釉一类，宋、元时期的釉多属此类。另一类钙含量小，钾含量大，甚至有些釉中钾的含量还超过钙的含量。这类釉应称为碱钙釉或钾钙釉，明、清时期的釉多属此类。[17]这表明德化釉的变化仍有一定规律可循，德化釉成分的变化对于釉的效果有比较明显的影响。

釉中 K_2O 含量增加和 CaO 含量减少可以增加釉的高温黏度，防止釉的流淌和增加釉的光亮度，对明、清时期盛行的人物雕塑十分必要。

德化釉采用瓷土加釉灰配制而成。陶工们可以通过调节这二者用量来改变配方，如明、清时期某些釉中釉灰的用量要比宋、元时期某些釉中的少，以此来调节釉中钙的含量，控制釉的黏度，减弱釉的流动性。

宋伯胤先生在《谈德化窑》一文中对德化釉料的配比有过记载：德化白釉的主要原料有三种，即正长石、石灰石和稻壳灰。用 100 斤石灰石、450 斤稻壳，搅拌均匀，烧成灰，然后用这种灰和长石配制：一成灰、三成长石配成的釉，适用于低温；一成灰、五成长石配成的釉，适用于高温。[18]

以上记载与德化瓷塑艺人苏清河先生的说法基本一致，据苏先生讲，稻壳与石灰的比例对釉的呈色有一定影响，稻壳多，釉则偏白，石灰石多，釉则偏青。烧制石灰釉一般是在工棚里，这样可以避免烧制过程中釉灰被风吹散。烧制釉灰时，在搅拌匀的稻壳和石灰石粉堆底层铺一层稻草，点燃稻草后使上面的稻壳和石灰石的混合物自行燃烧，直至灰堆全部烧尽塌陷下来成为白灰。其间无须翻动，若翻动稻壳灰则易发黑。烧完的釉灰还需用水碓舂一昼夜，之后再经淘洗成"石灰浆"，然后用这种石灰浆配上釉石，即成釉料。釉石与瓷土同矿，一般在瓷土矿的下层，其成分与现今常用的石英类似，但没石英那么硬。釉石也须先用水碓粉碎，然后经淘洗成釉石浆，再与石灰浆配制成釉。釉石浆与石灰浆的比例一般是 $1:5$ 左右，须根据所烧产品以及在窑内的位置决定。除了用稻壳灰配釉外，德化也用毛竹灰、稻草灰以及树木灰等草木灰配釉。同样，草木灰也需要再和釉石灰按比例进行配比，最终制成釉料。至于什么树种的灰釉出什么效果，这需要反复试验才能知晓，苏清河先生说他家后面就有一棵树，这种树木灰中钾的成分就很高。

以前，德化并无专门的釉料加工作坊，各制瓷作坊都是自己配釉。但也有人专门为做工艺瓷的作坊加工熟釉土。熟釉土是指先将釉石煅烧后，再粉碎、淘洗制成釉石浆。用这种熟釉土配制的釉子，蘸釉后，釉子干得比较快，坯体不容易因釉中的水分太多而导致坯体垮塌。

釉料的配制方式也有人做过记载：用瓷土大洗后沉淀的砂配以适量的熟石灰粉、煅烧碳化后的谷壳灰混合，搅拌均匀，放入水碓石臼中舂捣成粉状，然后放入缸中加水淘洗，静置沉淀，去水存浆，去除沉淀颗粒即成釉药。这种釉料在 20 世纪 50 年代用龙窑和阶级窑烧成时还在使用。这种制釉方法有利于同一批原材料胎釉的结合。大洗后沉淀的砂是一些长石、石英类的矿石，这些矿石比瓷土硬，在水碓石臼粉碎过程中，不易完全捣成粉末。这种配方能够烧制出半透明有玉质感的瓷器。[19]

现在也有人用滑石制釉。滑石需要先经煅烧，将滑石放在窑内底层的匣钵里煅烧后，再用水碓粉碎和淘洗制成滑石釉。与微微泛青的石灰釉相比，滑石釉显得更白一些。

2. 釉料的特点

德化窑历史上虽以白瓷闻名于世，但并非只有一种白瓷。从出土资料来看，该窑口在不同时期曾经出现过泛青、泛黄或纯白等数种白瓷，被称作"影青"、"象牙白"、"奶油白"、"猪油白"等，其中以明、清时期出产的"猪油白"最为著名。德化白瓷釉中残留和析出的结晶体都少，釉泡也不多，属透明玻璃釉。

北宋早期釉内含钙量较低，晚期钙含量有所增加，并一直保持到南宋、元代。到明、清时期，釉内钙含量又显著降低，相应地釉中钾的含量提高，这对提高釉的高温黏度和表面张力有一定作用，因此明代德化白瓷有如玉似脂的感觉。宋、元时期的釉中含钙较高，故釉有坚硬光亮的感觉。

同样，历代德化白瓷釉中铁和钙的含量也会对釉色变化产生影响。北宋、南宋瓷器样品大部分釉内 CaO 含量较高，元代居中，明、清较低。北宋、南宋瓷器釉色多呈影青，元代有影青瓷，也有乳白釉瓷，明、清多呈乳白色猪油白瓷，推其原因除与烧成过程中窑内气氛有关外，主要与釉内含钙量的多少有较大关系。因含钙量越高，在高温时其黏度越小，流动度越大，Fe_2O_3 的熔解度也越大，故 Fe_2O_3 含量相近的釉在同一条件下烧成时，往往含 CaO 量越高，釉色越深；反之，釉色则较浅。[20]

20 世纪 50 年代中期以后，德化开始用长石代替石灰，石英代替谷壳灰。这个时期的釉料大都采用长石、石英石、白云石、滑石、釉石、高岭土和化工原料等配制。

第四节　瓷器的成型与装饰工艺

德化瓷器从造型上来看，可以分为圆形器、异形器和瓷塑三大类。每一类瓷器的成型方法都有所不同。圆形器以拉坯成型为主，从宋代起，在拉坯成型的同时也采用模印成型；异形器以模印成型为主；瓷塑则根据造型或捏塑成型后再掏空，或用模具印坯成型。民国时期开始出现了石膏模注浆成型工艺。

德化窑唐、五代和北宋时期的瓷器多为拉坯成型，装饰以刻花为主。至南宋，已采用模具印坯成型，同时出现了模印装饰，模具用粗黏土低温烘烤而成。模制器物多为敞口，有些瓶、壶类造型则是用上下两段或左右两片模分段印坯后再粘接成型。为了便于脱模，器物的底足多为平底或略向内凹。很多器物脱模后也不修坯挖足，故常见实心平底造型，即所谓的"假圈足"、"实心底"。这一做法与福建地区民间制陶不修坯，不修底，不挖足，只是用手将器底略向内摁压成微凹的传统做法一致，是典型的民窑粗瓷做法。但有些较精致的器物也是修坯修底和挖足的，即当地人所说的"斜刀足"。

德化窑历来以生产素白瓷为特色，因此，清以前白瓷主要以造型取胜，即使有装饰也属于坯体装饰，如刻划、模印、堆贴等，并未改变白瓷的外观特征，以至于后来出现的瓷塑也是素色，突破了中国传统雕塑随类赋彩的惯常做法，独树一帜，别具特点。

陶瓷装饰是为了美化和提高陶瓷的观赏性而在器物表面所做的艺术加工。德化传统白瓷的装饰主要是坯体装饰，所谓坯体装饰是指依托成型过程或成型之后，在未经烧制的坯体上利用刻划、模戳印、粘贴、雕刻等方式，构成一定的装饰效果，称之为坯体装饰，以区别于彩绘装饰。坯体装饰主要有刻划花装饰、模印装饰、堆贴装饰、浮雕装饰、镂空装饰等，有时也将这几种方法混合使用，如印花与刻划花并举的刻印花。只是到了明末和清代才出现了彩绘的青花和五彩装饰。

一、瓷器的成型与装饰

（一）瓷器的成型

1. 拉坯成型

拉坯成型的工具及设备

拉坯成型即快轮成型。拉坯成型的主要设备是辘轳，也称为轮盘。当地用的是一种泥质轮盘，这种轮盘由下面的木轴和上面的轮盘两部分组成。下半部分的木轴插埋于地下的一个筒状坑内。上半部分由轮盘、木筒、轮辐、筒扣和瓷质轮轴帽等部件组成。圆形木筒顶部凿 8 ～ 10 个卯眼，插入木条为轮辐，轮辐上用竹篾编织成轮盘骨架，用拌和有棕丝的埴土和胶泥涂敷而成。盘中间较薄，盘外沿较厚，以增其旋转时的离心率。轮盘中心有凸起的圆平托盘，用于放泥拉坯（图 6-20、图 6-21）。还有一种盘面是平的，盘边有一轮窝，可以插入木棍用手拨转轮盘。辘轳盘较长时间不用时，须从轮桩上取下，以防轮桩受潮膨胀被瓷质轮轴帽卡住（图 6-22）。

拉坯时，将练好的泥块放在托盘上，以脚驱动，或用手拨动，利用车盘旋转的惯性把泥块拉制成各种圆形的器物。泥坯半干时再进行修整或粘接附件。拉坯成型属于技术难度比较大的生产形式，对制作者的技术水平要求较高。同时这种成型方式也存在生产效率较低，产品规格难以统一的问题。

器物拉坯成型的方法

先将泥团底部沾上谷壳灰，投置在转盘中心，用右脚拨动陶轮车，使之匀速旋转，双手蘸适量水，把泥团把正，再徐徐摁压、提拉制成坯体。成型过程中，还须用刮板、篾箍、签穿等工具进行修整。成型后取下，晾至半干时再修坯、粘接配件并刮修定型。拉制杯、碟、碗、盆时，原理相同，通过"一翻、二溜、三刮底"的方法成型。

碗盘类产品修底时，先挖出足心，再修足圈，足圈底面用斜刀修成，也称"斜刀底"。用这种方法修出的足圈底面较为窄细，在摞烧时与下面的坯件或

图 6-20　泥质轮盘

图 6-21　轮盘

图 6-22　从轮桩上取下的轮盘

垫饼接触面较少，不易粘底。

现以香炉为例简单介绍拉坯成型的方法：

德化的香炉有几种样式：一种呈直筒形，下面有三足。还有一种类似筒状，但炉身有数圈突起的棱线，形似压缩了的竹节。还有一种较为典型的样式，口微向外撇，颈短而内收，腹部扁而鼓，平底无足，造型源自铜器样式。下面介绍的便是这种香炉的成型方法。

放一坨泥在轮盘上，旋转轮盘，将泥把正，先拢起压下两三次（图6-23），然后用双手拢住泥坨，用两个拇指从中间摁入，开口（图6-24）。然后右手拇指在里边，左手拇指在外边将泥提起成筒状（图6-25），然后右手在外左手在内互相配合，先将泥筒由内向外推成鼓腹（图6-26），再将口沿向外翻成侈口（图6-27），最后拉制成一个鼓腹、收颈、口沿外撇的扁圆形香炉（图6-28）。

图6-23　把正

图6-24　开口

图6-25　提筒

图6-26　鼓腹

图6-27　翻口

图6-28　收沿完成

坯体干燥到一定程度，以大小弯刀旋刮修整坯体，直至成型。

2．印坯成型

德化古代的瓷器有很大一部分是用模具印坯成型的，包括各种圆形器、异形器以及很多瓷塑。印坯成型是指借助于具有吸水性的模具印制成型，宋代就已使用这种方法，并一直延续至今。

印坯成型的模具称"土模"，土模用粗黏土制成，一般是先用黏土做出子型，为了增加强度便于翻模，须先将子型低温焙烧（图 6-29、图 6-30），然后再用粗黏土在子型上翻出印坯的模范，模范内壁抹有一层较细腻的黏土，经 1000℃以下低温烘烤而成。制好的模具既有一定的强度，又有一定的吸水性（图6-31、图 6-32）。

图 6-29　翻制土模的子型

图 6-30　子型上面的把手方便从模中脱出

图 6-31　人物形土模

图 6-32　人物形土模

根据产品的种类不同，模具印坯成型可以分为手压印坯和轮车旋印两种。

（1）手压印坯：主要用来制作异形器或陶瓷雕塑。德化的瓷塑大多是采用手压印坯的方式模制成型的，从很多空心塑像的底部可以清楚地看到里面有粘接、摁压的痕迹。

相比手工拉坯成型，模印成型的特点是易于操作，技术难度较低，产品尺寸统一、规范性强等，能满足批量生产的要求。模具印坯成型是陶瓷量化生产的一种工艺手段，可以通过降低生产难度，使技术不太熟练的人也能制成坯体。在缺乏掌握专门手工成型技艺人才的过去，印坯成型无疑是一种最为方便、快捷的批量生产方式，并有效地弥补了手拉坯产品规格难以统一的缺点。

20 世纪 30 年代中期以后，德化引进了石膏模具，传统的陶模印坯成型改为石膏模具注浆成型并逐渐推广。新中国成立后，全县普遍采用石膏模注浆工艺，但有些汤匙类的产品仍继续用土模印坯（图 6-33）。

（2）轮车旋印：主要用来制作圆形敞口类器物，一般是借助于轮车旋转成型。轮车旋印使用的是一种很厚的单体模具，模具外形呈圆柱状，上边略宽、下边略窄。将模具套在拉坯的轮盘上，一边旋转一边将泥块放入模内，通过压、刮等手法印成坯体。为了便于出模，很多器物的造型都是小底敞口。轮车旋印有一压、二钩、三签、四粘的传统技法。

圆形犀角杯的制作方法：把瓷泥摁入模中压实后，放置在轮车中心，用右脚拨动轮车使之旋转，手指蘸水将模内坯体余泥钩出，刮去边缘余泥，候干脱模后，再进行修整。若有附件或附加的装饰，可粘接完毕后再修整。

有些较大件并非正圆的犀角杯，也有用手压印坯成型的。将瓷泥拍成片摁入土模内（图6-34、图6-35），把口沿多余的泥料削掉（图6-36），用手蘸水抹平内壁（图6-37），晾至坯体稍干时从模内取出（图6-38）。

修坯时，先用竹刀等工具将口沿或器物内壁修刮平整（图6-39）。再用蘸水的布条或毛笔将内壁的刮抹痕迹擦洗光洁（图6-40）。然后，再用竹签、竹刀等工具修整器物外壁堆贴的浮雕纹样，通过补泥的方式将印坯时产生的泥裂痕迹修补平整，将器物外壁上因印坯而变得模糊的浮雕纹饰做进一步加工，使纹样更清晰精致（图6-41）。

传统的八角杯、瓣杯、龙眼膏罐等产品都是用这种方法成型的。八角杯是从犀角杯演变过来的，它的花口变成了八边形，底部变成了四个小的矩形支脚。

梅花杯是装饰杯，这种杯大都是模制成型的，

图6-33　汤匙土模

图6-34　印制犀角杯的模具

图6-35　将泥片摁入模具内

图6-36　削掉多余泥料

图6-37　抹平内壁

口部呈椭圆形，从口到底渐趋狭小，底部呈弧形，支撑在一个多杈的树枝上（图6-42）。

杯身上的浮雕装饰有些是随模具印上去的，有些是先将立体的纹样在模具中印制成型后再粘到器物上，也有用手捏塑出纹样再粘接到器物上去的。

梅花杯、犀角杯和八仙杯这类器物的装饰功能大于它的实用功能，在国内较为少见，主要用于外销，是德化独有的陶瓷品种（图6-43）。

图6-38 取出坯体

图6-39 修整坯体

图6-40 将内壁擦洗光洁

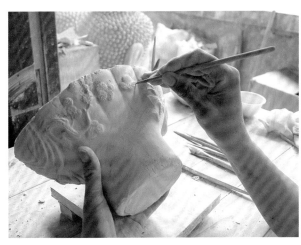

图6-41 修整纹饰

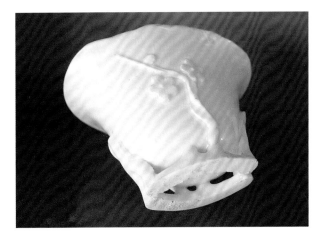

图6-42 梅花杯

图6-43 犀角杯

（二）瓷器的装饰

1. 刻划花装饰工艺技法

刻划花是德化宋代制瓷工艺中普遍采用的一种装饰技法。是指用竹签或篦梳在半干的坯体上刻划线条形成的装饰，常见的刻划纹样有云纹、云水纹、雷电纹、牡丹纹、卷草纹、竹篦纹等，一般多刻在碗、盘、壶、瓶等稍大的器物上，线条流畅豪放，明快利落，显示出艺人娴熟而高超的刻划技艺（图6-44、图6-45）。瓷器施釉烧成后，刻划的线条内因积釉显得颜色略深，呈现出纹样的结构。刻划花主要用于大型的碗、盘类和瓶类器物的装饰。刻划花的刀具多种多样，一般有扁形篦纹刀和锥形单线刀等。

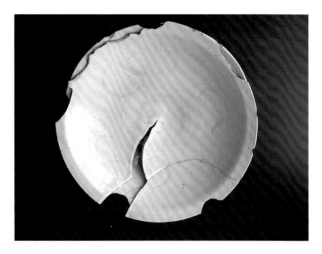

图6-44 刻划花瓷盘

刻花、划花是两种不同的装饰方法，刻花一般着力较重，刻线较深；划花一般着力较轻，纹样较浅。但在实际操作中两种方法常结合使用，刻花与划花并举，所以又称刻划花（图6-46）。

宋、元时期的坯体装饰中常能见到将模印和刻划相结合的装饰方法。有些器物单纯印花，有些器物既有印花又有刻划花，有的器物在印花的基础上加以刻划修饰，形成印花与刻划花结合的纹饰，即在印纹轮廓上或在单片的花叶轮廓上加以刻划，或在印成的主体纹饰外用竹签、篦笔刻划出脉络或各种花纹。两种技法的有机结合，使纹饰显得丰富而层次分明。

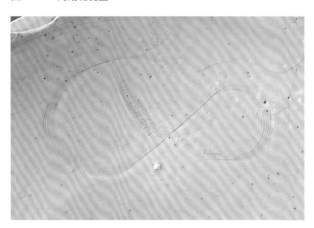

图6-45 刻划花瓷盘（局部）

刻字装饰，是用竹签类尖状工具在施了釉的器物上刻写文字作为装饰。这种装饰具有双重意义：一是书法本身的美感；二是文字所传达的内容和意义。文字的内容常和器物的功能有一定联系，如灯上刻有"澈水照佛心"，香炉上刻有"一炷清香"、"烟飞古篆浮，香霭净玉堂"，杯子上则刻有"两人对酌山花开"、"寒夜客来茶当酒"，瓶上刻着"寒雪梅中尽，

图6-46 刻划花香炉

春风柳上归"。有的诗文相当长，字体也很讲究，还有落款和印章，当出文人之手。[21]

2. 模印装饰工艺技法

德化白瓷装饰形式繁多，有模印装饰、堆贴装饰以及堆贴与刻书相结合的装饰等。模印装饰，即用刻有花纹的模具在印坯的过程中压印而成。模印装饰有易于批量生产、规格一致和操作简便的特点。

模印须先制模。制模前先做出原型，经过焙烧后在原型上翻制出模具。模具内敷有一层细腻的黏土，上面阴刻花纹，经煅烧后成为具有吸水性的陶模。模具在使用过程中会有损耗，有些复杂的造型一般会翻制多套模具备用。

模印装饰有两种，一种是圆形器印花，另一种是异形器印花。印花的工具有刻有花纹的陶模、辘轳车和刀片。

操作方法：印坯时把适量瓷泥拍成片放入刻有花纹的模具内，用力均匀按压使瓷泥与模具的花纹完全贴实。脱模后，稍加修整再黏合成器。圆形的还可放在辘轳车上旋压成型，稍晾一会待坯体与模具开始分离后即可脱模，再置于轮车托盘上用刀片将内壁修光，上釉烧成后，即成为有印纹装饰的产品。其方法与定窑和景德镇窑的印花类似，是宋、元白瓷常见的装饰方法。

模印装饰常见于军持、盒、小瓶之类的器物上，有龙纹、莲花瓣纹、缠枝花纹以及仿古铜器的变形夔龙纹和饕餮纹等。模印装饰的特点是装饰与造型浑然一体，有一种简洁、单纯、朴素的美（图6-47、图6-48）。

图6-47　印花粉盒

图6-48　印花军持

3. 堆贴装饰工艺技法

堆贴，亦称贴花，是德化白瓷早期常见的一种装饰方法。先用模具印出或手捏出各种装饰附件，经修整后粘贴在坯体上，再施釉烧成。这种装饰纹样高于器物表面，立体感强，具有近似浮雕的艺术效果（图6-49）。明、清时期的双耳香炉、龙虎杯、梅花杯、花瓶、糖罐、茶罐、八仙茶壶等均采用堆贴的装饰方法。常见的纹饰有梅花、玉兰、荷花、兰花、竹松、水仙、灵芝、狮首、八仙、龙、鹤、鹿等（图6-50）。很多产品不但是实用的生活用器，也是具有欣赏价值的艺术品。尽管堆贴花纹的图案种类不多，但却很能体现这种装饰技法的独特效果（图6-51）。

4. 镂空装饰工艺技法

又称透雕、通花，是以雕刻为主的装饰手法。

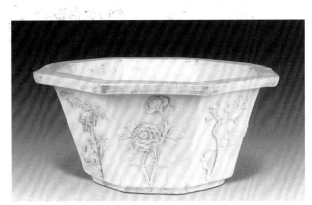

图6-49　堆贴纹花器

图6-50　堆贴梅花纹瓶

图 6-51 堆贴纹盖罐

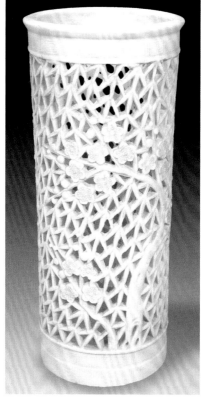

图 6-52 通花瓶

图 6-53 堆塑龙形装饰长颈瓶

按照事先设计好的纹样，在坯体上将纹样镂刻至通透。明、清时期的熏炉、香炉、笔筒等产品常采用此法装饰。香炉主要用于炉盖的装饰，保留所饰花草的线条，中间镂空。熏炉上的镂空既是装饰，同时具有散发香气的功能，炉内烧香时，缕缕烟气从孔中冒出，缭绕升腾，香气四溢。笔筒的装饰多为植物图案，花、枝、叶外全部镂空。

镂空操作方法：先用锥形雕刀在半干的坯胎上刻划出图案，然后用薄而尖的刀具将图案空白处镂刻至通透，形成剪影效果。镂空的作品，亦虚亦实、玲珑剔透，给人一种别致的艺术感觉（图 6-52）。

5. 堆塑装饰工艺技法

堆塑有时以装饰的形式出现，有时则是以器物附件的形式出现，如有些瓶类器物上常见堆塑的螭龙形象。有些壶类产品则直接将把手和壶纽塑制成螭龙等动物形象，这是德化白瓷中很有特色的一种装饰形式（图 6-53、图 6-54）。

6. 彩绘装饰工艺技法

（1）釉下青花：是将以氧化钴为主要成分的颜料直接绘制在瓷坯上，施一层透明釉后入窑高温烧成的瓷器装饰。

青花装饰有手绘和模印两种。

手绘青花：是指用毛笔直接在坯体上彩绘装饰，是德化

图 6-54 堆塑龙形把手壶

图 6-55 青花香炉

青花常见的装饰方法。手绘分淡描和笔染两种。淡描色泽较浅，笔染色微浓，微显青黑色。手绘方法有先勾线再染色，也有用写意的笔法直接在坯体上彩绘的（图6-55）。

模印青花：也称"印青花"，是指将所绘纹样先刻在一块橡皮上，橡皮上加有一木托，在木托与橡皮中间加一层海绵，增加其弹性（图6-56、图6-57）。使用时，用橡皮戳均匀蘸上调好的钴料，然后像盖印图章一样转印到瓷坯上，最后施釉烧成（图6-58）。模印青花的特点是纹样工整，规范统一，简便快捷，易于操作，技术难度低，适合批量化生产。缺点是图案变化少，纹样显得比较刻板，缺少笔法的变化和颜色浓淡层次的变化。模印青花纹饰有寿字纹、鱼纹、几何纹等。此类装饰多饰于碗、盘中心或外壁等面积较大或较平整的部位（图6-59）。

模印装饰还常常和手绘装饰结合使用，如将手绘的弦纹与模印的纹样结合，或用模印青花的方法印出图案轮廓，再在轮廓内用手绘的方法渲染、填色。

德化青花早期所用青料可能是一种含土钴的石墨，烧成后发色略显灰暗，常出现缩釉现象，俗称"蚯蚓走泥纹"。中期使用的可能是金门的青料，发色清亮，色阶清晰，深沉稳定。清代晚期，德化青花瓷的色料中又增加了珠明料，发色青蓝，色泽鲜艳。[22] 关于德化青花料的产地，从一些零星记载中可略知一二。光绪复刻乾隆本《泉州府马巷汀志》记载："碗青，金门古湖琼林掘井口取之，江西景德镇及德化、宁德各窑所需。"[23] 但也有人认为德化在很长一段时间一直用的是进口青料："清朝初年以后，德化开始进口青料，改变了单纯利用土产钴料的状况。直至抗战前，福建制瓷颜料包括钴料，完全仰给于外货者，其中十分之九是从日本进口的。"[24]

图6-56 橡皮青花印戳

图6-57 涂抹有钴料的布和刷子

图6-58 在布上蘸印颜色，再转印到坯体上

图6-59 戳印青花纹盘

青花装饰的结构样式：青花图案的配置方法多种多样，有缠枝花、折枝花果、团花、散布等各种花式布局，缠枝有时作为边饰图案，有时作为填充面的图案，有时又转变为散花式的图案。在图案的装饰上以白底青花数量最多，也有少数是青底白花的。德化青花的纹样取材丰富，形式自由，技艺娴熟，具有民间艺术的独特韵味（图6-60）。

图6-60 青花纹碗

（2）釉上五彩、粉彩、新彩：明代后期德化窑出现了釉上五彩，这时的五彩只有红、蓝、绿三种颜色，有牡丹纹冥器罐等。先勾线再施彩，画风较粗疏。清代至民国时期，五彩装饰有红、黄、绿、蓝、紫诸种颜色及黑色线条。

五彩色料，一般以铜、铁、锡、锰、钴等金属氧化物为着色剂，以铅粉、石英粉合成的硅酸铅玻璃为主要熔剂。用研钵将红、蓝、绿着色剂研成粉状，用釉水调和后"淘"出色浆备用。彩绘时，在经过高温烧成的白胎瓷上，以线条勾勒纹饰轮廓，然后在线框内分浓淡涂染各种颜料，画出图案，之后再二次入窑低温烘烤而成。五彩装饰光亮、润泽，但由于纹样在釉上，时间久了会有剥落的现象（图6-61）。

德化五彩瓷的颜料大部分是本县贺兰山（即现在的驾云亭）的石英质矿石及绿矾、铜绿等炼制调配而成，"至民国初，才有浮中彩瓷转卖商林凤鹏购入日产的金水及洋彩颜料，本地颜料逐渐被洋彩所代替"。

图6-61 明代五彩纹盖罐

粉彩又称釉上软彩。是在瓷器上按图描好轮廓后，先填一层"玻璃白"，再以乳香油或水调匀色料，在玻璃白上描绘渲染，最后入炉烧烤而成。明末清初开始采用这种工艺。

新彩是釉上彩装饰。用笔蘸色料在瓷面上作画，表现技法和风格接近于水墨画。所用颜料以手工研磨合成，用乳香油调者称"油彩"，用水调者称"水彩"。新彩色料的取材范围较广，颜色种类丰富，操作比较简便，烤花温度范围较宽，制作成本也较低，是彩绘装饰中常见的品种。

二、白瓷雕塑的成型工艺

（一）瓷花捏塑工艺

德化白瓷雕塑技艺经过较长时间发展趋于成熟，不同的对象有各自的表现方法，手法丰富多样。明、清时期的白瓷中常能见到模印贴花和堆贴、堆塑装饰。捏塑瓷花的技艺与堆贴、堆塑装饰技法有着一定的传承关系，是从浮雕装饰演变而来的一种表现形式。也有人用捏塑方法做成瓷花或瓷树，有些装饰性的瓷树高达18英寸。后来也有人用这种方法做瓷花篮。民国年间，德化在巴拿马获奖的捏塑瓷梅花也属此类形式的作品。蕴玉瓷庄传人苏玉峰先生便是一位捏塑瓷花的高手。现代的捏塑瓷花与传统的瓷花制作相比，工艺有了较大发展，瓷花品种多，制作工艺更趋复杂、精致，瓷花的造型也更写实逼真。

1. 白瓷花壶制作步骤

粘接壶体。壶体注浆成型，是仿生的树桩造型，壶把、壶嘴、盖纽都做成树枝的样式。先将分段注浆的壶体、壶把等粘接成整体，然后开始手塑壶体上的各种立体花卉。与先前在壶体上堆贴瓷花的工艺不同，这时的瓷花已由原来的装饰变成了器物造型的一部分，或直接成了造型的主体，壶体则成了展示瓷花的基座或载体（图6-62）。

图6-62　花壶壶体

图6-63　做梅花枝干

捏塑梅花

做枝干。取一些泥，用手在桌面上搓出一些一头粗一头尖的泥条备用（图6-63）。

做梅花。先做花蕊。拿一点泥，搓成小条，将一头捏成喇叭口状，再用尖而薄的刀具将喇叭口边缘划开（图6-64）。

做花瓣。用一点泥搓成一个圆头的小条，将圆头靠在拇指上，用食指捏一下成一个有弧度的圆形花瓣，将花瓣与花蕊捏在一起。依次将五个花瓣与花蕊组装在一起成一朵完整梅花（图6-65）。将根部泥块切掉，用尖刀挑起做好的梅花蘸点稀泥浆，然后粘到花壶上的梅花枝干上（图6-66～图

图6-64　做花蕊

图6-65　组合花瓣

图6-66　切掉多余的泥

图6-67　蘸泥浆

图 6-68　粘接到壶体上　　　　　　　　　　　　　图 6-69　做好的梅花

6-68）。可用同样的方法做一些花蕾和其他的梅花组合在一起。最后再搓一些圆形小泥点，用竹尖刀挑起蘸点泥浆再粘到枝干上，这些小圆点上自然留下尖刀扎过的小眼，看起来像是更小的花蕾（图 6-69）。

捏塑五角小花

取点泥搓成条，将泥条上端压平，并用手指捏成喇叭口，一边旋转一边用薄竹刀将喇叭口沿压薄（图 6-70）。用刀尖在中心划出放射状纹理，并用手指将边缘捏出五个尖角。可用同样方法捏出数个（图 6-71、图 6-72）。

再做几个单独的花蕊。用一小块泥搓成条，将泥条一头捏成圆头并在纱网上摁一下，然后再用两只手的拇指和食指挤压泥条，使泥条圆头向上鼓起，使网状纹理张开，形成花蕊的造型（图 6-73）。用同样方法多做几个备用（图 6-74）。

将之前做好的几个五角形花组合成一小束，捏在一起（图 6-75），将底部多余的泥料切掉，用锥状尖刀插在中间小花的中心，蘸些稀泥浆后，将小花束粘在壶体上。之后再搓出一些更小的泥条，将一头压平，三个一组粘在一起，再用锥形尖刀挑起蘸点泥浆后粘到五角形的花芯里。同时将之前做好的花蕊与五角小花组合在一起（图 6-76）。最后再捏出一些小叶子粘在小花的后面。

捏塑玫瑰花

将一小块泥放在左手掌心，用右手将泥块一侧压扁，再用竹刀将压扁的一边抹压得更薄（图 6-77），然后用左手拇指和中指捏住泥片，拇指顶在泥片中间。用右手拇指和食指从后面轻推泥片，让泥片弯曲成玫瑰花瓣的形状（图 6-78）。将数个花瓣状泥片依次搓捏成卷，并一层一层粘接成花芯状（图 6-79），一边粘接一边调整花瓣的形状，中心的花瓣比较直，靠外边的花瓣边缘外翻，花瓣之间的空隙也比较大（图 6-80）。用此方法塑制出几朵不同大小的花瓣备用（图 6-81）。

粘接前，将壶体上待粘接花头的位置用竹刀划毛并涂上泥浆。切掉小花瓣多余的根部，用尖竹刀从花瓣中心插入，在花朵根部蘸些泥浆后粘接在壶体上（图 6-82）。粘接大花头时可依照同样方法（图 6-83）。最后用毛笔将粘接时挤出的泥浆擦掉。

捏塑牡丹花

先做花蕊。做花蕊的工具是一个经过改造的注射器。把注射器前端切掉，并蒙一块尼龙网（图 6-84）。将一块泥搓成小圆球，装入注射器中，再隔着纱网将泥推出来，形成一簇密集的、扭曲的细条（图 6-85）。把这一簇细泥条捏在一起，上面保留松散状态（图 6-86）。

再做花瓣。取一小块泥，搓成一个短粗条放在左手掌心，用右手中指将泥条一头摁压成扁片。再用竹刀将泥片边缘抹压得更薄（图6-87）。然后将泥片边缘靠在食指上，用拇指捏住，用一钝头的竹工具，抹压泥片边缘，形成自然的皱褶和变化（图6-88）。再将泥片中间用拇指摁成凹形，使泥片如同一片薄薄的花瓣。用同样方法做成多片花瓣（图6-89）。

组装花头。将先前做好的花瓣与花蕊组合在一起（图6-90、图6-91）。将花瓣逐层包在花蕊上，内层的花瓣略小，弯曲的弧度大一些，外层花瓣略平，并逐渐张开。一边粘接一边注意随时调整花瓣之间互相叠压的层次关系，力求真实自然（图6-92）。最后，将下面多余的泥柱切掉（图6-93），用尖竹刀插入花蕊挑起花头，在后面涂抹泥浆（图6-94），将花头粘接到壶体上（图6-95），再在花头后面粘上几

图6-70　将捏出的喇叭口用工具压薄

图6-71　捏出五角花瓣

图6-72　做多个花头备用

图6-73　做花蕊

图6-74　做好的花蕊

图6-75　将做好的小花捏在一起

图 6-76 将小花组合在一起

图 6-77 用竹刀将泥片压薄

图 6-78 将泥片做出花瓣形状

图 6-79 粘接成花芯

图 6-80 调整花瓣

图 6-81 做出多个备用

图 6-82 粘小花头

图 6-83 粘大花头

图 6-84　经过改造的注射器

图 6-85　挤出弯曲的泥条

图 6-86　一簇泥条

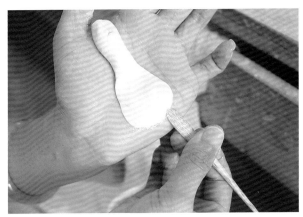

图 6-87　抹压泥片

图 6-88　做出皱褶

图 6-89　做出的花瓣

图 6-90　将花蕊和花瓣组合在一起

图 6-91　粘接花瓣

图 6-92 调整花瓣

图 6-93 切掉泥段

图 6-94 涂抹泥浆

图 6-95 粘到壶体上

图 6-96 粘叶子

图 6-97 粘接其他小的花头

片叶子（图 6-96）。之后依照同样方法粘接其他几个稍小一些的花头（图 6-97），并补粘一些花梗和叶子。注意粘接花头时须将粘接面划毛。

捏塑菊花

做花蕊。先搓出一些手指般粗细的泥柱（图 6-98）。取一段泥柱，将一头拍成蘑菇状的圆头，再用竹刀圆钝的刀侧在圆头上压出向心的凹槽，做成花蕊的形状（图 6-99）。可依此法做成数个花蕊备用。

捏塑花瓣。左手取一小块泥，用拇指和食指将泥搓成小条（图 6-100）。将泥条靠在食指上，右手用竹刀将泥条一头抹平（图 6-101），分出条形花瓣的正面和背面。然后用拇指和食指轻捏住泥条，右手用竹刀在花瓣形泥片上浅浅划出纹理（图 6-102），再将泥片轻轻弯曲，做成一个花瓣（图 6-103）。可用此法做出很多不同长度的花瓣备用（图6-104）。

做叶子。把一小块泥搓成短条，然后将一头大致捏成叶子的形状，中间稍厚边缘较薄（图6-105）。将叶形泥片放在左手掌心，右手用竹刀将叶形泥片外缘压抹薄，并将边缘切成锯齿状（图6-106）。然后取一片真树叶叶背朝上放在桌面上，再将叶形泥片放在真树叶上，用手掌拍压泥片，将树叶上的叶筋纹理转印到叶形泥片上（图6-107），最后将叶子的形状稍作调整。可依此法做好多个叶子备用（图6-108）。

粘接花瓣。拿一个做好的花蕊，依次将做好的花瓣贴附在花蕊上，先粘贴较短的小瓣，再粘较长的花瓣，一边粘接一边调整花瓣的朝向，力求生动自然（图6-109、图6-110）。

粘接花头。将贴有两三层花瓣的花头稍加整理，切掉后边多余的泥柱（图6-111），用一根细长的尖竹刀插入花头，在底部蘸些泥浆，将蘸了泥浆的花头粘接到花壶的把手上（图6-112）。再将事先做好的叶子粘在花头后面（图6-113）。然后依次将其他花瓣分别粘到花头的后面。也可以将两三个花瓣先粘在一起，再粘到花头的后面（图6-114、图6-115）。

点缀小泥珠

为了使整个花壶瓷塑更加生动，最后还需在树桩形的花壶上再点缀一些小泥珠。做泥珠时先搓出一根细泥条，将细泥条截成很多小段，然后将这些很小的泥段用两个手指搓成小泥珠。用尖锥形刀尖扎起一个泥点，蘸点泥浆（图6-116），再粘到壶体上去（图6-117）。泥珠放的部位不同，其效果也不太一样。有的像枝头上的嫩芽，有的像待放的花苞，有的像松树桩上的苔藓，就像山水画皴擦点染的点一样，有着

图6-98 准备小泥段

图6-99 做成蘑菇状花蕊

图6-100 搓出小泥条

图6-101 将小泥条抹平

图 6-102　划出纹理

图 6-103　弯成花瓣

图 6-104　做出多个备用

图 6-105　捏出叶形泥片

图 6-106　做出齿状边缘

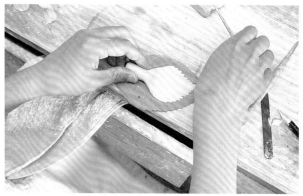

图 6-107　印出纹理

图 6-108　做多个叶子备用

图 6-109　粘贴花瓣

图 6-110　粘贴花瓣

图 6-111　切掉泥柱

图 6-112　粘接到壶体上

图 6-113　粘接叶子

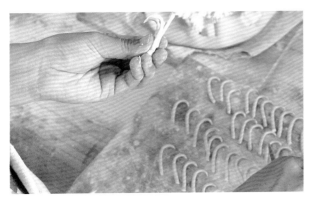

图 6-114　将几个花瓣捏在一起

图 6-115　调整花瓣

图 6-116　蘸泥浆

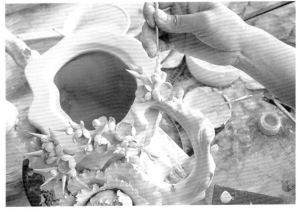

图 6-117　粘到壶体上

图 6-118　粘接小泥点

图 6-119　完成的瓷花壶

丰富视觉效果的作用（图 6-118、图 6-119）。

2. 色泥捏塑花盘的制作步骤

做枝干和叶子

取一个整体蘸过釉的通花盘子。用绿色料的瓷泥搓出一根一头粗一头细的泥条，将泥条放到施过釉的镂空花盘里，再搓几根小条与之前的长泥条组合在一起（图 6-120）。取一块绿色泥搓成短粗条，将绿泥条放在桌面上的一块布上，用手掌压扁，再用宽竹刀将泥片抹压成叶子形（图 6-121）。将叶子拿起来，将叶梗捏拢，同时用竹刀划出叶脉（图 6-122），再用手指调整叶子翻转的角度（图 6-123）。然后将做好的叶子蘸些绿色的泥浆，与先做好的枝干粘接在一起（图 6-124）。

做粉色小花朵

把一小段白泥的一头捏扁，放在桌布上，用扁竹刀将捏扁的一段抹压得更薄，呈花瓣形（图 6-125）。在花瓣形泥片上抹压一点粉色泥，再用竹刀尖划出一些细纹理（图 6-126），然后将其从桌布上取下。用手指将花瓣形的泥片捏出起伏和转折变化（图 6-127），再将四五片叶子组合成一个半开的花苞（图 6-128），然后粘在盘子里，与之前做好的枝干和叶子组合在一起（图 6-129）。用类似方法做一朵粉色的花头，也一并粘到盘子里去（图 6-130），同时用尖竹刀调整花瓣的开合关系（图 6-131）。

然后给花头后面补贴衬托的叶子（图 6-132）。

做白色大花

图 6-120　搓几根绿色泥条作枝干

图 6-121　做叶片

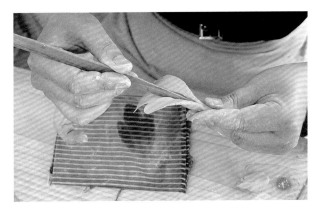

图 6-122 用刀划出叶脉

图 6-123 调整叶子形状

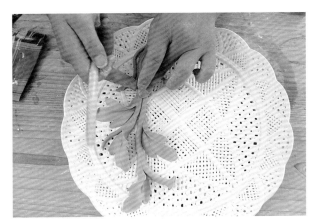

图 6-124 与枝干粘接在一起

图 6-125 将泥片捏成花瓣状

图 6-126 划出纹理

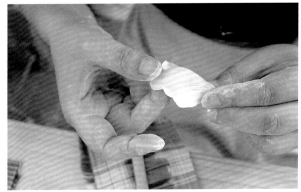

图 6-127 做出起伏转折

图 6-128 组合成花苞

图 6-129 粘接到盘子里

图 6-130　粘粉色花头

图 6-131　调整花瓣

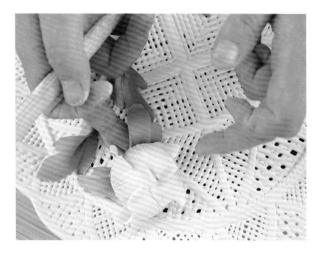

图 6-132　补贴叶子

拿一点泥搓成条，将一头捏扁，并在捏扁的一头用刀抹一点淡黄色的泥，将黄泥和白泥捏在一起（图6-133），放在台布上用竹刀将泥片抹压成薄片（图6-134），再将薄片捏出花瓣的起伏变化。可做好多片备用（图6-135）。

做花蕊

用纱网和注射器挤出一撮粉色细泥条，用一白泥片将这簇粉色泥条裹住（图6-136）。然后将之前做好的花瓣贴到花蕊上（图6-137、图6-138）。注意瓣与瓣之间的叠压关系（图6-139、图6-140）。

粘花头

将做好的大花头用薄刀切下，放到盘子里，并调整花瓣的开合关系。

最后调整

搓几根粉色小泥条做成花蕊，用尖刀粘起插到靠近花头的花瓣之间（图6-141）。最后再做几片绿叶贴到花头的旁边。由于底盘之前已施过釉，烧成过程中熔融的釉会将花朵与底盘粘接在一起，所以无须用泥浆粘接（图6-142）。

至此，捏塑花盘的制作就完成了。

图 6-133　将黄泥和白泥捏在一起

图 6-134　做成花瓣状

图 6-135　做多片备用

图 6-136　做出花蕊

图 6-137　粘贴花瓣

图 6-138　粘接花瓣

图 6-139　调整花瓣

图 6-140　调整并粘接花瓣

图 6-141　粘接花蕊

图 6-142　完成的花盘

（二）瓷塑塑造成型工艺

瓷塑是传统雕塑艺术中一个独特的品类。宋以后，瓷塑艺术得到了较大发展，其中以景德镇窑和德化窑最具影响，但这两个产区的作品风格却有着较大不同。德化早期瓷塑受材质和工艺的限制，体积大都比较小，表现的主题常带有宗教色彩，属于一种家庭供奉的陈设品。景德镇早期的瓷塑多为青白瓷，施釉时局部露胎，有意利用釉色和瓷胎材质的不同产生丰富的视觉效果，这与唐代三彩陶俑的处理方式相似。景德镇的瓷塑多施彩釉，用彩绘作为瓷塑的补充，但德化瓷塑从一开始就以单色示人，不仅塑造作品精致深入，而且强调以形体自身的起伏和线、面、体来表现对象，形成单纯而丰富的效果，充分展示白瓷材质的美感，形成了德化瓷塑独具品格的艺术特征。

德化瓷塑题材广泛，形式多样，其中以人物造型最为著名，尤其明代人物瓷塑更是德化白瓷中的优秀品种。明代社会相对稳定，宗教信仰活跃，为满足人们供奉、礼拜、捐献之需，德化窑生产出大量与宗教有关的造像，如观音、八仙、寿星、罗汉、弥勒、达摩、如来等。除了神仙佛像，还烧造了许多历史人物或传说中的人物或动物，如关公、文昌和对狮等，表现题材丰富，塑造的形象神形兼备，技艺精湛（图6-143、图6-144）。

图6-143　清代白瓷关公像　　　　　　　　　　图6-144　清代白瓷对狮

德化瓷塑艺术的发展与当地民间雕塑的传统有着渊源关系，许多瓷塑艺人原本就是从事泥塑的匠人或是出身木雕世家。据传明代瓷塑大师何朝宗便是在跟随父亲从事泥塑佛像创作的过程中，练就了扎实的塑造功底。近现代雕塑大师游长子、苏学金、许友义等也都是出自木雕或泥塑世家。可以说，是德化积淀深厚的民间雕塑传统孕育、滋养了德化瓷塑艺术。至今，在邻近德化的仙游县还有很多从事木雕创作的民间艺人和木雕作坊，而泉州的惠安更是福建地区石雕艺术之乡。

1.瓷塑的成型方法

德化瓷塑的成型方法可分为两种：一种是单件塑造成型；另一种是模制批量成型。

单件塑造成型

单件塑造是直接用手塑造，带有明显的捏塑痕迹。先用泥块堆出粗形，将塑像内部从底部挖成空心，然后再结合运用堆贴、切削、雕刻、推光、接粘、修整等各种技艺进行精细塑造，最后再进行表面修整和擦水处理，直至完成整个雕塑。细部的装饰有的用刀刻划，如头发、胡须等，有的用笔蘸着泥浆堆成，如罗汉浓重的双眉和大胡子，还有些如莲花瓣之类装饰部件，则是用模具单独印制再堆贴上去。有些塑像如关公、文昌的胡须，则是在塑像坯体上留着小洞，待塑像烧成后，再用马尾或须发插进小洞粘接而成的（图6-145）。

还有一种做小件塑像的做法，即捏塑法。捏塑时，用一根木棍作为内支架，木棍一头粗一头细，略粗的一头在下握在手中，略细的一头在上，在上面卷一层纸，再在上面贴敷泥料，然后进行塑造。因为人手有温度，如果将小泥塑拿在手中塑造，泥料会干得比较快，不便于塑造细部。而一手持木棍，另一只手塑造则比较方便。做出基本形后，只要一手握着塑像，一手稍加旋转木棍，就可将木棍从塑像中抽出。接着再继续细部加工。用这种方法塑造，塑像内部会形成中空，便于烧成。

图6-145 清代文昌帝君坐像（人物的脸部留有供插胡须的孔洞）

模制批量成型

传统德化瓷塑的主体部分大都是模制成型，模制成型是借助于模具印制出粗形，再进行细部加工。模具分前后两部分或上下两部分，头部经常是单独印模成型后，再从颈部插入，构成整体（图6-146），有些人物的手也采用这种方法成型。模制成型的特点是技术难度相对较低，易于操作，便于批量生产，提高生产效率。

模塑工艺可分为以下几个步骤：首先，雕塑匠师用黏土塑出子型。修整完备后，将塑像主体分解切成若干部分，并以粗瓷土翻制出模范（也可用粗黏土翻模，但模范内层多为较细的瓷土，全用细瓷土翻制的模具焙烧时容易炸裂），有时艺人们会在制模的粗瓷泥中加一点盐，以增加模具烧成后的强度。将修整后的模范堆放在一起，上面用稻壳覆盖，然后点燃稻草焖烧而成，后来也有用窑炉低温烘烧而成的（图6-147）。

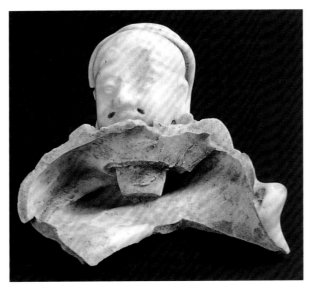

图6-146 单独做的头插在脖颈里

接着是印坯，把瓷塑泥料放在模中，用手推压至厚薄均匀，除去多余泥料，待稍干后将塑像从模中脱出，进行修整和粘接成整体。之后对细部进行精雕细刻，再进行擦水、推光，接上捏塑的手指、花饰、串珠等。头部的塑造，有时是和躯体一起模塑，有时则是将头和躯干分开塑造，然后粘接而成。最后通体施釉，入窑一次烧成。

图6-147　低温烧成的土模

在瓷塑创作过程中，塑造者可按照自己的审美进行艺术处理，由此形成个人风格。明代几位瓷塑艺术大师中，有的追求造型的清秀柔润，线条的圆和洒脱；有的则讲求工整均称，精巧美观；有的造型细腻逼真，形神兼备。

德化瓷塑融合了石刻、木雕、泥塑的塑造技法，吸取了传统人物画"笔势圆转、衣襟飘举"的造型特点，采取捏、塑、刻、刮、削、接、贴的工艺手法，充分利用瓷泥的可塑性，形成独具特色的瓷塑风格。

德化瓷塑还出现过部分插手观音，留以袖口，手部单作，烧成后插装，这是作为外销瓷为避免在运输过程中碰断而特别采取的一种改进措施。

2．塑造的泥料和工具

泥料

塑造原型的泥料是在高岭土中加入部分长石，经过辗碎、淘洗后的混合瓷泥，颜色偏土黄，黏性较好，适合塑造。

工具

手能够最为直接、准确地传达塑造者对材料的认识和掌控能力。工具是手的功能的延伸，使用工具是帮助塑造者完成手所不能及的局部或特殊形象塑造的辅助手段。

德化瓷塑的工具只有简单的几种，一般都用竹子制成，制作工具的竹子长得越老越厚越好，老竹子密度大、硬度高，磨制出的刀具光滑、锋利，便于雕刻、切削和推光，也比较耐用。竹制工具比较干净，避免了铁质工具可能因生锈而污染泥料。工具的样式主要有以下几种：

塑形刀：一边椭圆形，一边尖刀形，适合塑大形。

切泥刀：可以用来调整大形和轮廓，也可用于局部线条的刻划，如发丝、水波浪等。

压塑刀：压塑刀与塑形刀相似，但尺寸略小，可以制作大小若干把备用。

柱形刀：柱形刀是德化特有的塑形工具，它主要用于表现衣纹的线条，状如钉头鼠尾，一头稍大而钝，一头稍尖而细，可根据塑造衣纹线条的需要灵活应用（图6-148）。

塑造者还可以根据自己的塑造习惯，磨制各种样式的工具。

（三）人像塑造的方法

由于德化瓷土在高温时容易变形，所以传统的人

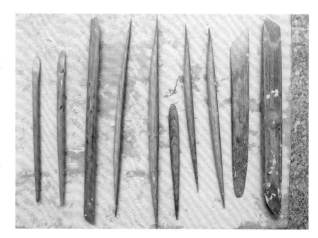

图6-148　雕塑工具

物瓷塑体量都不太大，一般在 20～40 厘米。现代德化瓷塑泥料中加入了一定量的高岭土，故可以制作体量相对较大的作品。这里分别介绍两件人物瓷塑的制作过程，以便了解德化瓷塑工艺的特点和独特的表现力。一件是小型立式渡海观音像，尺度与传统的瓷塑接近。另一件是体量较大的渡江达摩立像。两件塑像皆以明代匠师何朝宗的作品为原型。

1. 渡海观音的塑造

在中国，观音的形象经历了一个发展变化的过程。佛经记载：观音本是太子，名叫不照，成佛后是阿弥陀佛的左胁侍，与右胁侍大势至菩萨、教主阿弥陀佛合称"西方三圣"。据说他在"普度众生"时，能作三十二种变化，其中女人仅是他的变像之一。因此，在我国唐、宋以前的早期佛教艺术之中，观音一般都是按照男性塑造的。到元朝时，观音已逐渐变成了女性形象，成了慈悲女神、送子观音，或成为渔民的保护神，被称作渡海观音。但从具体的作品来看，德化的观音塑像似乎不太强调其女性特征，而是有点中性化。对于观音的形象，似乎有着一些约定俗成的标准。"有建窑塑像立像者，其素衣而蓝风兜者，像似美女为劣，似男者为贵"（寂园叟《匋雅》）。"观音佛高一尺，跌坐，面如美男子，丰而且丽，不可多得之品也。"

德化瓷塑中的观音像有很多样式，有立像、坐像、多手、送子、童子、坐莲、坐岩、坐狮和渡海观音等。瓷塑艺人利用温润晶莹的瓷质，表现观音端庄秀丽、优雅高贵的形象；通过"以眼观鼻，以鼻观心"的表情塑造，体现观音菩萨普度众生、救苦救难的慈悲心态。这件渡海观音为立式，身着阔袖开胸长衫，双手相抄自然垂放在身体右前侧，身体微侧站立在一个半球状的波浪形底座上。德化瓷塑中常见人物的手被藏在袍袖中或只露出一只手的处理手法，除艺术上追求藏或虚的目的外，这也可能是一种防止瓷塑破损的方法。

观音立像的塑造共分为六个步骤，分别是上泥立形、衣纹塑造、形象塑造、整体深入、切割掏空、整体压光。

第一步，上泥立形

上泥立形的顺序是由下往上开始的。先在雕塑板上做出一个半球形底座，再在底座上堆出一个扁圆泥柱作为人物的躯干，泥柱上端粘接一个蛋圆形泥块当作人物的头部，用雕塑刀划出发际线和发髻的位置，借此确定人物的前后和上下的比例关系。

接着在躯干前侧贴敷泥料，塑出双臂和垂袖的大概体积，同时在底座上做出衣袍下略向前伸的左脚。用雕塑刀在头部划出五官的位置，再划出衣襟、袍袖的大体结构（图 6-149）。头部微低转向身体的左前侧。左脚略向左前方伸出，身体重心落在衣袍内的右脚上，整体动态关系已有所显现。

第二步，衣纹塑造

搓一些泥条，按照之前划好的位置，依次贴敷在前胸的衣领处、胳膊的转折处，以及袍袖的袖口、后襟和下摆等处，通过衣纹的塑造显示人物的动态，确定主要衣纹的位置和结构，塑造出衣袍的体积和量感。

需要注意的是，用贴泥条的方式做衣纹，并不是简单地将泥条堆积上去，而是一边上泥一边塑形，贴上去的泥条往往是一边保留泥条的厚度，另一边则被抹平贴敷在泥体上，通过泥条的边

图 6-149　做出大形

缘的厚度，显示衣纹的结构、衣袍的体积和量感。至此，塑像中人物已可以看出大体的动态关系和比例关系（图6-150）。

中国传统雕塑中非常注重线的运用，将绘画中的线运用到立体人物的塑造上是中国传统雕塑一大特点，形成了独特的艺术风格。尤其是德化的瓷塑匠师们在衣纹的塑造上更是将线条运用得出神入化。

第三步，形象塑造

头部塑造　　在大的动态和比例关系确定后，便可以开始人物形象的塑造。人的身体是左右对称的，所以塑造时也是用双手对称着去做，从头部开始由上往下进行。先在头部的两侧贴敷两块泥料，确定头部的大致宽度。接着在脸部中央竖着放一小泥条确定鼻子的位置和体积，然后用双手的拇指对称着在泥条两侧摁压出人物的眼眶，并留出鼻梁的宽度，接着再用拇指摁压泥条的下部形成鼻头的高度。然后，搓两个小泥球，用两个拇指将两个泥球贴敷在眼眶内，形成眼球的形状，接着顺势用两个拇指由前往后、由下往上轻轻推压面颊两侧，使之对称，并形成圆润的腮部（图6-151）。然后在前额后面和颅骨两侧贴敷泥料，做出两边头发的厚度。随后，再分别用小泥条贴出两个耳朵，并对发髻进行修整（图6-152）。

图6-150　做出人物的动态和衣纹

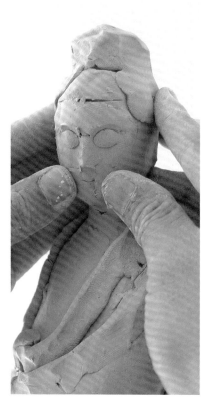

图6-151　用双手对称塑造面部

图6-152　做出耳朵

图6-153　塑造五官

接着用小雕塑刀划出眼睛和嘴巴的位置，在腮部贴敷泥料，使面部更加圆润丰满。再用小竹刀挑些许泥塑出人物嘴唇的形态，并对脸部体量进行调整（图6-153）。

　　躯干的塑造　　塑造躯干时，从肩部开始由上而下进行调整。先在肩部加泥，再在上臂衣纹处补泥，在左前臂添泥塑形。加泥和补泥不是简单堆砌泥料，而是边敷泥边用手指塑出这一部分的基本形，使人物造型更显饱满，同时也使衣纹的结构、走势更加明确（图6-154）。在此过程中，应注意塑造衣纹的结构和形态，如手臂上面衣纹的堆积，手臂下面衣纹的下垂，都应在塑造中区别对待。同时还要注意衣纹的疏密关系，有的部位衣纹比较密集，有些地方则比较宽松（图6-155、图6-156）。

图6-154　塑造衣纹1　　　　　　　　图6-155　塑造衣纹2　　　　　　　　图6-156　塑造衣纹3

　　做完前面的衣纹后，接着调整人物的后背。在肩背处补泥，使之平整挺阔。（可能是受寺庙雕塑中人物一般靠墙站立的影响，传统佛教瓷塑人物的后背也都处理得比较简洁概括，没有太多的细节，与躯干前面多变的形态和密集的衣纹形成对比）尽管瓷塑人物的后背看似简单，但在塑造时也不能随意草率，应该通过对后背的处理，表现人物的动态关系。如从侧面看时，头微向前倾，背略向后仰，腰腹部略往前突出，这样使得人物的姿态呈现S形的造型，形成一定的节奏感和韵律感（图6-157）。

　　将后背的泥补完后，接着调整躯干的整体关系。先用竹刀对主要部位的衣纹进行刻划定位，以此明确胸廓、胳膊、袍袖、衣襟等各部分的位置和界线（图6-158）。在此基础上，再调整各个部分的体量关系。如顺着衣纹的结构，在袍袖处贴敷泥料，加大袍袖部分的体量，塑造出衣纹的结构、走势和转折关系，同时调整衣纹的疏密关系，使整个雕塑显得更加厚实、更有分量（图6-159～图6-162）。

　　接着再调整人物的腿部和脚部。做出脚背和脚趾，其中大脚趾微微翘起，使人物显得轻松、自然（图6-163）。然后做出衣襟下摆的衣纹。

　　最后，再用竹刀刻划颈部、衣领、袍袖之间的衣纹，使各段落之间的形体关系更加明确，为整体的深

图 6-157　塑造侧面和后面

图 6-158　塑造衣纹，确定各部分位置

图 6-159　塑造衣纹细部 1

图 6-160　塑造衣纹细部 2

图 6-161　塑造衣纹细部 3

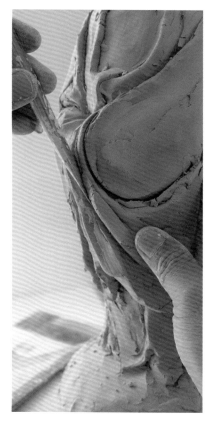

图 6-162　塑造衣纹细部 4

图 6-163　塑造脚趾部分

图 6-164　再次由上而下调整人物各段落之间的关系

图 6-165　调整衣纹关系

入塑造奠定基础（图 6-164、图 6-165）。

第四步，整体深入

整体深入分为两步，先通体修整，再深入刻划。

通体修整　　通体修整仍从头部开始。在前额处敷少许泥并用竹刀修整，用竹刀尖做出上眼眶的弧面和转折。在脸部贴敷些许泥料，并抹压平整，使脸部更显圆润。再用竹刀修整嘴唇和下眼睑（图 6-166）。再取些泥捏成泥条，做出头巾的造型和头巾边缘与后边的转折关系。头巾从头后垂下搭在肩部形成折叠的效果，并与衣领相衔接（图 6-167）。

接着用竹刀修整衣领，再用手指或竹刀修整袍袖纹理，按照

图 6-166　深入刻划五官

图 6-167　修整头巾

不同位置做出衣纹的转折、叠压关系和下垂的感觉（图 6-168～图 6-170）。缺泥的地方再用小泥条敷补。

注意衣纹因飘动形成的转折和叠压关系。既要塑造出衣服的量感，又要显示出衣袂翻飞、轻盈飘举的动感（图6-171、图6-172）。

随后再对一些主要部位的衣纹进行提示性调整。然后用竹刀光洁的正面抹压，使衣纹的转折自然流畅（图6-173）。之后，再对人物的后背进行加工塑形。

最后，再修整腿部袍襟和下摆处的衣纹，使之与上面的袍袖呼应协调（图6-174、图6-175）。

深入刻划　　深入刻划依然从头部开始，依次调整头巾以及头巾与衣领的转折。然后将人像的头部从脖颈处切下，对头部进行细部加工。

为了操作方便和防止头像在手中拿久了表面变得干躁，需将取下的头部插在一根雕塑刀上，接着对人像的面部和五官进行仔细加工。先在额头处贴敷泥料，做出额头的正面和两侧的转折关系。再对眼睛、鼻子、嘴唇、下巴等进行细部刻划，使人物的表情神态和谐自然（图6-176）。待面部修整完毕后，在颈部和肩部接口处涂刷水和泥浆，将修整完的头部粘回到肩部。

接着对躯干部分进行细部加工。用切削、刮压等手法，由上而下塑造领口、袍袖、衣襟处的衣纹，使衣纹生动自然、舒展流畅、松紧有度、疏密有致，富有节奏感和韵律感（图6-177、图6-178）。

最后，再对海浪形底座进行塑造加工。先将底座修削成扣着的半球形，再用竹刀在观音脚下刻出莲花瓣，在底座上刻划出海浪和荷叶的轮廓，然后贴敷泥料，塑造出荷叶折叠卷曲的形态（图6-179），用泥条塑出螺旋形的海浪。在此基础上再对浪花的形态进行归纳、概括，用装饰性、图案化的手法做出浪花的体面转折关系。富有动感的海浪底座与相对静态的观音像形成动与静的对比（图6-180）。

再次将头部切下来，作进一步加工。用竹刀修整额头，使之更加挺阔饱满，再用竹刀对眼睛、鼻子、嘴巴进行细致刻划（图6-181）。然后把头粘回去，并对躯干、底座部分进行修整（图6-182）。

图6-168　修整衣纹1　　　　　　　　图6-169　修整衣纹2　　　　　　　　图6-170　修整衣纹3

图 6-171　修整衣纹 4

图 6-172　修整衣纹 5

图 6-173　修整衣纹 6

图 6-174　调整袍襟

图 6-175　调整下摆

图 6-176　将头取下刻划五官

图 6-177 再次加工躯干部分

图 6-178 做出衣服柔软的质感

图 6-179 刻划并塑造底座上波浪与荷花

图 6-180 做出波浪的立体纹样

图 6-181 再次加工头部

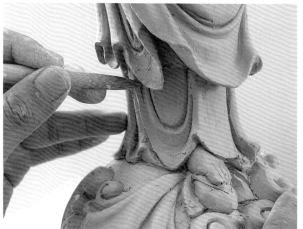

图 6-182 再次修整躯干部分

第五步，切割掏空

切割头部 将头部从脖颈处切下，再从头侧切成前后两半，将前后两半里边的泥掏掉（图6-183、图6-184），并稍事修整。在粘接处涂上泥浆，将前后两半粘接起来，并摁紧压实。这时的观音形象双目低垂、嘴角微扺，显得安详、静谧（图6-185）。

切割底座 接着再切割底座。先将脚部单独切下。在底座与塑像衣摆之间划一竖线作为之后粘接时的标记，然后将底座切下（图6-186、图6-187）。

用刀具在底座的底部划出切割范围，留出底座的厚度。然后再从底座上下两面将其中的泥料掏掉（图6-188）。

切割躯干 躯干部分也需要分割成两半，以便掏空其中的泥料。先将悬垂的衣襟单独切下，从膝盖处将躯干切开（图6-189），然后再分别将躯干上、下两段中的泥料掏掉，使之中空（图6-190）。最后用竹刀把切割面划毛，抹上泥浆，然后依次将底座与躯干粘接起来（图6-191、图6-192），将单独的衣襟和脚粘接回原处。再将头部与躯体粘接起来（图6-193）。最后，将粘接时挤出的泥浆修刮干净。

图6-183 将头部切下分成两半

图6-184 将头部掏空

图6-185 再粘接在一起

图6-186 将脚部切下

图6-187　将底座与躯干分开

图6-188　掏出底座中的泥料

图6-189　将躯干分成两半

图6-190　将塑像内部的泥掏掉

图6-191　涂抹泥浆后粘接回原位

图6-192　粘接躯干部分

图 6-193　粘接头部

图 6-194　最后修整躯干

图 6-195　加工底座

第六步，整体压光

与一般的雕塑不同，传统德化瓷塑很讲究显示材料光洁莹润、细如凝脂的特点，注意坯体表面要细腻洁净，要求完成的瓷塑不留斧凿痕迹。因此，整体压光是德化瓷塑塑造过程的最后一道工序。

压光是利用竹刀的刀背，采用摁压的方法将整个泥塑的表面做一遍细致的修整，直至坯体表面平整光挺。同时将衣纹和底座的浪花等再作进一步塑造和加工（图6-194、图6-195）。

至此，整个塑造过程全部完成（图6-196）。

2. 立式达摩的塑造方法

达摩据传是南朝梁时的高僧，天竺人，本名菩提多罗，于梁普通元年入华，武帝迎至金陵。后渡江往魏，止嵩山少林寺，面壁九年而化。民间常把达摩等著名僧人当作观音的化身来供奉。德化瓷塑中的达摩是一个多少有点丑怪的形象，这似乎可以从传说中找到某些依据。据说来中土传教的达摩，知道一般人会有以貌取人、先敬衣冠后敬人的俗念。为了证明自己不是靠英俊的相貌和华丽的衣冠获得人们的信任，而是靠自身的学识和修行赢得人们的尊重，达摩有意将自己变身为一个相貌粗陋的樵夫的形象。故达摩常常被塑造成蜷眉、阔唇、龅牙、虬须的模样，但我们依然能从这些瓷塑人物伟岸的身材和轩昂的气度中，看到达摩"庄严相满怀仁慈，苦渡心饱蕴济世"的精神风貌。

达摩立像的塑造共分为四个阶段，分别是上泥立形、形象塑造、整体深入刻划和表面修整、整体压光。

第一步，上泥立形

德化瓷塑在塑造人物的比例关系时，遵循传统艺术"盘三坐五立七"的造型原则，这与西方传统雕塑努力追求人物真实比例的写实方法有

图 6-196　完成塑造

所不同。德化佛教题材的造像延续了唐宋时代的风格样式，人物体态饱满，衣纹线条流畅、圆润。何朝宗的人物瓷塑更把这种风格推向极致，将绘画中线的表现语言与雕塑中体积的塑造结合在一起，体现了中国传统造型艺术以线塑形的观念。

首先，按照预定的尺度确定塑像头、颈、躯干以及底座的基本形和比例关系。基本形要体现人物的整体动态、比例、重心以及前后左右的平衡关系。

为了便于后期切割分块制模，泥塑里面一般不搭支架，而是用可塑性泥料由下往上、由内而外进行塑造。塑造时，底部和内部宜用稍硬的泥料，以便起到支撑的作用，避免在塑造过程中垮塌变形。

其次，堆出半球形底座，在上面做出一个柱状的泥体，并用木拍拍实，避免因泥中存有空隙导致垮塌。堆好的泥柱需先晾一段时间，保证其有一定强度后再作进一步塑造。

接着将泥柱分出前后，堆出人物大形。这时已能看出人物大致的朝向和前后关系以及底座和人物之间大的体量关系（图6-197）。

用陶拍将泥拍打平整，用雕塑刀在泥稿上划出五官的位置和主要衣纹的大致走向，确定人物大的比例和动态关系（图6-198）。

取些泥并捏成大泥条，按照划好的位置由上而下依次塑造出衣领、手臂的长袖以及衣摆等几条主要衣纹。用手掌将堆上去的泥料推压粘牢，并用雕塑刀做出衣纹大的转折和起伏关系（图6-199）。

再次，用雕塑刀划出其他衣纹的位置，继续用粗泥条塑出下半身以及身后主要衣纹的体积并有意强调衣纹的飘动和转折（图6-200、图6-201）。接着塑出腿部的衣纹和左脚的形状（图6-202），再整理右边的袍袖。这时人物大的动态关系、比例关系以及衣纹的大致走向已基本显现（图6-203）。

最后，将泥稿上堆积的泥料再作一遍调整，做出头部五官，去掉表面多余泥料，用雕塑刀将泥塑表面刮压平整，显出人体和衣纹的结构。至此，完成第一阶段粗形的塑造（图6-204）。

图6-197　堆出大形　　　　　　　　图6-198　划线定位　　　　　　　图6-199　用大块泥条堆塑衣纹

图 6-200　塑造衣纹

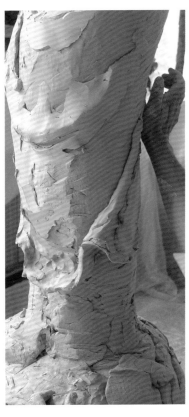

图 6-201　堆贴出后侧的衣纹

图 6-202　做出左脚的基本形

图 6-203　塑造整体关系

图 6-204　完成第一阶段的塑造

第二步，形象塑造

塑造大形　　大的形体比例确定后，开始由上往下调整造像的整体动态。

首先进行头部塑造。为了表现达摩的形象特征，根据古籍或传说中对达摩形象的描述，在塑造头部时用装饰性的手法强调了达摩外国人的形象特征。用双手大拇指的搋、压、抹、捏等手法对称地塑造出额头、眼眶、颧骨、鼻梁、鼻翼、耳朵等面部的基本形体（图6-205），再用工具做出眼睛、鼻翼、嘴巴、腮部、下巴的大致结构，确定五官大致的形体比例（图6-206、图6-207）。

接着在人物的前额、颞部、双颊贴敷泥料，使额头略微突起，面部更加丰满，同时做出耳朵的基本形（图6-208、图6-209）。用工具将眉毛塑造成螺旋形卷曲的形状，表现出人物广额、蜷眉、深目、高鼻、阔唇、龅牙、虬须、硕耳的形象特征（图6-210）。

图 6-205　用双手对称着塑造面部

图 6-206　划出唇线的位置

图 6-207　塑造嘴部和面颊

图 6-208　在面部两侧贴敷泥料

图 6-209　塑造面颊

图 6-210　塑造出五官的形象特征

躯干的塑造和衣纹的刻划　　由于传统瓷塑并不追求人物形体结构的如实描绘，故躯干的塑造更多地集中在衣纹的表现上。衣纹的处理可归纳为以下几种：束扎式、挤压式、折叠式、下垂式和牵挂式衣纹等。在塑造衣纹时强调衣纹的主次关系，先将能体现形体结构的几条主要衣纹定位，深入塑造时注重表现衣纹的疏密关系，讲究"密不透风，疏能跑马"。

再次调整头、颈、躯干的形体和比例关系。从右边肩部开始划出衣纹的位置和走势，再由上而下塑造衣纹（图6-211）。搓出或长或短的泥条并拍成一边扁平一边浑圆的形状，粘贴在划好的线条上，形成衣纹自然的起伏，将大的泥触推压平整，做出衣纹的起伏和体积，明确衣纹的结构、走向和聚散关系。接着做右边的衣纹，塑造出衣纹的转折，再用同样的手法塑造右边衣襟和衣袖衣纹的飘动、转折和叠压关系（图6-212），接着塑造衣袍的下摆和脚部。将大脚趾做得略微蜷起，显得比较富有动感（图6-213）。

图6-211　塑造衣纹

图6-212　做出衣纹结构

图6-213　塑造脚趾

图6-214　在底座上划线定位，做出卷曲的海浪造型

海浪形底座的塑造　　先在扁圆形的底座上用雕塑刀刻划出海浪卷曲旋转的结构。海浪分为大小不同的三至四组，其造型类似传统图案中卷草纹样的结构。接着再分别用拍扁的粗大泥条堆贴出大小浪头的形状，并对浪花的造型进行装饰性的处理（图6-214）。至此第二阶段的塑造告一段落（图6-215）。

第三步，整体深入刻划和表面修整

整体深入仍然从头部开始，进一步对人物的脸部及五官进行塑造，对人物的表情、神态进行深入刻划，使造像更趋完整统一。

用雕塑刀调整颅部、颞部和额部的结构，使造型更为准确、饱满。前额丰满，眉骨突出，前额与眉骨之间形成较为明显的转折关系，形成眉头紧蹙的感觉（图6-216）。

用工具做出下眼睑、皱眉肌和眼球的体积，眼球突出，眼窝深陷，上眼睑隐藏在卷曲的眉毛下。用较小的雕塑刀塑造颧骨、鼻梁和鼻唇沟的形体结构（图6-217），接着调整嘴唇的结构，做出唇线。再调整下巴与脖颈的结构关系，做出下巴的各个侧面（图6-218）。最后调整脖颈，塑造脖颈时并不刻意强调结构的肖似，而是简化概括成上窄下宽的圆柱状，颈部底面和肩胸交界处刻有一条装饰性的线，借此分出头、颈、肩三部分的段落关系（图6-219）。

图 6-215　完成第二阶段塑造

图 6-216　深入刻划面部

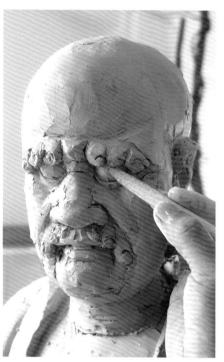

图 6-217　塑造五官 1

图 6-218　塑造五官 2

图 6-219　划分出头、颈、肩的段落关系

图 6-220　右肩部开始从上往下调整衣纹

接着再从肩部开始由上往下调整塑像的形体和衣纹。

首先，调整左肩、前襟和袖子的衣纹，塑造出衣纹的结构、体积、深浅和厚薄的变化，借助竹刀锋利的刀刃、圆浑的刀柄，通过刮压、切削、修补等塑造手法，把塑像衣纹线条的疏密、主次关系作进一步修正，塑造出衣纹的起承转合、阴阳向背、提挂悬垂和聚散叠压的关系，使衣纹的线条自然流畅、圆润饱满。需要注意的是，中国传统人物雕塑，并不追求如实地再现客观对象的形体比例关系，而是将绘画中线的造型语言引入到雕塑中，采取归纳、概括的表现手法，对人物形象作装饰性的处理，用富有韵律的线条来表现衣纹的变化，用写意的方法表现人物的形象特征和精神状态（图 6-220～图 6-223）。

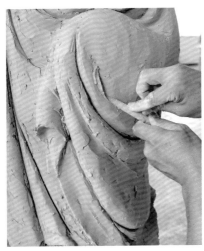

图6-221 调整衣纹　　　　图6-222 调整袍袖1　　　　图6-223 调整袍袖2

图6-224 刻划脚部　　　　　　　　　图6-225 塑造海浪造型

图6-226 完成第三步塑造

之后，再对海浪形的底座作进一步的塑造。先塑造脚部（图6-224）。再用雕塑刀旋削修出螺旋形的海浪造型，用装饰的手法做出波浪的体面转折关系，借此表现出波涛汹涌、翻滚奔腾的气势，使富有动感的底座与相对静态的人物造型形成动静对比的效果（图6-225、图6-226）。

第四步，整体压光

塑造的最后一个步骤是整体压光。用竹刀对整个造像平面进行修整压光，将塑像表面粗糙的泥触填补平整、修刮光洁（图6-227）。在修整衣纹时，利用不同工具做出不同的效果，如用柱形刀修整衣纹折叠时产生的折痕，用锋利的竹刀修整因叠压产生的长条状衣纹（图6-228、图6-229）。在修整、压光衣纹时，用蘸了水的毛笔顺着衣纹进行擦洗，刷掉泥渣，抹掉刀痕，但要避免把衣纹的棱线擦洗模糊（图6-230）。

整体压光也是由上而下顺序进行，经过这样一遍修整，人像的塑造阶段就算完成了（图6-231）。接下来就可以准备翻制印坯的模具了。

人像塑造与一般陶瓷器物的制作不同，它需要塑造者对人物的形体结构有敏锐的感受能力，对人物形象特征有良好的捕捉能力，还需要经过长

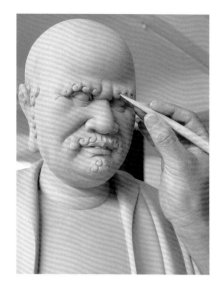

图 6-227　细部加工，刻划人物表情

图 6-228　用圆而尖头的工具做出衣纹的皱褶

图 6-229　用薄而光的竹刀修整衣纹使之更流畅

期反复的训练，逐渐掌握立体的表现方法和塑造技巧。在塑造人物的过程中，既要观察高度和宽度的比例，还要注意前后的纵深关系，使塑造的人物更加生动。

（四）瓷塑印坯成型工艺

手压印制，即把适量坯泥放入印模内，用手指摁压、捏推成型，稍微缩水之后脱模，再用粘、接、贴、镂、修等技法使器物成型，主要用于制作汤匙、杯壶嘴把、动物和人物雕塑等，这种工艺直到 20世纪 50 年代仍在使用。瓷塑等异

图 6-230　用毛笔蘸水顺着形体结构擦洗坯体

形产品的模具一般为两块，更复杂的造型模具可能更多一些。

1. 动物雕塑印坯成型

鸡公瓷塑的印坯模具分为左右两片（图 6-232）。印坯时取一块泥拍成厚约 1 厘米的泥片，将泥片切割成大致的形状，放到模具内用手指摁压，使泥片与模具均匀贴实（图 6-233、图 6-234）。用竹刀切掉模具口沿多余的泥料（图 6-235）。用相同的方法印出另一半，将两半坯体的粘接处划毛并涂抹上泥浆再对接压紧（图 6-236、图 6-237）。将

图 6-231　完成塑造环节

手指伸入坯体内抹压坯体使之厚薄均匀并把接缝处按紧压实（图 6-238）。待坯体晾至稍干时，打开模具，取出坯体即可（图 6-239）。

修坯。首先用竹刀将瓷坯上合模时挤压出的泥料刮掉，将合模处的低处和未压实的缝隙处刷点水，用泥条填平压实。然后将因模印而变模糊的坯体表面纹理修得清晰明确一些（图 6-240），最后再将瓷坯整体修刮平整，擦洗光洁即可。

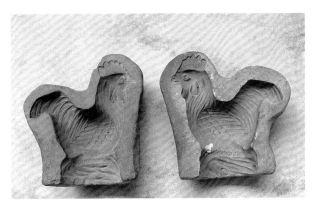

图 6-232　鸡公印模

图 6-233　将泥片压入模内

图 6-234　摁压贴实

图 6-235　去掉多余泥料

图 6-236　将粘接处划毛，抹上泥浆

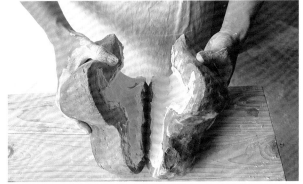

图 6-237　合模

图 6-238　用手指在内部将接缝按紧压实

图 6-239　脱模

图6-240 补泥修坯

图6-241 弥勒印模分为前后两片

图6-242 按紧压实

图6-243 削掉接口处多余泥料

图6-244 按压均匀

图6-245 抹泥浆

2.弥勒坐像印坯成型

弥勒坐像的印模也分为前后两片（图6-241）。其印坯方法与前面鸡公的成型类似。先取一块近似三角的泥片，将泥片摁入印模中，用手指摁压泥片，使之尽可能与印模贴实，同时注意坯体厚薄要均匀（图6-242）。然后，削掉印模外多出的泥料（图6-243），感觉比较薄的地方还应取少许泥贴补加厚，使之均匀（图6-244）。待两片模内都贴完泥后，在坯体粘接处涂抹泥浆（图6-245），最后将两片模具合在一起压紧（图6-246）。在坯体内合模处贴敷泥条，使前后两半坯体连成一体。待坯体稍干后，先取下较易脱模的背后的模具（图6-247），前半部分由于造型比较复杂，可以通过轻轻捶打模具，使坯体脱模。

图 6-246　抹压接口处使之粘接紧密

图 6-247　脱模

图 6-248　简单修整

图 6-249　布袋和尚

修坯。先用竹刀刮掉粘接处多出的泥料，再对整体形象、衣纹结构和五官等进行修整，最终完成塑造（图 6-248）。

（五）瓷塑修坯工艺

传统德化瓷塑很多都是用陶模印坯成型的。20世纪 30 年代中期以后，德化开始用石膏模注浆成型代替陶模印坯成型。注浆成型操作简便，成品率高，注出来的瓷坯厚薄均匀。但为了制模和脱模方便，瓷塑原型一般做得都比较概括，少有细部的刻划，低凹的地方被填平，转折部分比较模糊。有些比较复杂的造型还需要分段制模，分体注浆，出模后再粘在一起。这时的瓷塑只能算是半成品，需要经过修坯工序才算完成，因此修坯就显得非常重要。一件作品修得好就可能光彩照人，修不好则可能成残次品或废品。修坯水平高，可以提升作品的质量，而修坯水平一般，则可能使原本很好的造像变得逊色。早先的瓷塑可能都是由塑造者自己修坯，后来随着产量的增大，便出现了专门修坯的工匠。在德化传统瓷塑中，就曾出现过两件瓷塑看似造型、尺寸相同，但人物的表情和衣纹的处理却不太一样的情况，可能就是同一模具印坯，但由不同人修坯的结果。因此，修坯是成型工艺中的一个重要环节，修坯匠人需要具备一定的塑造能力。下面即以几件传统瓷塑为例，介绍粘接和修坯的具体方法。

1. 布袋和尚的粘接过程

布袋和尚，也称未来佛或弥勒佛，一般供于寺庙的前殿。布袋和尚是德化瓷塑中较为常见的形象，常被塑造成体态肥胖，敞胸露肚，一手抓着宽松的腰带、一手拿着念珠开怀大笑的样子（图 6-249）。

    这件瓷塑是将布袋、躯干、胳膊、膝盖、头颅、手脚等分别注浆后再拼接而成。拼接时从底座开始，由下往上依次粘接各部分。先粘接布袋的口部（图6-250、图6-251），然后将翻制好的躯干部分略加修整后与底座的布袋粘在一起（图6-252）。然后再粘接双臂，粘接时先将坯件略加修整，削掉注浆口，在两边的接口处涂抹泥浆，然后粘在一起。在一些粘接面较大的地方还需戳一些孔洞使之透气，避免中间存有空隙导致烧成时崩裂（图6-253～图6-257）。用同样的方法粘接前面两个弯曲的腿部（图6-258、图6-259）。再将分别翻制的脚和手修整组合在一起并分别粘接到左腿和右肩上（图6-260、图6-261）。最后，将翻好的头部开脸后，削掉注浆口，抹上泥浆与主体粘接在一起（图6-262～图6-264）。之后就可以进入下一步的精修阶段。

图6-250　坯体底座

图6-251　粘接布袋口部

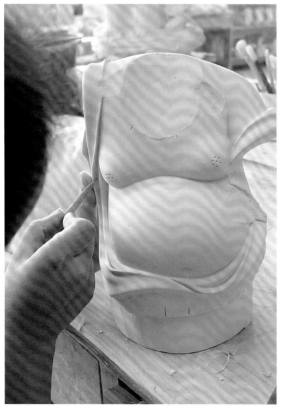

图6-252　粘接躯干

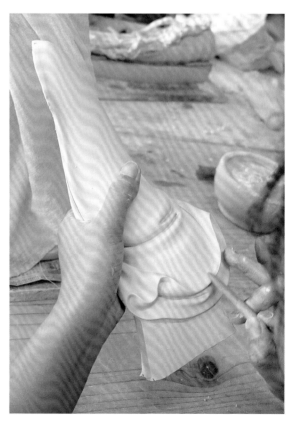

图6-253　修掉右臂的注浆口

图 6-254 涂抹泥浆

图 6-255 粘接右臂

图 6-256 粘接面较大的部位需掏出孔洞以便排气

图 6-257 粘接左臂

图 6-258 粘接左腿

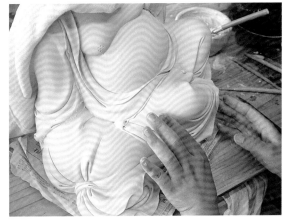

图 6-259 粘接右腿

图 6-260　粘接脚部

图 6-261　粘接手臂

图 6-262　修整头部

图 6-263　划毛粘接口

图 6-264　粘接头部

2. 观音坐像的修坯过程

为了方便注浆和出模，这件坐像被分为头部、右腿部以及衣摆等五个部分，分别注浆成型（图6-265）。修坯过程可分为两大步骤：一是粗修，先将分体注浆的各部分粘接起来，然后对造型以及衣纹的细部进行修整和塑造；二是精修，对造型表面作最后的修饰和擦洗，对个别细部进行深入刻划。

修坯工具很简单，只有两把刀具：一把是较薄

图 6-265　脱模的粗形

的金属刀，另一把是竹刀（柱形刀），竹刀一头呈片状，薄而锋利，另一头细而尖，呈尖锥状。

粗修

粗修上半身 与塑造时由下往上堆泥的顺序不同，修坯是由上而下、从一侧往另一侧顺序进行。先将塑像主体上右腿待粘接的部位用金属刀划开，但并不取下，目的是使之透气，便于上下均匀干燥。

从左肩开始修整衣纹。用竹刀薄的一头将衣纹凹槽中多余的泥料切开，做出衣纹的深度，再用尖的一头将衣纹刻划得更深（图6-266）。接着修正衣领和衣襟，用薄而窄的金属刀切掉并去除两边衣领和胸前衣襟转折处多余的泥料，做出衣纹的深度和翻转关系。接着用同样方法修整右边的衣领和衣袖（图6-267～图6-270）。

将衣纹修整一遍后，会发现修过的部分和未修过的部分有着很大的差异，修过的地方衣纹线条清晰流畅，显得精巧雅致，未修的地方则显得模糊含混，缺乏生气（图6-271）。

图6-266 从左肩开始修整衣纹，用尖头工具做出衣纹的深度

图6-268 做出衣纹的翻转关系

图6-267 削掉转折处多余的泥料

图6-269 让衣纹的边缘显得更薄巧

图6-270 用圆形尖头工具刻划衣纹末端的转折，其效果很像白描里的钉头鼠尾或顿笔

图 6-271　修过的地方与未修过的对比效果

图 6-272　将泥搓条拍片截成段

粘接附件和腿部　　在传统的模具印坯成型过程中，作者可以根据塑像的造型样式和具体结构，决定各个部位坯体的厚度，在容易塌陷的部位和需要深度修整的地方适当加厚，防止坯体垮塌和开裂。但注浆成型是靠石膏模具自动吸浆，故坯体厚度基本一致。这样在修坯时某些部位就有可能因修得过薄而开裂，有些悬空的部位在烧成时由于重力的作用可能会下坠变形。所以，在进一步加工之前，需要先对坯体内部进行加固。

首先，取一些软泥搓成长条后再拍扁，在上面刷一些清水，再将其截成数段（图 6-272）。在这些泥片上涂刷一些稀浆（图 6-273），再将这些软泥片从塑像开口处伸进去粘贴到修得比较薄的部位（图 6-274）。

除了粘贴软的泥片，在一些特别的部位还要加一些支架。取一些事先做好的泥板，将这些泥板裁切成宽条，切成适当大小的方块或长条（图 6-275），在这些泥板的粘接面上涂上泥浆，再支垫到坯体内底座与坐像之间悬空的部位，起到加固坯体、增强支撑的作用（图 6-276、图 6-277）。

图 6-273　涂抹泥浆

图 6-274　粘贴到塑像内较薄的部位

图 6-275　将较硬的泥板切成方块

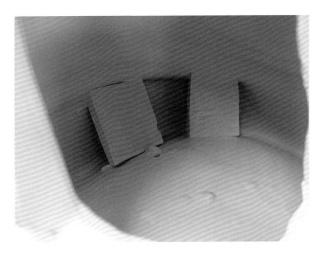

图 6-276　支垫到像内悬空的部位

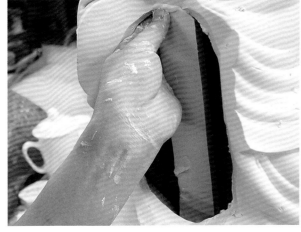

图 6-277　用泥板支垫

接着粘接底座上悬垂的衣摆。先将附件上多出来的注浆口切掉（图 6-278），再将底座和待粘接附件上的粘接面划毛，用毛笔涂刷上细泥浆后，粘接在一起（图 6-279 ～图 6-281）。

再用同样的方法粘接右腿部分，只是粘接前也需在右膝内较薄的地方补贴一些起加固作用的泥片（图 6-282、图 6-283），并用毛笔将补贴过的地方蘸稀浆涂抹一遍。这时除头部以外，整个塑像分段注浆的部分都粘接完毕，这时可以看到修整过的衣纹与未修过的地方有着明显的差别（图 6-284）。

粗修下半身　　下半身仍然是从右臂衣纹开始自上而下进行修整。先修右边衣袖和衣摆，再依次修整右腿、左腿和左边衣摆。修坯的方法与前面的方法基本一样，用窄而薄的竹刀按照衣纹的结构和走势，修

图 6-278　切掉注浆口

图 6-279　涂抹泥浆

图 6-280　粘接

图 6-281　粘接衣摆

图6-282　补贴泥片加固

图6-283　粘接右腿

图6-284　基本粘接完毕的坐像

出衣纹的深度和转折，切割剔除衣纹折皱下多余的泥料，将衣纹相互叠压、疏密有致的结构表现出来（图6-285）。既要保持塑像整体的分量感，还要表现出衣纹圆润流畅的线条和柔软轻薄的质感（图6-286～图6-289）。

　　修坯过程也是一个塑形过程，修坯匠师需有一定的艺术感知能力，修坯时应理解造型表现的要求，做到成竹在胸、胆大心细、眼明手准，不能心浮气躁、拖泥带水。

　　粘接头部和头巾　　头部是单独注浆成型的，粘接之前要先修坯。头部修坯先从眼睛开始，用薄而尖的竹刀划出上下眼睑和下面的眼线（为了顺手，修下眼睑时也可将头部的注浆件倒置）。然后划出瞳孔的位置，再用尖刀在鼻翼后面刻划出细线，用扁竹刀压出人中，轻轻划出唇间线和上下唇线（图6-290），再修整两个耳朵的轮廓和结构。之后用毛笔蘸清水将修过的五官擦洗一遍，去掉残留的泥渣（图6-291）。

　　头巾也是单独注浆。先修出头巾边缘的转折关系和后面的折皱纹理，然后将前面起支撑作用的泥片切掉（图6-292），再用毛笔蘸清水擦洗修整过的地方。

　　最后修整头发。头顶和发髻的头发分为对称的若干组，每组头发的刻划都从中间开始，先刻划中间

图6-285　精修衣纹1

图6-286　精修衣纹2

图6-287　精修衣纹3

图6-288　精修衣纹4

图6-289　精修衣纹5

图6-290　精修面部五官

图6-291　用毛笔蘸水擦洗表面

图6-292　切割修整头巾部分

图6-293　刻划头发

一道定位，然后分左右成组刻划出发缕的线条。刻线讲究运刀稳健，道道平行，一丝不苟（图6-293、图6-294）。

接下来可以进行组装。先将主体部分脖子位置的接口处修整划毛（图6-295），将脖颈处的注浆口切掉，在粘接面上涂上稀浆（图6-296），然后将两部分粘接在一起，用毛笔擦洗挤压出的泥浆（图6-297）。

接着粘接头巾，先在粘接处涂上泥浆，然后将头巾扣在头顶上，下端与衣领部分连接成一体（图6-298）。用竹刀修整脖颈和头巾的粘接处。用毛笔蘸清水擦洗修过的地方。最后将头巾与衣领连为一体，并对衣领外部做最后的修整（图6-299）。

粘接脚部。脚是单独注浆成型的，先将脚部的注浆口切掉，在粘接处涂上泥浆并将脚粘上。用竹刀将粘接处挤出的泥修掉（图6-300）。

精修

待整座塑像粘接完并修整一遍后，再由上而下对整个塑像做最后修整。用毛笔蘸清水顺着塑像衣纹的结构擦洗一遍，去掉塑像表面残留的泥屑以及修坯时工具刮压留下的痕迹（图6-301、图6-302）。

粘贴配饰。观音胸前的璎珞是由模具印坯成型的。先印出如意形的配饰（图6-303），再用截断的小泥条搓出一些小珠子来（图6-304）。将配饰主体后面刷点水粘在胸前正中的位置，然后用毛笔尖粘起小泥珠贴到胸饰的旁边。由于坯体有吸水性，所以小泥珠放上去很容易粘住（图6-305、图6-306）。

接着用竹刀由上至下将衣纹再检查整理一遍（图6-307、图6-308）。

最后，用一块纱巾蘸清水将塑像大面积平整的部位再擦洗一遍。通过修整清洗，衣纹的线条更加流畅，转折关系更加清晰，塑像表面肌理更加光润、柔和、含蓄，具有油脂般细腻的质感。至此，整座塑像的修坯过程就算完成了（图6-309、图6-310）。

作为一种高档陈设瓷，为了精益求精，这类产品在先用低温素烧后，还会再用细砂纸将瓷塑表面打磨修整一遍（图6-311）。

图6-294 修好的头部与头巾

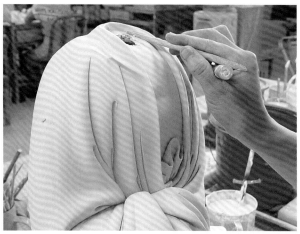

图6-295 修整脖子接口处

图6-296 涂抹泥浆

图6-297 粘接头部，擦洗接缝处

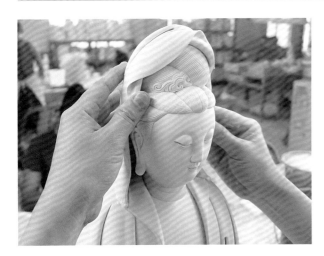

图 6-298　粘接头巾

图 6-299　修整衣领

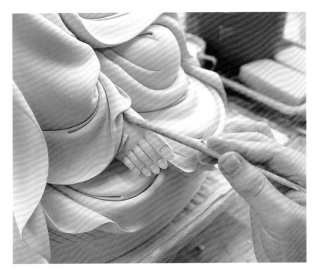

图 6-300　粘接脚部

图 6-301　再次精修擦洗

图 6-302　擦洗坯体

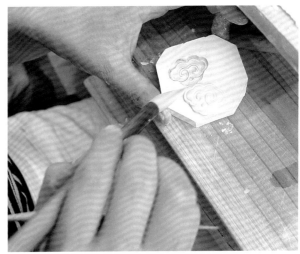

图 6-303　从模具中取出如意形配饰

图 6-304　做小泥珠

图 6-305　粘贴配饰

图 6-306　粘贴泥珠

图 6-307　检查整理

图 6-308　检查整理

图 6-309　用纱巾蘸水擦洗坯体较为平整的地方

图 6-310 精修完的坯体

图 6-311 素烧后再次精修打磨

三、德化瓷器的施釉方法

德化瓷器传统的施釉方法主要有蘸釉、荡釉、浇釉等几种。一般情况下，器物类产品内部用荡釉法，外部用蘸釉法或浇釉法施釉。大件器物或雕塑多用浇釉的方法，小件产品则采取蘸釉的方法。施完釉的坯体晾晒后需检查釉的厚薄，不均匀的地方用喷釉法补釉。

传统的碗、盘类产品内施满釉，外釉常不及底。明代还常见芒口器，是在施完釉后，再将口沿上的釉刮掉，形成涩口。

现在的瓷塑作品大多是分两次烧成，先素烧，之后做精细修整，最后再施釉烧成。

施釉前，需先将坯件上的浮尘吹掉，再用粗羊毫笔蘸清水将坯件擦洗一遍，目的是去掉坯件上的灰尘，并使坯体有一定潮湿度，这样更有利于坯件均匀施釉，之后将擦洗过的瓷坯集中起来准备施釉（图 6-312 ～ 图 6-314）。

蘸釉：施釉前要先将釉浆搅拌均匀（图 6-315）。以前大都是手持坯件蘸釉，当坯件浸入釉浆里的瞬间，握坯的手指快速轻微松开一下，然后再将坯体取出。这样可以使釉浆浸满整个坯件表层，避免手捏的部位缺釉。现在人们发明了各种蘸釉的辅助工具，可以使釉蘸得更加均匀（图 6-316 ～ 图 6-319）。蘸完釉后，可将坯件底朝下放在一块潮湿的海绵垫上，将底足上的釉蹭掉，避免烧成时粘足（图 6-320）。有些盘类

图 6-312 吹掉浮尘

图 6-313 洗坯

图 6-314 准备施釉

图 6-315 搅拌釉浆

图 6-316 蘸釉

图 6-317 蘸釉工具

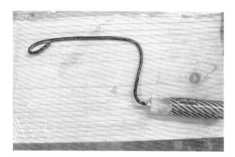

图 6-318 蘸釉工具

图 6-319 蘸釉

图 6-320 擦掉底足上的釉料

图 6-321 盘子蘸釉

产品也采取蘸釉的方法施釉。蘸釉时握着盘子的一边，先蘸一半（图 6-321），然后再蘸另外半边并将底足上的釉擦掉（图 6-322）。

浇釉：以前多是在釉缸上浇釉，现在一般是用一个大盆接釉，在盆沿上架两个木条，将坯件放在木条上（图 6-323），用大勺盛满调好的釉浆由上浇下（图 6-324）。浇釉时，尽可能一次浇遍整个坯件，个别有死角的地方可舀点釉补浇，但一般不重复施釉，否则釉面容易厚薄不匀或起皮缩釉。稍晾一晾后，将坯件取下移至一块湿海绵垫上，利用海绵把底足上的釉蹭掉（图 6-325），底部凹进去的部分还需用毛笔刷釉（图 6-326），这样可以使产品显得更精致。

有些高档瓷塑作品，在浇完釉后，还会用注射器从坯体底部的孔洞中往坯体内部注射一些釉料，同时转动坯体，目的是将修坯时可能落入塑像内部的泥渣用釉粘住，避免烧成后因有泥渣在塑像内滚动，给人工艺不够精致的印象（图 6-327）。

图 6-322　擦拭底足

图 6-323　将坯件放在大盆上的木架子上

图 6-324　浇釉

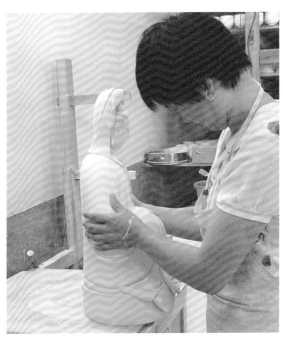

图 6-325　擦掉底足上的釉料

图 6-326　用笔补釉

图 6-327　往器物内注射釉浆

第五节　窑炉的形式与烧成工艺

烧成工艺主要由窑炉形式、装窑方法、烧成方式、烧成温度和烧成气氛等几部分内容组成。

烧造陶瓷的窑炉是人们用来改变黏土化学、物理性能而设计建造的专门设施。窑炉技术的进步主要表现为人们更好地利用这一设施控制火焰，高效率地烧制陶瓷，并在质与量的指标上有所提升。[25]

我国古代陶瓷窑炉主要有两大类型，即北方常见的圆窑和南方常见的条形窑。在这两种基本窑型的基础上又衍生出了许多新的样式，这些窑炉在不同地方有着不太一样的称谓，有时同一种窑在不同地方也有着不同叫法，且多是以其外形命名，如馒头窑、马蹄窑、龙窑、蛇窑、蛋形窑、葫芦窑、鸡笼窑、仓式窑、阶级窑等。在龙窑系统中，按窑底结构的不同，可分为斜底龙窑和阶级龙窑；按窑顶结构或窑内有无隔间的差异，还可分为通体龙窑和分室龙窑。其实，按窑炉外形给窑起名并不太科学，而应该根据火焰在窑内的走向判定窑炉的种类。从火焰走向来看，有升（直）焰式、平焰式、斜焰式、半倒焰式、全倒焰式几种。相应的窑炉也可以分成直焰窑、平焰窑、斜焰窑、半倒焰窑和全倒焰窑等。按窑炉外形来分，存在结构类似但叫法不同的问题，容易引起混淆，如馒头窑与马蹄窑，龙窑与蛇窑，虽名称不同，但结构类似。而同样被称为蛋形窑，景德镇人说的蛋形窑和德化人说的蛋形窑却完全是两回事，这些都需要我们在具体研究时加以区分。为了避免再次混淆，本文现仍沿用之前常见的按窑型的分法表述，同时辅助以焰型的说明。

一、德化窑炉的形式

专家们认为，德化在宋代可能使用通体龙窑，元代出现分室鸡笼窑，明代以后出现阶级窑（当地人称为蛋形窑）。这三种窑式代表了德化窑炉发展过程中的三种类型。但相信在相当长一个时期，这三种窑是同时使用的。

通体龙窑是一种基本窑型，有分级和不分级两种，有单边开门，也有两边都开有窑门的。分室鸡笼窑是一种过渡形式，有分间，但不一定分级，有隔墙、通火孔和火路沟，多单边开门。考古资料显示，德化城区的元代屈斗宫窑便基本可以认定是一座分室鸡笼窑遗址。阶级窑是鸡笼窑的发展形式，阶级窑也是建在斜坡上，由数个类似圆窑的窑室串联而成，底分阶级，顶呈半圆（椭圆）形，窑体高大，内有隔墙，隔墙下设通火孔，单边或两边开门。

有些资料提到德化曾经使用过圆窑，说在宋、明、清的古窑址上有过圆窑的遗迹，而且直到新中国成立，还在使用圆窑，并称当地的圆窑皆为马蹄窑或马蹄窑的变异体。[26] 陈万里先生 1965 年在《闽南古窑址考察小记》一文中也曾有过类似的描述："……此处土窑都作馒头式，一个一个地连续起来，形式看起来有些异样，其实仍旧是阶级窑。"此外，英国学者唐·纳利也提到德化以前曾经用过单室窑："从已出版的证据上来看，德化窑全盛时期的窑是单窑室，而不是今天的多室蜂窝窑。"[27] 但他这里所说的"已出版的证据"，似乎指的就是宋伯胤和陈万里的两篇文章。由于没有看到实物资料或图片资料，也没有圆窑的具体数据，并不清楚这里所说的圆窑究竟是什么样式。所以，我们仍无法确认当地曾使用过纯粹意义上的圆窑。（从某种意义上来说，通体龙窑也是一种单室窑）但从宋伯胤先生当初发表的照片来看，串联起来的阶级窑其单个窑体的确很像马蹄窑（图6-328），这让德化曾有过圆窑的说法显得更加扑朔迷离。

20世纪五六十年代，德化县还有龙窑、阶级窑近百座，如今除了县城附近有几条龙窑仍在使用外，当地基本上都已改为电窑烧制。

下面分别介绍一下德化历史上曾使用过的几种比较典型的窑炉。

图6-328 阶级窑老照片

（一）通体龙窑

龙窑为长条形，一般依山而建，像一根放倒的烟囱，因其形似蛇状故称为"蛇窑"，后来统称为"龙窑"。我国历代龙窑尽管在大小和坡度上有过许多变化，但其火焰走向一直属于平焰式。考古资料显示，早在春秋战国以前，原始的龙窑就已出现，当时还是一种细长的单室条形窑。到了两晋南北朝时期，龙窑的结构发生重大变化，发明了分段烧成的技术，龙窑的技术已经定型。宋代时，技术更加趋于成熟，已经出现了将平焰龙窑与半倒焰马蹄窑结合的烧成技术，分化出了分室龙窑、鸡笼窑、仓式窑、阶级窑、横室连房窑等。[28]

德化龙窑的长度一般按目计算，"目"是指窑身上的投柴口，每个投柴口算一目。一条龙窑所包含的目数不等。每目大小不等，一般靠近窑头的目小，自窑中段以后的目相应增大。

通体龙窑的长度变化较大，长的可达百米。德化龙窑一般长20～40米，坡度在10°～18°（图6-329、图6-330）。有的窑底部斜平，铺有细砂粒，属斜底龙窑。有的窑底为台阶状，可称之为阶级龙窑（图6-331）。

一般龙窑由窑头、窑身、窑尾三部分组成（图6-332）。窑内部贯通，窑身用土砖砌成，窑顶部为半圆形，即拱券顶。砌筑窑顶的砖是一种楔形砖，一头大一头小。砌窑时从窑头开始，先砌墙，再砌顶。砌筑拱形的窑顶时，窑砖呈斜向摆放，与龙窑本身的斜度正好相反，形成夹角，后一层砖斜压前一层砖，利

图6-329 德化三班的龙窑和作坊

图6-330 龙窑窑头

图 6-331　龙窑内部券顶和台阶

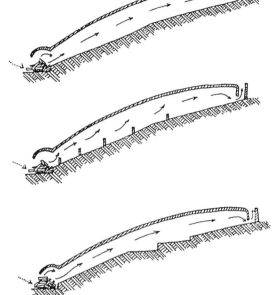

图 6-333　斜向砌筑的窑顶

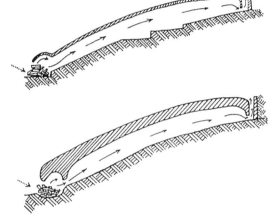

图 6-332　龙窑概念图

图 6-334　窑内顶部斜向砌筑的窑砖

图 6-335　半圆形的火膛和后面的挡火墙

用砖与砖之间的斜向叠压，逐层往后砌筑，形成拱形窑顶（图 6-333、图 6-334）。窑头设火膛，火膛呈半圆形，火膛底面有炉栅孔。由于后面的窑室略高于火膛，自然在火膛后形成一段数十厘米高的隔火墙（图 6-335）。砌好的窑壁上要涂刷一层泥灰浆，既可堵塞空隙，又可防止窑顶掉渣（图 6-336）。窑的两边开有窑门若干个，作为装窑和出窑之用。窑两侧窑墙处对称排列有投柴孔（图 6-337）。窑门两旁和投柴孔两旁各砌着厚厚的俗称"窑乳"的护墙（图 6-338）。在窑底上面按每目一组放置匣钵垫或托座。每一组匣钵之间有一小间隔，作为投放燃料的空间。窑尾设挡火墙，墙底部有通火孔（图 6-339），墙后设烟囱（图

6-340）。燃料为松柴或松树枝叶。

　　龙窑的特点在于窑的容量大，可以利用火焰自然上升和窑本身的坡度增加火的抽力，并能充分利用热能。烧窑结束待冷却后方可出窑。出窑时，依次将匣钵抱出窑外，取出烧好的产品。但也有只将窑头一目的匣钵抱出窑外，后面的只取匣钵内的产品，匣钵则存放在窑内的做法。

　　下面介绍两条不同长度龙窑的数据供参考。

　　例1：窑长约29米，分30目。窑内宽1.6～1.7米，高1.3～1.7米。窑头5目较小，第一目宽只有1.2米，高只有0.58米。每个阶梯长80厘米左右，高31厘米。平均斜度约25°。全窑分窑头、窑身和窑尾三个部分。窑身一般用土砖砌成。窑顶部为半圆形，即拱券顶。窑的两边开有窑门，门宽约0.80米，高约1.50米，作为装窑和出窑之用。窑顶两旁设有投柴火孔（火眼）。烧窑时，先在窑头点火，然后依次逐"目"往后烧。

图6-337　窑外两侧排列的投柴口

图6-336　窑内部已涂抹过泥浆

图6-338　当地称为"窑乳"的护窑墙

图6-339　窑尾挡火墙和通火孔

图6-340　窑的尾部和烟囱

窑尾设有烟囱。[29]

例2：窑长约43米，共32目。窑头6目，高1.2～1.7米，长1.1～1.7米，目之间宽1.2～1.6米；窑中到窑尾26目，高1.85～2.5米，长1.8～2.2米，宽2.4～2.6米；窑两侧每隔5目，置一窑门，高1.6～1.8米，宽0.40米。窑头设烧火膛，每目窑膛的两边对称各放一个投柴孔，也是观火孔，孔大约0.15米×0.20米。最后一目置挡火墙，壁脚留有9个通烟孔，倾斜度25°～27°。[30]

（二）分室鸡笼窑

分室鸡笼窑是元代在通体龙窑的基础上衍生出的一种隔间式（分室）龙窑，窑室底部斜平，有隔墙分室但不分级，每一窑室单独券顶，因整条窑炉外观造型像几个鸡笼排列在一起而得名（图6-341）。

这种窑与龙窑不同之处在于：一是窑体内部设置了隔墙，窑体被分成若干个窑室，窑墙用砖砌，窑室之间设有隔火墙，隔火墙下有通火孔，通火孔后面是燃烧沟（明代鸡笼窑似乎也有不设燃烧沟的[31]），窑底两边有火路沟，窑床上铺石英细砂，在上面放置匣钵垫或托座；二是窑顶以窑室为单位砌成拱形，从外面看上

图6-341　鸡笼窑概念图（来自《天工开物》）

去呈起伏的波浪形。其结构由火膛、窑体、烟囱等组成。火膛在窑炉的前部，火膛狭小，为半圆形或近似半圆形；火膛后紧接着的是第一间窑室。每个窑室有一个窑门，窑门两旁各砌着厚厚的护墙。护墙上还有投柴孔及温标观察孔。烟囱以最后一间窑室的宽度为准向后延伸近1米，高度则以高出最后一间窑室1米多为宜。

鸡笼窑窑室之间高度有落差，后一间窑室要高于前一间窑室。由于热空气往上升，火焰从火膛里进入窑室后穿过窑室内的坯体，升向窑顶，同时在后一间隔墙下通火孔的抽力作用下，部分火焰被导入后一间窑室，并与后一间窑墙下方燃烧室内的火焰汇合，迅速升温后再次穿过窑室的坯体，呈半倒焰式进入下一间窑室，这样以此往复，一室接着一室，直至烧成。火焰在窑室内经过上升再下降进入下一间窑室的过程，增加了火焰在窑室内停留的时间，充分地利用了热能，也使窑内的温度更均匀。

下面以元代屈斗宫窑遗址考古资料为例，介绍一下分室鸡笼窑的结构和数据。[32]

该窑为一座依山坡而建的砖结构分室龙窑。窑长57.1米，宽1.4～2.95米，南低北高，方向南偏西15°。火膛位于前方，略低于窑床，平面呈半圆形，半圆直径1.65米，半径0.5米。火膛后部有五个通火口与窑床相通。窑床呈斜坡状，倾斜度为12°～20°。南北水平高差14米。窑室分间但不分级，窑底部斜平，铺石英细砂。从头至尾由大小不一共17间窑室组成。窑室之间设有挡火墙，挡火墙下有通火孔，两侧设有火道。每间窑室设有一个窑门便于装坯和出窑。窑身外附护墙，俗称"窑乳"。护墙多用石头、废匣钵、碎瓷片堆砌，一般建筑在两个窑门的中间，这些护墙起着保护窑壁的作用，避免烧窑时窑壁的崩塌。

分室鸡笼窑是通体龙窑的改进形式，利用坡度变化和开间，对窑内火候气氛进行有效控制，从而提高产品质量。窑体结构的变化，使火焰由略带坡度的平行火焰变成了半倒焰流向。由平焰式窑发展成为半倒焰式窑是窑炉发展史上的一个突破。但即便如此，这种窑窑内各个角落的温度也很难达到绝对均匀，造成

窑室中间与两旁及各角落产品的釉色光泽产生差异，这也是导致德化白瓷在色调和光泽上产生微妙变化的原因。

如今，在德化已看不到完整的鸡笼窑。据德化的老艺人讲，以前德化、安溪、闽清一带还有此类窑型，主要是用来烧制粗瓷器或陶器。这种窑体积较小，窑内容量也不大，大都不用匣钵，直接将摆叠成柱的坯体装进窑室。由于不用匣钵，烧制的瓷器常有落渣，产品质量较差。鸡笼窑也有大有小，大的只是稍宽一些，高度变化不大。由于窑室低矮，陶工们装窑时需弯腰进出。但也有人说曾见过稍大的鸡笼窑，窑室内两侧较矮，中间将近一人高。

在我国西南地区仍有地方在使用这种鸡笼窑（图6-342）。

图6-342　现存于西南地区的鸡笼窑（贵州平塘）

（三）大型阶级窑

德化的阶级窑可能出现于明代，阶级窑是在鸡笼窑技术的基础上产生的。它依山斜坡砌筑，倾斜度为10°～15°，由3～9个单独窑室分室砌建，串联而成。最前面一间最低，为火柜（即火膛），后面窑室逐级升高，且一间比一间大，但形状基本一样。窑室之间的隔墙下有一排通火孔，连通前后窑室。隔墙厚50～60厘米。每间窑室前隔墙下有燃烧沟。每间窑室两侧窑墙上开有窑门，窑门封闭后留有投料孔，以松柴、杂木为燃料。从窑外部来看，两侧窑墙比较直，但顶部呈半圆形或椭圆形，状如蛋壳状，故又被称为"鸡蛋窑"或"蛋形窑"。又因为窑基是阶梯形，且窑室呈阶梯式排列，故又称为阶级窑（图6-343）。燃料全用松柴，烧一窑需6～7日。

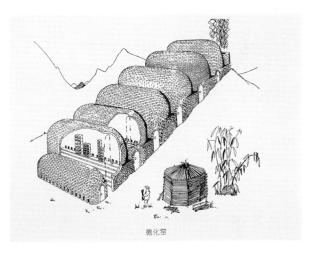

图6-343　外国人早期绘制的德化阶级窑（采自唐·纳利《中国白——福建德化瓷》）

从阶级窑的内部看，窑室底部呈方形或长方形，上部是圆形或椭圆形的穹隆顶。和较早出现的鸡笼窑相比，阶级窑的窑室更高、更宽，空间更大，容量也更大，故当地人称之为"大窑"。听苏清河先生讲，德化以前的阶级窑一间窑室容量可达数十立方米，甚至可抵得上一条龙窑的容量。现居永春的陈国安先生，是当地筑窑匠人的后代，他说：由于阶级窑容量大，装窑时需架木梯垒放匣钵。有的窑最后一间窑室很大，即使登上十多级的木梯也摸不到窑顶，而这一间窑室的容量与一条30目龙窑的容量相仿。2010年，本人在陈明良先生的引领下，在德化后所找到了一座废弃的阶级窑，看到了阶级窑的内部结构，正如两位先生所说的，窑室内部的确非常高大（图6-344～图6-346）。

阶级窑的最大特点是预热利用较好，火焰走向、烧成温度、烧成气氛更易控制。缺点是窑的上下、前后温差较大。因这种窑出现于德化，故也被称为"德化窑"。

下面将有关阶级窑的资料收录于此，供参考。

图 6-344　阶级窑内的隔墙有一排通火孔

图 6-345　穹隆形的窑顶

图 6-346　作者与陈明良先生在窑室内留影

例1：德化乐陶村的阶级窑有大小之分，一般是1～5间，小型为1～3间，大型为1～9间。阶级窑的窑体宽与高各不相同。窑头筑火柜与窑体连接，设有隔墙，隔墙下放通火孔，俗称"狗涵洞"，并设通火路。火头两边对称开窑门，火尾屏两边各开一孔，俗称"照仔"孔，以钩"照仔"观察火候之用。每间窑的外墙各筑护墙，俗称"窑乳"。窑室台阶每级以10～12厘米递升，埋有深46厘米墙桩，作为装窑墙（匣钵）桩分布位置。火柜连接第一间，窑室内分3横排列，每横列7个墙位，习称竖，第二间4横7竖，第三间和第五间9竖，第四间11竖。各间窑顶呈半圆形，窑门中部砌投柴孔，窑尾砌筑火屏烟囱，用于排气。[33]与龙窑的烟囱高于窑顶不同，阶级窑的烟囱较为低矮，和4～5米的窑室相比，烟囱只有3米左右。

例2：宋伯胤先生20世纪50年代曾对德化利民瓷厂一座窑做过调查：

第一间窑腔高2.95米，第二间窑腔高3.27米，第三间窑腔高4.01米，第四间窑腔高4.98米。每间每侧各有"火眼"1个。现在用的燃料全是松木柴。这个窑一次可装大小瓷器130担，需要8个熟练工人装7天，烧68个小时，费松木柴570担。

在这篇文章中宋伯胤先生还对德化以前的生产形式有过简略描述：在德化，像这样大的窑是很多的。窑大了，装烧一窑是花费很多、成本很大的，因而出现了一种"各自制坯，合作烧窑"的办法，据说这种办法也是"自古有之"。我们大略看一下，仅宝美一个地方，每一家住户都在做瓷坯；每一家住户也就是一个瓷作坊，他们各自做的"瓷货"多了，联合几家装烧一窑。我们根据这个状况来推想十四五世纪以来的德化瓷器手工业，其规模可能是相差不多的。[34]

据苏清河先生介绍，20世纪50年代，德化陶瓷生产大都使用阶级窑。阶级窑内按温度变化可划分为火头、火中、火边、火尾等几个区域。一般来讲，火中位置最好，火尾位置较差（火尾是指窑室后墙下的位置，此处温度偏低），烧出的瓷器易偏黄色。以前做工艺瓷（瓷塑类产品）的艺人，在"合作烧窑"时常会要求租用较好的窑位，其他的窑位则用来装烧生活用瓷等大路货产品。但艺人们之间也会约定，轮流租用较好的窑位，以示公平。由于窑内温差较大，有时会出现同一窑内的产品釉色不同的现象。所以，仅凭釉色来判断德化窑产品的年代是不准确的。

由于阶级窑的容量非常大，耗柴量也非常大。如果没有相当大的市场需求，这种窑就很难发挥它的优势。另外，20 世纪 60 年代后期，在德化曾出现过是发展农业还是发展陶瓷的"粮瓷之争"，有好多阶级窑便是在那个时候被废弃并最终被拆掉了。这大概也是后来阶级窑越来越少的原因之一。

总之，德化窑炉的发展演变过程经过了三个阶段，从龙窑到鸡笼窑，再到阶级窑，由原来倾向于平行焰而变为倒焰，这一结构上的重大变革是德化窑烧成工艺改进和发展的结果。"阶级窑是从龙窑经过分室龙窑逐渐改进而形成的一种比较合理的半倒焰式窑型。它在节约燃料、提高温度、控制气氛和增加产量方面都比龙窑更为优越。它的出现对我国南方，特别是对德化白釉瓷质量和产量的提高起了非常重要的作用。当它在明末清初传入朝鲜和日本时，被称为串窑。因此对国外也产生过相当大的影响。"[35] 德化阶级窑在 20 世纪 60 年代还在使用。如今，在德化的后所还有一座较为完整的清代六窑室阶级窑遗址。但窑址上及周边长满了近 2 米高的蒿草，将窑址遮盖得严严实实，只有拨开草丛到了近前才看到当地文物部门立的一块碑以及两间残破的窑室。窑的外部形状由于蒿草太高仍无法看清（图 6-347、图 6-348）。

图 6-347　古阶级窑完全被野草覆盖

在很多介绍德化窑的材料中，都会提到"德化窑"对国内其他地区以至对朝鲜、日本等国陶瓷窑炉的影响，据说日本人把德化窑看作"串窑的始祖"。但这些资料中说的"德化窑"到底是鸡笼窑还是阶级窑似乎都表述得不是很明确。因为即使今天在德化问人们这两种窑炉的差异，很多人也说不清楚。而我们看到的日本"串窑"或"登窑"，其外观似乎更像鸡笼窑或鸡笼窑的放大。另外，德化阶级窑的结构样式与四川、云南等地所能见到的横室连房窑的结构非常相似，只是横室连房窑的窑顶多呈横长的拱形，而非蛋圆形，但其烧成原理是基本一致的。所以，这种结构的窑炉最早出现在哪里还需要认真考证。

由于历代烧瓷以木柴为燃料，德化的林木资源消耗严重，对当地的水土保持产生了不利影响。后来德化瓷厂开始试验用白煤块烧烤花炉获得成功，开创了以煤代柴的先例。邻近德化的永春出产一种无烟煤，但无烟煤火焰太小。后来德化实施柴窑改煤窑，

图 6-348　遗址碑刻

建成混合煤气发生炉，随后亦将阶级窑改为煤柴混烧，全面展开了以煤代柴烧瓷的改革。20世纪70年代初，随着热煤气隧道窑试烧成功，热煤气隧道窑正式投产。70年代中期，德化瓷厂开始使用油烧隧道窑，开拓了以油代柴烧瓷的新途径。再往后德化瓷厂投建电烧隧道窑，开创了德化用电烧瓷的新时代。到20世纪80年代初，德化在全县推广普及电窑。

通过以煤代柴、以油代柴、以电代柴的燃料改革，德化现已成功普及用电、煤、油烧制瓷器，每年节约木柴10万立方米以上，既解决了林、瓷生产的矛盾，保护了当地的生态环境，也推动了陶瓷业的发展。

二、窑具的使用及装烧方法

（一）窑具的种类

窑具是指陶瓷在装窑和烧窑过程中所使用的辅助器具。窑具的运用往往可以体现一个窑场烧制技术的水平。一般来讲，窑具是随窑炉结构变化而出现的，窑具的种类和样式是由所烧产品的形制决定的，窑具的运用不仅可以有效利用窑内空间，增加产量，还可以提高产品的质量。

德化窑传统的窑具可以分为两大类，即垫具和匣钵。

1.垫具

垫具一般由陶土或瓷土制成，是装烧时用于铺垫、支撑、间隔坯体的窑具，根据其功能和形状可分为支钉、支垫、支圈、支柱和垫托、垫柱、垫圈、垫饼、三脚垫饼、伞形支烧具等（图6-349）。

图6-349　支垫类窑具

支钉：用陶土或瓷土捏成小块，装烧瓷器时支垫在摞叠的器物之间起隔离作用。碗盘类器物常用支钉装烧（图6-350）。

支垫：托烧器物的支柱，大小不一，为唐代德化窑主要窑具。

垫柱：圆形，轮制，装烧时顶托器物之用，由支垫发展而来。它是南宋时荷口瓶的支烧窑具。

垫饼：圆形，中部凸起，饼面平坦，边沿略斜或稍凸起，用于承托器物。大型垫饼是放置支圈用的垫底饼。由宋、元沿用至今，是龙窑和阶级窑中常用的窑具。

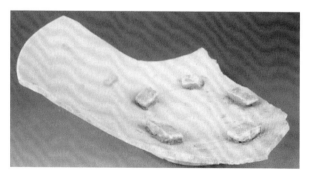

图6-350　支钉

垫圈：圆圈状，始于北宋，南宋为芒口碗覆烧窑具。元代的垫圈有圆形、椭圆形，用细泥或瓷土制成（图6-351）。

支圈：出现于北宋，南宋时为轮制白瓷胎，深腹

图6-351　垫圈

钵对口烧的间隔窑具。元代的支圈为粗泥轮制，直壁，顶端斜平，内呈弧形，有的呈锯齿状，是覆烧芒口碗的支烧窑具（图6-352）。元代支圈较矮小，增加了装烧密度和装烧量。

匣钵垫：俗称狗脚，出现于元代窑址。粗泥轮制，呈平沿斜腹，平底而稍内凹。是用来承托和支撑各类匣钵的垫底钵（图6-353）。

三脚垫饼：因底部附有三足而得名，出现于元代。瓷泥轮制，足为刀削。分大、中、小三种，圆形平顶，是承托器物的垫具。

托座：始于元代，由支柱发展而来，粗泥制作，圆形平顶，中部束腰，底内呈凹状，中空直通顶座。为托烧碗或洗的对口烧窑具。

伞形支烧具：因外观如倒置的伞而得名，北宋时期常用此类窑具。伞形支烧具由垫柱和托盘两部分组成。垫柱成圆柱形，用黏土制成，最下面的垫柱底座，高约14厘米，直径约9厘米，上面的垫柱稍矮一些，高约5厘米。托盘也用黏土制成，直径30厘米，上面呈斜坡状，盘心与盘底都呈平面，直径与垫柱直径类似。装烧时，先放置垫柱底座，在上面放一托盘，盘中放一矮垫柱，再摆放一个托盘，依次相间叠放，可叠至5～6层，高1米左右。盘面一圈用来盛放坯体，一般每层可放不同大小的粉盒5～7个（图6-354）。

在传统德化瓷器的烧造中，有些瓶类器物上装饰有活动的瓷环，为了不让瓷环和满釉的器物相粘连，便采取在瓷环下面垫砂粒的办法，巧妙地解决了烧制活动瓷环的问题。另外，叠烧汤匙时，也常采取垫砂粒的方法，避免坯体粘连。一些圈足类的产品，则是在器底按圈足的大小用堆起小撮砂粒隔离坯体，或用小支钉烧制满釉的器物。

2. 匣钵

宋末元初，匣钵开始被大量使用，并一直沿用至今。根据功能用途不同，匣钵有多种样式和尺寸，有圆筒形平底钵、圆筒形圜底钵和漏斗状匣钵等。还有一种匣钵因形似"M"，被称为M形匣钵（图6-355）。圆筒形平底钵，形体较大，主要用来装烧盘、碟和一些浅形器。圆筒形圜底钵，平沿直壁，底部微呈弧形，

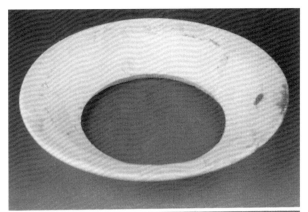

图6-352 支圈

图6-353 匣钵垫

有大、中、小各种规格，用于烧制墩子式碗或雕塑品（图6-356）。漏斗状匣钵，圆形平沿，用于烧制较大型碗类器物。德化的龙窑、阶级窑均用匣钵装烧。由于阶级窑的空间较大，所用的匣钵也略大一点。

德化的匣钵大都是用耐火黏土拉坯制成的，其中平底匣钵的成型方法分为两步：第一步模制钵底，第二步拉制钵壁。

模制钵底。匣钵底用木模制成，木模形状如同一个平底带柄浅盘（图6-357）。先在木模内撒一些起隔离作用的稻壳灰，以便于脱模（图6-358）。取一大块泥放到模内，然后人站上去将泥踩实（图6-359）。接着用一把泥弓，贴着模具上沿将多余的泥料割开，掀掉（图6-360），并将模具翻转至口朝下，同时从旁边取一块撒有稻壳灰的托板与木模相对扣在一起（图6-361），将做好的匣钵底转移到托板上（图6-362）。然后在上面扣一个托板，再翻转一下，让有稻壳灰的一面朝下（图6-363）。最后，再与先前做好的匣钵底摆放在一起（图6-364）。

拉制钵壁。将做好的匣钵底连同托板放在轮盘上。先搓一个粗泥条，沿着钵底外沿盘筑一圈（图6-365）。然后驱动轮盘，同时用一块湿布蘸些泥浆涂刷到泥条上，随后双手配合将粗泥条提起（图6-366）。用一块半圆形板修刮内壁，将匣钵壁垂直拉起（图6-367）。右手持一方木棍作型板抵住外壁，使外壁平整垂直（图6-368）。最后，连托板取下移至坯架上晾干（图6-369），晾干期间还需翻转，以便底部同时干燥（图6-370、图6-371）。

图6-354 伞形支烧具

图6-355 M形匣钵

图6-356 圆筒形匣钵

图6-357 木模

图6-358 撒稻壳灰

图 6-359　踩泥

图 6-360　切割

图 6-361　翻转到托板上

图 6-362　转移到托板上

图 6-363　再次翻转，扣到另一块托板上

图 6-364　摞叠在一起

图 6-365　先盘筑一圈泥条

图 6-366　刷水拉制

图 6-367　提筒

图 6-368　拉出垂直钵壁

图 6-369　取下

图 6-370　正着晾干

图 6-371　扣着晾干

（二）各个时期窑具的使用情况

在德化北宋时期窑址堆积层中，出土有很多伞形支烧具，以及可以直接放置器物的各类托座和瓷质垫圈。伞形支烧具是为了充分利用窑内的高度装烧坯件的窑具，主要用来烧制各种小型盒类产品。而各类托座和瓷质垫圈的作用则是为了节省窑内空间，让坯体可以重合叠放，用此类窑具装烧的坯体大都是用明火烧成。但在这时期的窑址中也能见到一种漏斗状匣钵，口径一般在 20 厘米以下，表明有少量产品是在匣钵中烧成的。用匣钵装烧，火焰不会直接接触产品，产品上不容易落灰和留下火刺，烧制的产品比较干净。

南宋时期，伞形支烧具不见了，匣钵大量出现，用匣钵摆叠装烧，可以充分利用窑内的高度空间。同时大量出现的还有用以覆烧芒口碗的瓷质支圈，表明德化窑在南宋曾使用芒口覆烧工艺，这对防止产品的变形会起到重要的作用。[36]

元代，德化在使用龙窑的同时，又出现了分室鸡笼窑，烧制工艺得到发展，用以烧制各类芒口器的各种瓷质垫圈大量发现。匣钵的式样亦有增多，且都是根据装烧器物的形状特制的，多呈直壁，有平底、凸底和圆底三种，后两者无法直接放置于窑床上，因此又有许多与之配套使用的各类厚实平底的垫钵，表明这时主要采用一匣一器的匣钵装烧工艺。但也有些碗、碟、洗是采用叠烧工艺明火烧成的，这类产品往往口沿和底部都无釉，装窑时口对口或底对底重叠放置，用托座和垫饼相间隔。

　　明代的装窑方法基本延续了前代用匣钵和垫饼装烧的工艺。盒类有对口烧、叠烧；碗类有支钉烧，有三个支钉的，也有五个支钉的（图6-372）。此外还有一匣一器装烧方法。盒类采用套烧工艺，即大盒套小盒，一个套一个后，把最里头的盖好，然后往外一个接一个盖上。按照盒的大小及钵的高低，多者可套7~8个。单件不能覆叠的器物用稻壳灰隔离。

　　清代早期仍采用匣钵内支钉装烧，清中晚期则开始用口对口再底对底的叠装方式。清末至民国时期，碗类开始采用器内刮出涩圈叠烧。

　　（三）装烧的方法

　　为避免器物烧成时粘连，也为了最大程度地利用窑内空间，增加装烧量，装窑时会根据所烧器物的造型样式来决定使用何种窑具或匣钵装烧。根据坯件的摆放方式和窑具的使用方式，装烧方法可分为正烧（仰烧）、覆烧（扣烧）、对口烧、套烧、支钉烧、支圈烧、叠烧等。

　　正烧：亦称仰烧，是相对于覆烧的一种装烧方

图6-372　支钉烧刻划纹盘

图6-373　正烧

法。坯件口朝上仰放在垫饼上放入匣钵，再把匣钵一个个垛起来入窑焙烧。烧制罐类和瓶类产品经常采用此法，瓷坯与匣钵中间加一个垫饼或垫圈（图6-373）。

　　覆烧：也称反烧或伏烧，是相对于正烧的装烧方法。将口沿无釉、里外满釉的坯件翻扣在垫钵内或支圈上入窑焙烧。

　　支烧：瓷坯放在匣钵内，为使其足与匣钵不致因直接接触而粘连，用窑具将其支托隔开，此类隔开用的窑具有圆圈形、圆饼形、三叉形及直筒形等（图6-374）。

　　对口烧：将碗正放于托座上，其上再覆扣一瓷碗坯，依次仰覆装置，称为对口烧。

　　叠烧：即在一个匣钵内叠装多件器坯烧成。可分为：①支钉叠烧。即在器件底足用支钉垫隔，再

图6-374　放有垫饼的匣钵

一个个地重叠入窑焙烧。还可以将支钉叠烧与套烧结合起来，把同类器物相向叠装正烧，大件中套小件，器物之间用支钉和垫圈相隔，以增加装烧量。装烧时先在匣钵上撒谷壳或谷壳灰，然后装一个，在第二个器物足底贴上 3～5 个不等的小支钉，往上一个接着一个放置。②支圈叠烧。利用支圈，一圈一器往上覆扣叠装多个坯件，再把圆心下凹的耐火饼翻转覆盖在最后一个圈上入窑焙烧。或在大件器物内口对口套烧小件器物，中间套支圈。或采用支圈烧造，将未经焙烧过的支圈，放于垫饼上，再把瓷坯置于支圈上，依次叠烧，称为芒口碗覆烧法。③重合叠烧。也称刮釉叠烧、涩圈叠烧。将碗内底部釉层刮掉一圈，露出瓷胎（涩圈），再与底足无釉（干底）的同类器物层层相叠，以免粘釉。

清代青花瓷的烧制大多是用一匣一器的正烧法烧制，但也有很多是用对口烧的方法烧制。尤其是小碟和杯子，大都是口对口扣在一起烧制，烧出的器物芒口，口沿无釉，手感发涩。烧制青花瓷还常使用垫饼或垫细砂的方法。垫细砂比较节省窑位，但烧出的产品底部常粘有一圈细砂，略显粗糙。

（四）龙窑和阶级窑的装窑方法

装烧前将坯件运至窑前匣钵堆放处（图6-375），先要检查窑壁是否有裂缝和累渣，累渣要清除，裂缝要修补好，内壁用耐火泥浆刷糊一次。窑底要打扫干净，用土垫平，撒上一层砂和谷壳灰（图6-376）。斜底龙窑因窑底呈斜坡形，需用垫底匣钵和支垫来调整匣钵的平面，或者用匣钵做成固定的窑底。

匣钵入窑时，钵底要刷干净，擦上泥釉浆，以减少落砂。装窑时，匣钵口刷上一层耐火的湿谷壳灰浆，防止钵体粘连（图6-377）。这种做法与我们今天用氧化铝粉涂刷窑板的目的是一样的。

装窑时匣钵内垫饼放平，瓷坯放正。碗类叠装时碗口应留有间隙，以防碗口互相粘连。盖上另一个匣钵时，注意匣钵不能与碗坯相接触，以免粘连，移动和放置匣钵时应端稳放平然后移至窑内（图6-378、图6-379）。

烧过的熟匣钵强度比较好，装窑时每柱匣钵的下面几层要用烧过的熟匣钵，新匣钵装在上部，破损匣钵一般不用，或修补后也装在上部（图6-380）。匣钵有硬口、软口之分，即一边高、一边低，匣钵装成柱状时，软硬口要转动调整，对正装直。烧过一二次的匣钵与烧过多次的匣钵大小有别，装柱时要加以选择，调整顺序。

匣钵入窑时要安排好位置，匣钵柱与柱之间的距离为 3～4 厘米，与两边窑墙的距离为 15～20 厘米，与窑顶距离为 10～15 厘米。两旁互相靠近的匣钵柱要卡紧，保持稳定。

匣钵下部要装正，上部逐渐向中心稍微倾斜，若一目间装 5 排 7 柱，则第三排装直，第一排向后斜靠 3 厘米，第二排向后斜靠 2 厘米，第四排向前斜靠 2 厘米，第五排向前斜靠 1 厘米。为使匣钵柱保持稳定，各柱匣钵前后左右的隙缝，用破匣钵碎片塞紧，互相靠紧，使着力点成一条直线。

图6-375　运坯

图6-376　窑底撒灰

图6-377　匣钵口刷灰浆

图6-378　坯件入钵

图6-379　入窑

图6-380　新旧匣钵混装

　　龙窑窑头至第六目为冷目，装烧小杂件。第六目以上为热目段，匣钵位从第六目以上计算，每目3横5竖（柱）。每钵累叠成竖（柱），按钵头排列装满，四周均留有通火道。

　　由于窑内不同的位置温度有差异，一般会根据不同的位置装烧不同的产品。价值较高、质量要求严格的产品，装在比较好的窑位，即窑的中段和后段以及每目中间几柱的匣钵内，一般的产品则会装在窑头冷目或底部的匣钵里。

　　装窑的同时，要在每一目或每一室的观火孔内放置火照（图6-381、图6-382）。火照即温标，也称照仔。火照是一个中间带圆孔的瓷片或瓷碟，放在一块匣钵片上，再将放有火照的匣钵片插在靠近观火孔的匣钵柱上（图6-383）。装完窑后用砖封闭窑门、投柴孔和观火孔，再用泥将封门的砖缝涂抹严实（图6-384），之后即可点火。

　　阶级窑装窑时，从火柜后面的第一间窑室开始。窑室底部有台阶，在台阶上摆放匣钵。匣钵以3横排列，每横7个钵位（俗称竖）；第二间4横7竖，第三间9竖，第四间11竖，第五间13竖。阶级窑每间火屏下（俗称炉底）放五点"照仔"，近火屏边竖（柱）均放"照仔"样，作为测定窑温、判断瓷坯是否烧熟的依据。[37]装烧匣钵时，先从前隔墙下的中间开始，直至装到下面的窑门处，然后封闭窑门。

图 6-381 窑门旁的观火孔

图 6-382 观火孔内的火照

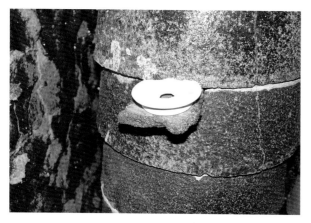

图 6-383 插在匣钵上的火照

图 6-384 泥封窑门

三、烧成方法

（一）龙窑的烧成方法

过去，一些传统窑场都有敬窑神的习俗，德化窑也不例外。窑炉火膛旁大都设置有一个"土地神"牌位，装完窑封闭所有窑门，点火之前要先敬"土地神"（图 6-385）。烧窑工要举行敬拜"土地神"的仪式，备办猪头及菜碗，燃香点烛烧纸钱以乞求"土地神"庇护"升火大吉，该窑成功，财源广进"。

瓷器生产是火里求财的事，烧成环节最为重要，所以，烧窑师傅控制火候的技术和经验最为关键。一座 20 目左右的窑炉，烧窑时需要 8 ～ 10 名窑工，其中要有两三个经验丰富的师傅负责看火。

烧窑开始，先在窑头投松枝或木柴，点火燃烧预热（图 6-386）。约七八个小时后，当第六投柴

图 6-385 设有神龛的窑头

图 6-386 烧窑观火

孔火头呈微红时，经观火孔钩出火照验实后（图6-387），打开第一投柴孔投放燃料，烧到一定程度，再打开第二投柴孔继续投柴，烧足火达到预定温度后，再打开第三投柴孔投放燃料。以此类推，循序渐进，直至烧成为止。

在整个烧窑过程中，避免冷气进入窑腔，所以在逐节往上烧时，窑头要不断添加松枝以保持火温。投柴孔、观火孔均要随手封好（图6-388～图6-391）。烧一窑的时间，冬天约需22小时，春天约需30小时，视燃料的干湿度而定。燃料干，火力

图6-387 钩出火照

自然大，升温快，烧成时间短；燃料湿度大则反之。烧成后需要冷却三天方可开窑出瓷，以防止因速冷而造成器物釉面惊裂。

烧窑工们有时会利用添柴量的大小调整窑内的气氛。一般来讲，用小块木柴匀速投柴，火会比较旺，窑后看不到浓烟，容易成氧化气氛。而添柴量较大，且柴块较大，窑内通风不畅，燃烧不充分，易烧成还原气氛。

一座20目左右窑室的窑炉，一次可装烧400多担的瓷器，即中等壶10000多个，粉盒20000多个，需耗木柴300余担。[38]

图6-388 窑头观火

图6-389 两侧添柴

图6-390 烧到大火时的观火孔和窑门

图6-391 火光已经从后面烟囱中冒出

（二）阶级窑的烧成方法

阶级窑也是由火柜开始逐级往上烧，一间烧完后，再往上烧下一间，烧一窑时间根据窑室数量多少而不同。一条八间窑室的阶级窑，烧一窑大概需要一个星期时间。

烧成可以分为几个阶段：

1. 点火

从窑头烧火道投放燃料，点火预热。

2. 低温阶段

窑温在120℃～140℃以后，坯体内水分开始汽化。当温度升至350℃以后，水分基本排除。这时坯体的气孔逐渐变小，坯件易开裂，升温应均匀缓慢。

3. 汽化分解阶段

窑温在350℃～950℃。在400℃～600℃时，坯体尚未强烈烧结，结晶水和分解气体自动排除，有机物中的碳素自然氧化。这时若升温控制不当，氧化气氛不强，烟气流速较小，会造成不完全氧化分解而影响质量。

4. 高温阶段

窑温在950℃以上，直至最高烧成温度。高温阶段又分为氧化恒温期、强还原和弱还原三个不同气氛温度阶段。烧成时，要掌握好氧化转强还原、强还原转弱还原两个温度点和还原气氛的浓度。氧化转强还原的温度，即气氛转换温度或称临界温度，是烧成中极为重要的温度点。强还原转弱还原的温度点也很重要，标志着还原结束，釉料开始成熟。

德化瓷器烧成温度为1300℃左右。龙窑、阶级窑的烧成全凭烧工用眼力和经验控制火色和火候。烧窑师傅通过窑炉边的"照仔"孔，观察火色和"照仔"呈色，判定瓷器的烧成情况。

四、烧成的温度和火焰气氛

唐、五代和两宋时期，德化陶瓷主要用还原焰烧成，瓷器以青瓷、青白瓷为主。元、明时期的白瓷主要用氧化气氛烧成，以白中闪黄的"猪油白"为主。到了清代，德化受景德镇影响又开始用还原气氛烧造青花瓷器，这时的白瓷器大多釉色泛青。所以，清代以前的德化白瓷以纯白或白中闪黄的乳白釉瓷为主，入清以后则以白色泛青的冷白釉瓷居多。

德化的烧成有阳火和阴火之说。阳火多指通体龙窑烧成，龙窑烧成比较节省燃料，升温比较快，但产品容易变形，不利于烧制大件产品。阴火多指阶级窑烧成，耗柴量较大，但温度相对便于控制，较利于烧制工艺瓷。

（一）烧成温度

由于德化一直是以高硅低铝的瓷石作为制胎原料，瓷石的烧成范围较窄。所以，德化白釉瓷的烧成温度历来变化不大，大都在1250℃～1280℃，其烧成温度过高会导致瓷坯变形，过低则会生烧或影响釉面的光泽度。因此，在德化的古窑址上经常能看到一摞摞因温度过高而粘连变形的废瓷残片（图6-392）。这也是德化瓷器的烧成温度历来控制较为严格的原因，即使到了近现代，其烧成温度亦未超过1300℃。

瓷器透光率、吸水率与烧成温度有着很大关系。历代德化白瓷有一共同的特点，即胎的透明度较高，这是因为瓷坯内含玻璃相较多。"从实物样品测得的结果来看，德化白瓷在胎的厚度一定时，透光率以元代的瓷胎最高，明、清次之，北宋、南宋最低。其透光率的大小与烧成温度的高低有直接关系，从物理性

图6-392 粘在匣钵上的瓷器

能测试结果也证明如此，即除近代的德化白瓷的烧成温度最高外（1290℃），自北宋至清代各个时期，以元代最高（1280℃），明、清次之，为1270℃，北宋为1260℃，南宋较低，为1250℃。此外，透光度与采用含有石英、绢云母为主的制瓷原料以及胎中玻璃相的多少也有密切关系。"[39]

同时，瓷器的吸水率和白度也与烧成温度有很大关系。从德化历代瓷器的吸水率来看，不同时期瓷器的吸水率有较大不同。北宋和南宋时期的烧成温度大都偏低（1250℃～1260℃），但瓷化程度均较佳，吸水率亦较低，白度在85%～100%左右。元代早期瓷器的吸水率较大，到元代后期由于烧成温度的提高（1270℃～1280℃），故瓷器的吸水率亦较低。明代白瓷的烧成温度仍高，故吸水率亦低，突出的是白度提高很多。清代瓷器的吸水率较高，瓷化程度较差，白度也开始下降，瓷器采用弱还原焰烧成。近代仿制的德化白瓷烧成温度更高（1290℃），瓷化程度也好，白度较明代稍差。[40]德化陶瓷发展到了现代，开始在制坯泥料中引入高岭土，烧成温度有了较大提高，达到了1350℃左右，由此也可以烧制尺寸较大的产品。

为了增加釉的高温黏度，防止釉流淌，并增加釉的光亮度，明、清时期德化瓷釉配方曾作过明显调整，由宋、元时期的钙钾釉变成了后来的钾钙釉。但它的烧成温度并未作相应的提高。这仍然是受到胎的制约而不能提高，因为烧成温度的提高会带来更多的变形。由此可见德化窑的烧制工艺还是受到严格的、有效的控制。[41]

（二）烧成气氛

除釉料成分的因素外，烧成时窑内的气氛对呈色的影响也很大。德化白瓷釉的色调在外观上主要可分为两类：一类是白中微泛青色，其甚者即为青白釉；一类是白中微泛黄，其甚者即所谓"象牙白"。这主要取决于烧成的气氛，如北宋、南宋、元代和清代的某些瓷器用还原焰烧成，还原气氛使得釉中的Fe_2O_3较多地转变成低价状态，故烧成的瓷器白里微泛青色，有的就是青白色。另一类如元代和明代的瓷器为氧化焰烧成，这时釉中Fe_2O_3较少地转变成低价状态，故烧成的瓷器呈白里微泛黄的"象牙白"和"猪油白"。由于德化白釉瓷釉Fe_2O_3含量都极少，所以都呈极淡的青色或黄色，即所谓泛青或泛黄。清代则氧化焰和还原焰烧成均有，瓷器有偏暖白的，也有泛青的。近现代瓷器多采用氧化焰烧成，故偏暖的色调居多。

一般说来，德化白釉瓷在宋代是在龙窑中烧成的。这种窑易烧还原焰，而且冷却速度也快，所以都泛青色。入元以后，由于使用了分室龙窑和阶级窑，这类窑可烧氧化焰，而且冷却速度也较慢，因而又使某些德化瓷白中泛黄而形成德化白釉瓷釉独具的"象牙白"和"猪油白"的风格。[42]

第六节　工艺的特点与成就

决定德化窑陶瓷工艺特点的因素主要有三点：一是原料，二是造型，三是烧成。

中国古代的白瓷最早出现在北方地区，如唐宋时期的邢窑和定窑。南方则以青釉瓷著称于世，如越窑、南宋杭州官窑和龙泉窑都烧制出了精美绝伦的青釉瓷。除了审美上的追求和独特的烧制工艺外，青瓷的出现与这些窑场所用原料中含有一定量的铁元素有很大关系。但同样是地处南方的景德镇和德化，尤其是德化，所产的制瓷原料中铁元素含量极少，且产量丰厚。所以，南方白瓷分别在这两个地方兴起并得到了很大的发展。

与北方窑场以高铝低硅、含有高岭土成分的白坩土为制胎原料不同，德化窑则是以高硅低铝的瓷石为主。原材料的不同组成，造成了胎质的差别，进而形成了德化窑以中温和氧化气氛为主的烧造方式。而坯体烧成过程中易变形的特性又决定了德化白瓷器物的胎质大都比较厚重，白瓷雕塑的体量也都比较小。

德化窑早期产品的成型以拉坯为主，后来出现了模具印坯成型。瓷器装饰有刻划装饰、模印装饰、贴花装饰、堆塑装饰等，后来又有了釉下青花、五彩装饰，以及釉上粉彩和新彩装饰等。

一、德化瓷器的工艺特点

1. 白瓷的色泽与质地

与定窑白中闪黄的"牙白"和景德镇闪青的"卵白"不同，典型的德化白瓷微微泛黄，呈乳白色，其主要特点是胎料和釉的完美结合，瓷质高洁纯净、滑腻如脂，釉色典雅柔和、莹润明亮、温润似玉。德化白瓷的釉色与釉料成分的配比有关，和北方白瓷釉多为镁灰釉不同，南方白瓷釉多为灰釉或灰碱釉。

受烧成气氛的影响，德化白瓷的瓷色有时会有些微差异，故有"象牙白"、"猪油白"、"孩儿红"等不同称谓（图6-393）。"象牙白"白中蕴黄，宛如象牙；"猪油白"胎白质坚，釉质莹厚细腻，润如油脂；"孩儿红"是高温烧成时因窑内位置、温度或气氛的原因产生的特殊效果，釉面莹润光亮、白中蕴红，在光照下肉眼看去犹如婴儿粉嫩透红的肌肤，是德化白瓷的名贵品种。

独具特色的德化白瓷传到国外，以它纯洁的色彩和异乎寻常的风格赢得了广泛的赞誉。在法国被称为"Blanc de Chine"，意为"中国白"，有些国家则将其称为"鹅绒白"或"奶

图6-393　清代"博及渔人"款白瓷观音像

油白"；国内则称作"猪油白"、"象牙白"、"乳白"等。

有专家对德化白瓷的胎釉做了研究后得出如下结论：[43]

（1）德化白瓷的特点是胎和釉中含钾量高，这与当地瓷石原料的特性有密切关系。

（2）德化地区的瓷石主要含石英和绢云母或高岭石等矿物，加之含铁量又低，该地瓷石可以说是一类制作高质量白瓷的天然混合的矿物原料。

（3）德化釉应当属于一种典型的钾钙釉。

（4）德化地区在北宋和南宋时期使用还原烧成技术，元代以后，特别是明代方熟练掌握氧化烧成技术。

（5）明代"猪油白"瓷胎的钾含量与釉的钾含量相近，有时甚至比釉更高些，因此胎中所生成的玻璃相高，这就是为何明代德化白瓷透明得看起来像玉的缘故。

（6）近代德化白瓷中氧化铝含量比古代瓷高 5% ~ 9%，需要高温烧成，从节约能源出发，减低瓷胎中的氧化铝含量是有利的。

大概从民国时候起，德化白瓷中还出现了一种不上釉的白瓷，瓷坯制成后直接入窑烧成。由于德化瓷土中的含硅量较高，所以即使不上釉，瓷器也显得比较温润细滑。这类瓷器以体积较大者居多。

2. 德化制瓷的工艺局限

传统的德化白瓷无论是在生产技术上，还是在艺术表现上都取得了举世瞩目的成就，在我国陶瓷发展的历史进程中占有不可取代的地位。但客观来讲，德化窑作为一个以生产外销瓷为主的民间窑场，其产量虽然较大，但产品质量优劣均有，以前便有"罂瓶罐瓿，洁白可爱，饮食之器多粗拙，有细者，较之饶州所作，终不可及"的说法（见民国版《德化县志》）。这表明当地人既认识到"洁白"是德化白瓷材质的特性，同时又看到了工艺上"多粗拙"的局限。制瓷工艺存在局限的原因表现在以下几个方面：

一是原材料的局限。由于德化白瓷仅用瓷石作为制瓷原料，这种材料的化学组成决定了它比较容易变形。为了避免变形，胎壁常做得较厚，因此显得不够轻巧。"薄则苦窳，厚则绽裂，土性然也"（明陈懋仁《泉南杂志》卷上，眉公秘笈本）。

二是成型工艺局限。德化窑的很多产品都是采用印坯成型的方法进行大批量重复性生产，因此，模具的新旧、印坯手法的熟练程度，都会对产品的质量产生一定影响，导致瓷器的质量存在较大的差异（图6-394）。

三是民窑属性的局限。德化窑作为民窑，批量生产也是其重要特点。为了满足生产数量的需要，在产品装烧时，常用摞叠烧成或对口烧等方法，导致产品显得较为粗糙（图6-395）。另外，生产者技术水平的差异、消费群体档次定位的不同，都会导致产品质量存在差异。

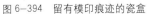

图6-394 留有模印痕迹的瓷盒

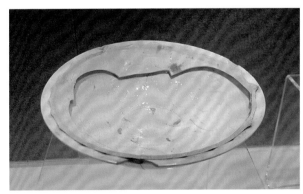

图6-395 摞叠粘连的瓷盘

二、德化白瓷的成就与影响

德化历史上曾经烧制过青瓷、青白瓷、白瓷以及青花瓷、五彩瓷、粉彩瓷等。烧制青瓷更多的是当时的生产条件所决定的，并非主动的追求，烧制青白瓷和后来烧制青花瓷、五彩瓷、粉彩瓷则多半是受了景德镇等外来因素的影响，有着明显模仿的痕迹。而素白瓷才是最具德化窑自身特点的品种，也是最能代表德化窑特色的产品。

1. 德化白瓷的成就

德化瓷以质地洁白坚硬、色泽莹润、工艺精良、造型雅致、种类繁多为主要特点，集实用、装饰、观赏于一体，具有典型的民间艺术特征。德化窑在元、明时就已经能烧造真正意义上的白瓷。其产品多为单色瓷，以生活日用器皿和瓷塑为主。这些瓷器充分发挥材质的特点，以其丰富多样的造型、含蓄沉静的色泽、温润如玉的质感展现自身的魅力，形成了与其相适应的造型和装饰风格。即使有装饰也以坯体装饰为主，早期采用刻花、划花、印花等技艺，后来又增加了贴花、贴塑、堆塑装饰。但德化窑真正在国内外获得广泛影响的产品，还应属独具特色、不施彩色，而以雕塑的造型美和坯釉的质地美取胜的德化瓷塑（图6-396）。

中国传统雕塑向来以彩塑为主。从新石器时代仿生造型的彩陶，到秦汉以后出现的殉葬陶俑；从佛教石窟造像、寺庙雕塑，到民间的泥塑和面塑等，都是以彩塑的形式出现的。但德化的瓷塑不施彩色，以白瓷作为雕塑的终极材质，以单纯的雕塑语言取胜，这表明德化瓷塑艺人们已突破了传统雕塑传移模写、随类赋彩的模式，充分认识到了德化白瓷优良材质本身所具有的审美价值，形成了德化瓷塑独树一帜的艺术风格（图6-397）。

图6-396 清代"博及渔人"款白瓷观音像（采自《鸣鹤清赏》，荣宝斋出版社）

图6-397 清代"何朝宗"款白瓷观音像（采自《鸣鹤清赏》，荣宝斋出版社）

　　德化瓷塑很多取材于宗教。佛教传入中国后，随着统治阶层的极力推崇，在民间得到了广泛的传播。宋、元时期，德化建寺修庙之风盛行，自然培育了众多民间泥塑艺人。到了明朝，佛教和道教并行发展，宗教艺术也得到了提高。人们除了进寺院庙宇烧香拜佛，更在家中建龛供佛，朝夕谒拜，故这一时期小型佛教、道教神祇偶像渐趋普及，观音、达摩、弥勒佛、文昌、关公、天尊、土地公等各类塑像层出不穷，德化同类题材瓷塑艺术也由此得到了长足的发展（图6-398、图6-399）。

　　在人物塑造上，艺人们继承了我国传统雕塑传神写意的特点，以其熟练的技巧和丰富的生活体验，细致入微地塑造出各种佛道形象和形形色色的人物形象。既有某种神化的色彩，又蕴含着美好、健康的意境。德化的宗教瓷塑不仅是作为人们供奉、顶礼膜拜的偶像，更成为寄托了人们美好情感的家庭陈设品（图6-400、图6-401）。

　　在塑造技艺上，瓷塑艺人发挥了传统雕塑的造型手法，运用熟练的表现技巧，融入了自己对塑造对象的理解，细致入微地表现了不同人物的形貌特征和内心世界，同时通过对人物外部形象的塑造，展示人物内在的情感，如达摩的庄严、观音的慈悲、寿星的欢愉、济公的诙谐等。人物的面部刻画细腻，衣纹线条的处理或简洁潇洒、刚柔并济，或疏密有致、自然天成，极富节奏感与韵律感，显示了德化窑瓷塑艺人的丰富艺术想象力和非凡的创造才能。在具体形象的处理上，艺人们也常会遵循一些约定俗成的做法，如在塑造不同性别或身份的人物时，讲究"美人无肩"、"武将无颈"、"美女三弯"（指塑造站立的女性时，头、颈、肩三部分扭转摆动的动态变化）；在塑造达摩渡江时，其脚踩的苇叶一般要露出五片叶子；在做观音时，观音的脚的朝向往往和鼻子的朝向一致；等等。

　　德化生产的各种小型陈设瓷也很有特色，既有陈设于文人士大夫书斋的案头清玩（图6-402），也有为适应普通民众物质生活和精神需求而制作的小型工艺品，体现了陶瓷艺术与日常生活相结合的新成就。

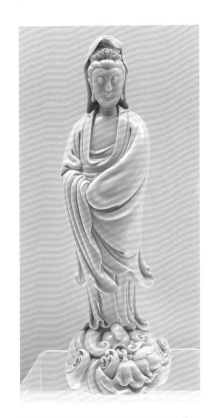

图6-398　清代白瓷吕洞宾像（采自《鸣鹤清赏》，荣宝斋出版社）　　　图6-399　明代达摩像　　　图6-400　明代观音像（上海博物馆藏）

图 6-401　白瓷观音头像

图 6-402　清代墨池笔架

德化瓷塑技艺，不仅在省内广泛传播，同时也对国内其他窑场如广东石湾、江西景德镇的陶瓷雕塑产生了很大影响。清末民初，福州的瓷塑能手游长子，继承何朝宗的传统瓷塑技法，后到江西景德镇传授"何派"瓷雕技艺，当地雕塑艺人群起仿效，推进了景德镇瓷塑工艺的发展。

2. 德化窑白瓷的国际影响

中国在隋唐时期就已烧制出了白瓷，到元、明时期，白瓷已经大量用来生产生活日用器具，但在当时的欧洲，瓷器还是新鲜的事物。德化的外销瓷分为三种类型：一种是生活日用瓷，如茶壶、茶碗和文房用具之类；另一种是陶瓷塑像和陈设摆件类；还有一种是来样加工定制的产品（图 6-403）。

明清时期，德化的瓷器出口到了日本、东印度群岛、东南亚地区以及欧洲很多国家，使得这些国家的人们第一次看到这种人造的具有玉石般质感的器物。那些在国内属实用品的白瓷产品，在国外却被当作奇珍异物或高级装饰受到人们的热烈追捧，有些瓷器成了具有其他功能的代用品：带盖的香炉被当作黄油盘，瓷盒被当作盐盘等，一些造型简洁、功能实用、质量优异的文房用品在海外市场也很受欢迎。许多瓷器和瓷塑原本并不外销，而是后来作为稀有的收藏品被运到欧洲的。

很多宗教题材的白瓷塑像也输入到周边的国家或地区，在日本还出现过把观音当成圣母像供奉的有趣现象，"福建德化窑生产的手抱婴孩的白高丽手法的观音在日本的基督信徒中当作马利亚的圣像而大受欢迎，其需用量之大几乎达到惊人的程度"[44]。日本人称赞德化白瓷为"瓷器中的白眉"（意即瓷器中的极品），对"象牙白"更是称赞有加："如果以客观而公平的态度给予评论的话，可以说是比白玉更为华丽，以陶工的技巧来说，更可号称为中国古今独一无双的优秀作品。"[45] 在欧洲，德化白瓷更是产生了极大的影响，被称为"国际瓷坛上的明珠"、"中国白"，"得到全欧洲贵族阶层的欣赏和欢迎，并接受无限的订货"。德化窑工还按照欧洲商人定制的样式生产瓷器，以适应西方社会生活的需要，如各种茶壶、水罐、咖啡壶、啤酒杯等，以及表现欧洲人生活题材的瓷塑作品。

图 6-403　清康熙五彩瓷塑荷兰商人

　　中国陶瓷在欧洲的旺销，令各国的王公贵族和商人们对来自遥远国度的新颖精美的器物惊叹不已，同时也使他们看到了陶瓷产业背后的无限商机。他们一方面从中国大量采购，另一方面努力研制生产自己的产品。

　　德化白瓷，对瓷器烧造技术在欧洲的发端与传播起到了十分重要的作用。1603 年，在一艘被荷兰船队截获的葡萄牙商船上发现的上万件中国青花瓷器（即克拉克瓷），更是产生影响广泛的轰动效应，对欧洲陶瓷业的发展产生了巨大的推动作用，带动了欧洲窑场积极仿造中国瓷器的热潮。

　　中国瓷器在欧洲的传播经历了一个从模仿到摆脱再到创造的过程。许多由皇家兴办的陶瓷厂极力模仿生产，如德国的迈森（Meissen）瓷器工厂，法国的圣克得（S.Cloud）、钱蒂雷（Chantilly）瓷器工厂，英国伦敦西部的切尔西（Chelsea）瓷器工厂等。荷兰鹿特丹附近的代尔夫特成为欧洲第一个因模仿中国瓷器而造成很大影响的小镇。当时他们并不知道中国瓷器的基本原料是瓷土，只是到处找些不同的土来混烧。真正做出类似中国白瓷的是伯特格尔（Bttger）1708 年在距德国德累斯顿小镇不远的陶瓷工坊创烧的，奥古斯都大帝曾将他收藏的德化瓷器作为伯特格尔仿制瓷器的样本，[46] 伯特格尔由此成了欧洲"瓷器之父"，他的陶瓷工坊也成为了 1710 年成立的当时欧洲最知名的德国皇家迈森瓷器工厂的前身。随后，英、法、丹麦等国的皇家瓷厂纷纷模仿德化白瓷生产工艺，促进了欧洲瓷业的发展。

除了对欧洲陶瓷有很大影响，德化制瓷技术还对亚洲国家陶瓷技术的发展产生过重要影响。日本的窑炉可能就是受德化阶级窑的影响而设计的，所以日本人把德化的阶级窑"估计为串窑的始祖"[47]。

德化窑在其发展的过程中，既没有得到皇家的重视和恩赐，也没有受到类似官窑那样的限制和干扰，因而少了官窑中规中矩、烦琐拘谨的呆板和束缚，多了民间陶瓷的自由和质朴。德化窑因地制宜，因材施艺，充分发挥材料特点，以多样的品种、丰富的造型、单纯洁净的色彩和异乎寻常的风格，赢得自己应有的地位。它按照自身的发展规律，靠造型的多样和陶瓷材质的美感来发挥吸引力，根据市场的需求和变化不断调整自己的发展方向。作为一个重要的外销瓷产区，它借助于邻近福州、泉州、厦门、漳州等对外贸易重要港口的有利条件，积极开拓海外市场，产品远销亚洲、欧洲和非洲等多个地区，为中华陶瓷文化的推广和世界陶瓷文化的发展做出卓越的贡献。德化瓷是古代"海上丝绸之路"主要的贸易商品，也是古代东西方文明交流的主要历史见证之一。

德化窑在上千年的发展过程中，虽然经历了或繁盛或衰败的变化，但其制瓷传统仍得以薪火相传。尤其是近几十年来，德化的陶瓷无论在国内市场还是在海外市场，更是在原有的基础上有了很大的发展，使得该产区能以独具特色的面貌屹立于中国瓷坛。

附　记

　　德化作为一个以生产外销瓷闻名于世的民间窑口，在古代史籍中一直少有记载。该窑口后来引起人们的注意，还是因为德化白瓷在欧洲各国受到王公贵族们的热烈追捧，产生了广泛的影响，才反过来引起了国人对该窑场的注意。此后虽偶有文献提及该窑，也是寥寥数语，缺少系统的介绍，有些资料中甚至把德化窑与闽北地区的建阳窑相混淆。直到20世纪50年代以后，关于德化窑的研究才逐渐多了起来。随着德化陶瓷考古工作的展开，很多古窑址被发现，许多实物资料相继面世，德化窑的历史面貌才逐渐显露出来。但是在诸多关于德化窑的研究中，从工艺方面系统探讨的仍相对较少。古代德化的陶瓷生产大都是随市场需求变化而改变，不同时期的产品有较大的不同，许多传统的技艺则随着产品的变化而消失。由于古代德化窑的瓷器大量外销，国内的实物资料相对较少，这都为德化陶瓷工艺的研究带来了一定困难。

　　在研究的过程中，我觉得仍有许多问题值得深思：首先是某些传统技艺的失传。随着解放后的工业化改造，很多传统的技艺都被当作落后的东西扔掉了，如手工拉坯的成型技术、低温陶模的制作工艺、陶瓷釉料的配制方法、传统窑炉的烧成工艺等，都缺乏详细的记录和梳理。其次是实物资料的匮乏。诸如鸡笼窑、阶级窑这类具有地方特色的传统窑炉，几十年前在德化还大量存在，但今天几乎已经找不到了，以至于我们今天讨论德化的阶级窑时，不得不去翻找20世纪50年代初期出版的杂志，在那早已发黄的书页内寻找"德化窑"模糊的身影，或者不得不借助一位英国人所出的书中那张不知准确与否的手绘图来认识"德化窑"的模样。

　　在德化县城边上的一块坡地上，几年前已经建起了一座很漂亮的陶瓷博物馆，这自然是件功德无量的好事。但如果当地政府能趁几位筑窑世家的传人还健在，在博物馆内或某个旧窑址旁，复建一两座典型的传统窑炉作为标本，恐怕其意义并不亚于去旧窑址上挖掘一些瓷器碎片。因为，这些形象的实物资料才是德化历史上曾经辉煌的旁证，也是德化窑未来发展的一个历史坐标。

　　此外，在德化陶瓷的研究方面也存在一些不尽如人意的地方，如很多研究德化陶瓷的人本身并不在德化，对他们来说取得第一手的资料肯定存在一定困难，研究的结果也难免不到位或不够深入。而个别身在德化的研究者，在谈论德化的某些历史问题时似乎又显得比较感性，有些提法抑或有牵强附会之嫌。

　　在此还要感谢在德化的苏清河、张南章、苏珠庄、陈明良、颜松柳、郑雄文、郑雄鹏等诸位好友，在本人数次赴德化考察期间，他们或提供各种相关文献资料作参考，或专为工艺流程图片拍摄现身示范，或亲做向导探寻古窑址、拜访老艺人并兼做闽南话的翻译。同时还要感谢华觉明和杨永善老师，感谢两位老师对书稿提出的诸多珍贵意见，有了诸位朋友和老师的鼎力相助，才使本章得以按时完稿。

参考书目

1．李国桢、郭演仪：《中国名瓷工艺基础》，上海科学技术出版社，1988 年 6 月。

2．叶文程：《中国古外销瓷研究论文集》，紫禁城出版社，1988 年 10 月。

3．德化名瓷研究文集编委会：《德化瓷研究文集》，（香港）华星出版社，1993 年 8 月。

4．徐本章、叶文程：《德化瓷史与德化窑》，（香港）华星出版社，1993 年 5 月。

5．李家治：《中国科学技术史·陶瓷卷》，科学出版社，1998 年 10 月。

6．陈建中：《德化民窑青花》，文物出版社，1999 年 8 月。

7．德化陶瓷研究论文集编委会：《德化陶瓷研究论文集》，2002 年 8 月。

8．陈建中、陈丽华等：《中国古陶瓷标本·福建德化窑》，岭南美术出版社，2003 年 5 月。

9．德化县地方志编纂委员会：《德化陶瓷志》，方志出版社，2004 年 12 月。

10．上海博物馆编：《中国古代白瓷国际学术研讨会论文集》，上海书画出版社，2005 年 7 月。

11．叶文程：《中国福建古陶瓷标本大系·德化窑》，福建美术出版社，2005 年 9 月。

12．（英）唐·纳利：《中国白——福建德化瓷》，吴龙清译，福建美术出版社，2006 年 9 月。

13．刘幼铮：《中国德化白瓷研究》，科学出版社，2007 年 8 月。

14．中国古陶瓷学会：《中国古陶瓷研究》第十四辑，紫禁城出版社，2008 年 10 月。

15．郑金勤：《窑火映红的天空》，福建美术出版社，2009 年 7 月。

注释

[1] 徐本章、叶文程：《德化瓷史与德化窑》，（香港）华星出版社，1993 年 5 月，第 123 页。

[2] 李国桢、郭演仪：《中国名瓷工艺基础》，上海科学技术出版社，1988 年 6 月，第 114 页。

[3] 徐本章、叶文程：《德化瓷史与德化窑》，（香港）华星出版社，1993 年 5 月，第 119 页。

[4] 陈建中：《德化民窑青花》，文物出版社，1999 年 8 月，第 21 页。

[5] 郑金勤：《窑火映红的天空》，福建美术出版社，2009 年 7 月，第 16 页。

[6] 冯和法：《中国瓷业之现状及其贸易现状》，《国际贸易导报》，1932 年。转引自叶文程：《中国古外销瓷研究论文集》，紫禁城出版社，1988 年 10 月，第 227 页。

[7] 叶文程、罗立华：《德化窑青花瓷器几个问题的探讨》，德化陶瓷研究论文集编委会：《德化陶瓷研究论文集》，2002 年 9 月，第 202 页。

[8] 宋伯胤：《谈德化窑》，《文物参考资料》1955 年第 4 期，第 58 页。

[9] 陈建中：《德化民窑青花》，文物出版社，1999 年 8 月，第 8 页。

[10] 陈建中：《德化民窑青花》，文物出版社，1999 年 8 月，第 9 页。

[11] 徐本章、叶文程：《德化瓷史与德化窑》，（香港）华星出版社，1993 年 5 月，第 113 页。

[12] 徐本章、叶文程：《德化瓷史与德化窑》，（香港）华星出版社，1993 年 5 月，第 3 ~ 4 页。

[13] 高振西：《福建永春德化大田三县地质矿产》，《福建省地质土壤调查所地质矿产报告》第三号，1941 年，第 37 ~ 41 页。转引自李家治：《中国科学技术史·陶瓷卷》，科学出版社，1998 年 10 月，第 351 ~ 352 页。

[14]（英）唐·纳利：《中国白——福建德化瓷》，吴龙清译，福建美术出版社，2006 年 9 月，第 6 页。

[15] 李家治：《中国科学技术史·陶瓷卷》，科学出版社，1998 年 10 月，第 352 页。

[16] 郑金勤：《窑火映红的天空：探访德化古窑》，福建美术出版社，2009 年 7 月，第 64 页。

[17] 李家治：《中国科学技术史·陶瓷卷》，科学出版社，1998 年 10 月，第 356 页。

[18] 宋伯胤：《谈德化窑》，《文物参考资料》1955 年第 4 期，第 62 页。

[19] 陈建中、陈丽华等：《中国古陶瓷标本：福建德化窑》，岭南美术出版社，2003 年 5 月，第 27 页。

[20] 李国桢、郭演仪：《中国名瓷工艺基础》，上海科学技术出版社，1988 年 6 月，第 115 页。

[21] 宋良璧：《广东博物馆收藏德化白瓷的初步整理与研究》，德化名瓷研究文集编委会：《德化瓷研究文集》，（香港）华星出版社，1993 年 8 月，第 137 ～ 176 页。

[22] 叶文程：《中国福建古陶瓷标本大系·德化窑》下卷，福建美术出版社，2005 年 9 月，第 25 页。

[23] 林忠干：《德化窑瓷器的分期研究》，德化陶瓷研究论文集编委会：《德化陶瓷研究论文集》，2002 年 9 月，第 49 页。

[24] 叶文程、罗立华：《德化窑青花瓷器几个问题的探讨》，德化陶瓷研究论文集编委会：《德化陶瓷研究论文集》，2002 年 9 月，第 199 页。

[25] 刘幼铮：《中国德化白瓷研究》，科学出版社，2007 年 8 月，第 6 页。

[26] 德化县地方志编纂委员会编纂：《德化陶瓷志》，方志出版社，2004 年 12 月，第 43 页。

[27]（英）唐·纳利：《中国白——福建德化瓷》，吴龙清译，福建美术出版社，2006 年 9 月，第 10 页。

[28] 熊海堂：《东亚窑业技术发展与交流史研究》，南京大学出版社，1995 年 1 月，第 27 页。

[29] 徐本章、叶文程：《德化瓷史与德化窑》，（香港）华星出版社，1993 年 5 月，第 179 页。

[30] 德化县地方志编纂委员会编纂：《德化陶瓷志》，方志出版社，2004 年 12 月，第 44 页。

[31] 叶文程：《中国福建古陶瓷标本大系·德化窑》中卷，福建美术出版社，2005 年 9 月，第 16 页。

[32] 徐本章、叶文程：《德化瓷史与德化窑》，（香港）华星出版社，1993 年 5 月，第 183 页。

[33] 德化县地方志编纂委员会编纂：《德化陶瓷志》，方志出版社，2004 年 12 月，第 44 页。

[34] 宋伯胤：《谈德化窑》，《文物参考资料》1955 年第 4 期，第 66 页。

[35] 李家治：《中国科学技术史·陶瓷卷》，科学出版社，1998 年 10 月，第 359 ～ 360 页。

[36] 李家治：《中国科学技术史·陶瓷卷》，科学出版社，1998 年 10 月，第 361 页。

[37] 德化县地方志编纂委员会编纂：《德化陶瓷志》，方志出版社，2004 年 12 月，第 50 页。

[38] 陈建中、陈丽华等：《中国古陶瓷标本：福建德化窑》，岭南美术出版社，2003 年 5 月，第 25 页。

[39] 李国桢、郭演仪：《中国名瓷工艺基础》，上海科学技术出版社，1988 年 6 月，第 115 ～ 116 页。

[40] 李国桢、郭演仪：《中国名瓷工艺基础》，上海科学技术出版社，1988 年 6 月，第 118 页。

[41] 李家治：《中国科学技术史·陶瓷卷》，科学出版社，1998 年 10 月，第 361 页。

[42] 李家治：《中国科学技术史·陶瓷卷》，科学出版社，1998 年 10 月，第 361 页。

[43] 郭演仪、李国桢：《历代德化窑白瓷的研究》，中国科学院上海硅酸盐研究所编，科学出版社，1987 年 12 月，第 155 页。

[44]（日）上田恭辅：《支那古陶磁研究の手引》，转引自叶文程：《中国古外销瓷研究论文集》，紫禁城出版社，1988 年 10 月，第 242 ～ 243 页。

[45]（日）铃木已代三原：《窑炉》，刘可栋等译，第 4 页，转引自叶文程：《中国古外销瓷研究论文集》，紫禁城出版社，1988 年 10 月，第 258 页。

[46]（德）埃娃·施特勒伯：《德累斯顿奥古斯都大帝藏品中的德化瓷器和宜兴紫砂器》，上海博物馆编：《中国

古代白瓷国际学术研讨会论文集》，上海书画出版社，2005 年 7 月，第 522 页。

[47]（日）铃木已代三原：《窑炉》，刘可栋等译，第 4 页，转引自叶文程：《中国古外销瓷研究论文集》，紫禁城出版社，1988 年 10 月，第 258 页。

第七章 建水紫陶制作工艺

第一节 建水紫陶的产生与发展

一、建水紫陶释义

建水紫陶是以刻填和无釉磨光为主要工艺特征的高温泥陶，因产于云南省建水县，传统产品呈色赤紫而得名。建水县临安镇碗窑村是其唯一原产地。建水紫陶是在传统陶瓷制作工艺基础上，吸收借鉴了雕刻、镶嵌、石料打磨等工艺，通过对泥料、装饰、焙烧、打磨工艺的创新改良，粗料细作而形成的一种特殊陶艺，其陶质和艺术表现力对各种文化形态具有广泛的兼容性，文化特征十分突出，被誉为是一部物化的历史、一种活着的文化。建水紫陶因艺而珍，其品质温润如玉，光洁如镜，声清如磬，质硬如铁，具有良好的透气性，表象呈色因高温焙烧而丰富奇幻，产品无铅、无毒，可广泛运用于日常生活和建筑领域；因文而雅，是一种特殊的文化载体，以陶为纸，可根据不同造型对中国传统的诗文、字画、篆刻艺术或西方绘画装饰艺术作再次创作而成为一种独特的陶艺传承于世。

二、建水紫陶工艺的产生

碗窑村制作建水紫陶的历史始于清道光年间(1821～1851)，此前，已有千余年成规模烧造陶器的历史。该村距建水县城北2公里，现有人口2900余人，是一个因烧造陶瓷而得名的自然村落。村后红坡山山坡约2平方公里范围内，依山并列着数十座元代以后的龙窑遗址，四周堆积着大量宋、元时期以后的陶器残片。从形迹清晰的古窑遗址和陶器残片堆积层可以得知，碗窑村从宋代就开始大规模使用龙窑烧造陶器，陶器品种多为碗、盘、壶、缸、盆、罐等日用品。按年代划分，宋至元初多为灰胎青釉，青釉用当地的石英石、白黏土、草木灰自制，部分碗、盘使用压花暗纹装饰。元代以后，烧造以当地氧化钴为颜料的青花釉陶，品种多为瓶、碗、盘、罐，存世的以火葬罐等冥器居多。建水的青花钴料呈蓝、赭灰色，色泽暗淡，装饰图案既有中原传入的莲枝、云纹、蕉叶、回纹和牡丹、龙凤、福、寿等传统式样，也有滇南地区少数民族图腾、文字、花鸟鱼虫和山水，胎釉以青釉为主，透明度不高。明清时期，建水成为滇南政治、经济、文化的中心，中原文化在此生根繁衍。文化的浸润促进了建水陶业的进步，许多文化人直接参与了陶艺的变革与创新。清道光年间，以张好等为代表的建水制陶艺人，对土料进行多次过滤、漂洗制成精料，在湿坯上进行字画装饰，使用刻填和无釉磨光工艺烧造精细泥陶，始创建水紫陶独特的制作工艺。从现存的紫陶作品分析，完整的建水紫陶制作工艺，完成于清末民初，其代表性人物为生于清代末期的潘金怀(生卒年不详)和向逢春（1895～1963）。

三、建水紫陶的种类

按功能划分，建水紫陶可分为实用性陶器和观赏性陶器两大类。实用性陶器主要品种有饮具、文具、茶器茶具三大系列；观赏性陶器指以满足鉴赏、把玩、收藏为主的摆件。一般来讲，我们不把不具有刻填和无釉磨光工艺特征，用建水陶泥制作的陶塑、陶艺、建筑用陶视为建水紫陶。由于建水紫陶泥料细腻，泥性硬度小，造型制作和焙烧过程中支撑力较弱，不论实用性陶器或观赏性陶器，目前成品尺寸一般高不超过 110 厘米，直径不超过 80 厘米。

汽锅是建水紫陶炊具的代表性产品（图 7-1）。汽锅是在扁形汤锅的基础上，从底部由内向上引出一个开口的喇叭管至锅膛的实用陶炊具，使用时将汽锅底部放置在蒸汽口上，锅底四周用湿毛巾密封，蒸汽通过底部的喇叭管进入锅膛熏蒸食物。陶质汽锅烹制的食物，能够充分保持食物的营养成分和本质滋味，而且味道鲜美。紫陶汽锅用途广泛，烹制简单，用其制作的汽锅鸡是滇菜系列的代表性名肴。建水汽锅生产始于明代，最初为青釉陶制品，清代中期以后改用紫陶制作，并一直延续至今。

图 7-1　建水紫陶炊具：汽锅

建水紫陶文具产品包括墨盒、笔洗、笔筒、砚台、印泥盒、印章、镇纸、笔架、水漏等。建水紫陶用传统手工艺制作，以诗、书、画、印装饰为文化特色，能够充分表现人文个性，与文具的使用功能十分相近，是建水紫陶主要的实用产品（图 7-2）。

茶具茶器占建水紫陶生产总量的半数以上，这首先是因为建水紫陶与茶文化一脉相通，具有生态的、人文的一致性。建水紫陶外观形态和成色无不古雅精美，文化特征十分鲜明。不论是储茶还是饮茶，都能与茶文化和谐共生，达到陶茶与人物相融的完美境界；其次是因为建水紫陶以高温烧制，硬度达到 5～6 度，陶器坚固耐用而具有良好的透气性，能够充分满足储茶、饮茶对器物的使用要求（图 7-3）。

图 7-2　建水紫陶文具

各类观赏性摆件在造型上没有明确的界定，看重的是器表上的字画艺术和陶器背后的文化内涵，只要能够满足观赏者在文化或精神方面一种或多种需求的紫陶产品，约定俗成地把它归类为观赏性摆件。

从原料上分，建水紫陶可分为红泥陶、白泥陶、绞泥陶三大系列（图 7-4）。红泥陶是以紫土、五色土（当地对以红色为主，间有黄、白、灰等混色土的俗称）、黄土、白土、灰土配制成陶泥烧造的陶器，

图 7-3　建水紫陶茶具

成品以紫红色为主，亦可出现大红、朱红、乌黑、黑灰或红黑相间的其他颜色。白泥陶是以白土、灰土配制成陶泥烧造的陶器，成品以白色为主，亦可出现象牙黄、青灰或白青相间的其他颜色。绞泥陶是以红泥

图 7-4　按原料分，建水紫陶可分为红泥陶、白泥陶、绞泥陶

和白泥随机相掺制成陶坯烧造的陶器。绞泥陶的特点是：红泥和白泥不揉搓均匀，在泥料揉搓和拉坯过程中随机产生天然线条或色彩的肌理，成品情趣天成。

四、建水紫陶的特点

与其他陶瓷比较，建水紫陶的特点主要体现在以下四个方面：

第一，建水紫陶是一种文化陶，其本质特征是以陶为载体，能够承载兼容不同类型的书画艺术。

与其他陶瓷比较，建水紫陶的文化特征更为突出。其他陶瓷或以型取胜、以工取胜、以釉色及烧成方式取胜，而建水紫陶则以文为魂，以字画水平和文化内涵来确定作品的价值。这一特征虽然源于建水紫陶的刻填工艺，却成就了其独特的人文语式。刻填是建水紫陶有别于其他陶瓷的特殊工艺，其基本要求是在湿坯状态下操作。因此，建水紫陶的字画装饰亦必须在湿坯状态下用手工逐一写画完成，不能成批量机械复制生产。由于写画者存在风格、个性、水平上的差异以及同一作者写画同一题材内容作品时的细微变化，从而形成了每一件建水紫陶作品在文化方面都具有唯一性特征，成就了其独特的文化特色。建水紫陶为不同类型的艺术家提供了广阔的创作空间，传统作品以中国诗、书、画、印为主要装饰内容，但对不同书体、不同画类都具有很强的兼容性，艺术家可以结合陶性，根据不同造型、不同表现对象进行再创作，从而得到一种具有显著艺术个性，有形有艺可读可赏可以把玩的艺术品。建水紫陶的艺术价值和市场价值主要是以附着在陶器上的字画水平和文化内涵决定的。

第二，建水紫陶是一种高温泥陶，其烧成温度在 1120℃~ 1200℃之间。

高温烧造对泥料的制备和拉坯成型都有特殊的工艺要求。以高温烧造的建水紫陶，陶质硬度须达到 5 ~ 6 度，可以通过磨料打磨而使陶器温润如玉、光洁如镜。高温烧造的建水紫陶无毒、无味，对人体无有害物质，成品铅、镉溶出量均小于 0.01mg/L（国家质检总局 2003 年发布与食物接触陶瓷烹调器铅、镉溶出量分别为小于等于 3.0mg/L、0.30mg/L），180℃~ 20℃水中热冷交换热稳定性测试未出现破裂，符合国家食品卫生标准和陶瓷质量标准，具有良好的透气性，实际使用中具有藏茶不霉变、泡茶不发馊、贮米不生虫、栽花不烂根的特点，是一种实用范围十分广泛的陶类产品。

第三，建水紫陶不可复制，特殊的制作工艺和文化特征使每一件产品都具有唯一性。

建水紫陶的不可复制性和唯一性，是由泥料成分、造型差异、装饰个性、高温烧造而产生的色泽变化等五个方面的因素形成的：①泥料配兑的差异，会形成产品呈色的不同，同样烧成方式下，不同的泥料配方会使成品呈现不同的色差。②建水紫陶泥料细腻，支撑力较弱，成型一般采用轮制成型手工拉坯的方式。由于拉坯艺人存在水平技能、艺术风格、文化素质等方面的差异，同样的造型在不同艺人的手中，会表现出不同的风格流派。③建水紫陶的装饰是一种艺术的再创作，而不是机械的复制，创作的个性化差异和创作过程的随机性，使建水紫陶每件成品都具有不可复制性和唯一性。④刻填是建水紫陶的特色工艺，刻的过程不是艺术创作，但刻工的手法习惯和陶坯在填制、干燥和烧制过程中的细微变化，亦会让每一件建水紫陶不尽相同。填泥分为素色和复色两种，素色填泥差异较小，而复色填泥是装饰过程的延续，同样具有艺术创作特征，存在艺术创作的个性化差异和创作过程的随机性。⑤高温烧制是建水紫陶的一个重要工艺，建水紫陶的陶土 Fe_2O_3 含量约为 12%，Fe_2O_3 在高温和不同的烧制方式下，会出现从红至黑非常丰富的呈色反应，从而形成建水紫陶在器表上的色彩个性和不可复制性。

第四，建水紫陶具有独特的制作工艺。

建水紫陶的制作过程一般要经过泥料制备、拉坯造型、湿坯装饰、刻填修整、高温烧制、无釉磨光六道工艺数十道工序，大多数工序以手工完成，机械方式难以或不可能替代。迄今为止，建水紫陶制作工艺，仍然是国内外陶瓷领域中独一无二的特殊工艺。

五、建水紫陶的文化价值和历史价值

第一，建水紫陶的制作工艺，是中原陶瓷文化在滇南边徼之地的延续。

建水县位于云南省南部，是一个汉、彝、回、哈尼、傣、苗等民族聚居的边陲重镇。1994 年建水被国务院批准命名为"国家级历史文化名城"和"国家重点风景名胜区"。距今 3500 多年前，建水就开始有人类在这里繁衍生息。汉唐时期，建水成为西南进入安南的重要通道，处于通海路和步头路的显要位置。20世纪 60 年代中期，在建水东南部坡头境内龙岔河下游，即汉唐时期云南出入安南的红河码头附近，发现了数十座西汉时期的古墓群，墓葬中散落着许多汉代的粗陶碎片。龙窑是形成于中原一带的窑型，建水县碗窑村从宋代开始就成规模采用龙窑烧制陶瓷，建水窑烧造的宋代青釉、元代青花工艺和至今仍遗存于世的碗、盘、壶、缸、盆、罐等造型，无不留有中原陶瓷文化的烙印。

第二，建水紫陶是中原文化与边地文化水乳交融的产物。

建水是人类陶瓷文明的发源地之一。1989 年，在距建水县城 30 公里的燕子洞新石器时代晚期古人类遗址，出土网坠 4 件，陶弹丸 1 件，夹砂素面红陶器碎片 7 件。至今在建水境内红河北岸傣族地区，仍有当地土著人用慢轮成型、坑式堆烧夹砂红陶的习俗。建水紫陶目前广泛流传的博古瓶、哈尼尊、彝瓶等造型，以及在不同造型上装饰的图案花纹，明显地吸取了当地土著民族的文化元素，保留着许多土著民族的祭器造型、图腾形象、民族文字、吉祥符号的影子。建水紫陶的茶壶，造型厚重沉雄，装饰性很强，风格与其他陶瓷类的茶壶有明显区别。

第三，建水紫陶是一种活着的文化，一部物化的历史。

建水紫陶特殊的制作工艺，对不同的文化都具有很强的兼容性。从文化的角度去解读，建水紫陶是一部物化的历史。建水紫陶传统工艺的产生和发展过程，以及其装饰内容、装饰风格等，无不保留着不同历史时期政治、经济、文化发展变化的痕迹。我们可以从不同时期的建水紫陶作品中，解读出上千年建水历史文化沧桑巨变的轨迹。同时，当代以及后来的建水紫陶的艺人们，会在忠实地传承建水紫陶历史文化的基础上，用陶瓷续写建水的历史。

第二节　建水紫陶的原料与泥料制备

一、建水紫陶的原料与物质构成

（一）原料分布

建水紫陶的原料全部取自建水境内，主要分布在砖红壤性红土内。建水境内的砖红壤性红土是热带雨林或季雨林下形成的土壤。土壤中度湿润，质地较黏，pH 为 4～6，多为黄红色黏土。制作建水紫陶的五色土、黄土、白土、灰土呈块状以网带层状与砖红壤性红土共生，含极少量砂粒，黏性极强，在地表或距地表数 10 米范围内。建水境内的砖红壤性红土面积 138.48 万亩，分布于海拔 1300～1500 米的坝区和丘陵地带（图 7-5）。

建水紫陶的另一种添加土料为紫色土，是亚热带湿润地区紫红色砂叶岩风化形成的土壤，含铁高，酸性强，抗蚀能力弱，面积 68.56 万亩，分散分布于海拔 1300～1600 米的地表（图 7-6）。

图 7-5　建水境内砖红壤性红土地貌

图 7-6　建水境内紫红色砂叶岩风化土壤地貌

（二）原料构成

五色土：呈色以红色为主，间有黄、白、灰等色，可塑性弱，黏性强，耐高温；主要元素构成为：Fe_2O_3 含量 10.86%，SiO_2 含量 59.8%，Al_2O_3 含量 19.95%，其他 MgO、NaO、CaO、K_2O 等含量 9.39%；pH 为 4.81，Pb 含量 35.982mg/kg，Cr 含量 26.242mg/kg，Hg 含量 0.377mg/kg（图 7-7）。

黄土：呈色中黄，可塑性弱，黏性强，耐高温；

图 7-7　建水紫陶原料之一：五色土

主要元素构成为：Fe_2O_3 含量 5.37%，SiO_2 含量 74.96%，Al_2O_3 含量 13.59%，其他 MgO、NaO、CaO、K_2O 等含量 6.1%；pH 为 4.56，Pb 含量 6.523mg/kg，Cr 含量 23.321mg/kg，As 含量 18.245mg/kg（图 7-8）。

　　白土：呈色铅白，可塑性强，黏性强，耐高温；主要元素构成为：Fe_2O_3 含量 1.7%，SiO_2 含量 74.2%，Al_2O_3 含量 16.06%，其他 MgO、NaO、CaO、K_2O 等含量 8.04%；pH 为 4.93，Pb 含量 21.154mg/kg，Cr 含量 8.741mg/kg，Hg 含量 0.0067mg/kg（图 7-9）。

　　灰土：呈色青灰或黑灰，可塑性强，黏性强，耐高温；主要元素构成为：Fe_2O_3 含量 2.25%，SiO_2 含量 61.48%，Al_2O_3 含量 24.76%，其他 MgO、NaO、CaO、K_2O 等含量 11.51%；pH 为 4.74，Pb 含量 64.524mg/kg，Cd 含量 0.2mg/kg，Cr 含量 47.596mg/kg，Hg 含量 0.092mg/kg（图 7-10）。

　　紫土：呈色紫红，可塑性弱，黏性不强，不耐高温；主要元素构成为：Fe_2O_3 含量 81.76%，SiO_2 含量 7.82%，Al_2O_3 含量 5.5%，其他 MgO、NaO、CaO、K_2O 等含量 4.92%；pH 为 5.18，Pb 含量 133.863mg/kg，Cd 含量 1.19mg/kg，Cr 含量 42.357mg/kg，As 含量 53.713mg/kg，Hg 含量 0.061mg/kg（图 7-11）。

图 7-8　建水紫陶原料之二：黄土

图 7-9　建水紫陶原料之三：白土

图 7-10　建水紫陶原料之四：灰土

图 7-11　建水紫陶原料之五：紫土

以上数据，只是该批次土样的化验结果，不同批次、不同地点的土料，各种元素构成的品位会存在差异。

二、建水紫陶原料的配兑比例

建水紫陶原料的配兑必须满足三个方面的要求：一是拉坯成型的可塑性；二是1100℃以上的高温焙烧；三是成品呈色。目前，大部分建水紫陶作坊的原料都不具备按检测结果进行标准数据配兑的条件，而是根据各自的烧制经验，按土料的呈色、取土地点和烧成经验确定配兑比例。经过多次实验，建水紫陶红泥陶原料制备可以下列比例作为配兑参考标准：五色土50%，黄土10%，白土15%，灰土10%，紫土15%；白泥陶原料制备配兑参考标准为：白土70%，灰土30%。上述数据只是一个参考值，具体制备时可根据烧成要求，需要增强成品硬度或耐温程度时，就增加含硅、铝高的白土；需要增加成品呈色色度时，就增加含铁高的紫土或黄土；需要增强泥料的韧性时，就增加延展性较强的灰土（表7-1）。

表7-1　建水紫陶泥料配兑表

泥料种类	五色土	黄土	白土	灰土	紫土	合计
红　泥	50%	10%	15%	10%	15%	100%
白　泥			70%	30%		100%

三、建水紫陶泥料制备

（一）制备的基本工序

建水紫陶泥料制备的工序分为：取料、醒料、选料、配料、碎料、淘洗滤浆、滤泥、醒泥。

1. 取料

取料是烧造建水紫陶的基础工作。在传统的制作条件下，原料的出处与泥料配兑比例和成品品质有直接关系。因为，与砖红壤性红土共生的各色陶土原料外观质量和色泽并无明显区别，但品质成分却可能存在差异。陶土原料中硅、铝、铁、铬含量的细微变化，都可能导致陶品质量和呈色的变化。为保证陶品质量，有的艺人固定原料的出处，并坚持自己挖采，以挑选自己熟悉的优质土料。当地人将未经处理过的陶土原料称为"生料"（图7-12）。

图7-12　取料

2. 醒料

生料含有一定水分，为中度湿润，须晒晾干燥至手捻为粉末状才能使用，否则不易捣碎，在淘洗滤浆过程中容易产生泥核。将低度湿润状态的生料晒晾干燥的过程称为醒料。

3. 选料

在块状的生料中，含有少量的砂粒杂质，选用前必须将砂粒杂质挑拣干净方可使用。

4. 配料

配料的比例凭经验因人因时因烧制要求而定。取自不同地点的土料，品质成分不同；醒料时间的长短，也会使土料中的硅、钠、钾等成分产生细微变化而改变土料性质。配料时要根据成品烧制要求，针对土料的不同特性确定配兑比例。

5. 碎料

为保证不同土料能充分调配均匀，碎料时必须将不同颜色的土料混放在一起同时捣碎。碎料要做到土粒均匀，最大颗粒一般不超过蚕豆粒大小，才能在淘洗滤浆过程中不产生泥核。

6. 淘洗滤浆

将碎土料倒入盛有水的大型容器中，容器中水与碎土料的比例为3:1，碎土料倒入容器时应边倒边用木棒搅拌，切忌一次倒入而不能让土粒浸泡均匀。待碎土自然浸泡5～6个小时，土粒充分稀释没有泥核后，再次搅拌。搅拌的过程既是让土粒充分稀释的过程，也是让土料中不同物质成分充分调和相互溶入的过程。待确认土粒充分稀释成为浆状，即可将浆料通过100～200目网筛滤入另外的容器中，浆料中的砂粒和杂质被过滤清除，只留下纯净的泥浆继续浸泡。如此反复地浸泡、搅拌、过滤4～5次后，才完成建水紫陶泥料的淘洗滤浆过程。

7. 滤泥

滤泥分两个步骤：一是让泥浆在密封状态下自然沉淀。具体做法是，先将淘洗后的泥浆倒入干净的容器中加盖，让其在密封状态下自然沉淀，沉淀过程中要不时地除去浸出的水分。经过自然沉淀的泥浆为糊状，水分约占30%，还不具备造型条件。二是将糊状的泥料倒入石膏制成的容器中滤除水分。石膏容器的滤水性能极好，可将糊状泥料中20%的水分滤除。滤泥的过程要注意保证石膏容器干燥干净，以免石膏受潮脱落混入泥料内，同时要用透气干净的东西遮盖好容器，不让其他杂质污染泥料。待泥料滤水至膏状时，即可小心取出，除去泥料表皮杂质，密封放置待用。

8. 醒泥

刚制备好的泥料泥性较暴，当地人将刚制好的泥料称为"生泥"。生泥中的水分和固体颗粒的分布仍然不均匀，比较活跃的颗粒元素变化会产生细微的结构变化，这样会降低泥料成型时的可塑性。若直接用来制坯，坯体在干燥和烧成过程中收缩不一致，容易导致陶坯分层、开裂或变形。陈腐能够消除以上可能出现的问题，生泥经过陈腐后，泥料中的水分和颗粒会自然分布均匀，存在于泥料中的有机物通过发酵或腐烂会产生腐殖酸，使泥料松软而增强可塑性和稳定性。陈腐的过程称作"醒泥"，其方法是：将生泥堆放在室内阴凉处，覆盖上滤布或塑料薄膜，滤布要保持水分，让生泥在密封状态下，处于阴凉恒温的条件自然陈腐，时间一般为3个月以上，而且时间愈长泥性愈稳定。未经陈腐的泥料软硬不均，陈腐过的泥料柔软均匀，有经验的拉坯工经手便知。

整个泥料制备过程费时费工，操作繁杂。要想保证陶器质量，就要在泥料制备时认真对待。好的艺人讲究用泥，好泥料才能做出好陶器。

目前，可用粉碎机、球磨机、练泥机、挤压机等机械设备（图7-13）代替手工备制泥料，省工省时，泥料配比稳定，可大幅度降低劳动强度，提高劳动生产力。但机械制泥泥质粗，含有少量杂质，不利于制作高品质陶器。

（二）泥料制备示例（图7-14～图7-21）

将晒晾干燥的土料按配兑比例称量。目前，建水紫陶泥料的配兑都是各个作坊根据各自的烧制经验，按土料的呈色、取土地点和烧成经验确定土料比例。将称量好的各种颜色的土料混合捣碎成蚕豆粒大小的颗粒状。将捣碎的土料倒入

图7-13　真空练泥机

图 7-14　配兑

图 7-15　捣料

图 7-16　倒土料

图 7-17　搅拌

图 7-18　过筛

图 7-19　继续浸泡

图 7-20　继续滤除水分

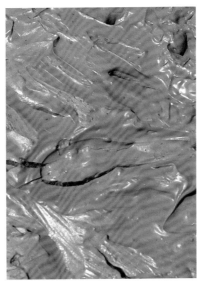

图 7-21　膏状泥料

盛水容器中，容器中水与碎料的比例约为 3:1。倒入时，边倒边用木棒搅拌。待土料自然浸泡 5～6 个小时后，土粒充分稀释没有泥核，再次搅拌直至稀释为浆状。将浆状泥料用 100～200 目网筛滤入另外的容器中，滤除浆料中的砂粒和杂质，留下纯净的泥浆继续浸泡。过滤的程序要经过 4～5 次。把过滤好的泥浆放入干净的容器中置于阴凉处让其在密封状态下自然沉淀使泥水分离，并不时地舀去积水。经过自然沉淀的泥料为糊状，将糊状的泥料倒入干净的石膏容器中，让其在密封状态下继续滤除水分。待泥料滤水至膏状时，即可小心取出，除去泥料表皮杂质，密封放置待用，完成泥料制备。

四、建水紫陶泥料基本构成

按照上文介绍的方法和配兑比例，制成的建水紫陶泥料基本构成为：Fe_2O_3 含量 12.26%，SiO_2 含量 59.3%，Al_2O_3 含量 17.45%，其他 MgO、NaO、CaO、K_2O 等含量 10.99%；pH 为 4.87，Pb 含量 37.82mg/kg，Cr 含量 30.642mg/kg，Cd 含量 14.162mg/kg，As 含量 0.213mg/kg。其中，在 1000℃ 高温作用下，硅、铝形成网状结构成为陶器的支撑骨架；镁、钠、钙、钾等易熔助熔物质部分被熔解，部分被填充进硅、铝形成的网状结构中，使陶体质地细密结实；铁作为主要呈色元素在高温和不同烧结气氛下，出现红、赭、黑不同呈色；对人体有害的铅、镉元素绝大部分被熔解清除。

五、建水紫陶泥料的工艺特性

通过多次淘洗滤浆制成的泥料，泥质细腻，可以满足对陶坯做精细的雕刻和对成品做无釉磨光的工艺要求，这是建水紫陶有别于其他含砂陶器的重要特征。同时，建水紫陶泥料黏性极强，可塑性较弱，泥料内部容易形成气孔，泥坯与成品的收缩比在 15% ～ 18% 之间。泥坯在干燥和烧成过程中的变形、裂损可能性大，制作 45 厘米以上的器物需要分段粘接才能完成。任何一次粘接，都必须待底段干燥到一定硬度，具有承受住一定重量的能力时才能进行。制作建水紫陶，要充分了解和掌握泥性。

第三节　建水紫陶的成型工艺

一、建水紫陶的成型方法

由于建水紫陶泥料细腻，可塑性较弱，同时，满足刻填工艺需要陶坯具有一定的厚度，成型一般采用轮制成型手工拉坯。轮制成型手工拉坯，是通过车盘旋转产生的惯性，利用圆周运动的向心力和离心力，人工与旋转的车盘合作，共同完成陶坯的造型过程。轮制成型手工拉坯分揉泥、拉坯成型、修坯三个步骤。

（一）揉泥

首先将泥料取出进行踩练。踩练是将所需泥料堆放在干净平整的石板或厚实的滤布上，借助人体重量，以圆周运动由外向内顺序踩练，使泥料干湿均匀、软硬适度，除去泥料中部分空气，然后再以手工搓揉。目前，已不采用人工踩练方式，而以真空练泥机取代这一传统工序。手工搓揉操作一般是在平整的台板上进行，台板用厚实的木板或石板制成，基脚扎实稳固，能够承受人工搓揉的作用力。手工搓揉的目的是将泥料中残余的气泡排出，使泥料中的水分进一步均匀，以防止泥料硬度不均、水分不均使陶坯在干燥或烧成过程中产生变形、开裂、爆坯。揉泥方式类似揉面，双手用力由内向外一层一层地顺序搓压，依次将空气排出，

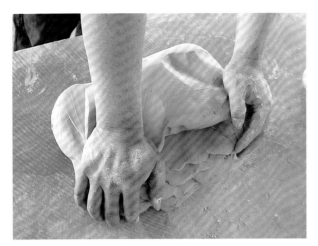

图 7-22　双手用力由内向外一层一层地顺序搓压

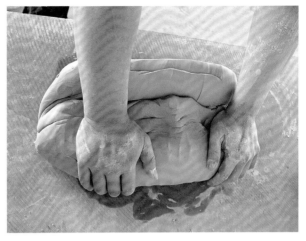

图 7-23　每搓压完一遍，都重新折卷成团作再一次搓压

图 7-24　根据造型用料需要，留取中间一段整齐密实的部分作为坯泥

图 7-25　将预留坯泥竖置压按成下大上小的锥形圆柱体，即可上盘进行拉坯造型

并使泥团有韧性（图 7-22）。每搓压完一遍，都重新折卷成团，然后进行第二次搓压。如此反复 4 ~ 5 次（图 7-23）。之后，根据造型用料需要，留取中间一段整齐密实的部分作为坯泥（图 7-24）。将预留坯泥竖置压按成下大上小的锥形圆柱体，即可上盘进行拉坯造型（图 7-25）。

（二）拉坯成型

1. 拉坯成型前的准备

拉坯成型前的准备是指设备和工具的准备。

电动陶车（图 7-26）

电动陶车，当地称为车盘，是拉坯成型的主要设备，一般由自己制作。电动陶车由上圆盘（工作盘）、中轴套、皮带盘、中轴、上下异型轴承、下圆盘（控制盘）、固定盘组成。常用的车盘尺寸为：上下圆盘用钢板做成，厚度 1 厘米，上圆盘直径 28 厘米，面部要求平整光滑，背部圆心处焊接一段高 8 厘米、直径可以套接中轴套的钢管，用螺丝穿过钢管，将上圆盘与中轴套固定；下圆盘为控制盘，直径 60 厘米；中轴套用生铁浇注而成，下大上小呈锥形圆

1. 工作盘
2. 工作盘圆心轴
3. 工作盘与柱套连接螺钉
4. 柱套
5. 顶部异型轴承套
6. 顶部异型轴承
7. 轴承中轴
8. 底部异型轴承套
9. 底部异型轴承
10. 皮带盘
11. 柱套与工作盘、控制盘连接螺钉
12. 控制盘
13. 控制盘中孔
14. 固定盘

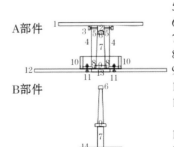

图 7-26　电动陶车结构示意图

柱体，壁厚 1.5 厘米，中间贯通，上下孔径以中轴上下异型轴承套外沿尺寸为准，上下异型轴承套分别固定在中轴套内的顶部和底部。皮带轮用高 10 厘米、厚 1 厘米、直径 15 厘米的钢管制成；中轴套底部外沿焊接一块割去圆心，厚 1 厘米，直径与皮带轮内沿相同的钢板，钢板外沿与皮带轮底部焊接，并于平面车出三个螺丝孔，用螺丝将中轴套、皮带轮、上圆盘与下圆盘连接成为电动陶车 A 部件（图7-27）。中轴用长 45 厘米、直径 8 厘米的圆钢车成。

图 7-27　电动陶车 A 部件

其中，顶端固定异型上轴承，中间固定异型下轴承，底端焊接固定一块 30 厘米 ×30 厘米、厚度 1 厘米的钢板，下轴承以下部分用混泥土垂直固定在地下，下轴承以上部分牢固而垂直地露于地面成为电动陶车 B 部件（图 7-28）。将 A 部件套入 B 部件之上即完成电动陶车的安装（图 7-29）。若使用 220 伏电压，可选用功率 370 瓦 ～ 700 瓦、转速 1600 转 / 分的电机，根据个人的工作习惯，选择直径 7 ～ 10 厘米的皮带轮和 2515 型号的三角皮带。皮带轮直径的大小，可以决定车盘转速的高低。在下圆盘边上钉一块耐磨橡胶皮，操作时脚踏胶皮控制车盘转速。

图 7-28　电动陶车 B 部件

图 7-29　电动陶车

拉坯工具（图 7-30）

拉坯工具一般都是自制工具。其中主要有：

（1）木质平槌：当地称展板，用于制作大型器件时，与陶质衬头配合，衬头在内，展板在外，通过衬打调整陶胎厚度、形状和密实程度。

（2）陶质衬头：用于捶击坯体，修整坯胎弧度曲线，与其他工具配合，作拍打陶坯的衬垫。

（3）硬质执板：可用木质材料或硬橡胶制成，拉坯时用于代替手掌成型或调整细小阴角。

（4）平口铲：用泥工的灰刀代替，主要做清理

图 7-30　常用拉坯工具（由左至右依次为：木槌、衬头、执板、平口铲、角刀、齿刀、弧形刮刀、排刷、衬布、比子、割线、卷尺）

使用。

（5）角刀：用铁板自制，刀口呈三角形，两面刀刃圆滑平正不要利口；刀把在 1 厘米处弯成直角，用于口、颈、底、足等精细部位的加工处理和切割陶坯。

（6）齿刀：刀刃呈锯齿状，将普通钢锯片加热折弯即可，用于刮削面积较大的器表。拉坯时的泥料黏性大，硬度低，用平口刀具不易刮削均匀。

（7）弧形刮刀：截取一段钢质发条即可，可随意弯曲成不同弧度使用，主要用于器表的修整。

（8）排刷：用于拉制过程补水。

（9）衬布：随意选择一块废布折叠成适合的形状即可，也可用海绵代替，主要用于分段成型连接时，从陶坯内部补水和摊抹接口。

（10）割线：可使用牢实的棉线或钢线，用于切割坯体与圆盘的连接。

（11）各种标尺：可根据拉制造型的需要，用木棍或竹枝固定在车盘周围，作为造型高度、口径、腹径、底径的控制参照物。

（12）盛水器：盛水以作拉坯补水使用。

2. 拉坯成型的操作

将泥团摔打在车盘中心，不让泥团与车盘之间形成空隙，泥团的大小视拉制的造型而定，然后启动车盘，脚踏踏板控制车盘转速，再用双手蘸水将泥团抱紧向内向下挤压均匀用力，使泥团成圆形并与车盘同一圆心，这个过程称作"扶泥头"，是拉坯成型的基础，"泥头"扶不正，泥团挤压不实或不规整，下一步的成型工作就无法继续。"泥头"在车盘圆心扶正后，双手均匀向上将泥团缓缓捧起，使之在车盘中心竖起升高，再用拇指在内控制与手掌配合徐徐下压，使泥柱变成粗短扁平状。将泥团向上捧起向下按压的过程，可消除泥团因摔打而产生的细裂纹，释放揉泥时留下的少数气孔。不同的造型也是在拉压的过程中，调整指、掌、臂的力度和方向完成的。从这个意义上讲，双手是拉坯成型的主要工具。

拉坯操作要求眼准手稳，车盘转速快慢适度，用水干湿适量。车盘转速过快则双手难以掌控泥团，不利于坯体成型；过慢则无法使坯壁厚度均匀和圆润。用水过多容易使泥团回软下塌，过干则泥团涩滞不易成型；不能留有积水在坯内，积水会造成陶坯裂底。收形后用切割线将湿坯与圆盘分离，将坯体移出平稳地放置在事先准备好的石膏盘上自然干燥。较大的器件在搬动时容易受力变形，可先将托坯的石膏盘放于车盘上校正，在石膏盘上直接拉制，成型后搬动石膏盘不接触湿软的坯体，避免坯体受力变形。

拉坯在技术上最容易出的问题有两个方面：一是坯泥在提升过程中速度过快或力量不均匀，使坯体造成扭伤（图 7-31）。扭伤在湿坯状态下不容易被发现，只有在干燥或焙烧后，坯体收缩不均匀才会显露出来。二是坯体厚薄不均，特别是底足部分不易掌控，容易过薄或过厚。坯体厚薄不均，在高温焙烧过程中，因坯体收缩不均而容易被撕裂（图 7-32）或爆胎（图 7-33）。

石膏盘的保湿和吸水性能，能够满足湿坯均匀脱水，不会因为干燥过快而受损。同时，石膏与泥料不会黏合，湿坯自然干燥到一定程度后，即可轻松地将湿坯与石膏盘分离。

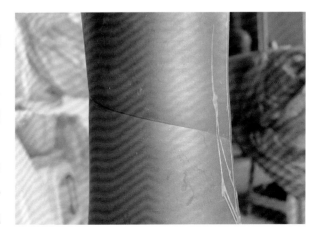

图 7-31　速度过快或力量不均匀造成坯体扭伤

图 7-32　坯体厚薄不均，在高温焙烧过程中造成撕裂

图 7-33　坯体厚薄不均，在高温焙烧过程中造成爆胎

图 7-34　各种形状的石膏盘

石膏盘用石膏粉调水搅拌均匀，倒入预制好的硫黄模具中，干燥至与硫黄模具可以分离时，取出阴干即可使用（图 7-34）。

（三）修坯

修坯是在车盘上利用不同的工具，对坯件器表、造型进行修整的过程。工具大多是自制的（图 7-35），角刀、弧形刮刀、排刷、平口铲、齿刀等与拉坯工具相同，功能也基本一样，不同的工具主要有：

1. 硬质塑料刮片

当地人称"模皮"，选用厚度在 0.5 厘米，表面光滑，有一定弹性的硬质塑料片制成，大小、宽窄根据个人的使用习惯而定，用于细节部分的修整和器表的光滑处理。

2. 钢质刻刀

选用硬度较高的钢线制成，用于修补坯胎上的气泡。

建水紫陶修坯包括泥坯装饰前和装饰后两个环节。两个环节的技术要求是一样的，不同的是，装饰前的修坯是造型的延续，并使器物表面光洁、形体

图 7-35　修坯的主要工具（由左至右依次为：排刷、角刀、弧形刮刀、齿刀、塑料刮片、平口铲）

连贯、规整一致，是建水紫陶成型中确定器物形状的关键环节。这时的泥坯湿润程度高，泥性较软，修整较难控制；装饰后的修坯是对坯体器表的最后整理，只要注意修整适度，不要伤及刻填在坯体器表的画面，排除器表可见气孔即可。

修坯要熟悉泥料性能，熟练掌握造型的曲线变化和烧成时各部位收缩比，控制好坯体不同部位的厚薄程度，因为不同部位在高温烧成时的收缩率和受力情况不一致。修坯的工具是满足修坯质量的关键。能否正确使用各种工具，直接影响到修坯的质量。修坯的车盘运转速度应慢于拉坯，高度在 20 厘米以下的坯件

60～70转/分，20厘米以上的坯件40～55转/分。

修坯的过程是，将坯件置放于车盘圆心，启动车盘。然后在旋转的车盘上左手扶坯，右手掌轻轻侧击坯体，使坯件与车盘同圆心旋转，这是修坯的基础，也是修坯最关键的步骤。坯件置正后，即可根据造型要求和坯体不同部位的厚薄需要进行修整。修坯的方向一般是由下至上，先用车刀按造型要求对坯体不同部位进行削刮，待削刮到理想的造型和厚薄尺度时，再用塑料磨片磨光器表，满足下一个环节的装饰和刻填要求。对尖足或小口的造型，需要采用辅助工具固定在车盘上，然后将坯件插接在辅助工具内进行修整

图7-36　用于修整尖足或小口的辅助工具

（图7-36）。将器表磨光的另外一个作用，是便于发现坯胎上细微的气泡以作及时处理。坯胎上任何一个小气泡都有可能在干燥和烧制过程中铸成大错。小气泡的处理只需用刻刀将气泡划破，用塑料刮片摊平光滑即可；大气泡则需将气泡划破后，填补进湿度相近的泥料，用塑料刮片将填泥压实摊平。不同造型的口、颈、肩、腹、足、底各个部位的修坯技术要求是有区别的，特别是对大件器物粘接部位的修整，更是要充分考虑粘接部位的厚薄处理和上下部分的形体连贯。修坯是一个技术性、艺术性都很强的环节，要通过长期的实践得心应手地使用不同修坯工具，才能修整出质量合格、造型优美的器物。

二、拉坯的技术要求

第一，工欲善其事，必先利其器。拉坯前工具、用具的准备很重要。车盘要稳固平正，座位与车盘的距离、高度要适合，各种工具准备齐备、摆放适当。工具的使用不是一成不变的，可灵活掌握。

第二，身体坐姿端正，心态平和，注重手与泥料接触的感受，注意手、臂、肩、腰的配合与协调。用力均匀，不急不躁，循序渐进，对泥料多少、造型大小、形状如何做到胸有成竹。

第三，通过揉泥掌握泥料的干湿、软硬程度；把握好车盘旋转的方向与速度快慢；有效地使用水，保持坯体在拉制过程中滑润柔腻。

第四，对造型的把握是拉坯的关键。一是要做到整体考虑，胸有成竹。对造型的控制，首先是型，其次才是细节。二是拉坯要给修坯留下余地，不用一次到位，造型的细节是在修坯过程中完成的。三是准确控制坯体最高和最宽的极限和不同部位的厚薄要求，准确控制不同弧度点、线、面的对应关系，保证外形流畅、器壁均匀。四是立体地观察、把握造型变化，优秀的造型要经得起从不同角度审视推敲。

第五，手、眼、心并用，手造型、眼观型、心存型。手造型是以掌指触泥的感觉控制操作；眼观型既观手的操作控制，又观造型点、线、面总体协调组成；心存型是心先有型，而后成型于手。

三、建水紫陶特殊造型与成型方法

博古瓶是建水紫陶特有的造型，在不同部位点、线、面尺度的把握上有一定难度。博古瓶的形状是：短颈直口，口径稍小，宽肩曲腹，肩、腹、足呈S形曲线，足呈喇叭形向下向外伸出，平底，底径比口径稍大，口、肩、腹、足、底径与瓶高比例因造型大小和风格不同而不确定。一般来说，肩径较小，且与颈部相连的弧线较饱满的造型显得古拙；而肩径较宽，与颈部相连的弧线较平整的造型现代感明显（图

7-37）。

博古瓶拉制过程示例：

（1）事先准备好一块石膏托盘；一团用于固定石膏托盘与车盘的废泥；一团拉制坯胎的泥料，俗称"坯泥"（图7-38）。

（2）脚踏控制车速用的胶皮，启动车盘，将废泥平抹在车盘圆心，摊成厚度1厘米、直径15厘米的圆形泥盘，随意在泥盘划出一些划痕，用于固定作坯胎托盘用的石膏盘（图7-39）。

（3）将石膏盘粘接安放在泥盘上，调整石膏盘的圆心，使之与车盘一致（图7-40）。

（4）把坯泥摔打在石膏盘中心，摔打的目的是避免坯泥底部与石膏盘之间形成空隙（图7-41）。

（5）双手合抱坯泥，掌指共同用力拨升，而后以掌根为主向下按压，反复多次以消除坯泥空隙，调整坯泥形状，让其与车盘在同一轴心旋转，当地人将这一过程称作"扶泥头"（图7-42）。

（6）双手拇指同时插入坯泥泥心，拇指在内向外用力，四指在外向内配合，抠出泥窝；左手伸入泥窝内，以四指指肚为主，摊压出瓶底，瓶底的厚度和面积全凭手的感觉来控制（图7-43）。

（7）左手在内，右手在外，双手均以四指为主，内外配合，将泥窝提拉成直桶形（图7-44）。

（8）双手位置不变继续配合，由下向上，拉出造型带弧形的底部。外部可使用执板配合。使用执板更有利于刮挤多余坯泥，使弧面曲线连贯流畅（图7-45）。

图7-37 博古瓶

图7-38 拉坯备料

图7-39 启动车盘，将废泥平抹在车盘圆心

图7-40 将石膏盘安放在泥盘上，调整石膏盘的圆心

（9）左手在内以四指为主，右手在外控制执板，抬拉出腰、肩、口三个部位（图7-46）。

（10）左手食指和中指自然弯曲，指间留出瓶颈的厚度，右手食指搭在两指中间，使指间形成一个方形缺口，拉出梯形瓶颈（图7-47）。

（11）用执板角边对器物口、颈进行简单修整（图7-48）。

（12）用齿刀刮削调整器物整体形状；用朴刀划出器物圆底，割除多余坯泥（图7-49）。

（13）完成后的博古瓶造型（图7-50）。

拉制过程中，要适时地补水，保持手和执板与泥坯之间的滑润，使拉制顺利流畅。

图7-41 把坯泥摔打在石膏盘中心

图7-42 扶泥头

图7-43 拇指在内四指在外抠出泥窝，摊压出瓶底

图7-44 将泥窝提拉成直桶形

图7-45 由下向上拉出造型带弧形的底部

图7-46 抬拉出腰、肩、口三个部位

图 7-47　拉出梯形瓶颈

图 7-48　用执板角边对器物口、颈进行简单修整

图 7-49　用齿刀刮削调整器物整体形状

图 7-50　完成后的博古瓶造型

四、大型器物成型方法

建水紫陶泥料细腻，采用手工拉坯成型，坯泥湿度大，支撑力较弱，高度超过 40 厘米以上的器物要分段制作逐段粘接，其成型方法主要有套接法和盘泥法两种。

（一）套接法

套接法是将整件器物先分段预制，然后逐段粘接的成型方法。套接可分为平口套接和齿口套接两种。平口套接是上下两段以平面粘接；齿口套接是将下段接口车出一个齿台，下段接口套接在齿台上，上下接口相互咬合粘接。套接分段的原则是：有底、腹、颈造型的按底、腹、颈分段；腹、颈过长的按比例和造型特点作再次分段；无底、腹、颈造型的等分为两段以上。无论对哪种造型进行分段，每段的高度都不宜超过手掌至肩窝或 40 厘米的长度，超过手掌至肩窝的长度，手工无法操作两段之间的粘接；泥坯高度超过40 厘米，底部就缺乏足够的支撑力而难以成型。各坯段拉制要做到上下两段接口口沿内外径尺寸一致，厚度相同，切面平整。拉制好的坯段要放置在室内阴凉处自然干燥 1 ～ 2 天，待坯体具有足够的支撑能力时，再进行逐段粘接。粘接的基本要求是：①接口密实无隙，丝毫的空隙都可能形成气泡成为粘接部位在干燥和烧制过程中致命的隐患；②连接面无粘接痕迹，连接流畅自然，上下段融为一体。

1. 特大号青铜尊平口套接成型示例

（1）将青铜尊按底、腹、颈分段，分别拉出各个坯段。其中，底段高 25 厘米，腹段高 36 厘米，颈段高30厘米，总高91厘米。各坯段拉好后，放置在室内避风阴凉处自然干燥（图7-51）。

（2）待各坯段干燥至具有足够的支撑力，即可进行腹、颈两段的粘接，具体步骤如下：①将腹段置于车盘上校正。用排刷或海绵蘸水分别将腹、颈两段接口加湿，使其具有粘接的能力（图7-52）。②用同批次泥料搓成条状作粘接泥。把条状粘接泥盘接在腹段接口外沿。盘接时要边盘边轻轻压按，让泥条充分与沿口黏合（图7-53）。③将颈段接口水平置于腹段，并轻轻转动颈段，使颈、腹两段接口平面完全黏合（图7-54）。④用另一条粘接泥由内填实粘接颈、腹两段接口（图7-55）。⑤左手在内，右手握执板在外，双手内外配合，均匀地摊压内外粘接泥条，使粘接泥条与颈、腹段接口完全黏合成为一体，完成颈、腹段的粘接（图7-56）。

（3）将粘接好的颈、腹段放置在室内避风阴凉处，用塑料膜包裹密封，露出颈、腹段粘接处自然干燥（图7-57）。

（4）待粘接处湿度与其他坯体基本一致时，进行颈、腹段与底段的粘接。粘接时可改变支撑承接关系，把体量大的颈、腹粘接段口底倒置作为下段，体量轻的底段作为上段，既减轻粘接的支撑压力，又便于粘接操作。粘接过程和技术要求与颈、腹段粘接相同（图7-58）。

（5）粘接完成后，复置于室内避风阴凉处，用塑料膜包裹密封，露出颈、腹段与底段粘接处自然阴干。

图7-51　分别拉出青铜尊底、腹、颈三个坯段，置于避风阴凉处自然干燥

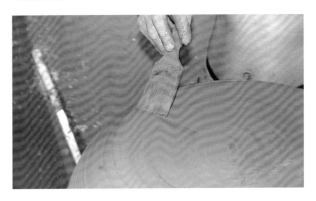

图7-52　将腹段置于车盘上校正，用排刷或海绵蘸水分别将腹、颈两段接口加湿

图7-53　把条状粘接泥盘接在腹段接口外沿。盘接时要边盘边轻轻压按，让泥条充分与沿口黏合

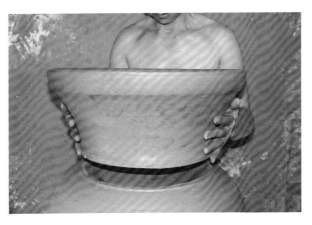

图7-54　将颈段接口水平置于腹段，并轻轻转动颈段，使颈、腹两段接口平面完全黏合

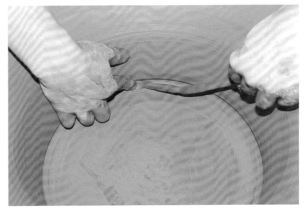

图7-55　用另一条粘接泥由内填实粘接颈、腹两段接口

（6）待颈、腹段与底段粘接处湿度与其他坯体基本一致时，将其倒转回来，正放在车盘上，对两道粘接口及器物外表进行最后的修整处理，完成特大号青铜尊平口套接成型（图7-59）。

2．直桶茶缸齿口套接成型示例

（1）将直桶茶缸对半分段，分别拉出上、下两个坯段，两个坯段口径相同，厚薄一致，接口处稍厚于其他部位，并在两段接口处车出一个厚0.5厘米、高1厘米的齿口。其中，一段为内齿口，另一段为外齿口（图7-60）。

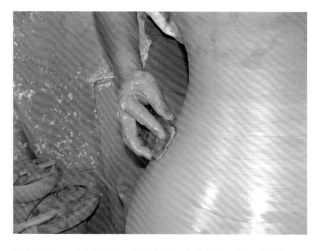

图7-56　双手内外配合，均匀地摊压内外粘接泥条，使粘接泥条与颈、腹段接口完全黏合成为一体

图7-57　将粘接好的颈、腹段放置在室内避风阴凉处自然干燥

图7-58　用同样的粘接要求对颈、腹段与底段进行粘接

图7-59　对两道粘接口及器物外表进行最后的修整处理，完成特大号青铜尊平口套接成型

图7-60　分别拉出直桶茶缸上、下两个坯段，接口处稍厚于其他部位，并将一段车为内齿口，另一段车为外齿口

（2）上、下两段的粘接步骤如下：①将下段置于车盘上校正（图7-61）。②用排刷或海绵蘸水分别将上、下两段接口加湿，并刷上一层泥浆（图7-62）。③将上段齿口水平套入下段齿口，并轻轻转动上段，使两段接口齿台完全咬合（图7-63）。④左手在内，右手握执板在外，双手内外配合，均匀地摊压接口部位，

使上、下齿口完全黏合成为一体，完成直桶茶缸上下段的粘接（图7-64）。

（3）将粘接好的直桶茶缸放置在室内避风阴凉处，用塑料膜包裹密封，露出粘接处自然阴干（图7-65）。

（4）待上、下段粘接处湿度与其他坯体基本一致时，将其放置在车盘上，对粘接口及器物外表进行最后的修整处理，完成直桶茶缸齿口套接成型（图7-66）。

图7-61 将下段置于车盘上校正

图7-62 用排刷或海绵蘸水分别将上、下两段接口加湿，刷上一层泥浆

图7-63 将上段齿口水平套入下段齿口，并轻轻转动上段，使两段接口齿台完全咬合

图7-64 双手内外配合，均匀地摊压接口部位，使上、下齿口完全黏合成为一体

图7-65 将粘接好的直桶茶缸放置在室内避风阴凉处，用塑料膜包裹密封，露出粘接处自然阴干

图7-66 待上、下段粘接处湿度与其他坯体基本一致时，对粘接口及器物外表进行最后的修整处理，完成直桶茶缸齿口套接成型

（二）盘泥法

盘泥法是先将造型底段拉好，在底段口沿用盘泥接坯方式，拉出上段造型雏形，然后用垫打的方式进行成型的方法。盘泥法适用于缸、瓮等大型敞口器件。底段的制作一次完成，盘泥接坯的部分则要通过雏形拉制和衬打两个步骤，其高度一般不超过35厘米。雏形拉制是因盘泥的湿度远大于底段，一次成型不能与底段干燥同步，必须留有干燥变形和进行衬打成型的空间。衬打是盘泥成型的关键，是通过衬头、展板两件工具完成的。衬头、展板都是自制工具，衬头为瓷制，蘑菇形状，展板为木质平口条槌，使用时一手握衬头在坯胎内以伞面衬击坯体，另一只手握展板在外与衬头配合拍打坯体，改变坯胎形状和增强坯体密实程度。衬打要有整体意识，从盘泥接口处由下至上一圈一圈地顺序多次拍打逐步成型。拍打时用力要均匀，一板与一板之间的间隔要均等，边打边适度挤压，使拍打后的坯胎厚薄一致，器表曲线流畅自然。

大缸盘泥法示例：

（1）拉出大缸下段，放置在室内避风阴凉处自然干燥（图7-67）。

（2）待大缸下段干燥至具有足够的支撑力，即进行大缸上段的盘条粘接，具体步骤如下：①将大缸下段置于车盘上校正。用排刷或海绵蘸水将接口加湿，增强其粘接能力（图7-68）。②用同批次泥料搓成盘泥，亦可直接使用真空练泥机练出的泥条（图7-69）。③估计出大缸上段的用料量，把盘泥粘接在下段接口上，粘接时要边盘边轻轻压按，让盘泥与沿口充分黏合（图7-70）。④按照大缸造型和衬打要求，拉出大缸上段雏形（图7-71）。大缸的口沿要适当向外倾斜，盘接处向内收缩。内收的盘接处经拍打成型后朝外突出，口沿会被向内拉引而变形，适当向外倾斜的口沿正好被拉平（图7-72）。

（3）将盘接好的大缸放置在室内避风阴凉处，用塑料膜将下段包裹密封，露出盘拉出的上段自然干燥（图7-73）。

（4）待上段湿度与下段坯体基本一致时，将大缸移至明亮处进行衬打造型。具体步骤如下：①用喷壶均匀地将整只大缸内外喷水加湿，尽可能让下段与盘泥的湿度一致（图7-74）。②将衬头衬面和执板锤面蘸水保持滑润，左手握衬头从缸内用衬面托住胎壁，右手握执板从缸外用锤面与衬头对应，从盘泥与下段连接处开始，双手同时用力沿同一个方向，由下向上一圈一圈逐板拍打，每一板的距离控制在2～3厘米（图7-75）。③从连接处至口沿底部重复四五遍后，拍打出直桶状造型（图7-76）。④继续重复上述拍打过程，根据造型创意，完成大缸的衬打造型（图7-77）。

（5）把大缸复置于室内避风阴凉处，用塑料膜包裹密封让其自然阴干。

图7-67　拉出大缸下段，放置在室内避风阴凉处自然干燥

图7-68　将大缸下段置于车盘上校正，用排刷或海绵蘸水将接口加湿以增强其粘接能力

（6）1～2天后，在车盘上对大缸内外衬打痕迹及器物外表进行最后的修整处理，完成大缸盘泥成型。

套接与盘泥粘接成型各有利弊，制作时可根据器物特点和各自的造型习惯灵活运用。

图7-69 用同批次泥料搓成盘泥，亦可直接使用真空练泥机练出的泥条

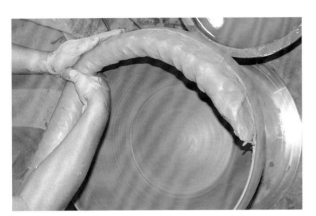

图7-70 估计出大缸上段的用料量，把盘泥粘接在下段接口上，粘接时边盘边轻轻压按，让盘泥与沿口充分黏合

图7-71 按照大缸造型和衬打要求，拉出大缸上段雏形

图7-72 大缸的口沿要适当向外倾斜，盘接处向内收缩

图7-73 将盘接好的大缸放置在室内避风阴凉处，用塑料膜将下段包裹密封，露出盘拉出的上段自然干燥

图7-74 用喷壶均匀地将整只大缸内外喷水加湿，尽可能让下段与盘泥的湿度一致

图7-75 用衬头和执板内外对应配合，从盘泥与下段连接处沿同一方向，由下向上一圈一圈逐板拍打

图7-76 从连接处至口沿底部重复四五遍后，拍打出直桶状造型　　图7-77 重复上述拍打过程，根据造型创意完成大缸的衬打造型

五、有盖器物成型方法

有盖器物指造型由顶盖和器身两部分组成，相互间由齿口连接，合盖后整件陶器形成一个封闭的空间。功能以实用为主，主要品种有壶、杯、锅、盒、缸、罐等。与其他造型不同的工艺要求有以下几个方面：①顶盖和器身造型协调；②齿口连接紧凑，顶盖既不松动，又能灵活转动，倾斜到75°不脱落；③顶盖与器身体量不同，收缩比不同步、不一致，湿坯尺寸控制要区别对待留有余地，用两次修坯的办法调整顶盖与器身的齿口尺寸。两次修坯是指湿坯一次，干坯一次。修湿坯时不一次到位，根据顶盖与器身的干湿度，对齿口部位相应地留出余地，待顶盖和器身都干透时，再作细致修整。修干坯的工具与修湿坯的工具基本相同，但用力要更轻更匀，还可用砂纸或自制磨条对精细处进行修整。自制磨条是用100～200目钢丝滤网卷成筷子粗细，两指可以自由掌控的特制磨具（图7-78）。

图7-78 精细处可用砂纸或自制磨条进行修整

有盖茶饼盒成型示例：

（1）分别拉出茶饼盒底盒、顶盖两个部分，并放置在室内避风阴凉处自然干燥。底盒内齿外沿直径应稍大于顶盖内沿直径，为坯体干燥和修坯时留出余地。底盒内齿外沿直径大于顶盖内沿直径多少合适，应以造型大小、湿度高低、坯体厚薄来确定。一般来说，造型越大、湿度越高、坯体越厚，底盒内齿外沿直径大于顶盖内沿直径的尺度就越大（图7-79）。

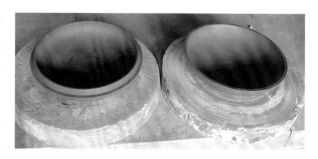

图7-79 分别拉出茶饼盒底盒、顶盖两个部分

（2）待坯体干燥至具有相对硬度时，即分别对底盒、顶盖进行湿坯修整。修整好的底盒内齿外沿直径仍应稍大于顶盖内沿直径，其尺度仍以造型大小、湿度高低、坯体厚薄灵活把握（图7-80）。

（3）待坯体完全干燥后，再分别对底盒、顶盖进行干坯修整。修干坯的要求与修湿坯的基本相同，棱角处用力的方向一般是由外向内，要保证棱角的造型不受损伤。精细处可用砂纸或自制磨条进行手工修整。修整好的底盒与顶盖齿口应连接紧凑，焙烧时可采用撒砂或衬纸的方式使底与顶分离（图7-81）。

图 7-80　分别对底盒、顶盖进行湿坯修整

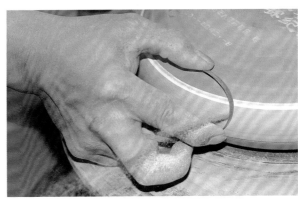

图 7-81　待坯体完全干燥后，再分别对底盒、顶盖进行干坯修整

六、双层器物成型方法

双层器物是指坯体分内、外两层的陶器，两层之间有空隙，可以起到保温隔热作用，外层可作镂空、浮雕、浅雕等工艺装饰和刻填工艺的制作，主要用于茶壶、茶杯、香炉等小型实用器物。双层造型雕刻工艺实物图例，如图 7-82。建水紫陶双层器物成型都是手工一次完成，成型工序有特殊要求，两层坯体的厚度、间隙、沿口粘接技术难度较高。

双层壶拉制过程示例：

（1）启动车盘，将事先准备好用于固定石膏托盘与车盘的陶泥平抹在车盘圆心，摊成厚度 1 厘米、直径 15 厘米的圆形泥盘（图 7-83）。

（2）将石膏盘粘接安放在泥盘上，调整石膏盘的圆心，使之与车盘一致（图 7-84）。

图 7-82　双层器物实例

（3）把坯泥摔打在石膏盘中心，摔打的目的是避免坯泥底部与石膏盘之间形成空隙（图 7-85）。

（4）双手合抱坯泥，以掌根为主向下按压，以消除坯泥空隙，调整坯泥形状，让其与车盘在同一轴心旋转（图 7-86）。

（5）双手拇指同时插入坯泥泥心，拇指在内向外用力，四指在外向内配合，沿坯泥边沿抠出一道凹

图 7-83　启动车盘，摊出泥盘

图 7-84　放置石膏盘

图 7-85　将坯泥摔打在石膏盘中心

槽，泥坯中间留出一段泥柱，用于下阶段拉制内层（图 7-87）。

（6）左手拇指均匀地插入泥坯中间留出的泥柱泥心，食指、中指在外向内配合，将泥柱拉成内层直桶锥形（图 7-88）。

（7）拇指换为较长的中指，左手中指在内，右手食指在外，内外配合，将直桶锥形提拉成完整的直桶形（图 7-89）。

（8）双手配合，拉出带弧形的外层。外层的厚度控制和口沿形态的把握是这个过程的关键（图 7-90）。

（9）用齿口刀在内层外沿、外层内沿的接口处划出划痕，以便于两层之间的粘接（图 7-91）。

（10）左手食指、中指在内，两指对称用力，均匀地将内层直桶顶挤拉出与外层形态相似的弧形（图 7-92）。

（11）在两指顶挤的过程中，有意识地将内层口沿调整至与外层口沿对接，小心地将内、外两层的口沿对接起来（图 7-93）。

（12）左手食指和中指自然弯曲，指间留出壶口的厚度，右手食指搭在两指中间，使指间形成一个方形缺口，拉出梯形壶口（图 7-94）。

（13）这时，两层之间已形成一个封闭的充满空气的空间，内层的形态无法进行调整，要用刻刀在外层上旋开一个排气孔，使两层之间的空气能够排出。排气孔可留作壶嘴出水孔使用，因此，排气孔的大小和位置要考虑满足壶嘴出水孔的要求（图 7-95）。

（14）继续用左手食指、中指在内，用指尖的指肚摊压出底部，小心地修整内层，使内层形状与外层尽可能地接近。壶底的厚度、面积和内层形状、厚度全凭手的感觉和经验来控制（图 7-96）。

（15）修整壶口形状，完成双层壶造型（图 7-97）。

图 7-86 双手合抱坯泥，扶正"泥头"

图 7-87 双手拇指同时插入泥团，沿坯泥边沿抠出凹槽

图 7-88 将泥柱拉出内层直桶锥形

图 7-89 完成泥柱内层直桶形状的拉制

图 7-90　双手配合，拉出带弧形的外层

图 7-91　用齿口刀在接口处划出划痕

图 7-92　将内层顶挤拉出与外层形态相似的弧形

图 7-93　对接内外层口沿

图 7-94　拉出梯形壶口

图 7-95　用刻刀旋开排气孔

图 7-96　继续调整内层形状和尺度

图 7-97　修整壶口形状，完成双层壶造型

第四节　建水紫陶的装饰工艺与文化价值

一、建水紫陶的湿坯人工装饰

建水紫陶的刻填工艺要求在陶坯湿润状态下完成，才能保证线条刻划精准和填泥与坯体充分黏合。因此，陶坯器表的墨稿装饰亦必须在湿润状态下用手绘完成。到目前为止，对建水紫陶的装饰尚无一种可以替代手绘装饰的办法，也因此成就了建水紫陶独特的人文语式。以陶为纸，既要保留笔墨的法备气至及所表现物象的神形俱备，又要兼顾陶坯的不同弧面和湿润状态下的柔腻特性，物象的外形神态及质感气度全在线条的方圆粗细疏密涩疾的变化中表现出来。建水紫陶的魅力，更多地体现在与陶器浑为一体而又具有唯一性的书画装饰方面。

湿坯人工装饰的工具是常见的书画用毛笔和墨汁。画在陶坯上的墨迹可以用海绵蘸清水擦净（图7-98），也可以用刮刀轻轻刮除（图7-99）。墨迹不耐高温，留在坯体上的墨迹在高温烧制中很容易消熔干净，不会留下任何痕迹。湿坯上运笔，要控制好墨汁浓淡，墨汁太浓，水分太干，会使毛笔滞陷在坯体上，影响运笔流畅；墨汁太清，水分太多，毛笔容易在坯体弧面上滑动，影响线条质量。墨汁最好不用宿墨，陶坯不吸水，宿墨不容易聚锋，宿墨在运笔中产生的浓淡变化使线条模糊，不利于刻填中准确地把握。

图7-98　陶坯上的墨迹可用海绵蘸清水擦净　　　　　　　图7-99　陶坯上的墨迹可以用刮刀轻轻刮除

太小的器物可以卧放在软垫上装饰，30厘米以上的器物应直立放置在转盘上，便于平视和立体地观察画面与器物的对应效果，也可以有效地保护坯体以免其在装饰过程中受损伤（图7-100）。坯体由不同的弧面构成，要保证线条在不同弧面上的质量和气韵，运笔要求悬腕悬臂，只有让手臂在空悬的状态下，才能保证笔锋在不同的弧面上任意运动，写画出各种丰富的线条来。一般来说，建水紫陶的装饰不宜太多太繁，块面不宜太大，装饰太多太繁，笔画线条的质量在刻填时不容易保证，块面太大则容易损伤坯体。

图7-100 30厘米以上的坯件应直立放置在转盘上，便于平视和立体地观察画面效果，保护坯体以免其在装饰过程中受损伤

只要掌握好刻填程序，国画、油画、水彩、版画，以及国画中的工笔、线描、写意等，都可以在建水紫陶上艺术地再现。这种再现，不是简单意义上的复制，而是既保留了原有艺术类型的特征，又是另外一种艺术形式的再创作。除了载体不同、平面不同之外，建水紫陶特殊工艺在制作过程中使画面产生的金石效果及线条与色彩的肌理变化，会极大地增强作品的艺术魅力。这既是建水紫陶对不同文化类型所具有的兼容性，也是其别具一格的文化特色。

建水紫陶被称为文化陶，是因为文化的注入使其从实用的器物升华为一种独特的艺术形式。文化使建水紫陶超越了泥性而具有无限活力。

建水紫陶以中国传统诗词、书法、印章、绘画为主要装饰内容，形式有一次刻填的素色装饰和两次以上刻填的复色装饰。两种填泥的技术要求基本相同。一次刻填的素色装饰是指装饰内容可用白描方式表现，轮廓能够明显区分，一个对象个体刻填一种单色（图7-101）。或同一坯体可用多种单色色块的装饰方式。同一坯体用多种单色色块的装饰也称"残贴装饰"，是建水紫陶独特的装饰方式（图7-102）。一次刻填的素色装饰简约、素雅，容易制作，讲究用笔变化与构图平稳奇险，画面白描或黑白版画效果突出。两次以上刻填的复色装饰是指装饰内容的浓淡和色调变化要分层次表现，画面物象要通过两次以上套色刻填才能完成的装饰方式（图7-103）。两次以上刻填的复色装饰有如套色版画的制作手法，可以通过多次刻填

图7-101 一次刻填素色装饰的效果

图7-102 残贴装饰的效果

图 7-103 两次以上套色刻填装饰的效果

图 7-104 在陶坯上画出墨稿

套色来满足装饰要求。不同的是，建水紫陶的填泥可以用画油画的方式填制出色块的浓淡变化。同时，填泥在经过后期无意识的填压工序和不同烧成气氛高温焙烧后，会呈现出一些非人为的色调和图案的奇妙变化，幻化出一种可遇不可求的艺术效果。只要熟悉泥料性能，熟练掌握填泥的工艺技能，建水紫陶两次以上刻填的复色装饰可以分别表现出国画、套色版画、水彩、水粉、油画等不同画类的特殊效果。

一次刻填的素色装饰示例：

（1）在陶坯上画出墨稿（图 7-104）。

（2）按墨稿刻出刻模（图 7-105）。

（3）用单色泥料填敷进刻模（图 7-106）。

（4）刻填完成后的效果（图 7-107）。

两次以上刻填的复色装饰内容可以相互重叠，轮廓可以相互交叉，同一表现对象的明暗关系和色调变化可以通过多次刻填表现出来。两次以上刻填装饰是创作过程的延续，工序复杂，填制的艺术水

图 7-105 按墨稿刻出刻模

平要求高。其刻填程序有如套色版画的制作方式，但在陶坯上填泥，可以将两种以上的色泥绞合在一起。用油画的作画方式，一次填制便可以产生多层色阶，表现出特殊的浓淡和非人为的肌理效果。两次以上刻填的复色装饰与在纸上作画的顺序不同，在纸上作画，一般是先勾描墨线，再渲染淡墨色彩衬托，而在陶

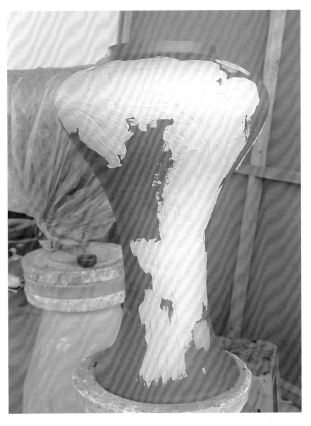

图 7-106 用单色泥料填敷进刻模

图 7-107 刻填完成后的效果

坯上作两次以上刻填的复色装饰，一般采取先淡后浓、先远景后近景、先渲染后勾线的顺序进行，刻填次数和刻填顺序要根据表现对象的造型要求和装饰效果来确定。两次以上刻填的复色装饰表现力强，是建水紫陶近年来创新的装饰手法，丰富了建水紫陶的艺术语言，提升了建水紫陶的艺术品位。两次以上刻填的复色装饰，既要求刻和填两道环节都必须具有较好的美术基础，还要求能够掌握各种填泥在烧制后可能出现的色彩变化，刻填难度大，工序复杂，容易对坯体造成损伤。

两次以上刻填的复色装饰实例：

（1）实景照片《梯田夕照》（图 7-108）。

（2）第一次墨稿，画出梯田的光照部分（图 7-109）。

（3）按墨稿刻出第一次刻模（图 7-110）。

（4）按作品创意做第一次填泥，填泥可按油画作画方式，根据实景色调变化和作品创意，填出浓淡、明暗、远近、冷暖的色彩和素描关系（图 7-111）。

（5）第一次刻填完成后的效果（图 7-112）。

图 7-108 《梯田夕照》实景照片

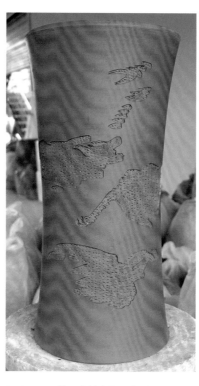

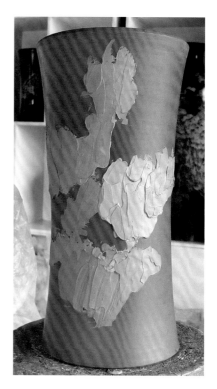

图 7-109　第一次墨稿，画出梯田的光照部分　图 7-110　按墨稿刻出第一次刻模　图 7-111　按作品创意做第一次填泥

（6）根据实景对象和作品创意，结合第一次刻填的形态和色调，以中国画勾线和渲染的用笔，画出第二次墨稿（图 7-113）。

（7）按墨稿刻出第二次刻模（图 7-114）。

（8）根据实景色调变化和作品创意做第二次填泥（图 7-115）。填泥的顺序是：先填精细部分，让精

图 7-112　第一次刻填完成后的效果　图 7-113　结合第一次刻填的形态和色调，画出第二次墨稿　图 7-114　按墨稿刻出第二次刻模

细部分的填泥准确地填进刻模，以免其他颜色的填泥在填压过程中误入其中。填制山体暗部时，按照作品创作意图，将几种所需的色泥绞合在一起但不调均匀，随机地敷填进刻模，使填出的泥块呈现天然的色彩肌理变化。填制晚霞彩云时，根据实景色调变化和作品创作意图，按照先浅后深、先亮后暗的顺序，填出明暗过渡和色调变化。这种将几种所需的色泥绞合在一起但不调匀，随机填敷的填泥方式，称为"绞泥工艺"。有关技法和工艺要求，将在以后有关章节中详述。

二、建水紫陶的残贴装饰

在陶面上雕刻填泥，以泥为彩，注重的是色块之间的对比协调，是一种形式感简单而表现力十分丰富的艺术语言。"残贴"装饰，是建水紫陶又一种独一无二的艺术语言。"残贴"的做法是：在陶坯上用风格不同、字体各异、字号大小不等的字画进行交叉重叠的装饰，刻工将字画用阴、阳两种刻法交叉刻出，在刻模上以不同颜色的彩泥填敷，不同彩泥的字贴画卷正倚叠交，形成一组相互独立

图7-115　第二次刻填完成后的效果

又互相呼应的组合图案。"残贴"块面的安排有如中国汉字的单字结构，讲究上下左右协调搭配和笔画的长短交叉呼应；又如书画作品谋篇布局，块面大小、色块搭配要合理安排。"残贴"块面的数量少可以两块，多则六七块不限。常用的类型是将中间的一块留出不填底色，可减轻填泥对坯体的损坏，省工省时，不影响装饰的整体效果。"残贴"有一次性装饰和二次性装饰之分，一次性装饰是先写画出所有的字画块面内容，然后分别用阴阳刻填的方式，一次完成"残贴"的制作。二次性装饰是先刻填出"残贴"块面，再写画块面上的文字和图案进行刻填。"残贴"装饰把传统的经典和现代的简洁集合得浑然天成，极大地丰富了建水紫陶的艺术表现力。

1. "残贴"一次性装饰示例

（1）写画出所有的字画块面的墨稿。这是典型的"残贴"块面布局，以正中一块为主，不论周边四块块面大小、形状如何，都要将中间一块留出。这样做的结果是，不画边线、不填底色便多出一块块面。所有块面都可以自由创意成不同的残缺或书卷效果（图7-116）。

（2）按墨稿刻出刻模，其中，中间留出的一块刻除墨线，称为阴刻。周边四块刻除底板，留出墨线，称为阳刻（图7-117）。

（3）使用不同的色泥分别填敷进不同块面的刻模中。周边四块边沿连接的地方填泥容易混淆，要先填好其中一块，用填刀将连接的边沿修整齐，待填泥晾干至一定硬度时，再填另外一块（图7-118）。

图7-116　写画出所有的字画块面的墨稿，以正中一块为主，周边块面将中间的块面围住

（4）"残贴"一次性装饰完成后的效果（图7-119）。

图7-117 按墨稿周边四块用阳刻，中间留出的一块用阴刻刻出刻模

图7-118 使用不同的色泥分别填敷进不同的刻模中

图7-119 "残贴"一次性装饰完成后的效果

"残贴"一次性装饰的阳刻部分，都是将墨线留出，过细的线条会在刻填过程中受损，影响书画的艺术效果。所以，对周边块面的装饰，都是尽可能地选择线条较粗、块面稍大的内容。同时，所有留出的墨线和中间那一块的底板都是陶坯本身的颜色，色彩单一，表现力不够丰富。

2. "残贴"二次性装饰示例

（1）画出所有块面的墨稿（图7-120）。

（2）将所有墨块刻出刻模（图7-121）。

（3）用不同色泥填敷出不同块面（图7-122）。

（4）分别在不同的块面上写画上不同的装饰内容（图7-123）。

（5）按墨稿刻出字画刻模（图7-124）。

（6）根据不同块面的色调和装饰内容填敷不同的色泥（图7-125）。

（7）"残贴"二次性装饰结果（图7-126）。

"残贴"装饰作品图例，如图7-127。"残贴"二次性装饰不受预留中间块面的限制，块面数量、形状的随意性更大。所有块面上的字画内容都是用阴刻方式刻出，不同的线条都能精确刻出，刻填过程对线条的损坏极小，能够真实地表现书画作者的风格水平；同时，所有块面上的字画内容，都可以用不同颜色的色泥填敷，画面色彩变化丰富，色彩的表现力强。要注意的是，由于第一次刻出全部块面，填泥面积较大，

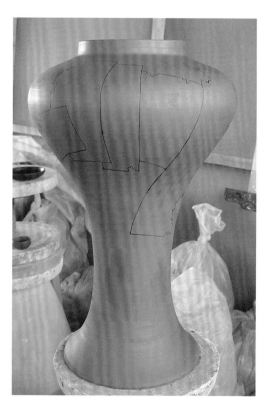

图7-120 画出所有块面的墨稿

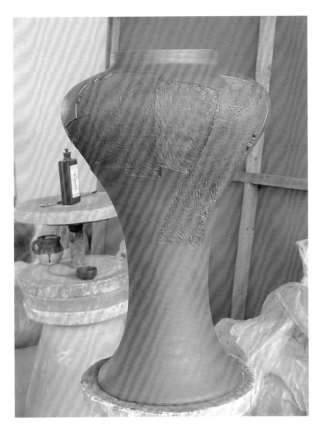

图 7-121　将所有墨块刻出刻模

图 7-122　用不同色泥填敷出不同块面

图 7-123　分别在不同的块面上写画上不同的装饰内容

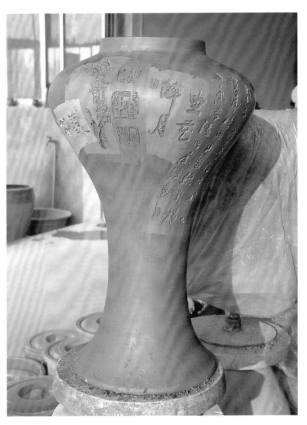

图 7-124　按墨稿刻出字画刻模

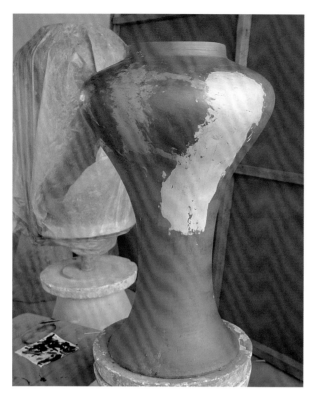

图 7-125　根据不同块面的色调和装饰内容填敷不同的色泥

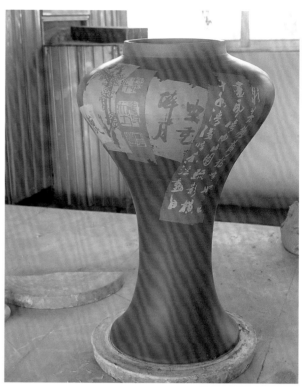

图 7-126　"残贴"二次性装饰结果

很容易损坏坯体。

三、建水紫陶湿坯人工装饰的文化价值

以传统中国诗、书、画、印入陶，是建水紫陶的文化特色。这种陶与诗、书、画、印的结合，有其深远的文化背景和历史原因。陶是人类最早的有意识的制造物，陶从产生开始，就一直与人类形影不离，从远古走到今天，记录着人类社会的每一次发展进步。在陶上将劳动生产的经历场景和喜怒哀乐的精神意识艺术地表现出来，是人类的一种天性。中国诗、书、画、印，是华夏文明的精髓，是炎黄子孙人文精神的载体，一笔一画，一草一木，已经不是简单地再现自然界的物象外形，而是作者人文情愫的寄托和表达。中国诗、书、画、印，是一种简约而不简单的艺术语言，这种特殊性质，正好与陶的朴素和人性相吻合。建水紫陶精而不俗的品质和对不同文化的兼容能力，为艺术家提供了更广阔的创作空间。

图 7-127　"残贴"装饰作品图例

第五节　建水紫陶的刻填工艺与艺术特色

一、建水紫陶的刻填方法与步骤

刻填工艺是建水紫陶有别于其他陶瓷的一项特色工艺。建水紫陶的刻填，必须在陶坯的湿润状态下完成，才能保证填泥与坯体充分融合。陶坯的湿润程度要适度，一般以陶坯已经硬朗，在轻微外力下不容易变形为适当，这时陶坯的水分含量在20%左右。陶坯太湿，刻填过程中坯体容易损伤，陶坯易黏腻刻刀，不利于刀刃运动，线条边沿容易形成卷边，细小的线条模糊，难以保证线条质量，泥渣会残留在刻模中不易清除；陶坯太干，奏刀不流畅，刀痕切口容易磕碰，损坏线条形貌。

刻和填是两个独立的工艺步骤，建水当地把刻的环节称为"刻花"，把填的环节称为"填泥"。

（一）刻花

刻花要求刻刀刀刃薄、窄、尖、利。

1. 刻刀

建水紫陶使用的刻刀都是刻工用含钢较高的伞骨自制的。当地人将这种刻刀称为"竹刀"，意指刀刃薄如竹叶，锋利无比。用伞骨制作的刻刀，刀柄细小，容易在两指间转动，刀刃锋利便于刻划（图7-128）。

刻刀都是自制工具，常用的刻刀工具如下：

（1）钢质刻刀：是刻填工序的主要工具。刻刀的制作：截取一段约15厘米长的钢质伞骨，将伞骨一端打磨出2.5厘米长的月牙形单面刀刃。刀尖尖细，刀片扁薄锋利，月牙形刀刃便于运刀游转流畅。用这种材料自制的刻刀，能够切划出比头发丝还细的线条，切口光滑平整，运用挑刀时刀刃富有弹性而不变形。刀尖、刀刃用钝后可继续沿刀柄方向打磨，一直使用到难以握刀和控刀为止。

图7-128　自制伞骨刻刀

（2）钢质空心刀：中间钢线握柄长度约15厘米，两端焊接上空心刀片（图7-129）。空心刀片用钢发条制成，制作方式是：取一段5厘米左右的钢发条，加热后对折成5°角，形成一个尖嘴形双面刀口，用钳子将刀口向内折出一个弧度，向下部分作为刀口，刀口平角向外倾斜，作为划刻泥渣的出口。使用时，刀口划入泥坯，刻除的泥渣顺平角排除。空心

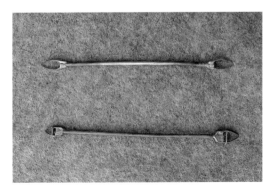

图7-129　自制空心刀

刀两端的刀口宽度不一致，细的一端刻细的线条，宽的一端刻宽的线条，刀角弧度根据刻工的用刀习惯而有不同。

2. 握刀的指法

握刀的指法因人而异，没有定法。基本要求是：既要保证刻刀稳定，便于刀尖、刀刃准确地切划泥坯，又要能够让刀柄在指间灵活地转动向不同方向运刀。

刻刀握刀指法：在距刀尖约3厘米处，拇指和食指紧握刀柄控制刻刀，拇指和食指前后搓转时刀柄能够在指间灵活转动；中指弯曲于刀柄后面，靠拇指和食指指端下部，由内向外用力紧贴刀柄固定刻刀，增加刻刀的稳定性。运刀时尽量悬腕，以免擦抹陶坯上的墨迹或压损湿软的陶坯。悬腕运刀，能够增加掌臂的运刀幅度，让运刀流畅，切口线条连贯均匀（图7-130）。

图 7-130　刻刀握刀指法示意

空心刀的刀柄比刻刀稍粗，握刀指法与刻刀基本一致。不同的是，空心刀是以刀代笔，运刀犹如运笔，一刀下去，就要在坯体弧面上平稳地完成起刀、运刀、收刀的过程。因此，空心刀的运刀，不光要求悬腕，还要求能够悬臂。

使用空心刀刻花，一般不画墨稿，而是以刀代笔，直接在泥胎上刻出图案。空心刀运刀可以垂直成中锋用刀、偏倚成侧锋用刀；可以通过按、提、顿、挑等刀法，刻划出线条的粗细和方圆的变化。但空心刀刻出的线条剖面是三角形的，填压和修坯极容易让线条变细，只宜刻制简单图案。

3. 空心刀刻花示例

（1）以宽刀刻出枝干，运刀时变换刀锋和力度，可刻出宽窄变化的线条（图7-131）。

（2）用窄刀刻出花瓣，运刀均匀用力，使线条匀称而有弹性（图7-132）。

（3）用挑刀刻出花蕊、花托和枝干上的苞瘤，调整进刀和出刀的方向，可刻出不同形态的点划（图7-133）。

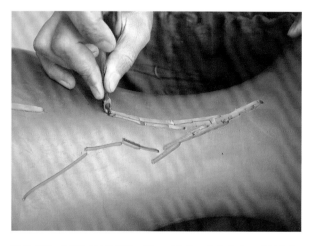

图 7-131　以宽刀刻出枝干，运刀时变换刀锋和力度，可刻出宽窄变化的线条

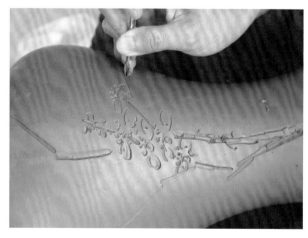

图 7-132　用窄刀刻出花瓣，运刀均匀用力，使线条匀称而有弹性

4．刻刀的刀法

刻刀的刀法有切刀、划刀、挑刀三种。

切刀：刀口向内，刺入墨线边沿的一个点，刀柄约向内倾斜，自上而下切出墨线单边垂直切线（图7-134）。

划刀：刀口向划刀方向刺入墨线边沿顶端，由下至上或由左至右、由右至左划出墨线单边切线（图7-135）。

挑刀：主要是在对墨线切、划之后对中间墨块进行挑除。刀尖刺入墨块，先短切，然后用刀尖或刀面挑除墨块泥层。宽度在0.3厘米以内的墨块，可以每刀0.3厘米左右的距离挑除；宽度超过0.3厘

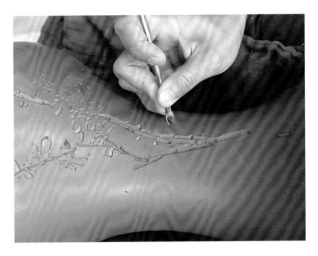

图7-133　挑刀刀法示意

米的墨块，先以切或划的刀法，顺挑除墨线的边沿，切划一条切线，留出一条约0.3厘米宽的墨块。然后，由上至下或由左至右，顺序挑除刻模泥层（图7-136）。对稍大的刻模，在挑除刻模泥层后还要用刮刀修

图7-134　切刀刀法示意

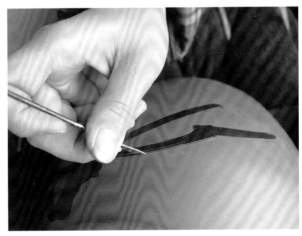

图7-135　划刀刀法示意

图7-136　挑刀刀法示意

图7-137　对稍大的刻模，在挑除刻模泥层后还要用刮刀修除模面上突出的刀痕

除模面上突出的刀痕，以保证填泥之后不露底坯（图7–137）。

"刻花"的技术要求是：

（1）准确地按照墨线边沿刻划。"刻花"分阴刻和阳刻，阴刻是将墨迹刻除，阳刻是保留墨迹，将墨迹以外的空白处刻掉。

（2）刻的过程中要经常转动坯体，身体与刻刀和切口尽量保持垂直，使切口平滑垂直，让墨线切面呈方形而不是梯形或三角形，才能保证在修压过程中线条形貌不走样。切面呈梯形或三角形，会在对陶坯的削刮和修坯过程中使线条变细走样。

（3）切刻的深度约为0.2厘米，较大块面应加深至0.3厘米。刻模深度必须均匀，过深会使模底变薄，色泥填敷后陶坯吃水过多，容易受潮而裂口，当地人称为"吃开"。除此之外，填泥水分含量太高、刻模面积过大等，都容易让陶坯产生"吃开"现象（图7–138）。对陶坯压、削、修、磨不当，出现模底露出，当地人称为"露底"（图7–139）。"吃开"和"露底"都是刻填过程对坯体致命的损伤。

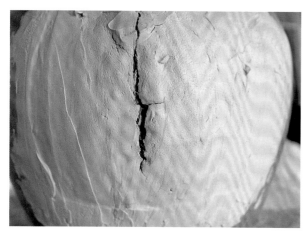

图7–138 "色泥"填敷后陶坯吃水过多而裂口，出现"吃开"现象

图7–139 对陶坯压、削、修、磨不当使模底露出，称为"露底"

（4）保持坯体的湿度，必要时用喷壶喷水保湿。

（二）填泥

1. 填泥工具

（1）铁制填泥刀：用于向陶坯刻模中填敷泥料，由刀柄和刀刃组成，根据刻工的习惯可打制成不同形状。

（2）填泥板：作用与油画工具调色板相同，可用不同材料做成。

（3）铁质压刀：虽然称为刀，但没有刀刃，用于摊压填泥，使填泥与刻模充分黏合，不留空隙。形状随意，称手便行，一般用钢锯条磨制而成。

（4）钢条软刀：用于刮削填压后较软时的填泥，用钢质发条代替。

（5）钢质齿口刮刀：用于刮削大块面刻模底板和填泥与坯体接近时坯体上多余的填泥，根据需要，折取不同长度的钢锯条即可。

（6）钢质平口刮刀：用于齿口刮刀刮削后对坯体残留填泥的进一步整理，填泥刀和铁质压刀都可以代替（图7–140）。

（7）陶质磨臼：由磨臼和磨杵组成，用于研磨调制各种填泥的陶瓷颜料。建水紫陶传统的填泥不添加陶瓷颜料，只使用不同颜色的陶土制作填泥，基本颜色有白泥、黄泥、灰泥、紫泥，以及上述四种基泥配兑的混合泥，呈色主要是铝、铁、铜等金属元素。目前，已开始大量使用陶瓷颜料。陶瓷颜料耐高温，颗粒粗，调制建水紫陶填泥需事先研磨细腻才可使用。

（8）填泥盛器：用于装盛填泥（图7-141），陶器、瓷器、塑料制品均可，只要敞口宽腹，便于保湿密封即可。

图7-140　填泥工具（由左至右依次为：填刀、泥铲、发条刮刀、压刀、齿口削刀、平口削刀、塑料抹片）

图7-141　研磨各种陶瓷颜料的磨臼、磨杵和用于装盛填泥的器具

2. 填泥的程序

填泥的程序有填泥泥料制备、填泥、摊泥、压泥、削刮五个步骤。

填泥泥料制备

传统的填泥泥料制备，是以白陶泥料为基料，加入适量的其他颜色的土料，充分搅拌揉搓而成。土质浆料的颜色主要有红、黄、赭、白、灰，以及上述几种浆料调兑的中间颜色。土质浆料品种较少，色相沉稳古拙。填泥泥料比坯料水分含量高，外观为稠糊状，水分含量约为35％。稠糊状的填泥能够充分渗入刻模的每一处细小的空隙，使填泥与坯胎完全黏合。建水人称填泥泥料为"色泥"。制好的色泥分别放于釉陶盆中加盖保存备用。

填泥泥料制备的关键是白陶基料的泥性必须与坯料一致，否则烧制过程中基料的收缩比与坯料不同，使陶坯变形或填泥凹凸于陶坯器表，使陶器成为废品。白陶泥料硅、铝成分含量高，泥性比含铁成分高的红陶硬。建水当地的处理方法是在白陶泥料中加入适量的含碳高的灰土浆料和少量的红陶坯料，以降低填泥泥料的硬度。

20世纪90年代初，建水紫陶开始使用高温陶瓷颜料调制色泥。近年来，高温陶瓷颜料被建水紫陶广泛使用，制成各种色泥来丰富建水紫陶的艺术表现能力。用高温陶瓷颜料调制色泥的方式与土质浆料配兑色泥的方式基本相同，只是在调制高温陶瓷颜料的色泥前，要确定高温陶瓷颜料与白陶基料的比例，按比例将高温陶瓷颜料兑清水研磨至完全溶化，兑入色泥浆料搅拌均匀即可。色泥浆料与陶瓷颜料配兑比例为100:5～100:7。色泥的配兑，如画家作画调色，可根据画面要求和填色习惯适当调整颜料的兑入比例，以改变色泥的色彩浓度。但是，由于陶瓷颜料与陶土坯料性能不同，高温下的膨胀、收缩率不一致，陶瓷颜料掺入过量，填泥在高温烧制过程中会出现开裂、脱落或鼓包现象。因此，陶瓷颜料兑入色泥的比例一般不超过7％。

填泥制备示例：

（1）将色泥浆料、陶瓷颜料按比例称好备用（图7-142）。

（2）将称好的陶瓷颜料倒入磨臼中兑水研磨至无颗粒稠糊状（图7-143）。

（3）将研磨好的稠糊状陶瓷颜料倒入泥料中搅拌均匀（图7-144）。

（4）各种制备好的填泥置于阴凉处备用（图7-145）。

图7-142　将色泥浆料、陶瓷颜料按比例称好备用

图7-143　将称好的陶瓷颜料倒入磨臼中兑水研磨至无颗粒稠糊状

图7-144　将研磨好的稠糊状陶瓷颜料倒入泥料中搅拌均匀

图7-145　各种制备好的填泥置于阴凉处备用

填泥

按照陶坯装饰要求，将不同色泥填敷进陶坯的刻模内的工艺过程为填泥。填敷时边填边轻轻压打，尽量让色泥落入刻模，不留空隙，不留气泡。用量要考虑色泥的缩水比例，填敷的色泥应明显高出刻模平面，留出色泥自然缩水和人工摊泥、压泥的余地。填泥的方向可因人而异，由上至下、由下至上均可根据个人习惯确定。大块面的填泥要考虑对坯体的损坏，色泥水分高，坯体刻模部分的厚度小于其他部位，色泥后填敷，刻模部分受湿黏力减弱，容易在色泥干燥过程中撕裂损伤。防止大块面刻模填泥撕裂损伤的办法是：对大块面刻模填泥后，即用吸水性和拉力较强的棉纸贴敷在色泥上，及时吸取色泥水分，固定大块面刻模坯体。填泥完成之后，要对陶坯做第一次喷水，使填泥与坯体的湿度接近，防止填泥因湿度过大而损坏坯胎。填敷好色泥的陶坯要用能够保湿的塑料袋包裹好，小心放置于室内避风处，让陶坯上的填泥自然晾干。在15℃～25℃温度下，晾干的时间为3～4个小时。这时候的陶坯因为坯体干湿不均，极易损伤，故不能风吹日晒。

摊泥

待填敷在陶坯上的色泥晾至适度，外观状态与坯体接近，填敷在刻模的部分填泥明显落陷，湿度比坯体稍大一些，即可进行摊泥。色泥填敷在坯体上时，尽管边填边进行拍打，仍然不可能将刻模充分填实，色泥与刻模之间会留有细微空隙，色泥在填敷过程中也会有气泡出现。摊泥是将填敷在坯体上的色泥表面摊抹平整，把刻模边上多出的色泥摊抹填补到陷落的地方，让色泥表面光滑平整，使其均匀地干燥。摊抹过程中，要轻轻按压色泥，使色泥充分挤压进刻模空隙内，填实色泥与刻模的细微空隙，压挤出色泥填敷过程中出现的气泡。摊泥时只能轻微用力，用力过大将会使受潮后的切口边变形，压塌刻模底部。摊泥后的色泥仍应稍高于坯体平面，因为这时色泥湿度仍然大于坯体，缩水之后体积还会继续收缩变小。

压泥

待填泥晾干至与坯体接近时进行压泥。填敷到坯体上的色泥，泥质没有坯体密实，需要用挤压的方式压实色泥，使色泥的密实程度与坯体一致。压泥的过程还起到继续排除色泥中残留气泡的作用。压泥与摊泥一样，用力要轻，要均匀，要保证受湿后的刻模切口不变形，刻模底部不被压塌。压泥要进行 2 ~ 4 次，压完一次后，让坯体继续在室内避风处晾干，待 2 ~ 3 个小时后，再重复下一次挤压，直至色泥被充分填实刻模，干湿度和密实程度与坯体一致。压泥的次数视填敷色泥的块面大小和干湿程度而定，块面大需要多压，块面小可以少压。在对陶坯压泥和晾干的过程中，若未经填泥的坯体部分湿度不足，要及时喷水保湿。

削刮

压泥后的陶坯继续晾干 1 ~ 2 天，待填敷的色泥与坯体的干湿度已完全一致，便可用泥刀均匀地将坯体表面多余的色泥削刮消除。削刮可以算作第一次修坯，要将多余的填泥清理干净，又不能对刻填的线条有丝毫损伤。削刮的程序是先用齿刀，齿刀便于均匀地刮除多余的填泥而不损伤坯胎，然后用泥刀摊削，清除齿刀留下的丝痕，整理干净坯胎器表。

刻模经过填泥、摊泥、压泥之后，因泥料缩水的细微变异和填压过程中对线条边沿无意识的磕碰，线条会呈现好似千年锈蚀风化而斑驳渥漫的肌理变化，从而变得高古而苍茫，显露出一种金石之气的自然古拙。

两次以上刻填复色装饰的填泥方法和技术要求与一次刻填的素色装饰相同，只是重复填泥次数。

3. 填泥过程示例

（1）将填泥边摊填边轻轻地拍打填敷进坯胎刻模内。填泥水分重，收缩比坯胎大，用量要考虑其缩水和挤压的损耗（图 7-146）。

（2）填敷后要将填泥表面摊抹平整，使填泥能够整体均匀地干燥（图 7-147）。

图 7-146　将填泥边摊填边轻轻地拍打填敷进坯胎刻模内　　　图 7-147　填敷后要将填泥表面摊抹平整，使填泥能够整体均匀地干燥

（3）对完成填泥的坯胎要及时进行喷水加湿，尽量让填泥与坯体的湿度接近（图7-148）。

（4）对大块面刻模填泥后，即用吸水性和拉力较强的纸张贴敷在填泥上，及时吸取填泥水分，固定坯体大块面刻模（图7-149）。

（5）用保湿塑料袋将完成填泥的坯胎包裹好，放置于室内避风处（图7-150）。

（6）填泥外观状态与坯体接近时，用压刀均匀地刮压填泥，压实填泥，排除填泥气泡（图7-151）。在15℃～25℃的保湿状态下，每隔4～5个小时刮压一次，如此重复3～4次。前几次的刮压仍然要考虑填泥缩水和挤压的损耗，要留有余地，不能一次刮

图7-148　对完成填泥的坯胎要及时进行喷水加湿，尽量让填泥与坯体的湿度接近

压到位。最后一次的刮压要等到填泥的湿度与坯胎一致时才能进行，否则，填泥的湿度大于坯胎，削刮之后填泥继续收缩，就会落陷于坯胎表面。填泥湿度的掌控，是填泥工序质量的关键。

（7）填压的过程要认真检查填泥中的隐形气泡，不能留下任何细小的气泡隐患。对隐形气泡的处理，

图7-149　对大块面刻模填泥后，即用吸水性和拉力较强的纸张贴敷在填泥上，及时吸取填泥水分，固定坯体大块面刻模

图7-150　用保湿塑料袋将完成填泥的坯胎包裹好，放置于室内避风处

图7-151　填泥外观状态为与坯体接近时，用压刀均匀地刮压填泥，压实填泥，排除填泥气泡

图7-152　对隐形气泡的处理，是先用刻刀刺穿气泡，压排出空气，再用边上的填泥挤压填实气孔

是先用刻刀刺穿气泡，压排出空气，再用边上的填泥挤压填实气孔（图7-152）。

（8）经3~4次括压后，填泥与坯体的干湿度已完全一致，用齿刀刮去坯胎多余的填泥（图7-153）。

（9）最后用平口泥刀对坯胎进行削刮清理，完成填泥工序（图7-154）。

图7-153　待填泥与坯体的干湿度已完全一致，用齿刀刮去坯胎多余的填泥

图7-154　最后用平口泥刀对坯胎进行削刮清理，完成填泥工序

二、建水紫陶彩色绞泥填泥的艺术特色

　　彩色绞泥填泥是建水紫陶近年来创新的一项工艺，已被广泛地推广运用。彩色绞泥填泥是根据陶器装饰画面的要求，将两种或两种以上的"色泥"有意识地绞在一起，按照一定的方向进行填敷的工艺过程。彩色绞泥填泥在绞和填的过程中，看似无意，随机性很大，实际上却是艺术家深思熟虑的才智展示。色泥被有意识地绞而不是调匀，填敷是有意识的人为的艺术创作而不是简单的工艺制作过程。同时，未被调匀的色泥在填压及烧制过程中出现的非意识的色彩和线条的肌理效果，是一种情理之中、预料之外的艺术特色。有别于其他的造型艺术在制作完成后就可以直接观察感知到作品的效果，建水紫陶的绞泥填泥效果，要在对坯胎进行削刮整理之后才能看出一点雏形，最终的结果则要等到烧制打磨完成才能揭晓，这种不确定的艺术结果，成了吸引无数艺术家为之痴迷的无穷魅力。

图7-155　用彩色绞泥法填好色泥，还未焙烧前的效果

图7-156　经过焙烧后的彩色绞泥效果

用彩色绞泥方法填好色泥，还未焙烧前的效果（图7-155）。

经过焙烧后的彩色绞泥效果（图7-156）。

彩色绞泥填泥的方法与其他填泥一样，不同的是，填泥之前要按照装饰创意，将几种不同的色泥绞合在一起，绞合的程度是按装饰的要求确定的，填敷时的方向、节奏、手法不同，同样的泥料也能填出不同的效果。要让随机性很大的绞泥填敷成为有意识的创作手段，需要有深厚的绘画基础和丰富的对泥性掌握控制的经验积累。

彩色绞泥填泥作品示例见图7-157。

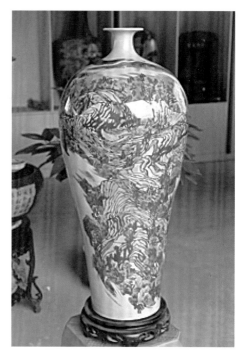

图7-157　彩色绞泥填泥作品图例

第六节　建水紫陶的烧成

一、建水紫陶的传统烧成方式

建水紫陶的烧成温度在1120℃～1200℃之间，一次烧成。20世纪70年代以前，建水紫陶的传统烧成方式主要采用龙窑套烧；20世纪70年代至2000年之间，曾经使用推板窑裸烧；2000年以后，开始大量使用液化气倒焰窑裸烧。

（一）龙窑的结构

建水从宋代开始就大规模使用龙窑。目前，碗窑村附近仍有十多条长度在20～130米不等的龙窑在烧造民用釉陶（图7-158）。

龙窑依山由下而上顺势建造，山坡倾斜度在15°～30°之间。龙窑前端为灶膛，形状与老百姓家用的炊灶相同，锅膛被封住，烟囱的位置设为火道与窑膛贯通。灶膛生火后，火焰、火烟全部由火道进入窑膛。窑膛前低后高，切面为马蹄形，前端高1.2～1.6米，后段高1.6～2米，窑长十米至百余米不等。顶端为直立烟道出口，高度和口径依龙窑的长度、斜度、

图7-158　目前碗窑村附近仍有十多条龙窑在烧造民用釉陶

内膛口径而定；龙窑两边支砌窑壁称龙肩，肩上砌弧形拱项称龙脊，由下至上在龙窑一侧或两边每隔5～10米留一道窑门作装出陶货的进入口。龙脊与龙肩相接的地方，每隔1米左右两边对称设一对15厘米×25厘米的长方形窑窗，用作观测火温和添柴加温。因窑身为长条形并依山顺势而筑，点火后灶膛吞吐烈焰，

窑窗喷射星火，烟囱倾冒浓烟，宛如火龙自天而降，故称作龙窑（图7-159）。

龙窑的两道火窗之间称为一尊，每尊之间装备烧陶器三路，由下至上第一路称上火路，第二路称中火路，第三路称下火路。由于龙窑是由火窗投柴升温，三路火的温度有微小差别。一般来说，下火路的温度可能比上火路高10℃～20℃，中火路的温度相对均衡稳定。窑火分上、中、下三层，上层称尖火，中层称中火，下层称底火。靠窑两边称边火。调整投柴的位置，可以调控不同火层的温度。若要提高尖火温度，则向窑腔上方投柴，其他不同火层的调控以此类推。由于龙窑是由下往上焙烧，前段的温度会比后段高出10℃～30℃，要根据不同火路、火层和前后段的位置装码备烧陶器（图7-160）。

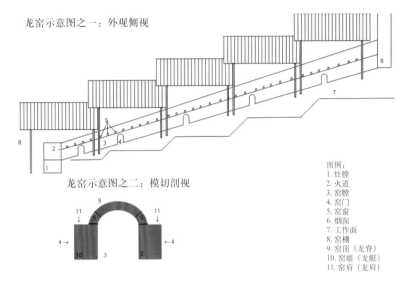

龙窑示意图之一：外观侧视

龙窑示意图之二：模切剖视

图例：
1. 灶腔
2. 火道
3. 窑腔
4. 窑门
5. 窑窗
6. 烟囱
7. 工作面
8. 窑棚
9. 窑顶（龙脊）
10. 窑墙（龙艇）
11. 窑肩（龙肩）

图7-159　龙窑结构示意图

（二）龙窑的烧造操作

龙窑的烧造操作分装窑、烧窑、出窑三道程序。

1. 装窑

装窑之前需要准备的工具、材料有：建筑用泥刀，用于摊刮窑底灰渣，支砌底部耐火砖；耐火砖，用于支砌码窑基础和封堵窑门；打底盆，自制的粗陶器，置于每路陶器的底部，用于托盛其他备烧陶器；泥丁，颗粒较粗的泥料，用作每层陶器之间的隔离支点和封砌窑门。

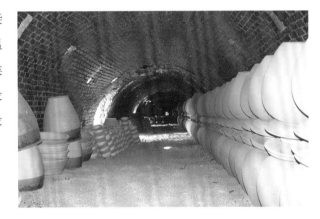

图7-160　龙窑内景

装窑的顺序一般从两头开始到中间结束。以由上自下为例，先装上火路，然后依次装中火路、下火路。装窑时先将窑底灰渣摊平，每一路的底部都用耐火砖支砌成水平面，上覆敞口打底盆，从打底盆开始，一层一层往上装码。接近灶腔的地方烧烤时间长、温

图7-161　装窑是龙窑烧造最重要的环节之一

度高，可用废弃的陶器挡火；接近烟囱的地方烧烤时间短、温度低，也可用废弃的陶器堵火。装码的要领是：体量大的在下，体量小的在上；体量大、口径大的可以套装体量小的；不论按层装码还是套装，陶坯与陶坯之间，都要用泥丁支垫隔离；除了下一尊与上一尊之间要留出添柴的空隙外，窑腔内部的空间装得愈满愈便于烧造（图7-161）。待装码完毕，即用耐火砖将窑门砌死，虚掩住所有火窗，进行点火烧窑。

2. 烧窑

烧窑分三个阶段：烘烤、升温、猛火烧造。烘烤和升温都是通过控制灶膛的火力来完成的，猛火烧造则是通过火窗投柴升温完成的。烘烤需要15～20个小时，使窑腔内最高温度达到250℃～350℃。升温需要5～8个小时，通过添加灶膛的燃料使窑腔内最高温度达到600℃～700℃。猛火烧造的时间由窑炉的长度决定，窑炉愈长耗时愈多。猛火烧造是制陶最关键的环节，技术难度高，体力耗费大，从泥料制备到入窑烧造，成败完全在此一举。建水龙窑主要烧造釉陶，烧成温度为1140℃～1200℃，这也是猛火烧造阶段要达到的温度。其操作程序和技术要求是：保持灶膛温度，从第一眼火窗开始，两边对称同时向底火、中火、尖火及靠窑壁的位置投柴加温。由于烟囱和窑腔形成的气流抽力，柴禾从第一眼火窗投入后燃烧的火焰和形成的温度，只会沿着窑腔向上蹿冒。火温是通过上一眼火窗对窑腔内的火色和陶坯的呈色变化进行观察判断的，当观察结果认定温度达到烧成标准时，即封堵第一眼火窗，对第二眼火窗进行投柴，在第三眼火窗进行观察，以此类推至最后一眼火窗。火温的观察判断要有长期经验积累才能获得准确的结果，当窑腔内的火色呈刺眼的白光、陶坯上的釉色透明发亮时，即表明温度已达到烧成标准。火温的观察判断是立体的，尖火不够加尖火，底火不够加底火，温度不能以一概之，柴禾不能乱投乱加。烧完最后一眼火窗后，即封堵火窗、烟囱，关闭灶膛火门，让整座龙窑成为一个封闭的空间自然冷却降温。猛火烧造的时间一般选择下午5～6点开始至天明结束，因为晚上的气温比较均衡、风力、风向变化不大，便于烧造操作（图7-162）。

图7-162 龙窑一般选择在晚上烧造

3. 出窑

烧好的陶器在封闭的状态下自然冷却2～3天，待窑内的温度降低至100℃～150℃时，便可开启窑门出窑。冷却过程中，切忌让冷风侵入窑腔，冷风侵入，会加快陶器的冷却速度或让陶器冷热不均，使其爆裂损毁。陶坯在经过高温焙烧自然冷却到150℃左右时，物质结构已稳定，具有很强的抗热敏性。出窑时，由于陶器余温尚高，只要小心注意，避免烫伤，由上自下顺序搬卸即可（图7-163）。

图7-163 出窑

（三）龙窑套烧紫陶

建水紫陶使用龙窑烧制时，采用套烧方式，即将备烧紫陶陶坯套装于釉陶之中，犹如烧制挂釉陶瓷的工艺，使备烧陶坯处于封闭状态，不直接接触火焰，这样做的目的，一方面避免炭渣和釉泪落入陶坯产生瑕疵，另一方面可以降低10℃～20℃的温度。使用龙窑烧制紫陶，成品率在70%左右。首先，釉陶的烧成温度比紫陶约高20℃，正常的烧成条件下，温度都会超过紫陶能够承受的烧成上限；其次，龙窑的温度判断和控制，完全凭个人的经验积累和技能的熟练程度，不可控因素很多，很容易因为在龙窑中摆放位置不同、火温判断不准确、投柴方向和分量不对而烧坏陶坯。因此，使用龙窑套烧紫陶，装放的位置一般应选择在中上段、靠窑壁和中上火路的地方。

龙窑套烧紫陶装窑示例：

（1）将窑底灰渣摊平，用耐火砖支砌成水平面（图7-164）。

（2）在耐火砖水平面上置放敞口打底盆（图7-165）。

（3）在打底盆四周和盆底置放泥丁支撑待烧陶坯（图7-166）。

（4）将紫陶陶坯套置于打底盆内的泥丁上（图7-167）。

（5）在打底盆及紫陶陶坯上覆套釉陶陶坯，即完成龙窑套烧紫陶装窑（图7-168）。

图 7-164　将窑底灰渣摊平，用耐火砖支砌成水平面

龙窑烧制紫陶的成品率虽然较低，但由于其使用的燃料是煤炭和木柴，烧成时间较长，烧制出的紫陶成品比推板窑和液化气窑品质优良。同样的泥料和同样的烧成结果，龙窑烧制的成品经打磨后能够呈现出水、润、透的玉石效果，而推板窑和液化气窑烧制的成品则只能打磨出表层的镜光效果。另外，龙窑窑膛空间较大，每一次装码的陶坯体量位置不同，会造成窑膛内空间的空气燃烧不纯净，使紫陶出现非人为的色彩幻化，产生可遇而不可求的窑变艺术效果。建水紫陶的泥料中 Fe_2O_3 约为12%，陶土在烧成前后的呈色有巨大差异，在不同的窑气作用下，会呈现从红至黑跨度很大的色差，建水人称之为"窑变"，这是建水紫陶的艺术特色之一（图7-169）。

图 7-165　在耐火砖水平面上置放敞口打底盆

图 7-166　在打底盆四周和盆底置放泥丁支撑待烧陶坯

图 7-167　将紫陶陶坯套置于打底盆内的泥丁上

图 7-168　在打底盆及紫陶陶坯上覆套釉陶陶坯

图 7-169　泥料中 Fe_2O_3 在不同的窑气作用下，会呈现从红至黑跨度很大的色差

二、建水紫陶泥料性能与烧成温度

（一）泥料性能

建水紫陶泥料为泥质原料，其中，红泥陶泥料的主要元素是硅、铝、铁，约占构成总量的 90% 以上，次要元素有镁、锌、铅、钠，约占构成总量的 10% 左右。各种元素在焙烧过程中的变化和作用是不同的，当烧成温度达到 900℃ 以上时，硅、铝形成网状结构成为陶坯骨架；镁、锌、铅、钠则作为易熔、助熔物质或被分解，或被填充进硅、铝的网状空隙中形成晶体状，当温度和燃烧气氛都能够满足结晶及填充完整时，坯体就细密而结实，器表光滑无蜂眼、无气泡；铁是其中主要的呈色元素，当烧成温度达到 900℃ ~ 1200℃ 时，不同的燃烧气氛会促使铁元素产生由红至黑跨度很大的呈色变化。

与其他陶瓷比较，建水紫陶的泥料中硅、铝含量都比较小，可塑性和耐高温程度较低，湿坯到成品的收缩比为 15% ~ 18%，不当的干燥、焙烧方式，都会造成陶坯裂损变形。紫陶从湿坯到成品的收缩变化如下表：

表 7-2　建水紫陶湿坯至成品收缩比测算表

品名	湿坯（cm）			干坯（cm）						
	高度	口径	底径	高度	收缩(%)	口径	收缩(%)	底径	收缩(%)	平均收缩（%）
博古瓶	69	21	29.5	57.3	0.83	17.7	0.84	24.9	0.845	0.838
美女瓶	62.5	25.2	17	51.6	0.83	20.9	0.83	14.3	0.84	0.833
画缸	35.2	49.6	31.5	29.6	0.84	41.2	0.83	26.8	0.85	0.84
敞口瓶	44	16	17	36.3	0.82	13.3	0.83	14.5	0.84	0.83
牛头尊	43.5	22	21.2	36.1	0.83	18.4	0.84	17.9	0.85	0.84
天球瓶	32	—	19	26.9	0.84	—	—	16.3	0.86	0.85

（二）陶坯的干燥

陶坯干燥是进行高温烧制前的一个重要环节，在干燥过程中，因为坯体水分的蒸发而使黏土的颗粒收缩体积变小。如果干燥的方式不正确，干燥的速度过快，会造成陶坯开裂变形。干燥有自然干燥和人工干燥两种，前者是在自然温度下使陶坯干燥，后者则是人为地提高干燥环境温度，加快陶坯的干燥速度。自然干燥需选择避风遮阳的室内环境，温度以20℃～25℃为宜。夏天气温较高，可用塑料膜、袋或滤布，套、盖住坯胎保湿。人工干燥一般是利用炉窑余温对湿坯进行烘干，可将湿坯放在刚出窑后的窑膛内或正在烧制的炉窑四周、窑顶进行干燥；为加快干燥速度，还可以将湿坯直接装窑后，用慢火徐徐烘烤，烘烤的速度为4～5分钟升温1℃，至70℃～80℃时保持恒温2小时以上，即可进行正常焙烧。不论采用哪一种方式干燥，都要保证坯体避风、匀速，必要时要转动坯胎方向，使其前后左右均匀干燥。陶坯较厚、形体较大的坯体，干燥的速度要求更慢。

判断坯体是否干燥，可用眼观和手触两种方式。坯体在由湿变干的过程中，器表颜色会由深变浅，至完全干燥时整个坯胎发灰发白。这时，只要翻看陶坯底部，若与坯身颜色一致，底心无深色湿晕，即可判断已经干透；坯胎在没有完全干燥时，颜色虽然发灰发白，但手触的感觉是冰凉的，而坯胎完全干燥时，手触的感觉是发热的。

（三）紫陶的烧成温度

紫陶的烧成温度为1110℃～1150℃，其中约40℃的差距，是采用不同烧成还原方式控制的温差。白泥陶由于硅、铝含量比红泥陶高，耐高温强度大，可在此基础上升高10℃～20℃温度。烧成气氛与烧成温度之间有对应联系，一般情况下，氧化气氛的烧成温度比强还原气氛约高30℃，比弱还原气氛约高20℃。

（四）紫陶的呈色与窑变

由于建水紫陶泥料中铁含量比较高，在不同的烧成气氛下，成品会产生由红到黑不同的呈色变化。建水人把这种呈色变化称为"窑变"，是建水紫陶的工艺特色之一。建水紫陶的艺术类作品，器表呈色是重要的艺术表现手段。因此，其焙烧的过程，既要求达到适当的温度，又要掌握好烧成的气氛，使作品呈色尽可能满足作者的创意。

三、液化气倒焰窑的结构和工作原理

目前，烧造建水紫陶以液化气倒焰窑为主，在具体烧造操作之前，必须熟知其基本结构和工作原理。

（一）液化气倒焰窑的结构

液化气倒焰窑由供气系统和燃烧室两大部分组成，其结构和部件名称如图7-170。

主要的部件及其作用：

（1）液化气气源，常用的为瓶装液化气。

（2）液化气输送管道。

（3）液化气输出控制开关，控制液化气的供给和气压。

（4）钢瓶压力检测表，俗称高压表，检测钢瓶气压状态。

（5）液化气输送管道加热桶，用温水对输送管道加热，使管内液化气压力增大，提高燃烧质量。加热桶使用电能加热，水温控制在60℃以内。

（6）220V电源。

（7）水温计。

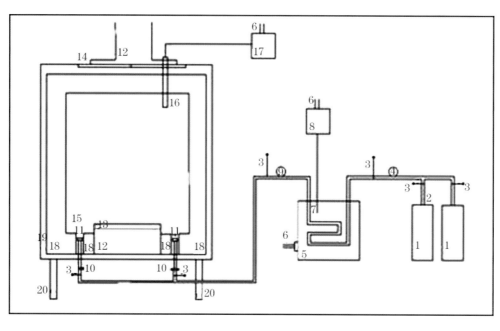

1. 液化气罐	6. 电源（220V）	11. 喷火嘴	16. 火温计
2. 输气管	7. 水温计	12. 排气孔道（烟囱）	17. 火温表
3. 气闸	8. 水温表	13. 硅板	18. 耐火层（砖、棉）
4. 气压表（高）	9. 气压表（低）	14. 抽气孔控制挡板	19. 炉壁
5. 加热水箱	10. 火焰控制闸	15. 燃烧室	20. 支架

图 7-170　液化气倒焰窑结构示意图

（8）水温表。

（9）液化气压力检测控制表，俗称低压表，检测管道气压状态，控制供气气压状态。

（10）火焰控制闸，调整火焰燃烧的纯净程度。

（11）喷火嘴。

（12）排烟通道，俗称烟囱。

（13）硅板。

（14）抽气孔（烟囱）控制挡板，用于控制烟囱孔径，调节烟囱抽力和燃烧室空气压力。

（15）燃烧室。

（16）火温计，根据燃烧室大小，设置 1～2 个，用于监测窑内烧成温度。

（17）火温表，反映燃烧室火温数据。

（18）耐火保温层。

（19）炉壁。

（20）支架。

（二）液化气倒焰窑工作原理

液化气倒焰窑的喷火嘴对称安装在燃烧室底边，排烟通道设置在底部正中，前后和托板之间留有空隙与烟道相通。点火后，火焰顺燃烧室两边往上蹿，至顶部后因烟囱的吸力，火焰先向中间相聚，再向下倒焰贯穿整个燃烧室进入排烟通道，顺烟囱排出燃烧室。窑的大小以燃烧室有效装码陶坯的空间容量来划分，

0.5 立方米以下的窑，燃烧室内的温度比较均匀；超过 0.5 立方米的窑，上下前后不同部位的温度可能出现 20℃ 左右的温差。一般情况下，顶层和靠门的部位温度较高，底层和靠后壁的部位温度较低（图 7-171）。

图 7-171 液化气倒焰窑实景图示

不同的燃烧方式，能够产生不同的烧成气氛，按照燃料燃烧的纯净程度，我们把烧成气氛分为氧化、强还原、弱还原和复合还原四类。

（1）氧化气氛：氧化气氛是窑炉内空气充足，燃料被充分燃烧，火焰呈蓝色，碳分子低，成品颜色为赭红色，烧成温度可以达到最高限度。

（2）强还原气氛：强还原气氛是窑炉内空气不充足，燃料不能充分燃烧而产生一氧化碳，火焰呈红色，陶坯器表出现碳化，成品颜色为黑色。

（3）弱还原气氛：弱还原气氛是向窑炉内加入部分空气，燃料燃烧不充分而产生弱还原气氛，火焰呈色处于红色和蓝色之间，成品颜色为赭红与黑色之间。

（4）复合还原气氛：复合还原气氛是燃料在窑炉内部分能够充分燃烧，部分燃烧不充分而产生的复合还原气氛，火焰呈色在窑内不规律，成品在不同窑位有不同呈色，同一坯体上可能同时出现或红或黑或红黑相间的呈色变化。

液化气倒焰窑是通过燃烧嘴气门、烟囱和供气管气压表对烧成气氛进行控制的，燃烧嘴气门开启越大，供气管气压表气压越高，烟囱封挡越小，窑内液化气燃烧就越充分，反之则不能充分燃烧。对三个部位的调控不是一成不变的，要根据窑炉结构、装窑构成、升温过程和烧成创意进行灵活运用。

（三）液化气倒焰窑烧成操作

液化气倒焰窑操作分装窑、烧窑、出窑三个步骤。

1. 装窑

装窑是决定烧成质量重要的基础环节，任何一点疏忽，都有可能铸成大错，让前面所有的努力毁于一旦。装窑的技术要求是：

（1）熟悉燃烧室不同部位的温差变化情况。

（2）掌握备烧坯件的大小体量、形态和烧成要求，便于合理地设计搭层，安排位置。

（3）按从下到上的顺序，逐层向上装码。支柱和窑板要摆放平稳，板与板之间留出适当空隙作为火路。

（4）高低接近的坯件摆放在·层，体量大小和形态不同的可搭配组合，充分利用窑内空间，装得相对地多和满，烧成过程和烧成气氛的控制都要容易一些。坯件与坯件之间不能有接触，要留出空隙。尽可能不占堵窑板之间的空隙，以保证火路畅通。坯件要捧抱平稳，垂直取放，轻拿轻放。干燥后的陶坯最脆弱，特别是口沿和底边，最容易受损。

（5）装码完毕后，再对喷火嘴、排烟通道、燃烧室四壁进行检查清理，排除影响烧造的隐患。

2. 烧窑

烧窑之前需要做好三件事：一是熟悉窑炉的结构和工作原理；二是明确备烧陶件的烧制要求；三是严格检查气源、开关、管道、仪表、电路、喷火嘴、烟道是否安全无碍，相关数值是否正常。开关、管道是否漏气是检查的重点。检查的方式是：将气源打开，用洗衣粉水刷开关及管道接头处，无气泡渗出说明安全正常，有气泡渗出说明有漏气现象，必须立即关闭气源，修复漏气部位之后才能使用。

烧窑的程序分为烘烤、升温、高温烧制三个阶段。其中，烘烤阶段的温度控制为自然温度至300℃，升温速度为1℃/min～1.5℃/min；升温阶段的温度控制为300℃～600℃，升温速度为3℃/min～4℃/min；高温阶段的温度控制为600℃至1100℃～1150℃，升温速度为6℃/min以上。若温度达到1000℃以后，升温速度会自然减慢，约3℃/min～4℃/min。

以容积1.5立方米液化气倒焰窑实烧示例如下：（1.5立方米液化气倒焰窑的基本组成是：①钢瓶压力检测表一只；②管道加热温度表一只；③管道钢瓶压力检测表一只；④喷火嘴五对；⑤燃烧室容积：高1.2米×长1.4米×宽0.9米；⑥高低温感温棒、温度表各一组。）

（1）对气源、开关、管道、仪表、电路、喷火嘴、烟道进行检测，检测的重点是：开关、管道有无漏气现象，压力表反应是否正常，感温表通电后温度显示与环境温度是否相近。

（2）所有检查安全无碍后，开启气源，点燃上、中、下三对喷火嘴，每个喷火嘴开启一圈气门，以减少烟的浓度。这时的烧成控制为烘烤阶段，目的是将陶坯中的水分充分烤干，要求火温缓慢上升，水蒸气能够顺利排出燃烧室。相关的操作是：钢瓶压力表指数为0.8，管道水温逐步升高至55℃～60℃，管道压力表指数为0.04，烟囱控制挡板完全打开，抽出所有观火孔的塞栓，窑门开启20～30厘米，升温速度为1℃/min～1.5℃/min。

（3）逐步调整喷火嘴大小至燃烧室温度达到300℃，这时的坯体中的水分被充分排出，泥料颗粒收缩，体积缩小2%～3%，进入烧成控制的升温阶段。需要注意的是，烘烤阶段的上、下测温器可能出现30℃～80℃的温差，高温可以忽略，低温必须超过280℃以上方能进行升温。相关操作是：关闭窑门，堵塞所有观火孔，烟囱控制挡板关闭10%左右，钢瓶压力表、管道水温表、管道压力表控制数据与烘焙阶段相同，逐步开启另外两对喷火嘴，气闸均打开1～2圈左右，升温速度为3℃/min～4℃/min，窑内可见暗红火光。每次更换气瓶时，必须熄灭钢瓶加热装置火源，禁止明火靠近，确保液化气安全使用。

（4）继续调整喷火嘴、气闸大小和烟囱控制挡板位置至燃烧室温度达到600℃～700℃，上、下测温器可能出现60℃～80℃的温差，进入烧成控制的高温阶段。相关操作是：烟囱控制挡板关闭20%～60%，钢瓶压力表、管道水温表控制数据与烘焙阶段相同，管道压力表指数可在0.04～0.06之间调整，升温速度为5℃/min～8℃/min，坯体内易熔助熔物质开始分解，体量收缩5%左右，呈现固相、液相的熔融，结晶相逐步生成，窑内火光由暗红→深红→橘红→橘黄→银黄→白光转变。

（5）继续调整喷火嘴、气闸大小、管道压力表和烟囱控制挡板位置至燃烧室温度达到1150℃，上、下测温器可能出现0℃～20℃的温差。结束烧窑操作为：保持火温5～10分钟，关闭钢瓶气闸，切断气源，顺序关闭管道、喷火嘴开关及气闸，关闭管道水温表电路开关，堵塞所有观火孔，关闭烟囱，使燃烧室形成封闭状态自然降温。

不同烧成气氛的控制主要是在高温阶段进行，现分述如下：

氧化气氛——烟囱控制挡板在20%～40%之间，管道压力表指数可在0.04～0.06之间调整，所有喷火嘴气闸逐步开启至最大，尽量让液化气充分燃烧，最高温度至1150℃，并保持5～10分钟，上、下测温器温差0℃～20℃，冷却后成品颜色为深赭色（图7-172）。

强还原气氛——烟囱控制挡板在30%～70%之间调整，管道压力表指数控制在0.04，所有喷火嘴气闸开启0～2圈，使液化气不能充分燃烧，最高温度至1200℃，并保持10～20分钟，上、下测温器温差0℃～

图 7-172　氧化气氛烧成的成品颜色为赭红色

图 7-173　强还原气氛烧成的成品颜色为黑色

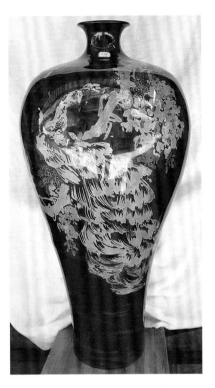

图 7-174　弱还原气氛烧成的成品颜色为较有规律的黑、赭相间呈色，俗称"花陶"

图 7-175　复合还原气氛成品颜色为无规律的大块黑与大块赭红相间的复合呈色，俗称"窑变"

20℃，冷却后成品颜色为黑色（图 7-173）。

弱还原气氛——烟囱控制挡板在 30% ～ 60% 之间调整，管道压力表指数控制在 0.04 ～ 0.05，所有喷火嘴气闸开启 2 ～ 5 圈，使液化气燃烧不充分，最高温度至 1125℃，并保持 10 ～ 20 分钟，上、下测温器温差 0℃ ～ 20℃，冷却后成品颜色为较有规律的黑、赭相间呈色，俗称"花陶"（图 7-174）。

复合还原气氛——烟囱控制挡板在 30% ～ 60% 之间调整，管道压力表指数控制在 0.04 ～ 0.05，选择第二、第四对喷火嘴气闸完全开启，其余喷火嘴开启 0 ～ 2 圈，形成液化气复合燃烧环境，最高温度至 1130℃，并保持 10 ～ 20 分钟，上、下测温器温差 0℃ ～ 20℃，冷却后成品颜色为无规律的大块黑与大块赭红相间的复合呈色，俗称"窑变"（图 7-175）。

3. 出窑

窑炉在封闭状态下自然冷却 20 ～ 24 小时，待温度降低至 100℃ ～ 150℃时，可开启窑门出窑。冷却过程中，切忌让冷风侵入窑腔，冷风侵入，会加快陶器的冷却速度或让陶器冷热不均，使其爆裂损毁。出窑时，拉出平板窑车，由上自下顺序搬卸，不要直接摆放在冰凉的地面上，以免陶器底部激冷而裂损。由于陶器余温尚高，要小心注意，避免烫伤。

以上示例仅作参考，具体操作还需要根据窑的结构、容积、每次装码的层数和空间占有情况等可变因素进行分析控制。

附：建水紫陶目前广泛使用液化气窑进行烧制，烧制过程的温度控制主要有两种方法：一是热电欧表控制，即根据热电欧表显示的数据进行控制；二是观察窑炉内的火焰颜色进行判断控制。以下是液化气窑火焰颜色与温度的比对关系，供初学者操作时参考。

表7-3　液化气窑温度、烧制时间、火焰颜色对应表

温度	烧制时间	窑炉内可见火焰颜色
500℃以前	6～7小时	黑
550℃	7小时	初现黑红
600℃	7个半小时	黑红明显
700℃	8小时	暗红
800℃	8个半小时	深红
900℃	9小时	深红渐亮
950℃		亮红
1000℃	9个半小时	橙红
1050℃	10小时	橙黄
1080℃		橙黄渐亮
1100℃	10个半小时	黄
1130℃	11小时	黄白

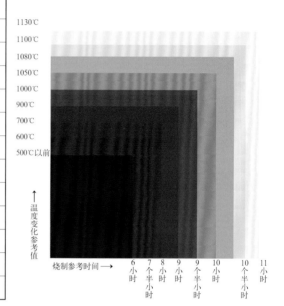

第七节　建水紫陶磨光工艺的方法与步骤

一、磨光工艺概述

磨光是建水紫陶最后一道工艺，亦是建水紫陶有别于其他陶瓷的重要工艺特征。建水紫陶因为泥料细腻若膏状，经高温由土还原成陶后，陶质细密，可通过磨光工艺让其呈现出凝润如脂、光可鉴人的艺术效果。磨光是采用磨具对紫陶器表进行打磨抛光的工艺过程。磨光分镜光（图7-176）、亮光（图7-177）、哑光（图7-178）和磨砂（图7 179）四类效果。这种分类是对陶器器表光亮程度进行的艺术划分，之间没有雅俗的区分。不同磨光类型的选择，是紫陶作品艺术效果和作者个性特征把握控制的结果。镜光的艺术效果鲜亮醒目，磨砂的艺术效果则沉秀文雅，制作者可根据陶器烧成的程度、使用性能和器表的装饰效果作选择。镜光、亮光、哑光要经过除火皮、擦丝、抛光三道工序，磨砂则只需要除火皮和擦丝两道工序即可。传统磨光均采用天然砂质鹅卵石为磨具（图7-180）。根据打磨要求，每道工序选用的鹅卵石磨具在砂粒硬度和细密程度上均有区别，除火皮鹅卵石磨具砂粒硬度高于擦丝鹅卵石磨具，细密程度比之则低，其硬度、细度相当于80～180号砂轮或200～400号油石磨具；擦丝鹅卵石磨具砂粒硬度高于抛光鹅卵石磨具，细密程

图 7-176　镜光效果

图 7-177　亮光效果

图 7-178　哑光效果

图 7-179　磨砂效果

图 7-180　各种天然砂质鹅卵石磨具

度比之则低，其硬度、细度相当于 1200 ～ 2000 号油石磨具；抛光鹅卵石磨具要求比较特殊，砂粒硬度最低，但稍高于被打磨紫陶成品，与被打磨紫陶成品硬度相近，细密程度最高，磨面光洁细润无杂质，建水人将抛光鹅卵石称为"光石"。磨工对自己的光石都十分珍惜，有"宁借十斗粮，不借一粒石"之说。不同光石的性能只有磨工自己熟悉，其抛光的艺术效果更多地取决于磨工对光石的性能的掌握和运用。所有鹅卵石磨具都要经过开片加工才能使用。开片加工是采用其他磨具，将挑选好的鹅卵石磨出磨面，加工好的磨面是平整的，经过与器表的磨蚀，磨面会形成与器表吻合的弧面，使磨具与器表接触面更大，更有利于陶器弧面曲线的打磨。

圆形物件可借助电动车盘进行打磨。用于打磨的车盘与用于拉坯的车盘结构是一样的，不同的是，打磨车盘上圆盘较小，一般直径为 40 厘米，下圆盘与拉坯车盘相同，直径为 60 厘米；转速较快，使用每分钟 1300 转以上电机。大件陶器的打磨车盘转速要慢一些，防止陶器从车盘上摔落下来。用电动车盘打磨要在车盘上安装一个用于固定陶器的石膏模具。其安装程序是：首先，在车盘的上圆盘上，距边沿 8 厘米的圆周等分钻出 12 毫米孔径的四个螺孔，利用螺孔将长 16 厘米、直径 12 毫米的直杆螺丝垂直固定在车盘

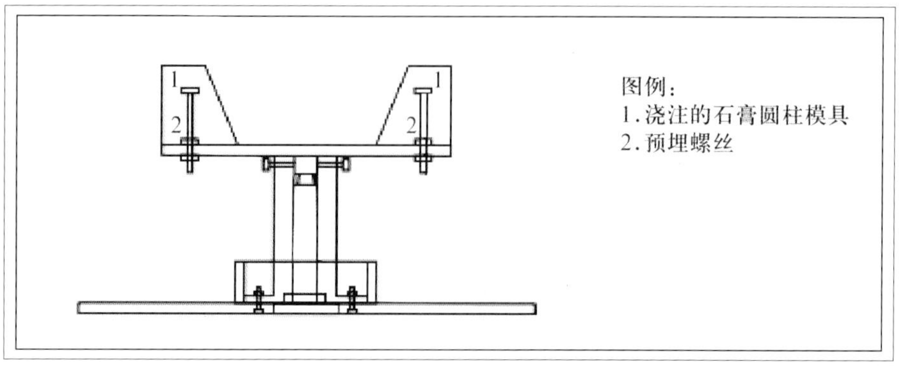

图例：
1.浇注的石膏圆柱模具
2.预埋螺丝

图 7-181　电动陶车石膏模具示意图

上。固定的方法是：螺帽向上，丝牙端穿过车盘，用两个螺帽将直杆螺丝固定在车盘上。之后，自制一个高度为 14 厘米的桶形模板，圈在车盘上圆盘上，车盘圆心处放置一个平底圆锥状模具，与桶形模板之间形成锅底形空间，四颗螺杆处于锅底形空间之中，将预制好的石膏浆浇入锅底形空间内，连同车盘上的螺杆一起浇注成一个外沿直径与上圆盘相同的石膏圆柱体，石膏圆柱体因为螺丝的原因被固定在车盘上。待石膏圆柱体自然干燥后，拆除桶形模板，取出平底圆锥状模具，用角刀对石膏圆柱体内侧的锅底形作适度车修即可（图 7-181）。打磨时将陶坯置入锅底形空间内，用泥料填实固定。选择石膏作为固定模具，是因为石膏便于浇注成型，凝固后的石膏模具有良好的渗水性和保湿性能，有利于湿泥水分的保持。被打磨陶器在高速旋转的打磨过程中，需要良好的稳定性。如果用于固定陶器的泥料因水分挥发而干涸，被打磨陶器就容易晃动而导致脱落。在车盘下圆盘右侧，可靠车盘边沿固定一块木板，木板与车盘下圆盘平行，在木板上钉一块耐磨胶皮，胶皮长、宽稍大于右脚前脚掌，车盘旋转时右脚掌踏于胶皮上，使胶皮与车盘产生摩擦，控制车盘旋转速度。车盘一般靠墙安装，这样有利于利用场地，车盘边沿距墙以 1 米为宜。带动打磨车盘的电机安装在车盘的右前方，动力开关安装在磨工位子右后墙上，位置以右手能自然开关为宜（图 7-182）。

目前，建水当地在除火皮和擦丝时使用机制砂轮或油石磨具，抛光使用除泥后的天然河砂。可作为抛光使用的天然河砂颗粒不宜太粗，一般为粉粒状，砂粒硬度约为 5 度。使用前将河砂倒入容器内进行多次淘洗，除去泥浆至砂粒纯净，然后将洗净的砂粒晾干备用（图 7-183）。

采用车盘打磨分上、下两段完成，先将陶件一端埋入车盘石膏模具中，打磨好露出的一段后，再调换

图 7-182　用于打磨陶器的电动陶车

图 7-183　河砂除去泥浆晾干后作抛光磨料

陶件顶底方向打磨另外一段。

打磨前需要做好准备工作：将不同型号、不同形状的磨具按型号大小顺序摆放在左边，右边置放清水和抛光用的河砂。同时，准备两条棉质毛巾和几块 10 厘米 ×10 厘米 ×10 厘米大小的海绵作打磨时补水及抛光用。

二、磨光工艺流程

磨光工艺流程分三个环节：除火皮、擦丝和抛光。

（一）除火皮

陶器经过高温焙烧后，器表会留下一层约 0.1 厘米厚的糙皮，当地人称之为火皮。不同烧成气氛的紫陶成品，火皮的色调是不相同的，但火皮质地粗糙，颜色灰暗，硬度低于真胎，这是直观地鉴别火皮与真胎的标准。能否准确地判断火皮与真胎的区别，是保证打磨质量的关键。除火皮是使用磨具将火皮除净，露出陶胎本色。砂石型号的选择，根据被打磨陶器的硬度和磨工打磨习惯而定。

采用车盘进行除火皮打磨，先将陶器用泥料固定在车盘上的石膏模具中间，陶器圆心要与车盘圆心对应，这是满足打磨最基本的要求，这个环节称为"陶坯样正"。样正是陶器在石膏模具中固定好之后，启动车盘，让车盘在低速旋转中，磨工用目测和手触的方式，凭经验对陶坯进行调整校正，样正的工具主要采用皮质榔头。皮质榔头可直接用于敲打陶坯而不让陶坯受损。

陶坯样正后，启动车盘带动陶坯的旋转。磨工一手握含水的湿毛巾，一手握砂轮，双手同时用力，使湿毛巾和砂轮合抱住陶坯，湿毛巾提供水分，保持陶坯湿润，砂轮与陶坯摩擦除去火皮。熟练的磨工会双手各握一块砂轮，在砂轮上加握一块海绵，用海绵提供水分，两块砂轮同时打磨，能极大地提高打磨效率。打磨过程中，要根据陶坯的硬度和器表的弧度曲线，适时地控制车盘旋转速度和更换不同型号、不同形状的砂石。

除火皮的工艺要求是：用力适度，循序渐进。用力不足，除不净陶坯火皮；用力太过，则损伤陶坯真胎，使陶胎上留下过深丝痕，破坏器表上填入的书画效果，影响后面擦丝和抛光的工序。

（二）擦丝

在除火皮的过程中，由于砂石颗粒较粗，硬度高于陶坯，会在陶坯上留下打磨后的丝痕。擦丝工艺，就是使用磨具，将陶坯上的丝痕打磨干净，使器表光滑平润。油石型号的选择，同样依被打磨陶器的硬度和磨工打磨习惯而定，其技术要领与除火皮相同。

（三）抛光

陶坯经过除火皮和擦丝后，器表光滑平润，但缺乏光泽。抛光是打磨工艺的最后一个环节，是通过磨具与陶坯摩擦产生热量并使器表粗糙度降低而产生光亮。磨具是用湿毛巾蘸上淘洗过的无泥河砂。具体操作是：将纯棉毛巾用净水浸透，叠卷成便于抓握的圆柱状，长度约 10 厘米。使用时启动车盘，双手各抓住一个叠卷好的湿毛巾，蘸上河砂，用蘸有河砂的一面紧抱陶坯，让湿毛巾、河砂与陶坯摩擦产生热量，降低器表粗糙度使之呈现光泽。

车盘转速、磨具与陶坯摩擦的力度、河砂的硬度、陶坯的密度四个方面，都是影响光亮度的因素。因此，抛光时要熟悉各种工具的性能，控制好车盘转速，选择合适的毛巾湿度和砂量，掌握好双手合抱陶坯的力度，才能打磨出满意的光润效果。

磨光实例：

（1）未打磨的陶器实样（图7-184）。

（2）根据打磨陶器底径大小，在陶车石膏模具上车出固定陶器的底模（图7-185）。

（3）在底模上安放四粒泥丁作为支丁，支丁便于调整打磨陶器的置放水平，以便其与陶车同轴心旋转（图7-186）。

（4）将打磨陶器用的废泥固定在车盘石膏模具内（图7-187）。

（5）根据打磨陶器的硬度，选择80～180粒砂轮或200～400号油石作为磨具作除去火皮的打磨。打磨时左、右手各握一块同型号磨石合抱陶器，右手加握一块蘸水海绵随时补水，从上至下顺序打磨。用力要均匀，太轻除不尽火皮，太重则使器表受损（图7-188）。

（6）火皮去除后，选择1200～2000号油石作为磨具作擦丝打磨。擦丝打磨的技术和工艺要求与去除火皮一样（图7-189）。

（7）丝痕擦净后，将毛巾叠卷成便于抓握的圆柱状，双手各握一个，加湿后蘸上河砂，用蘸有河砂的一面紧抱陶坯，让湿毛巾、河砂与陶坯摩擦产生热量抛出光泽（图7-190）。

（8）上一段打磨好后，用角刀将固定打磨陶器的黏泥划开，小心取出陶器（图7-191）。

（9）重复上一段的打磨程序，对下一段进行打磨（图7-192）。

（10）打磨完成后的效果（图7-193）。

图7-184 未打磨的陶器实样

图7-185 在陶车石膏模具上车出固定陶器的底模

图 7-186　在底模上安放泥支丁

图 7-187　将打磨陶器用的废泥固定在车盘石膏磨具内

图 7-188　选择适当磨具作除去火皮的打磨

图 7-189　选择 1200～2000 号油石作为磨具作擦丝打磨

图7-190　双手各握一个蘸有河砂的毛巾进行抛光

图7-191　用角刀将固定打磨陶器的黏泥划开，小心取出陶器

图7-192　重复上一段的打磨程序，对下一段进行打磨

图7-193　打磨完成后的效果

第八章　醴陵釉下五彩装饰工艺

第一节　历史概述

一、釉下彩绘的产生与醴陵釉下五彩

瓷之母国及其底蕴，总令国人生发遐想。当人们续写理念趋同、个性不一的制陶篇章时，自会回想起那些并非十分遥远的传统制瓷工艺及史实，湖南醴陵釉下五彩，正是其中值得回味且有记载价值的篇章之一。

醴陵釉下五彩与青花、青花釉里红、釉下三彩等，都是釉下彩绘类瓷器。此前该类文献主要有邓文科编著的《醴陵釉下彩瓷》（1984 年版）、田申编著的《醴陵瓷》（2010 年版）等，书中有关资料经作者同意，将由本文引用。

想说明的是，本文将以醴陵釉下五彩初创时期（1906 ~ 1919）及恢复与发展时期（1956 ~ 1976）的工艺及背景为主要线索并辅以相应的图例而展开，也适当涉及上述时段后的相关状况，使人们获得它是陶瓷装饰的一种特殊工艺手段，视觉效果、艺术特色与技艺相融合的认知。

（一）釉下彩绘的回溯

釉下彩绘不同于在成瓷（白瓷）的釉面上以低温色料（约 800℃）彩绘并用低温烤彩的装饰方式，而是用高温釉下色料（约 1280℃）在泥坯或素烧的釉坯上彩绘装饰，再施釉并高温烧成。

釉下色料除天然的矿物质色料外，可用人工制备的以各种金属氧化物为着色剂、加一定配比的硅酸盐矿物质而成的色料；可在生坯或素烧坯上绘制纹饰；然后，施以无色或浅色系列的透明釉；最后高温（1200℃ ~ 1400℃）烧成。此间彩色纹饰会程度不一地渗入坯釉之中，由于纹饰均为透明釉所覆盖，被固定在坯胎与釉之间，遂称为釉下彩陶瓷。特别是釉下彩瓷色泽光润，或清淡雅致，或明艳浓郁；彩色纹饰完全置于釉层之下，难以变色和磨损。

与中国其他传统釉下彩装饰相比，清末方创制的醴陵釉下五彩确属后起，却独具特色与潜质。尽管三国时期的浙江越窑曾出现过釉下彩的雏形，然而，前人只是用氧化铁为褐色色料，并且仅以点彩的方式来装饰器物，未见表现手法多样、色彩丰富且以绘画形式出现的釉下彩绘。所以，无论从地域环境还是从材料、工艺及艺术追求方面来看，与醴陵釉下五彩关联较多的产地，首推同处湘水楚地的长沙铜官窑。

唐代长沙铜官窑的制品，从多方面凸显了相当丰富、较为成熟并自成体系的釉下彩绘技艺（图 8-1）。借此，足以奠定其在中国陶瓷史上里程碑式的地位。经对遗存物件的考究得知，该窑属于民窑，其彩绘风格率性而质朴、自然而轻快（图 8-2）。当时人们运用铁、铜等金属氧化物制成色料（直接从原生矿物制取，属天然颜料），用毛笔在泥坯上绘画纹样；然后施釉，以柴窑 1120℃ 左右的温度烧制，使釉层熔融并玻化，覆盖装饰图案，器表则呈现色相较鲜明的褐、绿、蓝色及纹样。该窑器表釉彩加工有以下几类：

一是在生坯上绘画绿彩纹饰，施加无色透明釉烧成；

二是在生坯上绘画褐彩纹饰，施加黄色透明釉烧成；

三是在生坯上绘画褐绿彩纹饰，施加青色透明釉烧成；

四是在生坯上绘画褐、赭、绿三色纹饰，再施加青色或黄色透明釉烧成。

虽说长沙铜官窑在较多色料运用上有了可喜的进步，但毕竟受天然色料品种较少的局限而不尽丰富（图8-3、图8-4）。不过，在彩饰结合器物造型、取材及表现手法上，其构图形式多样，采用了诸如花鸟、走兽、人物、诗句和文字等装饰题材；尤为值得关注的是，具有浓郁的民窑风格特征，直接以轻松而洒脱的写意画手法作彩绘，并与模印、贴塑和捏塑等装饰方法一道，形成了独到的气韵、样式与风格。在中国陶瓷史上，长沙铜官窑是釉下彩装饰品类中最为成功的典例之一，不失为一项富有新意的成果（图8-5、

图8-1 长沙窑模印贴花纹壶

图8-2 青釉褐绿彩花鸟纹壶

图8-3 青釉褐绿彩魔羯纹碗

图8-4 青釉褐绿彩飞鸟纹碗

图 8-5　青釉褐蓝彩云气花草纹碗

图 8-6　青釉红绿彩云气花草纹碗

图 8-7　宋代磁州窑彩绘瓷

图 8-8　磁州窑白底黑花玉壶春瓶

图 8-6)。

此后，宋代的磁州窑、当阳峪窑和北方民窑的黑褐彩绘，元、明、清时期的青花、釉里红以及醴陵釉下五彩，乃至写意画这一新的画种之出现，均有可能是受长沙铜官窑及其他民窑彩绘的影响而派生的。这不仅为陶瓷彩绘装饰拓宽了路径，使之在全球享有极高的声誉，而且还丰富了中国绘画的表现形式（图图 8-7～图 8-9)。

值得注意的是，随着考古发现不断拓展，有关陶瓷的一些新发现、新推断和新结论，必然时有提出。近年来四川邛崃发现了始于东晋、盛于初唐、止于南宋中晚期的邛窑遗址。该窑口的隋唐早期彩绘器物，

图 8-9　黑釉锈花纹小盖罐

包括高温和低温烧制的釉下彩，除通常所见的褐色和绿色外，有的还显现铜红色及钴蓝色。有人认为，此类釉下彩器物正是邛窑的典型制品。又因邛窑在长沙铜官窑之前，推断其制瓷技艺的传播影响及于江南其

他名窑，长沙铜官窑当在此列。将它与四川邛窑的釉下彩器物两相比照，不难察觉二者之间在器物造型与釉下彩饰方面颇有些许相近之处（图8-10～图8-13）。

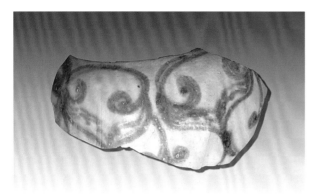

图8-10 邛窑彩绘瓷瓷片

图8-11 邛窑彩绘雕塑鱼

图8-12 邛窑彩绘瓷

图8-13 邛窑彩绘瓷

（二）釉下五彩的创制

正是在厚实的中国传统陶瓷技艺基础之上，醴陵釉下五彩方适时得以生发。清末在人们生活方式和生活需求不断进步的促动下，尤其在创办"湖南醴陵瓷业学堂"和"湖南瓷业公司"，学习外来制瓷技艺及抵制"洋瓷"的作用与影响下，1907年至1908年间，湖南瓷业公司组织含日本技师在内的研究人员，进行了反复而有针对性的尝试。借助新型的化工陶瓷颜料研制技术及设备，利用长沙铜官窑烧制铜、铁金属氧化物而显褐、绿彩的原理，他们创造性地将钴、铬、铁、钛、锌和赤金按一定的配比合成，试制出玛瑙、草绿、海碧、艳黑、茶色五种高温釉下色料。进而利用涂色、勾线、分水等彩绘手法与工具，还有区别于景德镇一次烧成的"三烧制"工艺，创制出别具一格的釉下五彩。

随后，其他品相的釉下色料亦被逐一配制出来，它们还可互相调配出更多的复色色料。勾线可单线、双线、油墨线与色线，上色可平涂、分水、点染、刷花和绘画等，进一步增强了釉下五彩的艺术表现力。尽管其色料种类、工艺技术、艺术表现方面适时扩充与演变，但人们仍称之为醴陵釉下五彩。实则"五"彩绝非指五种色料，而是相当于丰富"多"彩。

初创时期釉下五彩最典型的烧制方法为三烧制。一般经拉坯成型、修坯、洗坯、干燥，入窑经800℃左右的低温素烧。第一次素烧在于增加坯体强度，以利于手工彩绘。因生坯上手容易破裂，加之液态色料的附着使之趋于酥松，大件更是难于操作。第二次素烧是将彩绘后坯件上的油墨线、胶性物等挥发，以确保坯釉结合良好。附有油性物等缺陷的坯件将挂不住或挂不匀釉，有损艺术效果和质量。第三次素烧经1400℃左右的高温将坯、彩、釉融为一体，烧成釉下五彩瓷（图 8-14、图 8-15）。

图 8-14　民国釉下五彩花卉双耳瓶　　　　　　图 8-15　民国釉下五彩花卉瓶

　　传统的三烧制用石灰釉，这在烧成时易出现器表"吃烟"发黄等问题。20 世纪 50 年代中期至 70 年代中期，为适应瓷业的规模发展，有了材料与工艺方面的调整，即以长石釉取代石灰釉，改三烧制为"两烧制"。

　　两烧制是在泥坯上先施长石釉，入窑经 800℃左右素烧后再彩绘。因彩绘用的分水料是料水混合物，使之充分而有效地附着在釉坯上，须数次吸附才能达到层次丰富、色调和谐的效果。绘好的坯件，需喷一层透明釉，入窑经 1400℃左右的高温烧成釉面较白的釉下五彩瓷。两烧制的工艺延续至今并成为主流，但仍是釉下五彩传统工艺的衍变。

　　釉下五彩的创制，不过是从清末至民国初期二十余年的过程，然而，却是一个故事不少且较完整的活动过程。从陶瓷工艺技术的角度来说，它奠定了材料开发、技术加工、装饰处理和特殊烧成的良好基础；从陶瓷产业结合学堂教育来看，其生产、办学与研究的关系显得协调；从中国现代陶瓷产业发展历史来考察，尽管当时工业革命的滚滚浪潮几乎没有波及中国陶瓷产业，而它则是一个例外，由此可窥见中国瓷业革命的亮点；最后，从获得殊荣的情况来看，1909 年至 1915 年的七年内，釉下五彩瓷多次参加国内外展会并取得重要奖项。事实表明，釉下五彩瓷的面世具备了文化与教育精神有所进取、瓷业与工艺技术有所突破的两大特征，无异于中国陶瓷艺术史上颇有意义的一段历史佳话。

　　釉下五彩于陶瓷装饰材料与技艺方面的进步，致使传统单色釉下彩和少数几种色相的釉下彩转化为成百上千的缤纷色彩。自始发到如今，它已是硕果累累、蜚声中外且日趋深入世人的物质生活与精神生活。

二、醴陵釉下五彩装饰成因与条件

但凡事物的产生与发展，均不乏一定的背景与缘由。或得益于特殊的自然和人文优势，或受惠于前人遗传的造物基础，或恰逢难得一求的历史机遇等。悉心梳理一下醴陵釉下五彩瓷装饰形成的主要原因，不外乎具有良好的自然条件、前期的制瓷基础和可贵的人才优势。

（一）良好的自然条件

醴陵釉下五彩的成因之一是享有得天独厚的自然条件。凡醴陵人多有感于大自然的恩惠，这从醴陵的得名可见一斑：此地北部有陵（姜岭），陵下有井，涌泉如醴（甜酒），而得"醴陵"之称。正是所谓其钟本土水陆之灵秀、享自然资源之丰厚、携周边交通之便利，具备了发展瓷业并形成名窑的诸多优厚的天然条件（图8-16）。

图 8-16　醴陵全景

醴陵瓷业和釉下五彩的产生，仰仗于得天独厚的自然资源。那些推动古老陶瓷业产生及变革所需的自然资源，包括以瓷土、泥釉、耐火材料等为原料，以松柴为燃料，水力做动力，土墨当绘料，葛藤做捆扎材料等，这些作为瓷业生发必备的物料，在当地几乎一应俱全。

制瓷原料的瓷土，早期系沩山开采，除一定的可塑性外，其"瓷土露头宽由二十公尺到百余公尺不等"，易于发现和开采，故醴陵瓷始发于沩山的缘由是显而易见的。现已探明域内有瓷土矿脉30余条，分布于东、北两乡，就已知的矿藏量来说，按20世纪下半叶每年所用普通瓷土量估算，尚可开采利用数百年。

交通运输方便是瓷业生发的先决条件之一。醴陵地处湘东，位于萍乡与株洲之间。早先水运由环绕该产区的渌江通达湘江，可入长江沿岸各埠。水运自然是其产品运输的主要途径，如《醴陵县志》卷六《食货志》所示："土瓷多在乡间，土瓷出窑后，运到姜湾，客商云集采购，用民船装运出口。"[1]20世纪初，域内新有浙赣铁路通过并与粤汉线相连，另有湘东铁路与醴浏铁路将浏阳、攸县、茶陵连通。公路则由上海达昆明，北京达广州南北，更有东、西两条国道交会于该产区，交通运输真可谓四通八达。反观当地瓷业之所以持续数百年，与其良好的地域环境和便利的交通运输条件不无关联。

（二）前期的制瓷基础

釉下五彩的成因之二是拥有先期的制瓷基础。醴陵历史久远，春秋战国时期属于楚地，秦代隶属于长沙郡；汉时封长沙相刘越为醴陵侯；东汉开始置醴陵县。元朝元贞元年（1295）把县立为州，明洪武二年（1369）改回至县，直到1949年新中国诞生。后于1985年撤县建市。自古享有"荆楚古邑，湘东明珠"美誉之称的醴陵，自东汉得名、立县迄今已两千余年。

时至今日，在市郊新阳乡楠竹山等村落，人们发现了规模相当可观的制陶作坊遗迹。就相关考察情况分析推断，该古陶窑非但始于东汉时期，而且从已发掘的陶器来看，品类甚多，样式多种，以坯体装饰见长的浮雕纹饰清晰可辨。

追溯其瓷业历程并做相应的阶段划分，可分为粗瓷期、粗瓷与细瓷共生期、细瓷期三段不尽相同的生发时期（图8-17、图8-18）。

图 8-17　沩山龙窑

图 8-18　沩山龙窑内部

1. 粗瓷期

粗瓷期（约 1729 ~ 1905），即醴陵制瓷的初始阶段。一般而言，其瓷业源于 1729 年。据 1948 年出版的《醴陵县志》记载："清初，广东兴宁人廖仲威，于邑之沩山发现瓷矿。雍正七年（1729），向沩山寺僧智慧赁山采泥，创设瓷厂。约其同乡技工陶、曾、马、廖、樊等二十余人共同组织，招工传习，遂为醴瓷之矫矢。其先师樊进德，明朝人，业瓷者，每开窑必祀，相传至今，沩山有樊公庙。自是沩山遂为瓷业中心区，渐次推广于赤竹岭、老鸦山、王仙观口等处。"[2]

沩山制瓷之初，多手工拉坯成型，以松柴为燃料，用龙窑来烧成。其产品多为盘、碗、碟、壶、坛、罐等日用粗瓷器具（图 8-19）。后亦出现用青花料在器物上手绘较简单纹样的制品。据《醴陵县志》记载，从 1729 年开始烧造瓷器，发展到 20 世纪（光绪年间）的最盛时期，全县有作坊约 480 个，窑户主要分布在东、北二乡，形成了以东乡沩山为中心的醴邑瓷区。然而从 1729 年（雍正乙酉）到 1906 年（光绪丙午）的 178 年间，这些作坊仍是烧造粗瓷，其产品多是釉下青花盘、碗等日常生活用器（图 8-20）。因瓷器色泽偏灰，形制工艺尚不精致，故有"土瓷"之说。

图 8-19　醴陵粗瓷

图 8-20　醴陵粗瓷

2. 粗瓷与细瓷共生期

粗瓷与细瓷共生期（1906 ~ 1956），即醴陵瓷业同时兼有粗瓷与细瓷生产的阶段。釉下五彩装饰工艺的创始，正好处于瓷质由粗转细的节点上，也可说釉下五彩是相伴于细瓷的出现而产生的。

以1906年湖南瓷业学堂和湖南瓷业公司的诞生为标志，醴陵瓷业结构发生了质的变化（图8-21）。一方面在师傅带徒弟的传习方式之外，新生了学堂式的、较为开放而全面的学习教育方式；另一方面，官商合办瓷业公司，体现了先进的生产关系，与之相应的是采取引进国外先进技术设备，以科学务实的方法改造老的瓷业生产技术，广纳各方贤才和能人，以及重视培养技艺人才等措施。体现在购置机械设备，砌筑景德镇式和日本式窑炉，聘日本及景德镇名师传授技艺。设置了圆器厂、琢器厂、机械室、化验室、电气室等，致力于生产高档细瓷。上述变革为当地生产力注入了一股清新的活力。

图8-21 清代釉下蓝彩花卉荷口盂（底款：湖南瓷业公司，罗磊光藏）

上述变革反映在醴陵瓷业的面貌上，先是引发了产品质量的提升与换代。细瓷的出现，改变了此前单一出产粗瓷的状况。随之，又推行了细瓷装饰技艺开发的借鉴与发展。釉下五彩这一新事物，正是在瓷业公司机制下应运而生且逐步趋于成熟的，该时期瓷业生产较集中于县城——姜湾。

粗瓷与细瓷共生，于20世纪40年代初形成细瓷趋多，这一格局延续到20世纪50年代初约半个世纪之久。不过，以当年新型学堂和公司运作的形式，在旧中国内忧外患的国情下，受诸多天灾人祸的影响和限制，注定是无力坚守和无法深入推广的，均止步于20世纪30年代左右。此后，仍回到以手工生产方式为主导的醴陵瓷业，基本处于纷乱与挣扎的境况，釉下五彩也是如此，只能在沉闷与萧条中等待新的时机。

3.细瓷期

细瓷期（1957～1976），新中国的诞生给醴陵釉下五彩及当地瓷业带来了生机与活力。细瓷在初步工业化的进程中迅速扩充，粗瓷则日渐消退，为重振釉下五彩打下了必要的基础。

20世纪50年代初至1957年，在县工商联、县艺联和瓷业陶画工会的促成下，共开办了13期陶瓷彩绘工人业余美术训练班。此间，特聘名师与能人授课，先后使300多名彩绘工人得以培训并提高技艺。特别是为恢复近乎失传的釉下五彩技艺，曾两度专程派人下乡，恭请年近古稀的老艺人吴寿祺（图8-22）出山执教。吴寿祺是清末醴陵釉下五彩初创阶段的参与者，还是当年瓷业学堂的首届毕业生。正是吴老的言传身教，加之与唐汉初等人一起展开了有组织的研制和技术培训活动，方使其重上正轨，成了釉下五彩新生的一段佳话（图8-23）。

借国庆十周年国宴用瓷试制之势头，该产区先后为北京人民大会堂等推出了釉下五彩茶具等专用器具。20世纪60年代以来，釉下五彩生产组织形式和规模扩大，较为集中在省陶瓷研究所和群力、国光、星火、永胜等厂。其材料工艺、色料品种、装饰手法和题材内容诸方面均随时代与实情有所改观。烧成上柴烧改为煤烧，三烧制改为两烧制；在装饰内容上更具包容性，而不多限于山水花卉；在表现方式上的构图、色调、图形和技法方面，均有所容古而图新；其品类除陈设器物，还有各种日用器具。此时的釉下五彩同本土瓷业一道，历经了数百年的历史沧桑，至20世纪70年代末，奠定了一定的基础、规模和特色，成为中国富有活力的釉下五彩产地和主要陶瓷产区之一。

图 8-22　吴寿祺　　　　　图 8-23　吴寿祺和部分艺徒于 1956 年的合影

（三）可贵的人才优势

釉下五彩的成因之一即人才优势。醴陵素有人才辈出之渊源，釉下五彩的兴起，有别于声誉很高的景德镇青花釉里红及形成技艺特色，两位湘籍人士——熊希龄（图 8-24）及文俊铎（图 8-25）功不可没。在其感召下集合了各界英才，他们所付诸的实践凸显了人力资源非凡的作用。

熊希龄（1870～1937），字秉三，湘西凤凰人，1898 年曾参加维新变法运动，辛亥革命后曾担任过中华

图 8-24　熊希龄　　　　　　　　图 8-25　文俊铎

民国国务总理兼财政总长，一生致力于实业和教育事业。1904 年随湖南巡抚端方去日本考察宪政，亲历京西、大阪和濑户等地，视其瓷器精美，即萌生谋划提升湖南瓷业之意。一番艰辛与实干之后，终使醴陵瓷业和釉下五彩新容绽放。

文俊铎（1853～1916），字代耕，醴陵东堡人。光绪十七年（1891）中举。1895 年曾参加"公车上书"宣传维新变法，后谭嗣同在湘成立南学会，由文领衔。戊戌变法失败后，避隐家乡，致力于公益事业。1904 年冬，与熊希龄同赴日本考察教育与实业，进而兼任瓷业学堂的管理与教学，为创制醴陵釉下五彩身体力行，功绩卓然。

熊希龄以出洋考察宪政官员的身份赴日期间，目睹了日本瓷器制造精良、形色俱佳，给人以青出于蓝胜于蓝的感觉。然而瓷器生发于中国并达高峰的印象总在他的思绪中挥之不去。两相对比而深感中国瓷业弱势，陶瓷教育差强人意，不足以抗衡洋瓷入内以振兴本土瓷业。其教育与实业救国的思想更为明晰。他回国后亲赴醴陵沩山、王仙等地进行实地考察，针对当时虽有制瓷基础，却明显存在瓷质粗糙、形制纤弱、装饰特点不强，以及缺乏组织管理与传授教育的问题，提出了"一立学堂，二设公司"的教育强国和实业救国之策。征得湖广总督端方的应允，由政府拨银 12 万两，于 1906 年在醴陵姜湾创立官办"湖南醴陵瓷业学堂"（图 8-26），次年兴建"湖南瓷业公司"。熊希龄亲任学堂校长并任公司总经理，文俊铎任教务监督，并组织了教务管理、教材编写和理化、历史、语文的教学班子。经聘请日本技师安田乙吉等绘画教师、模型技师、辘轳技师，以及景德镇的技师和教员传授各种制瓷技艺，引入日本的教育方式和景德镇的

图 8-26　文昌阁（湖南醴陵瓷业学堂旧址，1906 年德国建筑师恩斯特·柏石曼摄）

图 8-27　清末壁瓶（湖南瓷业公司制，丁继良收藏）

制瓷技艺。学堂设立速成和永久两科，招收速成科学员 50 人，学员均从熟练工人中选拔，并经考试入学；而四年制永久科的 64 名学员，均由窑户子弟中那些有相当文化基础者所组成。除文化课共同外，学员分别被授以选料、制釉、装窑、烧窑、辘轳、模型、成型、彩绘等方面的专业知识、技艺与技能。先后经学堂受训者千余人，为创立中国早期陶瓷教育与产业提供了良好的范例（图 8-27）。

顺应求新嬗变的历史时机，基于中外实地考察学习，将陶瓷技艺教学纳入新型学堂教育，组织中外结合的教师队伍与传授多方制瓷技艺的方式，不失为外来文化借鉴与母体文化的有机结合。与之相适应，熊希龄还专门从国外引进设备，设置标准陈列室，为生产和教学服务。这对后来醴陵瓷质的改进，釉下五彩工艺产生并渐趋成熟，起到了实质性的推动作用。

当时从业于瓷业公司的彩绘艺人，多是热爱陶瓷艺术的书画名流，最著名的有张晓耕、彭筱琴等人。张晓耕（亦名张逢年，江西萍乡湘东人）既能画釉上、釉下彩绘，也是才华横溢的书画家，还擅长金石、书画和花鸟、人物、山水。同时他在刻瓷、微雕和指画方面亦功力颇深。彭筱琴（湖南浏阳人）亦精通山水、花鸟。虽在技艺上稍逊于张晓耕，但因他在醴陵的时间特别长，当时以彭为师者甚多，影响尤为深远。此外，还有像吴寿祺、傅道惠、游先理等瓷业学堂速成班毕业的学员。瓷业公司的彩绘实力可见一斑，这些人对醴陵细瓷的发展和釉下五彩的创立有着突出的贡献。

熊希龄等先贤自觉兼容中外陶瓷教育思想，将教育、实验、研制、产销有机地结合并互相促进，其实就相当于现今产学研一体教育方式的雏形。今人再细读和领略那些传世的釉下彩瓷，不难看出其注重造型变化，在画面构图、纹饰、色调、用笔等方面不乏国画结合外来画风之新意。

当时在彩绘技艺上的求新求变不是孤立的，他们在色料研发上探索新品种及其使用方法，用高纯度的色料混合茶水调出一次色、二次色和复色；再经分水，即利用手指挤压，把毛笔所含液态色料转递到由坯件表面油墨线（烧后挥发为白线）形成的图形里。有关记载对此评价颇高："据民国 31 年 12 月出版的《醴陵瓷业调查》（湖南省银行经济研究室编）一书中介绍，醴陵瓷业自光绪三十二年由熊希龄等人创办细瓷以来，'其所发明之釉下器及釉下颜料制造方法，当时且为景德镇所不及'。"如果说洋务运动以来某些学堂教育的借鉴有较大的盲目性，但湖南醴陵瓷业学堂不属此列。这正是其人文与历史价值所在。釉下五彩就是在这个立学堂、办新厂、汇中西和制细瓷的背景下诞生的。

从清末民初时期的一批釉下五彩瓷来看，我们通过其装饰构图中的团花式、边花式和散点式结合的形式，还有纹样的勾线、平涂、渲染和情趣、意境等，看出它既无全盘西化的痕迹，也无抵触外来长处的印迹，而是给人一种传统和新意并发的印象（图 8-28、图 8-29）。

图 8-28　清末花鸟瓶（湖南瓷业公司制）　　　　　图 8-29　花卉撇口（湖南瓷业学校刘志钢制作）

当初年方三十六的熊希龄，历经如此一段敢想敢干、有声有色的过程，实令后人心存感激和敬佩。然而，无奈当年学堂所赖以生存的民族资本主义经济势单力薄，旧中国军阀割据造成的时局动荡等阻碍了其发展。学堂开办不到 10 年便停止，宛如一颗流星来去匆匆。不过那转瞬即逝的耀眼光亮仍留在后人的心中。

民国 7 年，瓷业学堂改为湖南模范窑业工场，由省政府委人办理，生产一些质量尚佳之品，但产量不高，仅艰难维系而已。民国 13 年，傅熊湘任模范窑业工场总经理。民国 21 年在傅熊湘的倡议下，湖南模范窑业工场改为私营模范窑场。

三、醴陵釉下五彩风格成因与特点

釉下五彩与青花、釉里红等釉下彩瓷一起，构成了釉下彩家族里几个最主要的品种。因它们都采用釉下装饰技艺，所以有某些共性。但由于使用的色料性质不同，装饰技法和烧制方式也不完全一样，因而形成了各自的风格与特点。

（一）比对青花、釉里红

与釉下五彩相比较，青花色料有天然与人工之分，二者均以氧化钴为主要成分。一般天然色料发色较明艳，人工合成的则较沉稳。钴料的烧成范围较宽，一般呈蓝色且发色力强，不同钴料所呈现的色彩效果不一，这就形成了青花瓷色泽有的明艳清晰，有的则沉稳泛洇等差别。

在图形和纹饰表现上，有的可精致如工笔，有的则粗放似写意；还有其色料的浓淡程度，可依加入水量的多少而调配与控制，以至于有的器物表面绘画层次非常丰富。像中国画"计黑当白"、"墨分五色"、"干湿浓淡"等基本法则，在青花装饰中已广为运用（图 8-30）。

图 8-30　青花

　　釉里红实际上不是釉下彩颜料，而是一种以铜为着色剂的釉料。因釉料有一定的黏稠度且坯体有较强的吸水性，故用毛笔蘸料手绘时不好掌握，较难达到精细均匀的画面效果。烧成后釉里红会产生细微的凸起且有较强的流动性。而绘有一定厚度、用笔较为放松并因窑变而产生自然纹理与图形的效果，应是人们对其较为理想的追求。其间烧成气氛的把握尤为关键，只有在高温还原的气氛下，才有可能烧出发色好、红中泛绿的佳品（图 8-31）。

　　釉里红可单独采用，但多与青花结合运用，俗称"青花釉里红"。它集青花的幽靓雅致、沉静安定和釉里红的浑厚冷艳于一体，产生并非强烈的冷暖对比，更多地给人以质朴与高雅并存的装饰风范（图8-32）。

图 8-31　釉里红

图 8-32　青花釉里红

（二）釉下五彩的特色

釉下五彩颜料性质，与人工制备的青花料类同。其色相众多，可调配各种复色，辅以油墨勾线（烧后挥发转化成白线），分水（按色区填充液态色料），以及三烧制等一系列相对完整的工艺技术，当会引发独特的艺术风格。

由于多品种颜料、勾线的影响、复色的运用和釉层的覆盖，易于形成釉下五彩"色艳而不俗，色淡似有神，浓淡总相宜"的风格与效果。如前所述，釉下五彩颜料的组成，尤其是复合色料，除着色金属化合物外，还掺有一定量的无色非金属氧化物（如石英、长石等），这就提高了色料的明度，降低了它的彩度，经釉覆盖和高温烧成，其色彩尤显协调、雅致和温润。哪怕使用等量的红与绿相配，也不至于产生强烈的视觉刺激；若用同类色、淡彩或多色的装饰，更易达到清雅富丽、和谐丰富的装饰风格。

釉下五彩最为典型的表现手法是"勾填法"，其基本程序是：构图→勾线→分水→罩釉→烧成。即有了较完整的装饰构图后，用笔蘸油墨或色料在坯面勾描出纹样的轮廓线。利用墨线含油并"堵水"的作用，将毛笔所含液态色料经"分水"转递至坯上，其不会洇出勾墨线所界定的范围。另外墨线经高温烧成而挥发，留下空白而精细的原始线形，在画面中起协调形象与色彩块面的作用。

彩绘时液态色料将被素烧釉坯数次吸附，这时可通过人为变换坯体的角度，以控制吸附色料的多少，这使烧成后的纹饰整体协调、有变化而又自然。所以，说起釉下五彩的风格，最根本的还是和谐与清雅。究其成因，主要是由其独有的媒介——材料与技艺所致。

除勾填法外，釉下五彩还有手工刷花，以及类似于"写意"和"兼工带写"的彩绘方式，也可借助于颜色釉等其他材料及工具，还有现今利用工笔的手法和釉下色料的细腻、凝固与晕染的性能，表现主题的精致与纯净，而背景则以写意的手法，用颜色釉的流动性和凝重感来体现气势和量感等，置优雅与雄浑于同一时空，情景交融，融古而别有新意（图8-33）。

然而，釉下五彩的发色强度不及青花。如茶色、玛瑙红等，若色料含水偏多，即不易显色；少数釉下五彩色料还不能画得过厚，如艳黑、玛瑙红等，太厚则易产生气泡或出现色料与面釉结合不好等瑕疵。

（三）构成特色的因素

就欣赏与应用而言，构成釉下五彩特色的重要因素应有环保固色、丰富多彩和雅俗共赏几个方面。

说到环保固色，特指其色料不含铅、镉之毒的性质，对生物和环境均是安全的。这种特质要归于制作色料的基本原料和高温烧成工艺，即色料以各种金属氧化物为着色剂，加一定配比的硅酸盐矿物质原料所制成。它不像有的釉上彩颜料那样，需借助于含铅毒的熔剂来促使其着色、发色并使烤彩的温度降低。

成器后的釉下五彩，之所以能牢固地附着在器物釉层下面，是因为纹饰与色料均被夹在坯体与釉料之间；在高温烧制的物化

图8-33　鹭鸶直口瓶（熊声贵创作）

变化过程中，色料、坯体和釉料相互熔融黏合，冷却后色料即被固定于瓷化的坯体与玻化的釉层之间。同时，因釉层覆盖的保护作用和高温挥发的作用，万一有其他毒性物也能被化解。在釉层的保护作用下，此类器物既能抵抗风蚀与酸碱的侵蚀，还可耐高温、耐磨损。只要瓷器和釉面尚存，釉下的彩纹饰就能保住其原本的形与色。

说其丰富多彩，仅釉下五彩的称谓就颇能说明问题。更何况，五彩实际上意味着多彩。将这一因素稍加展开：

一是色料多种相互调配。这一特性所揭示的是，它恰如英语的 26 个字母，可以组合成无数的词汇，乃至极为丰富的语言文字一般。

二是设色方式多有变化。这指用色画坯时，除勾线法、分水法外，也可采用刷花、绘画等技法，并人为地控制色料的干湿浓淡变化，还可通过色的叠加、厚薄处理等手法，造成呈色明度与彩度的多种变化。

三是色调运用变化有方。色调的冷暖及其倾向性是色彩搭配的关键，基于釉下五彩色料多种且可调配，设色方式多有变化的因素，特别是因油墨勾线所致的空白线，起着统一装饰形色作用的特点，所以釉下五彩赏心悦目之色彩关系，丰富多彩又变化统一的色彩效果，相对其他彩瓷而言就会得来比较自然或容易一些。

说到雅俗共赏，是指它色泽变化丰富，装饰效果多种多样，从而造就了其适应性广泛的优势。无论面对各阶层人士的喜好不一，还是大众心理需求与个性追求各异，包括与一定的人居环境和生活方式相适应等，釉下五彩总能给人带来一定的满足和愉悦。它的清雅明快或是古朴深沉，它的色彩斑斓或是色调统一，在这大千世界里多是亮丽清雅均相宜。若为家庭与个人所用，它能广为适应受众不同的品位；若成为环境空间的一部分，它可适应并营造出一种与之相适应的氛围。

上述釉下五彩风格成因及特点的分析尚不全面，但还是涉及了相关的基本知识。正由于具备了这些风格特点，以及仍有发掘的潜力，釉下五彩才一直被世人所关注。

四、醴陵釉下五彩既往成就与影响

悉数醴陵釉下五彩的成就和影响，有些人可如数家珍般地道来，也不乏与之有关的史料记载。

（一）出色的既往成就

在 1909～1915 年间，醴陵釉下五彩瓷先后获"武汉劝业奖进会"一等金质奖、南京"南洋劝业会"一等奖、意大利"万国制造工艺赛会"最优奖、美国旧金山"巴拿马太平洋万国博览会"金牌奖（图 8-34、图 8-35）。其实，在这些光环和荣耀背后的那些人和事，一样值得我们珍藏不忘。那般非凡的成就，不管从突破陶瓷工艺技术方面的角度来看，还是从产业与教育相结合的角度考察，乃至综合前两者所形成的文化精神财富，均与那时的瓷业学堂、瓷业公司及其创始人有关。

据 1911 年 4 月 6 日《时报》记载："（醴陵彩瓷）风潮所布，举国若狂，各埠商贩之来此贩运者络绎不绝，名声远在景瓷之上也……"釉下五彩具有无毒、耐磨、耐蚀、永不褪色的优点。釉层光亮透明，晶莹润泽，釉下色彩缤纷，画面清雅瑰丽，黑色轮廓线焙烧后消失，形

图 8-34　"南洋劝业会"褒奖章

图 8-35 美国旧金山"巴拿马太平洋万国博览会"金牌（1915 年）

成醴瓷独有的"无骨画"效果，被誉为"东方陶瓷艺术高峰"。仅经营数年，醴陵"几乎与素负盛名之江西景德镇大有并驾齐驱之势，其所发明之釉下彩及颜料制造方法，当时且为景德镇所不及"。

由于学堂与公司一开办就力求图新，重在改良创造，因而不满三年就成效卓著，加之当时烧造的优质瓷器适应了清末民初"振兴实业，抵制洋货"的时宜，故醴陵细瓷和釉下五彩一诞生，就像初始绽放的香花迎风吐蕊、芬芳四溢，除多次参加国内外赛会均获头奖外，也产生了较广泛的社会影响（图 8-36、图8-37）。

图 8-36 "武汉劝业奖进会"开幕式纪念（1909 年）　　图 8-37 "武汉劝业奖进会"给奖时情景（1909 年）

（二）广泛的社会影响

除《醴陵县志》外，自清末至民国年间的一些报刊、实业文献中，均有不少关于醴陵釉下五彩影响所及等记载，亦可略举几例：

其一，"……自该公司开办以后，出品既极精良，形式花样又无不玲珑精巧，较之前此式样，相隔不啻天壤，是以声明日隆，销额骤增至数十倍之多……前年武汉赛会，去年南洋赛会，均获奏奖一等第一名，得赏金牌以示优异。风潮所布，举国若狂，各埠商贩之来此贩运者络绎不绝"（湘省瓷业进行始末记 1911 年 4 月16 日《时报》）。

其二，"……宣统二年南洋劝业会获得一等金牌之奏奖，以及武汉、巴拿马、意大利等处先后赛会，均获得最优之荣誉"（游先理《醴陵官办瓷业史略》）。

其三，"清宣统庚戌年（1910），瓷业学堂改为瓷业艺徒学堂，原超速成班已毕业，永久班停办，期末毕业学生送湖南高等实业学堂。湖南瓷业公司开办以来，专制上等瓷器。本年参加南洋劝业会比赛，获优等奖牌。民国4年巴拿马运河成功，开博览会，公司特制精品参加，获优等奖牌"（百中《醴陵细瓷调查》）。

其四，"湖南醴陵于1907～1908年，创造高火性瓷器釉下彩颜料，制成多种多样的釉下瓷器。曾在本国南洋劝业会、巴拿马和意大利世界博览会上参加竞赛，均获得一等荣誉奖章，名驰中外"（沈明扬《实用陶瓷颜料学》）。

其五，"光绪三十二年，熊希龄倡设湖南瓷业公司于北门外美湾，用机器制造，锐意改良，成绩卓著。每年出品，岁值二十余万元，并在南洋劝业会、巴拿马、意大利等赛会上，均得优奖，名声日隆。当时销路，几与景德镇并驾齐驱"（杨大全《现代中国实业志》）。

循着上述信息人们不难觉察，醴陵釉下五彩既往成就非凡、社会影响广泛是不争的事实，它在兴学堂、办公司、创釉下五彩过程中所形成的诸多经验或启示，都是值得后人传承的宝贵财富。

第二节 坯件与釉料

一、坯件及多样性

除色彩丰富外，坯形讲究、瓷质良佳、釉色温润，应是釉下五彩为人所珍爱的主要原因之一。

一方面，初创时期的坯釉原料基本上是就地取材，采用醴陵沩山一带尚不及精选与精练的瓷泥成型，辅以石灰釉，主要实施三烧制工艺。以致成器后瓷质略带冷灰色，釉面较莹润，彩饰多显质朴、明快而沉静。

另一方面，20世纪50年代后的釉下五彩瓷，主要用精选的高岭土、长石、石英作坯料，施长石釉，主要采取两烧制工艺，因而质地尚属精细，半透明度和白度尚佳，光润的釉面更能映衬出彩饰的丰富、雅致和明净。

上述取材及加工技艺上的不尽相同，带来二者在白度、呈色、色调与整体效果上的各有所长。这些当是在不同时段和条件下，人们对釉下五彩技艺适时追求的具体体现，并不一定意味此间技艺价值之高低。毕竟其色料配制、彩绘手法、施釉方式及高温烧成等方法均是一脉相承的。

提及醴陵釉下五彩的独到与丰富，除三烧制、两烧制工艺的作用外，不能不说它在坯件制取及其应用上的多样性。坯件之所以被看重，是因它作为纹饰所依存的基础，以及它不同于青花釉里红对坯件的具体要求。

几乎形成了定式的青花釉里红绘制技艺，是在未经素烧的生坯上彩绘并一次烧成。而釉下五彩对于坯件的选择却相对讲究及宽泛，可依据一定的生产条件及具体需要，多采用经过素烧的无釉坯或素烧的釉坯，也可选用生坯或是坯料中加入色料的色坯。在相应的成型、彩绘与烧成工艺中，有素烧素坯彩绘、素烧釉坯彩绘、生坯彩绘和有色坯件彩绘的区分，以及较少采用一次烧成，多为两烧制及三烧制。这正是釉下五彩坯件择用与工艺上的独到之处，以及它多样性的原因所在。关于坯件的多样性，有如下几方面：

（一）泥釉生坯

泥釉生坯，是指已经成型，但未经素烧的泥坯或已上釉的泥坯。

一是拉坯或注浆成型后的泥坯，经干燥、修坯后可直接彩绘而无须上釉和经 800℃ 左右低温素烧的生坯。

二是在成型、修坯和上釉后不必素烧的生坯。这两种形式的生坯及应用，均与景德镇传统青花惯用的生坯彩绘、一次烧成别无二致。

尽管醴陵釉下五彩曾经应用过泥釉生坯，但它坯体强度差，分水技法较难施展，坯件表面难免有油性物而使釉面不匀等缺陷，难以充分体现自身的技艺与特色。因而这类生坯只是作为一个品种而已，远不是釉下五彩坯件制取与应用的主流（图 8-38）。

图 8-38　泥釉生坯

（二）素烧素坯

素烧素坯，是相对泥釉生坯、素烧釉坯而言的，这是一种无须上釉，但须经素烧的坯件（图 8-39）。它曾于釉下五彩初创时期广为应用，与之相匹配的是三烧制工艺。

素烧素坯在应用时，免不了与人接触并沾上油性物等，须第二次入窑以 800℃ 左右的低温烧制，使附着其上的胶、油等有机物挥发，以利石灰釉、色料和坯件在 1380℃ 高温第三次烧成时互熔，达到三者紧密合一的理想效果。

基于素烧素坯之上的三烧制技艺能较长时间被采用，除了其坯件有一定强度便于手工彩绘外，还因所用色料及釉料可较好地为坯体所吸附，色料较易于发色且稳定性好，少有出现爆釉、脱色等缺陷；加之石灰釉的附着力强、流动性好、透明度较高，导致器物釉面莹润光洁，纹饰清雅和谐。正是上述优势，使三烧制技艺自有其利用的潜力和价值。

图 8-39　素烧素坯

然而，20 世纪 50 年代后，有人认为三烧制尚有可改进之处，如制作工艺的相对繁复，与当时追求量产的目标不尽相宜；还有石灰釉的白度欠佳、制品较易产生吸烟、器表发黑发黄、釉下颜色易显灰暗，有碍于釉下五彩明净素雅的艺术效果。因此从 20 世纪 50 年代末起，除特殊产品采用三烧制并施石灰釉外，大多转为施长石釉和采用两烧制。两烧制所用的坯件，即下面要提及的素烧釉坯。

（三）素烧釉坯

素烧釉坯，指既需在泥坯的里外施釉，也需素烧的坯件（图 8-40）。20 世纪 50 年代中期以来，这种坯件的应用逐渐取代素烧素坯而成为主流。它比三烧制少了一次素烧，故为两烧制。

那时以来，开始采用长石釉以提高白度，但因其透明度稍弱于石灰釉，故先在泥坯上施一层长石釉铺底，经素烧之后方才在坯件上进行彩绘，然后再在其表面喷一层相同的长石釉，最后入高温窑烧成。

图 8-40　素烧釉坯

在当时的工艺条件下，长石釉相对优于石灰釉的长处是，前者始熔温度较高，高温黏度变化较慢，表面张力较大，这使釉下色料在高温中较稳定，只要釉料中钙含量适当且烧成工艺合理，就不易出现烟熏的缺陷。同时因长石釉的白度高于传统的石灰釉，可使釉下色料的彩度、明度有所提高，装饰效果也更显明媚与雅致。

不过，长石釉有一定的乳浊性，透明度较差，如直接彩绘于坯上并施釉的话，烧成后的纹饰会模糊不清，所以后来才形成了与素烧釉坯彩绘相应的两烧制。尽管其制作方法较前有所改变，釉料性能也较前不同，但工艺上仍保留了早期釉下五彩的本质特色：①纹饰采用高温色料绘制于素烧坯上；②纹饰被釉层所覆盖；③纹饰、釉料最后随坯体一起在高温中互熔烧成。

严格地说，坯件素烧与否，并不十分明显地影响烧成和发色。不过，从绘制的风格特色与整体质量把握上来说，坯件经素烧还是有几点好处的：

其一，增加坯体强度，不易变形与破损，便于彩饰与搬动。

其二，可生成少量的玻璃相，使坯釉结合更紧密，彩绘时方允许尽可能地运用各种技巧，如罩色、接色、重叠分水和连续渲染等，不至因水料的渗透而使坯釉分离，也不易出现釉面冲泡与釉面剥离的缺陷。

其三，彩饰在釉层下面，经久不褪色、耐腐蚀、耐磨损、无铅毒，视觉效果润泽雅致。

其实，素烧釉坯和两烧制的对应，多是一般意义上的，如果技艺手段中另需用到油、胶等特殊情况，还得酌情采用多次烧成方可奏效。

（四）有色坯件

有色坯件，即含一定色料或色釉的坯件（图8-41）。它以上述制坯方法为基础，于20世纪70年代中后期演变而来。其不外乎三种形式：一是在坯件成型的原料中掺色料；二是在坯件外表施一层化妆土；三是在坯件上施颜色釉。因其都不是通常意义上的白色瓷坯，而是有色坯件，还因其釉下彩绘纹样的"地"（即衬托纹样的底面）是呈色的，所以又称为"色地釉下彩"。

色地釉下彩是中后期的装饰手法之一。色料坯件与化妆土坯件之所以呈色，是因为在泥料中加入了

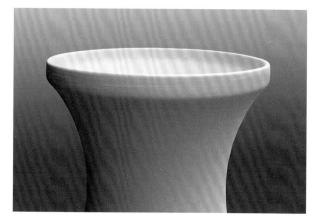

图 8-41　有色釉坯

适量的高温色料。所不同的是，前者用含高温色料的泥做成，坯件里外都着色；后者则仅在白坯上施一层含高温色料的泥浆，这种有色泥浆又称为"盖面浆"。

就釉下五彩生产工艺而言，化妆土的应用，相对带色坯料更为经济与灵活，因它既可以整体地覆盖坯件，也可以任意将坯件的局部加以遮盖（如盘、碗类边花的底色等），有助于装饰效果的多样与变化。

不过，化妆土在整体覆盖和局部遮盖坯件后，宜用低温烧一次，再施以透明釉，施釉时采用喷釉法比

图 8-42　双开窗灯笼瓶（吴寿祺 1960 年作）

图 8-43　色釉彩绘开光作品

图 8-44　色釉彩绘瓷

较稳妥，以确保坯、釉、彩的结合更牢固，使釉彩之间获得互为映衬的良好效果（图 8-42）。

色釉釉下五彩，分为开光（开窗）彩绘与色釉彩绘两种形式。

开光彩绘，即在素烧的、留有空白的釉坯上进行彩饰。具体做法是：依据造型设定简明的开窗形状，然后把该形状复制在韧性较好的纸上并用刻刀将其刻出，再用胶水或糨糊把它尽可能吻合地贴于坯件相应的部位，此后宜用浸釉法等施以所需色釉。这样，贴纸的部分坯体不吸釉而形成空白的开窗形状，其余部位则吸附了一层色釉。接着需小心地将纸揭下，精心修整色釉与开窗所形成的边缘，尽可能地清洁开窗面上的糨糊等，最后在开窗区内完成彩绘。

这种装饰方法用于器物的长处是，它使大面积色釉与小面积开窗的白地釉下五彩纹样形成强烈对比，从而集中强化了彩饰面，使其更为引人注目。

色釉彩绘，即在有色釉的素烧坯上进行彩饰。它更适用于深色系的坯釉，如钴蓝釉、铁青釉、钒黑釉等。这时的彩饰与深色底釉相配，故画面应以亮色调为主，图形结构与形式以简练为佳，这样，底釉的衬托与雅致彩饰便可相得益彰。得益于各种釉色效果的不尽相同，色釉结合釉下五彩纹饰既适合陶瓷艺术品，也同样能美化日用品。尤其相对那些瓷质偏灰的瓷器，若是在灰白的质地上画釉下五彩，真不如用色釉釉下五彩的装饰更为出神入化（图 8-43、图8-44）。

总之，色地釉下五彩同白地釉下五彩一样，不能孤立地考虑纹样或色彩，而要整体关注画面图形、色彩与地（白底与色底）的关系，包括了解和掌握釉下五彩色料与不同色釉的性能特点，以及它在高温中发色变化的一般规律。

二、釉料及适合性

釉下五彩的称谓与特质告诉人们，釉与彩的关系是相辅相成的，它的创制亦表明，材料、工艺和艺术的合一是密不可分的。

以材料、技艺要求而言，明艳、稳定、可以彩绘的高温色料是其一；高温时能与色料、坯料相互熔合的釉料是其二；特别的彩饰技艺及合理的烧制工艺是其三。因而彩、釉、烧是其成器与出众的三大关键因素。

釉料之所以重要，是因它在整体中不可或缺的作用。尤其是对于釉坯上的彩饰，色料夹在内、外两层釉料之间，如果釉料不能很好地与色料、坯件熔为一体，即便其他条件趋于完善，也难以获得高质量的器物。因此，应用适宜的釉料是整个烧造工艺中重要的一环。

（一）釉料性能与要求

釉下五彩的釉料，除了满足一般陶瓷要求的坯釉结合好以外，还有自身较为特殊的地方。一方面要求釉料烧成后具备良好的透明度，釉面平滑且光泽度好；另一方面还要求釉料在烧成过程中，不对色料有所侵蚀或损害，确实为釉下彩饰起增光添彩的作用。

选配釉料时，应着重考虑釉料的熔融温度、高温黏度、表面张力和膨胀系数几方面。特别是对于釉的始熔温度（指釉的软化变形点）和高温黏度（很大程度决定釉的流动性）的考虑上，应给予格外的关注。在不影响釉的最终烧成温度和不妨碍釉面质量的前提下，尽可能采用始熔温度较高、高温黏度较大的釉。因为始熔温度低的釉，在烧成过程中易过早地熔融，有碍于釉层内气体的逸出，进而有损于釉面的透明，或是此间因气体的冲击而引发冲泡等彩饰上的缺陷。

若采用始熔温度低的釉，即相当于高温烧成阶段釉料与色料互相作用的时间延长，釉料对于色料的侵蚀性也随之增强，往往易致使黄、茶、黑色料不稳定、不发色。另外，一般始熔温度低的釉流动性大，一旦烧成温度稍有偏高的情况出现，色料就易于随着釉料的流动而流失变形，以致不同程度地形成对彩绘色彩和形象的破坏。

高温黏度较大的釉，有助于减少与避免图案形色模糊、流散和表面"落坑"（下陷）的质量问题。一般来说，绝大多数釉下五彩色料即便与高温黏度较小、流动性较大的釉料相结合，它们之间基本上也都是趋向相互融合的，不会轻易产生明显的瑕疵。但对于铌铈黄、铍绿、钒黑这一类稳定性较差的色料而言，它们对高温黏度小的釉很敏感，一旦结合使用，较易显现质量上的不足。因此，适度提高釉料的高温黏度以减小其流动性，使釉料具有一定的表面张力，方可为稳定性不好的那几种色料，在色、釉、坯的结合上，提供获得较高质量的基本保证。

当然，所配釉料的始熔温度过高，高温黏度过大，固然能防止上述缺陷的产生，却可能出现如生烧、橘釉、针孔和气泡等问题。因而，理当在适度的原则之下，全面综合考虑各种因素，利用经由反复实验掌握科学的数据资料，从原料配比和烧成曲线等方面，确定釉料良好可行的始熔温度和高温黏度等。

同时，还要求釉料在未烧之前具有良好的黏附性能。若附着在坯件表面的釉层疏松、开裂或分层，稍有触及便出现釉粉脱落等现象，在这样的釉坯上彩饰或挪动，不仅不便具体操作，而且终会使其质量和艺术效果大打折扣。因此配制釉料时，可根据实践经验适当提高塑性较好的黏土用量，也可在制釉的研磨工艺中力求使釉料达到合理的细度而具良好的附着性等。

彩绘时如遇有釉料附着性差的素烧坯，应积极地采取补救或化解措施。可将调制好的胶茶水，即调和1%～2%阿拉伯树胶与浓茶水，用喷釉的方法在坯件表面喷上一层，从而使较松散的釉层较为紧固地附着在坯体上，以致彩绘等后续工艺得以继续。

（二）与之相适的釉料

这里所说的相适，主要指釉下五彩瓷在烧成的物理与化学变化中，除了坯和釉的互为适合以外，重要的是，釉料与色料二者间是否相互熔融或相安无事。因为釉下五彩色料是化工颜料，且每一种色料的组成成分不一，这就决定了其各自的化学稳定性存有一定的差异。所以，釉料与色料和坯料的适合程度及差别，将导致其质量的优劣。因而，它是釉下五彩工艺中值得人们特别关注的问题之一。

　　为了探索釉料、色料及坯料间的作用与影响，获得比较完整而又可作工艺参照的色标，20 世纪 70 年代醴陵陶瓷研究所曾经组织进行过专项实验。具体方法是：从各有关厂收集和选择了多达 114 种不同色相的釉下五彩色料，其中基础色料 24 种，复合色料 90 种。先用分水法将色料填在两种不同坯料、六种不同釉料的坯体上，然后喷一层釉，再装入八种窑中进行交叉试烧，用三角测温锥测得的烧成温度分别为 1360℃～1420℃，以考察各种色料对釉料、坯料和烧成的适应性。尽管这一工作只是阶段性的而未最后完善，一些内在规律还有待于继续实验研究，但已获得的初步结果，对一般釉下五彩工艺制作有一定的指导意义。现主要将六种釉料的组成、有关理化性能及釉料对色料的影响列为表 8-1：

表 8-1　六种釉料的名称、配方、化学组成及有关物理性能表[3]

序号	釉料名称	配方(%)	化学组成(%) SiO₂	Al₂O₃	Fe₂O₃	CaO	MgO	K₂O	Na₂O	P₂O₅	IL	实验式	R₂O₃:RO₂	酸性系数	釉锥熔倒温度(℃)	釉锥熔融温度上限(℃)	高温相对流动性(mm)
1	某厂试制组相釉	长石52，望城石英26，广西桂林烧滑石8，萍乡镁质匣泥6，新塘镁质匣泥8，精选界牌泥8	73.65	12.44	0.20	0.89	4.04	6.21	1.12	—	2.14	0.0897Na₂O 0.3259K₂O 0.5015MgO 0.0789CaO	0.5621Al₂O₃ 0.0062Fe₂O₃	6.124SiO₂	1:10.78	2.38	1200	1344	11
2	某厂4#半釉	长石40，石英30，醴陵香炉坡镁质匣泥20，萍乡新塘镁质匣土10，外加湘潭方解石2.25	76.61	10.32	0.19	1.12	2.60	5.77	1.25	—	2.24	0.1223Na₂O 0.3689K₂O 0.3899MgO 0.1181CaO	0.6143Al₂O₃ 0.0070Fe₂O₃	7.691SiO₂	1:12.38	2.69	1195	1341	20
3	某厂8#釉	广西资源长石43，泪罗石英32，衡山东湖泥10，萍乡东风界镁质匣泥7，浏阳磷矿″石3	75.24	10.29	0.14	1.60	3.34	5.11	1.84	1.02	2.11	0.1516Na₂O 0.2779K₂O 0.4245MgO 0.1460CaO	0.5154Al₂O₃ 0.0044Fe₂O₃	6.417SiO₂ 0.0369P₂O₅	1:12.42	2.52	1190	1335	23
4	某厂20#釉	长石50，桂林滑石8，东安白云石4，衡山马迹泥9	70.08	13.15	0.10	3.82	6.62	—	3.95	—		0.3857 K.NaO 0.4453MgO 0.1695CaO	0.6133Al₂O₃ 0.0029Fe₂O₃	5.526SiO₂	1:8.97	1.94	1180	1345	29
5	某厂7208#釉	长石46，石英11，攸县生滑石17，极绕界牌白泥9，生界牌泥8，本厂带釉废瓷粉7，白云石2	68.77	13.71	微	1.39	5.66	6.03	1.34	—	3.00	0.0851Na₂O 0.2553K₂O 0.5609MgO 0.0986CaO	0.5377Al₂O₃	4.568SiO₂	1:8.5	1.76	1170	1339	36
6	某厂钙质釉	平江长石43，石英32，湘潭方解石10，界牌泥15	68.65	12.58	0.14	6.76	0.19	4.24	1.25	—	6.13	0.1046Na₂O 0.2437K₂O 0.0242MgO 0.6267CaO	0.6408Al₂O₃ 0.0044Fe₂O₃	6.260SiO₂	1:9.7	2.13	1190	1343	36

注：①釉锥熔倒温度及高温相对流动性是实测值。

②釉熔融温度上限是计算值，依经验公式：$\dfrac{360+R_2O_3-RO}{0.228}\times 0.85$ 而得，供参考。

从表8-1中可以看出，除第6种釉料属钙质釉外，第1种至第5种釉料均为长石釉，它们只是在配方上各有差异而已。三角测温锥熔倒温度按第1种至第5种釉料的顺序依次降低，温度越高则相对釉的流动性越大。在烧成温度均是1380℃的同等条件下，烧成的结果是：

第1种釉在五种长石釉中是效果最好的，其釉面观感洁白莹润，平整光滑，透明度与光泽度好，发色效果较为明快、清雅、鲜艳，性能较稳定。只是桃红色料出现了开裂与剥落的缺陷。

第2种釉总的来说也比较好，其弱点是釉厚处容易吸烟，釉面略呈灰暗，色彩的明度和彩度也稍逊于第1种釉。

第3种釉的效果不理想，除了釉面白度和色料发色程度不及第1种釉外，所绘茶、黄、黑色色块，均出现了斑点与点状下凹的缺陷。

第4、第5种釉在某些方面基本相似，但都远不及第1种釉好，黑色中点状下凹和白点多，黄、茶色系多数出现了严重的斑点。两相比较，似乎第5种釉的色块斑点略显轻微，但是钒黑色的流散比第4种釉严重。但第5种釉的最大优点是桃红色料不开裂、不剥落，平坦鲜亮。

第6种釉料属钙质釉，出现了同时包括不适合坯料与色料的诸多问题。

此外，在这次实验中也发现，蓝色料（钴、铝色料）在镁含量多的釉中发紫，在含钙量较多的釉中发绿；同时钙含量较多的釉，还能使铬绿色色料显得更为浓郁。可见不同的釉料不仅对釉下装饰效果具有不同的影响，还能影响到色料的色相发生变化。

根据当时的烧制工艺，有理由认为较为适合于釉下五彩的是第1种釉。因其在与全部114种色料结合的实验中，近100种能经受各种烧成条件的考验并发色正常、色泽鲜亮和层次分明。尽管其中有十来种色料在最高烧成温度下出现了问题，但它的严重程度远较其他釉料轻微。至于桃红色料开裂与剥落，尚不全是釉料的问题，因为这一缺陷在当前的釉下五彩中几乎具有普遍性，还需对色料本身进行研究。关于第2种釉，只要适当调整配方中的钙含量，也能成为一种比较适合的釉料。第3、第4、第5种釉均显得不甚理想，而且在烧成中难以控制，很容易出现色块落坑、流散和斑点等缺陷。第6种釉的问题更多，就当时的坯料和烧成制度而言，均不宜于釉下五彩。

当然，该实验得出关于第1种釉适合于釉下五彩的结论，是就上述六种釉料相比较而言的，以全方位的要求来说，它还未达到十分理想的效果。20世纪60年代初，醴陵陶瓷研究所曾配置了一种无论是釉面的光洁度、润泽感，还是克服釉下彩饰缺陷等方面，均优于第1种釉的"新宁釉"，可惜当初对此未作必要的总结。看来，更好釉料的研究和发现，对陶瓷材料研究工作者而言，依然颇具挑战意义。

作为小结，釉下五彩的釉层是附着于坯件表面的，釉料必须与坯体结合良好。一旦坯料配方发生了改变，釉料也得随之进行调整。然而无论怎样改变和调整，釉料还须同时适合色料，这是始终不渝的。即使有的釉在某种坯件上是一种好釉料，而它不见得就适合于釉下五彩。例如其他产区亦有采用醴陵釉下五彩色料的，往往却难以烧制成比较地道的韵味，其中的问题不单纯是地域或烧成气氛的缘故，色料、釉料和坯料之间的不尽合适，很可能是问题的关键所在。

第三节　色料品性与应用

陶瓷釉下色料有天然与合成之分。无论前溯到汉末三国时期的褐色点彩，还是考察唐代长沙窑的釉下褐彩、绿彩，以及蜚声中外的景德镇元青花等，它们均属矿石炼成的天然色料。醴陵釉下五彩之所以与此前色料有本质上的不同，在于它借助并体现了近代科技进步的新色料、新工艺和新技术。尤其是新色料成了一种导向，后续的新工艺、新技术和新成果都因它而成立。正是得益于无机化学工业的发展，人们运用化学原理而合成的釉下五彩色料，被赋予一种既能耐高温，又能反复调制，远比天然颜料更为绚丽多彩的特性。

釉下五彩色料又称釉下五彩颜料或彩料。它是一种高温粉状化合物，每一种基础色料的产生，均经无数次的原料配合、试制、试烧等工艺流程，从其创制时的区区几种发展到后世的数十种。而且还可根据彩绘的具体表现与追求，将基础色料再调制为新的品种且扩展潜力无限。

该色料呈色完好有其基本条件，如合适的色料配方，合理的色料制作工艺，与色料相适用的坯釉，得当的色料再调配和手工绘制，以及正确的烧成温度和气氛等。

它的丰富多彩与世上一切物体呈色原理一样，有赖于不同性质的物体或色料对于投射其上的光而发生一定的吸收、折射与反射作用。这表明物体与光相互作用的显色特征，没有光照的外加条件，物体绝不会吸收、折射与反射光波，没有这些光波作用于人的视觉器官，人就无从感觉任何物体的色彩及形态。这是两百多年前就被揭示了的色彩学之基本原理。

当然，釉下五彩之发色不违背色彩学的基本原理。但它不只是寻常事物中较简单的光、物、色关系。仅以它在烧成前后的呈色不一为例，彩绘前那些看似单纯、显色程度不一的色料，彩绘并烧成后竟大多脱开其初始的相貌，转化为明晰而又多彩多姿的釉下彩装饰。这确有一个复杂多变的过程。不过，从理论上全面而系统地阐明色料呈色的内在规律，并在实践中准确地控制各种色料，在各种条件下具有吸收和反射一定光波的性能，这是一项非常专业而系统的研究，非本文所着重涉及的范畴。

有志或有兴趣从事釉下五彩设计创作的人，虽不可能也不完全具备条件对色料进行系统深入的研究，但理当尽可能去熟悉一般常用色料及其性能，熟悉的目的全在于实际应用。如果掌握了一般的色彩知识，特别是对釉下五彩色料有基本的了解，加上不断充实与积累这方面的实践经验，进而让色料出现近乎按个人设计的光彩就并非遥不可及的事。本着切合实际的主张，本节重点将涉及以下方面。

一、基础色料的种类与制备

所谓基础色料，就是那些作为成品或商品的色料，也是粉末状、带有各种色彩倾向的釉下彩绘材料。在实际应用中，基础色料又称原色料，其种类相对较少，有30余种。但在此基础上可人为配制成无数种复色色料。

展开该节内容之前，需明确相关的名词解释：

一是着色原料，凡促使陶瓷坯料、釉料、色料展现各种色彩的物质（含天然、人工两种），又称着色剂。

二是色基，将着色原料与其他原料配合，经煅烧后而制取的无机着色材料（人工），即色基。

三是载色原料，作为填充材料，主要指硅酸盐中的土石类原料，如瓷土、石英、长石、锌粉等各种无色氧化物，又称填料。

四是熔剂，在色料配制的各个组成部分中，起降低或调节色料熔融温度作用的物质，即熔剂。

（一）种类

釉下五彩色料，可粗略分为基础色料、复色色料两大类。

自醴陵釉下五彩诞生以来，经过不断的研究试制，基础色料的品种已比较丰富，除釉下大红色料尚属明显的缺项之外，像红、橙、黄、绿、青、蓝、紫和黑、白、茶、灰等各色基本俱全，其中除紫、灰为复色色料外，形成了七个系列的基础色料。详见表8-2。

表8-2　醴陵釉下五彩基础色料的七个色彩系列[4]

色系	颜料名称
红色系	玛瑙红　锰红　桃红　芙蓉红　肉红
橙黄色系	钛黄　橘黄　柠檬黄　镨黄　钒锆黄
绿色系	草青　浅绿　水绿　青松绿　苔绿
蓝色系	海碧　海蓝　钒锆蓝
茶褐色系	360＃茶色　361＃褐色
白色系	241＃白　242＃白
黑色系	艳黑　鲜黑　821＃黑

上述色料有的以着色元素命名，如锰红、钛黄等；有的以颜色色相命名，如草青、海蓝等；有的则以实验编号命名，为了识别和管理方便，每种色料前面都冠以试制时所编的代号，如360＃茶色、361＃褐色等。

所有这些高温色料，除初创制时期的区区几种产品外，大都是后续研制的新品种。它们一起构成了釉下五彩一定规模的色料体系，大多用于釉下彩绘，也可作为配制色釉与色坯的色基。这些色料主要适应于经素烧的硬质瓷坯，相对更适应于长石质釉和还原焰烧成。其烧成范围较宽，一般可在1200℃～1400℃以内烧成并发色。若是坯釉适合、彩绘得法、工艺严谨和烧成合理，就很有可能获得色相纯正、发色稳定及色调和谐的釉下五彩效果。

（二）组成

釉下五彩基础色料，大体上由两种原料组成：一是着色原料，二是载色原料。另外，为了加速色料制作在煅烧合成中的反应，有的色料在配方中还需适量加入氟化钠、硼酸、轻粉等原料，以作矿化剂或助色剂。

着色原料及色基，主要是元素周期表中的过渡元素，如钛、钒、铬、锰、铁、钴、锆、金等，此外也使用了碱土金属中的铍，还应用了过渡元素中的稀土元素作为着色剂、助色剂和稳定剂。这些金属元素的氧化物或其他化合物，用于釉下五彩色料的着色原料虽然有限，但由于色料的化学组成不同、晶型结构不同和煅烧条件不一，一种着色元素能与不同物料配制出多种色相的色料，使其色彩属性产生多种变化。

如氧化铬，拿它与钴、铁相配时，在1300℃以内能烧成清亮的黑色；而它与长石、石英、瓷土配合时，又成了一种特别能耐高温的绿色。

再如用1300℃以内的氧化焰烧成，氧化铬与氧化锡配合，却又能反射出红的色光。

还有钒的化合物，可制成釉下钒黑、钒蓝，又可制成钒锆黄。

更有趣的属黄金，它是釉下玛瑙红和釉上金红的主要着色原料。若将黄金制成釉上金水且用低温烤烧，呈现的是其原本的色泽。醴陵陶瓷研究所的邓文科经多次试验得知，如果再把釉上金水当作釉下高温色料彩绘于釉坯上，于1400℃以下的还原气氛中烧成，无论采用勾、填、点、写技法，还是喷釉与否，它都能呈现纯正、光亮、沉着、稳定的釉下红褐色相。

不仅上列三种元素具有如此的多变性，其他各种金属元素，作为无机化合物用于陶瓷色料，在不同条件与配比情况下，均有多种发色的性质且发色变化相当复杂。釉下五彩色料种类的不断增多，正是研制者对其发展变化规律逐渐认识的结果。

载色原料，也叫填充料，是指硅酸盐中的土石类原料，如瓷土、石英、长石、锌粉等。它们在色料中的作用，是使色料具备一定的理化性质，以致烧成后形成一定的晶形结构，进而在光照下能呈现相应的色彩。对于始熔温度低于该色料色基熔点的填充料，也可以理解为高温熔剂，因这些填充料和低温熔剂有相似的作用，同样可起冲淡色基、降低温度和烧成后与瓷胎结合良好的作用。所以这类原料在色料组分中的含量越多，色料的彩度越淡，色料的性质越接近坯釉的性质，烧成后的色块也就越趋光洁。当然，不同的色料配以相应的填充料，如果填充料的性质及量与色料所需的配比不相适应，那么色料的色相、彩度和明度将会出现不同程度的问题。

（三）制法

不同种类的色料，不仅在原料组分与配比上有明显的差异，而且在工艺处理上，如原料混合的程序和焙烧的方法、温度、气氛、时间等也不尽相同。然而，基础色料制备的基本工艺程序大致相同，一般需经过原料粉碎→配料→混合→焙烧→粗碎→球磨→干燥→研细，最后成为粉末状的、有所呈色的色料产品（图8-45）。

图8-45　基础色料的产生过程（从左至右、从上至下依次为：球磨颜料→煅烧匣钵→煅烧颜料→煅烧后的颜色形状→粉碎后的颜料→成品包装后的颜料）

具体以釉下草青色料的制造方法为例，由此举一反三。

釉下草青有两种配比，其中 311# 草青的配比是：氧化铬 22.59%，氧化钴 2.11%，石英 22.59%，长石 30.12%，东湖泥 15.06%，镁质黏土 7.53%。

其工艺过程是：先将各种原料粉碎、过筛，然后按上述配比准确称取与混合各料，装入球磨坛并干法研磨一段时间，使之进一步细碎并混合均匀，再将其取出并装入垫有谷壳灰的匣钵内，入窑经高温还原气氛煅烧合成；出窑后须把谷壳灰等杂质清除，用石轮将其碾压粉碎并过 180 目筛，再装入球磨坛中以湿法研磨精细，然后取出烘干、研磨成粉末状的基础色料，最后完成质量检验与成品包装。

诸如釉下浅绿、水绿、青松绿、海碧、海蓝、茶色等色料，均与草青色料的制作工艺流程基本相同而稍有差异，如不同的色料过筛时，可依据一定的细度要求而选用180 ~ 400目筛等。

二、 基础色料的性能与应用

每种色料都有其不同的特性，这不只是通常所说的色相、明度、彩度和冷暖感觉诸方面的差异，同时还意味着它们具有不同的聚结力、发色力、黏附力、乳浊性、熔融性和高温稳定性等不同的性质。只有当人们了解了这些特性以后，才有可能充分发挥其不同的功能与效应。

色料的性质，取决于其主要成分。它们在装饰上的具体功效，有赖于人具体应用色料的设想与技艺。由此看来，了解色料的主要成分，是开启认识其特性之门的钥匙；而掌控色料使用的原理与技法，则是有效发挥其功效的动力（图8-46）。

图 8-46　基础色料种类

（一）红色系列

釉下五彩红色,主要有锰红组成的系列及金红(图8-47)。

釉下锰红有17＃锰红、59＃芙蓉红、271＃桃红，铝红有66# 肉色红，它们均以碳酸锰、氧化铝为主要成分。这类色料，一方面不宜研磨过细，以防彩度减弱及引发釉面龟裂；另一方面因其相对颗粒疏松、聚结力弱，一般不宜用作勾线用料。其应用于分水需特别注意：

一是在大面积分水着色后，因其稍有触摸很容易被抹掉，最好将其工艺操作安排靠后。

二是由于它颗粒粗、沉降快，特别就17# 锰红

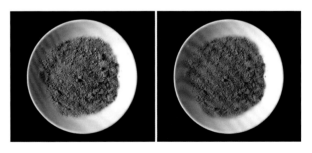

图 8-47　红色系列

而言，每每将要分水前，宜把色料水搅拌均匀，以利于吸附与发色。

三是17# 锰红不能着色过厚，既不宜料水太浓，也无须叠加料水；271＃桃红、59＃芙蓉红不宜偏薄，料水可稍浓些或适当重复分水；66＃肉色红用作肤色时，最好用偏中的淡水色料，也可用于肤色以外的其他色。

对于绘制较为精细的作品，为了提高色料的黏附性，可采用两次陈腐法。第一次陈腐时，使其由液态自然变干涸，再研细之并兑入茶水进行第二次陈腐。必要时，还可考虑加入适量的淀粉类有机填料，这样

可增加彩料的黏附性，以利彩饰效果；还可在烧成中促使色块的微细空隙增多，以减弱因色块膨胀而引发的开裂等缺陷。

玛瑙红是釉下五彩最典型的色料之一，又称金红。它是用三氯化金与氯化锡、铝硅酸盐矿物制成紫金泥，然后加入填充料再行煅烧所制成。该色料一是熔融性能好，能良好地与坯釉结合，即使不施釉烧成也常有一定的光泽；二是使用性能好，它和一般的蓝、绿、黑色一样，无论是勾线或是分水，均较易找到得心应手的感觉；三是色相沉着稳定，不易产生缺陷。因而，常用它来调配褐、酱等复色料，也将其作为人工合成深紫色的主要成分。不过，玛瑙红的耐高温性能不如铬绿、钴蓝，在温度过高时易出现色彩淡化或全部挥发的现象，因而调色过淡与施色太薄均应避免。

（二）茶色与黄色

茶色是釉下五彩最典型的色料之一，亦称褐色。茶色与黄色的实际应用较为普遍并形成了系列（图8-48）。

图 8-48　茶色与黄色

360＃茶色以氧化铁、氯化锰、氯化铬、氯化硅为主要成分，361＃茶色则是用氯化锰、氯化铬配制而成。前者的熔融性比后者好，只要分水所形成的色层不至过厚，不经施釉的色料也可以烧亮，甚至有的比施了釉的更趋稳定、光洁，更显纯正无瑕。不过，二者均有相同的弱点，即单独使用时，在施釉后及高温下趋于偏色发绿；另外，施色偏薄时易受釉料的侵蚀而致其色彩淡化或缺失。

釉下黄色的品种较多，按发色元素的区分有铀黄、钛黄、铬钛黄、钒锡黄、铌锆黄、镨黄等，它们在高温还原烧成的情况下，发色均缺乏一定的稳定性。

720＃钛黄，主要是由氯化钛与氯化锌组合而成，色相一般呈现橙黄，宜以弱还原气氛烧成，如在强还原气氛下则易使色彩偏灰。825＃镨黄，以氧化镨为着色原料，配以锆石英等制成，亦呈橙黄色。因氧化锆具有良好的载色性能，故镨黄比钛黄趋于稳定。不过，分水时宜填中水、平水。如加入241＃白，可随量的多少而减弱其彩度和提高其明度，呈淡黄、粉黄色；若加入茶色、玛瑙，会减弱其明度而呈中黄、深黄。52＃柠檬黄用镨、铈、铌、锆等原料组成，一般发色娇艳，浓淡皆宜，同样可以调配成不同彩度与明度的黄色使用。钒锆黄，是以五氧化二钒和二氧化锆所组成，虽明艳程度不及上例几种黄色料，但以氧化焰烧成的话，就可呈现色彩格外光亮的黄色。

以上黄色共同的优点有：

其一，能较好地适应各种彩饰技法，勾线时运笔的感觉要好于锰、铝红。

其二，具有较强的遮盖力，其遮盖的效果仅次于或不亚于241＃白。

其共有的弱点是在与釉料不相适合、烧成不当的情况下，不及红、紫、蓝、绿、白等色料的稳定性。

（三）蓝色与绿色

蓝色与绿色是釉下五彩装饰中主要且常用的，也是发色力强、高温下最为稳定和复合色料最多的一个色系（图8-49）。常用的原色料有海碧、海蓝、草青、浅绿、水绿、青松绿、苔绿共七种。

120＃海碧以氧化钴为着色原料，与氧化铝、氧化锌、长石等原料配制而成，若直接使用，发色趋于娇艳，而稍加海蓝、

图8-49　蓝色与绿色

茶色和填料配成复色料，便会趋于沉稳柔和；72＃海蓝的主要成分是铝、铬、钴，呈现绿蓝色相，较海碧显得深沉，但其色块容易产生褶皱的现象，因此使用时适量加入长石釉有助于克服此种现象；72＃海蓝与735＃海蓝原料配方基本相同，只是后者未加特殊的矿化原料，故发色效果稍逊于前者。

311＃草青的着色原料由氧化铬、氧化钴，配以石英、长石、瓷泥制成；114＃浅绿的主要成分是硅与铁；153＃水绿的组成有石英、方解石、氧化钴等原料。这三种绿色料在实际运用时，最好适量加入石英、长石釉一类的填料，这样色相会越发清雅光洁；尤其是水绿，若直接使用，不如掺入50%左右的石英和釉粉，在施色时稍稍偏厚，烧后方能呈现柔和而又透明而又淡雅的水绿色相。

以氧化铍、氧化硅为主要成分的4＃青松绿，以及主要以绿柱石为原料的38＃苔绿，这两种色料的色相接近而又各有特点，前者略偏娇嫩，后者稍显深沉，二者一般可直接使用。使用时可酌情掺入241＃白，从而达到石绿的效果。将其调入草青或浅绿之中，则可加强其彩度。

（四）黑色与白色

黑色（艳黑）曾是醴陵釉下五彩创制时期的重要色料之一（图8-50）。

以钴、铬、铁为着色原料，配合长石釉粉制成的400＃艳黑，在烧成不超过1300℃时，所呈黑色光鲜，色彩较稳定，若在此温度上继续升高就会逐渐变绿。该色料使用时厚薄要适中，过厚会

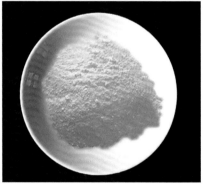

图8-50　黑色与白色

因料中的铁颗粒膨胀而致色块突起，太薄则会因铬的发色力较强而色相偏绿。

123＃鲜黑以钒与硅为主要成分，又名钒黑。若直接使用，大多会产生下陷的瑕疵，所以宜配成复合色料使用。比较好用的14＃黑，就是由鲜黑、艳黑等配成的复合色料，其配方是：鲜黑50%，艳黑27.8%，青花料（四氧化三钴10%，长石釉60%配成）3.33%，海碧5.55%，石英粉13.34%，经再次高温煅烧而成。

821＃黑也是以钒的化合物为着色原料，由于制备的原料与工艺不同，其直接使用的效果好于鲜黑，呈

色较温和稳定，是现今应用得最多的一种黑色。为了使该色料所配制的淡色不致轻飘，可加入10%左右的241＃白而使其稍具浑厚感。

241＃白的主要原料是氧化锆、石英、长石，故称锆白。它明度高，乳浊性比较强，是较理想的釉下白，同时也是调配粉绿、粉蓝和灰色的最好配料。242＃白是由瓷泥、石英、硼酸等原料组成，其性质与一般釉料相近，只作为助熔的填料使用。

三、复合色料的调和与配制

其实，釉下五彩色料成品逐渐增多，早已非"五彩"所示。因而在具体应用中，它会随诸多因素的变化而不断延伸或拓展。

如前所述，釉下五彩原色料，就是未经调配的各种成品色料，并非指色彩学意义上的红、黄、蓝三原色。因釉下五彩原色料中，不少品种本身就是间色或复色，所以人们习惯上不用"间色"这个术语，只称"原色"与"复色"。

虽然原色料可直接用来彩饰，色彩效果比较丰富，但人们受色料制作过程中各种配方形式的启发，还有其他绘画色彩形式上间色、复色运用的导向，以及醴陵釉下五彩的实践者不满足于只用原色料来表现，逐渐摸索而知晓，凡将两种以上的原色色料放在一起并按一定的比例互相配比，就可能配制成数不胜数的复色色料，就会产生不可穷尽的色彩变化。

（一）复色调配的规律

釉下五彩复色色料的调配，与一般绘画色彩搭配基本相同，只要基础色料发色稳定，遵循绘画三原色的原理，一般均可以配成各种复色色料。但也有不同之处：

一是因原料的性质不同，釉下五彩复色色料不能完全按绘画色彩原理配制。如用钛黄与海碧调和，却不是理想的绿色。这是因两种基础色料中都含有一定量的氧化锌的缘故，也与钛黄的内在性能不稳定有关。

二是复色色料不单是色料互相混合，有时还需按一定比例加入各种配料。

三是配制的复色色料是否符合工艺要求和艺术效果很难即时明确，大多要经过高温试烧之后方能明了。

因此，这就要求我们不仅要了解一系列基础色料的性能，还要懂得各种填料使用、调配比例及其程序与方法。由此可见，调配釉下五彩复色色料的难度比绘画调色更需理智、更为复杂。当然，只要勤于实践、善于总结，摸索到它的特性与规律，就有可能事半功倍。

（二）复色填料的应用

调配釉下五彩复色色料所应用的填料，最主要的有石英粉、长石粉、瓷泥、长石釉粉和241＃白、242＃白等。它们在色料中，随着填料不同和需要各异，起着诸多的作用：一是可提高色料的明度；二是可加强色料与瓷胎的结合性能；三是可增强色料在高温中的稳定性；四是可依据具体需要而促成某些复色色料；五是可有所选择地促使釉下五彩的色调或浑厚或清雅。

不过，在实践中首先要清楚各种填料的性能，不可过于感性而任意搭配。例如，要使色调更具厚重感，或需加强色彩遮盖力，就应采用瓷土、坯料或241＃白作填料；若需要色块更为透明、轻快、淡雅，可选用石英、釉料或242＃白作填料。又如，石英有益于铬绿、暗蓝的发色，但对于调配鲜蓝、浅蓝一类明度高的色料，却反而起适得其反的作用，一旦石英用量过多，反而易导致亮色发暗。

在上述填料中，应数釉料、石英、241＃白的适应性最为广泛，其中特别是长石质透明釉，它几乎对每种色料都不会产生破坏性影响。以至用瓷土、坯料或石英作填料时，也往往辅以此种釉料，以求色彩清亮和色块柔顺。

（三）　复色调配的方法

凡调配新的复色色料前,思想上应确立欲求一定色相、明度和彩度的目标,不能盲目任性。待确定目标后,即可决定相应的配方和工序并按配方下料,用天平称取各料并置其于碗中,后掺少量清水磨细混合色料,仔细观察、判断其色相等与目标接近与否,一般都需几经调整方可与目标相近。色料研磨时,水与料之比基本对等,这样方可反复磨至细腻而均匀,然后调和茶水,酌情分别以淡、中、浓三种状态的色料填于坯体或试片上,再装入高温窑试烧,烧成后即可根据试烧效果考究色相与厚薄等,以最终确定配方及工序。

调配复色色料是一种实验性、探索性和经常性的活动。获取理想的复色色料,几乎都要经过多次调整配方和试烧方见成效。尤其是各种色系较齐全的复色色料,需经长期实践和逐渐积累而成。对此,除了对一般色彩规律要有所了解外,更需在具体的复色色料调试中,养成详细记录配方、用心分析试制成败的科学态度和方法。

四、色料的加工和研磨

成品色料在制备过程中经湿法球磨工序后,一般可通过 400 目筛,其绝大部分的颗粒细度达 205 微米以下,可以直接用以彩饰工艺。但由于湿法球磨所用的液体是水而不是酒精,因此在干燥的过程中,形成色料的微细颗粒不免互相黏合,会形成颗粒状较粗的假象。不过,使用时还是得将色料置于乳钵中并加水进行手工研磨,这在很大程度上是将色料研磨细软、松散。

一般而言,色料的颗粒愈细愈好,若颗粒太粗或是复色料混合不均匀,不仅不好使用,而且还不能充分展现色料在装饰中应有的功效。然而,色料的细度要适当,不然会带来某些副作用。例如,釉下锰、铝红色料有其颗粒限度,若研磨得过细,其彩度会有所降低。再从具体研磨方式来说,球磨色料的时间过长,球子磨损消耗就大,无形中加大了填料的比例而冲淡了色料的发色力,甚至还会改变某些色料结合的性能,如青松绿的球磨时间太长,烧成后的色块就易出现开裂的弊端。

此外,就分水工艺来说,色料的颗粒度也不宜太细。因其细到一定程度时,黏性增大、重力减小、悬浮性增强、沉降性减弱。这些固然有好的一面——色料的沉降速度慢,彩绘分水比较方便。不过,正是这个原因,又会使色料与坯釉结合不好,多在坯件上松浮,瓷面的光滑度不佳。

所列案例并不是一味强调色料的宜粗或宜细,而应具体情况具体对待。如要提供一个粗细相间的平均值的话,一般应在求细的前提下,既要避免损害色料的质量,也要确保分水色料必要的沉降性能,醴陵群力瓷厂已有经验可作借鉴:在球磨坛的规格为 7 公斤、转速为 44 转／分,球子、色料、水之比为 1.5:1:1 的条件下,各种色料掺茶水(丝印颜料掺酒精)分别球磨 60 ～ 150 小时(桃红 60 小时,一般色料 80 小时,黑色料 150 小时),再过 300 目筛,筛余量不超过 0.1%,这样的色料一般就可以用于彩绘。

手绘精品所用的色料,大多种类较多,用量较少。实际上,人都习惯于手工研磨色料。其细度的把握,可根据一定的实践经验与方法加以检验,如将乳钵中研磨到一定程度的色料稍倾斜后马上回正,再仔细观察乳钵内壁往下流淌色料的状况,如感到其水色交融、略显黏态,这会比较好用;若是流淌下来的色料水色不匀、水色分离且见颗粒状,这就仍需研磨。当然,有必要在用作试验的坯上画几笔,也可感觉并判断出色料是否好用。另外,为了提高研磨的功效,最好先将较粗的色料用茶水浸泡陈腐数日,然后去掉多余的水再进行研磨,这样你会感受到以一当十之功效。

第四节　绘制工具及辅助材料

任何形成风格特点的陶瓷艺术品类，均离不开特定的材料与工艺技术，人们施展才艺所依赖的工具，即是其中重要的组成部分。正如前人所云"工欲善其事，必先利其器"。釉下五彩手工彩绘所用那些工具，看起来虽不见得有何特别或先进，但它们是否称手、适用与够用，直接影响着操作者是否得心应手，关系到其技艺发挥充分与否。因而，这些看似不甚起眼的工具，自有其独到和实用之处。

一、基本工具

（一）毛笔与排刷

笔为文房四宝之首，自然也是陶瓷彩绘的基本工具之一。用于釉下五彩的毛笔类工具大致分为两类：一类是专门用笔，另一类则是辅助用笔。专门用笔有两种：一是线子笔，专用于勾线，即勾勒油墨线和色料线；二是分水笔，专用于分水填色，即将毛笔所含液态色料填置于（转递于）一定的图形色块中。其他的画笔均属辅助用笔，可以用来绘制除勾线、填色以外的各种画面效果（图8-51）。下面就相关的毛笔逐一简介。

图8-51　勾线笔、分水笔及其他笔

1. 勾线笔

勾线笔又称线子笔。一个"线"字便点明了它的专属与特性。其用途主要在于勾勒墨线和色线。一般而言，此种笔毫取材于羊毫类软毛，笔毫较长，笔身则由较细长的竹管制成。新笔使用之前较讲究的做法是，在离笔尖1厘米左右的接近笔毫根部处，用细线将之捆紧扎好，以使其更为好用和更加耐用。

与中国画勾线用笔不同，线子笔笔毫要长出其约1厘米。因用途及效果不一，有普通线子笔、黄毛线子笔等。而为釉下五彩特制的一种线子笔，称为拣尖线子笔，也有叫乌尖线子笔或特制线子笔的。该笔毫以羊毫为主，毫长约2.5厘米，其中掺有山兔的尖毛，其笔管细长，约30厘米，勾线时无论线条长短，运笔快慢，比一般毛笔易于达到刚柔相济之功效，也特别适合在陶瓷坯件上进行勾描，并有助于展现人的绘画功力。

釉上彩勾线的金线子笔、黄毛线子笔，也可用于釉下五彩勾线，由于这种笔毫全以狼毫类的硬毫制成，故极富弹性与力度，如能适应之且使用得法，那么所勾画出的线条尤显苍劲利落。

2. 分水笔

分水笔一词中的"分水"，缘于称釉下五彩特殊的填色或施色技法为分水，这里"分"字的意思有二：

一是"分别"配送色料到相应的图形区域；二是与配制料水时混合色料、茶水之"混"字的谐音有关。因而干脆把填色或赋彩的用笔称为分水笔。

分水笔笔头用纯羊毫制成，其形状特点是笔尖齐而腹部大，毫长且柔软，故含分水料多。　分水笔有大小不同的数种规格，主要依据坯件图案面积的大小而选定相应的分水笔。较大色块的填色，宜用大号分水笔，较小面积的填色则用小号。一般而言，中号分水笔使用得最多，因为它不仅适应小面积填色，也能适应较大面积填色，若在中小型坯件上分水，酌情利用中号分水笔就基本够用了。釉下五彩的分水笔，也可选用传统青花分水中的鸡头分水笔。

3. 其他用毛笔

釉下五彩的装饰技法，并非局限于勾线与分水。勾线、分水是其最基本和最常用的技法，也是其特点所在。但实际上，除专用勾线、分水笔外，还有必要很好地利用其他毛笔，才能满足彩绘时类似于中国画中勾、皴、擦、点、染等技法，以及多种表现效果的需要。其他辅助用笔大致有：

一是勾勒类毛笔：这类笔的笔毛多用狼毫类的硬毛制成，有一定的硬度且富有弹性。这种类型的笔主要用于勾花、叶、枝干等图形的色线，以及在坯上打装饰线或分界线等。如衣纹笔、叶筋笔等属硬笔类毛笔。

二是点染类毛笔：这类笔的笔毛多用羊毫类软毛，也有硬毛软毛相间称为兼毫的，主要用于点画、渲染花鸟、山石、人物，以及提款写字等。此类毛笔还包括白云笔、红毛笔、鸟尖小楷笔等。而大、中、小白云笔，宜用于渲染色彩的浓淡。

三是排刷类毛笔：毫尖呈平齐状是这类毛笔的特点，其笔毫的选材有的较硬，有的较软。其作用不外乎在泥坯、素烧坯上较大面积地刷涂色料或色釉，也有用于洗坯、除尘等清理工序的。

上述笔类工具所及，只是一些相关的常识，均基于釉下五彩表现技法的需要及绘制者用笔之习惯。其实，人们尽可依自己的喜好，在众多的大、中、小型书法、国画、水彩等类毛笔中加以择用。

4. 毛笔的养护

工具的选用固然重要，其养护也同样重要，俗话说"养兵千日，用兵一时"，即从一个侧面说明了工具养护的重要意义。派上用场的各种毛笔，在其使用与存放的时候，均需实施必要的养护措施：新笔要妥善存放于干燥阴凉处并伴以樟脑或卫生球；分水笔最好是专色专用，浅色系色料更是如此，像红、黄、黑、等色料的分水笔切忌混用；还有，用秃了的分水笔可另作其他效果用，而不宜再用来分水，因为失去了尖头与软毛的笔，就等于失去了其应用的特性而达不到所求之效果；此外，凡分水笔，平常不用时应倒挂晾干，避免笔杆与笔头连接处因长期存水而霉变腐烂；最后，毛笔用完后都要及时清洗、吸干和整理置放好，避免笔尖黏结、笔头开叉、随意搁置等杂乱无章的现象。

（二）　砚台与用墨

釉下五彩技法中的勾墨线，是独具技艺价值的。尽管它居于彩绘的步骤之首，但一度被认为只是起到工艺过程里的过渡作用。即用笔勾画出由油墨线所组成的图案构架，这些线作为色彩与图形的轮廓线，也是不同图形与色彩的分界线，以及分水时将料水围堵在一定区域内的堵水线。一旦烧制完毕，先前那些比较实在的油墨线，全都挥发成虚空的白线（图 8-52）。

图 8-52　烧制前、后墨线的变化（左：烧制前，右：烧制后）

然而实际上，正是这些错落有致的丝丝白线，在釉下五彩画面整体效果中起着特别重要的作用，它就像一张隐隐透露出统一画面力量的大网，灵透、清雅和一眼难以看穿，成了釉下五彩不可或缺的特色。

既然用到油墨，当然有砚台与墨（图8-53）。虽然它们不像书画家所用的那般讲究，却有着一定的要求。关于墨，它是中国传统书画用到的墨锭。

图 8-53　砚台与墨

其主要原料由炭黑、松烟与胶等组成。可通过加清水于砚台内壁，在其中研磨墨锭便产生用于书画的墨汁。釉下五彩之墨线用墨，以松烟墨为好，要求墨质细腻且无砂粒。选用含胶较少的松烟墨更为适用，用其勾出的线条墨色好、具有较好的附着力。胶性偏重的松烟墨则可能滞笔，线条在低温下有凝结收缩之倾向，也就易从坯件上脱落，故不宜采用或慎用。

砚台用于研墨、盛放研磨好的墨汁和捺笔。因为磨墨，所以砚台内底有一平坦的部位；因为盛墨汁，所以内壁凹陷；还因保湿，故有扣盖其上。砚台的材质，有陶质、瓷质与石质等。研墨还是以石质砚台为佳，其质地精细致密，利于研磨发墨。因用以勾线的墨量有限，故选用砚台大小应适度，一般以直径或长宽约12厘米的方砚、圆砚为宜。同时砚台内凹陷度不可太浅，否则磨墨时容易溅出。那些石质粗糙、密封程度不好、尺度形状不佳的砚台均不应在考虑之列。

（三）料缸与乳钵

釉下五彩色料的备用与存放有两种方式，除桌面上的碟碗类中小型容器存放之外，还有盛料较多的容器——料缸，它专做陈腐与存放量较多的色料之用（图8-54）。料缸的容量多少因生产制作规模大小而异；其材质宜用陶瓷而忌用金属，以确保色料性能不变；缸口宜大且敞开，以方便盛料与取料。随时间的推移，料缸的形式逐渐延伸为料坛、料桶等。

用色与分水前，一般从料缸中取出黏稠成团的色料，置入手工研磨的容器——乳钵（图8-55）中，加入适量的茶水并搅动乳锤来捣细、研磨为液态的分水料。瓷质乳钵和乳锤有大、中、小等数种，可以根据所需色料的多少合理选用。另外，还要讲究乳钵、乳锤造型和材料上的合理性，以提高研磨色料的质量和效率。分水料应研磨得稍细些，特别是调配复色，因其是多种有机物的混合，各种分子结构与硬度都不同，故更应通过细心的手工研磨，使其水乳交融、合为一体。否则，烧成后就很可能产生色彩不均匀，显现"色斑"而导致工艺与艺术质量有所缺失。

图 8-54　料缸

图 8-55　乳钵

（四）料碗与料碟

料碗，是用来盛分水色料的碗状陶瓷容器（图8-56）。凡经过了乳钵研磨而待用的各种色料，可分别倒入料碗中，碗的大小可按实际需要选择，碗口形状却有所讲究，边口外翻与边口偏厚的碗，不便于笔蘸

图 8-56　料碗

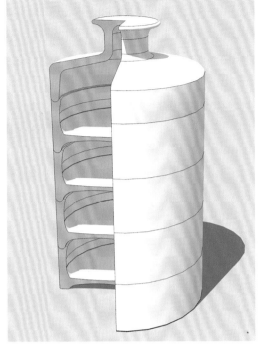

图 8-57　摞叠式料水碗

图 8-58　料碟

料水而不宜采用；边口较直与边口稍薄的碗就比较适用，其除了方便蘸料水之外，还有保湿、保洁的功效。因而，可选用摞叠式的料水碗（图 8-57），这种碗有两个好处：一是由于碗与碗的口底互相摞叠而近于密封，故水分不易蒸发，能较长久地保持料水洁净；二是各个盛色料的碗之间，可分可合、使用灵活、存放安稳和节约空间。

料碟，即盛放较少色料的陶瓷碟子。碟子的样式，宜用窝式而不宜用折边的，这样便于蘸色与搽笔（图 8-58）。碟子的数量当酌情而定，一般备有大、小两种规格的就行。小碟子约 3 英寸，用作盛放用于勾线、点彩的色料；大碟子约 5 英寸，可当彩绘时勾、皴、擦、点、染所用的调色碟。当然，摞叠形式的料碟，也不失为一种理想的选择。

（五）手轮与刻刀

手轮，即小型手工转动的转盘或辘轳，是实施釉下五彩工艺必要的设备（图 8-59）。手轮分顶部工作台面及下部的支撑面两部分，它们之间由金属柱子套轴承支撑并连接上、下两面。坯件置于手轮之上，操作者可随意转动手轮，全面、整体地审视、控制和调整彩绘装饰。因手轮转轴圆心固定，转动时工作台面平稳，易于描绘平行线和对称线，故常用于坯上起稿构图、坯件上打墨线圈与色线圈，以及辅佐其他工具为单件制品喷色、喷釉等，甚至连烧好的作品也可置于手轮之上，慢慢转动，细细品味。

图 8-59　手轮

刻刀，常用于修理、调整釉下彩绘时偶有偏差或多余的线条与色块，即利用刀锋刮除多余与错误之处，故有修刀一说；有时也可根据设计要求在坯体上雕刻些许纹样，辅佐釉下五彩的综合效果；还有作为传统醴陵釉下五彩主要技艺之一——刻纸刷花的工具（图 8-60）。

修刀一般利用刻刀即可，刻刀有多种规格，有扁的、圆的、方的、尖的，大小、长短不一，其形状宽窄可按实际需要灵活选定，如刮刀宽度一般在 0.2～0.6 厘米较为适合。当然，修刀也有其他替代物，如剃须刀刀片、医用手术刀刀片等就是不错的选择。不过在使用中要多加小心，以免伤及人与坯件（图 8-61）。

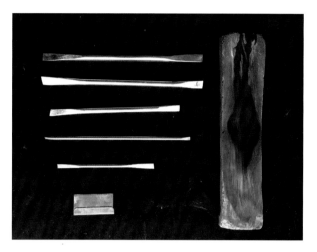

图 8-60　刻刀

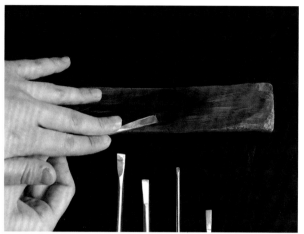

图 8-61　修刀

（六）枕板、踏脚、软垫

枕板，是用于绘制较大规格的瓷板、挂盘等平面作品时的辅助工具（图 8-62）。以勾线、分水为工艺特征的釉下五彩，很大程度上像画工笔，不要求悬腕、悬肘；为了彩绘更为精到、方便有效，防止人手、袖口等触及坯件或是蹭坏彩饰，可将坯件置于结构与形状有点像足球门框的枕板下面，从而起到枕垫手腕、托手肘的作用。枕板可按一定规格加工几块较光滑的木板，再将之钉成或卯合而成。

踏脚，又称踏脚凳，分水时用两脚踏于凳上，双臂依靠于膝间的动作。这样有助于彩绘时心神平定、操作安稳，还能减弱劳作过程中的辛苦程度。踏脚的形状、结构与平常小条凳类似，高约 30 厘米，踏脚处的面积一般稍大于双脚掌即可，要求其结构合理、紧密、无晃悠（图 8-63）。

软垫，彩绘时需将坯件不同程度地倾斜、倒放和稍加移动等，软垫正好起到垫坯和托坯的保护作用，在心理上和实际上都有利于手绘和坯件质量（图 8-64）。常用的软垫有棉包与块状海绵两种，两者相比，棉包形式的较为传统和好用一些。棉包内一般裹有优质的丝绵或棉花，外面包上细软的布料，酌情缝制成大小有别的长方形。其一般大小约为 30

图 8-62　枕板

图 8-63　踏脚

图 8-64 软垫

图 8-65 刷子及筛网

厘米 ×40 厘米，厚度约为 3 厘米。长方形软垫既能单层水平托坯，也可将之折叠并有所倾斜地垫坯，以方便不同角度勾线、分水等操作的需要。

（七）刷子与筛网

刷子有材料不同，样式、规格和软硬各异的刷子。这里所说的刷子不是用于绘画，而是将刷子蘸上所需色料，利用由金属丝网制成的筛网与刷子发生摩擦，使笔含之色料从网孔洒落或弹射至坯件上的手法，辅助毛笔等工具的绘制，进一步丰富彩饰技艺的效果。

筛网主要取材于细密的铜丝网或钢丝网，结合粗金属丝及竹、木的外框制成。需通过来回移动金属丝筛网并与蘸色或色釉的刷子发生摩擦，使色料或色釉漏出筛网，或是较为均匀地，或是深浅不一地洒落在彩饰面上。由于彩饰是无数色料刷点的组合，其色块的结合与过渡极其自然且无生硬的痕迹。用此法可以达到多种色料相互融合，产生色彩含蓄而又丰富的效果（图 8-65）。

二、辅助材料

上述工具所及，仅仅是釉下五彩彩绘工艺中一些常用的。工场的有关基础设施，如色料柜、坯架、工作台等，均可因地制宜自行配备，这里无须详述。

此外，釉下五彩绘制中用来调配油墨、色料的一些辅助材料，如茶水、甘油、乳香老油和胶溶液等，可统称为描绘剂。这些材料有相同点，也有各自的特点。共同点是，它们都属黏稠剂，只是黏稠的程度不一，适量加入均有利于彩绘的实施，有利于彩料与坯件表面的结合；特点是它们的作用不完全一样，有着不相同的用途和用法。

（一）分水料用的茶水

茶水，或称茶汁，一般取较粗的茶叶或陈茶用开水冲泡，冷却后可作调制分水色料之用。之所以首选茶水是因其属弱黏性液体，尤为适合分水色料应用的需要；另外茶水不像有的溶胶那样容易腐化变质；还有粗茶比较便宜且方便使用。

茶水在分水色料中的作用有：

其一，可加大分散介质的比重，增强分水色料的浮力，从而延缓色料颗粒在分水时的沉降速度；

其二，能稍许增强分水色料的黏性，有利于抵抗坯件的吸水力，使分水色料比较均匀、平顺、紧密地附着在坯体上；

其三，茶水是一种保护性的黏稠液，用它调制分水色料，可使色料颗粒周围生成黏膜层，避免分水色料聚沉，即出现水色分离的现象。当地人将此称作"色料翻生"。

调料用茶水分浓、淡两种，用途各异。色料初调或陈腐时宜用浓茶水，它可用约 100 克茶叶冲泡 5 公斤沸水；调制即时用的分水色料，应用淡茶水，其茶叶可以减半。欲想看到良好的分水效果，料中的茶水还是宜淡不宜浓，茶水太浓会伴有副作用。

（二）勾线料用的胶液

勾线料即勾色线用的色料。胶液即牛胶或阿拉伯树胶溶液（图 8-66）。

图 8-66　树胶（左）和牛胶（右）

胶液可用作勾线用料的描绘剂。从使用上说，两种胶的基本性能相近，均有黏性强、流动性较好、对色线有保护作用的特点。不过，牛胶属动物类胶质，气温高时易腐变，气温低时则易凝冻；植物胶质的阿拉伯树胶性能较稳定，不易受气温影响而变化。胶溶化的方法分别是：牛胶一般采用掺水蒸或熬，树胶则多用清水浸泡。

胶溶液的作用，主要是将它加入色料中后，能增加其黏附性和流动性，使之随着笔锋的运行而顺利"起线"，并能较牢固地附着在坯件上。不过，溶胶调入色料的顺序和用量多少，对勾线料的好用与否至关重要。例如，对于粉末状的色料而言，应先掺入浓度和用量适中的胶溶液并均匀研磨，然后再调入适量的清水，即先掺入胶液后兑水，这样有利于勾线流畅并使线条清晰圆润；切不可在已含水的色料中掺进胶液，即不可先掺水后兑入胶液，这样调配的线料用起来会出现线与料分离、流动性弱和附着力差的弊端，即使有再好的毛笔和画工，也难以勾出令人满意的线条。

（三）润滑保湿的甘油

甘油，是一种能与水融合、遇冷不凝结的油性和黏稠性液体（图 8-67）。吸湿性和润滑性好，是其一大特点。在干燥的状况下，它的调入可使色料保持一定的湿润状态。针对素烧坯件表面较酥松、吸水性强的特点，将少许甘油调入色料的作用是：保湿与防脱落，即防止线条在干燥的坯件上快速脱水而收缩剥落；也有助于勾线时的运笔流畅及线条明晰光挺。不过，调料时甘油的用量须适当，用量太少不起作用，过量则会带来一些副作用：线条久不见干，妨碍后续分水填色；线条堵水性差，造成色块之间的线条含混不清；还会减弱坯体吸水的程度，以致线条达不到应有的厚度。所以，在非干燥的工作环境下，甘油在色料中的应用，须尽量控制少用或不用。

图 8-67　甘油

（四）勾线料用乳香油

乳香油作为调制釉下勾线料的油料，其性温润，黏性强且不易挥发，不影响色料呈色（图 8-68）。它分老油、嫩油两种，老油黏性强，浓度大，勾线料多用老油调制；嫩油黏性弱，浓度小，一般不用于勾线料。

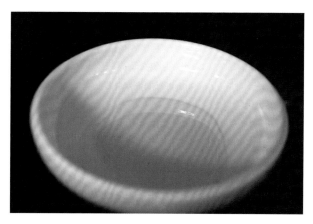

图 8-68　乳香油

乳香油是用乳香与樟脑油或煤油熬炼而成。将它调入勾线用的色料与墨料中，可使这类线条在分水填色时起到"堵水"的作用。

由于油与水是互不相溶的，要使二者调和统一是有前提条件的，那就是正确掌握油的掺入方法及用量。如果油量不足，线条的堵水力就不强，分水时料水极易越线往外流淌；如果油量偏多或掺入油的方法不妥，比重轻于水的油就会浮在色料的表面，从而影响和妨碍勾线的作用和效果。因此在调料中要控制恰当的油量，需讲究调制的方法，这样才能为后续的彩绘打好基础。至于乳香油调入色料的方法，将于下一节具体介绍，此处主要说说乳香油的制取。

制取乳香油的方法有熬油法和吊油法。不管采用何种方法，均须用清水洗净乳香中的杂质，以保证乳香油的高质量。

熬油法比较简便常用。将乳香和煤油按1:1的比例盛入有盖的耐火容器内，用文火慢熬，当油熬到呈暗棕色及近乎干枯状时，将其取出且过滤去渣，再行慢火细工熬炼，直到熬至一定要求的浓度，即试着将油滴滴入水中或瓷器的釉面上，不见其散开为好。

吊油法，实则是蒸馏法制取乳香油。先得自制一吊油器（图8-69），过去常用陶罐加铜罩制作，后来有用不锈钢将其焊成的。焊制方法是：取1.5毫米厚的不锈钢板材一块，切割出约50厘米×37厘米的长方形，将之围合焊接成一个圆筒形。然后将拱形冷却池底焊接在筒体上部三分之一处，并在冷却池底之上开个小孔，焊一根出水管，管口端接上水龙头，以调节出水量。接着沿冷却池底之下开个小孔，焊上出油管，后在出油孔之下焊一圈聚油笕。为了进料和出渣，还需在筒体腰部开个较大的孔，焊上一根成45°角的螺口进料管。最后焊上器底，装上提手即成。

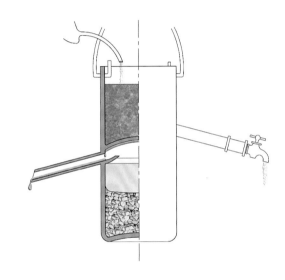

图8-69　吊油器

吊油器操作须注意：

首先，应将该器下半部以及出水管、出油管、进料管的中段与基部，敷上一层掺有细砂和纤维的耐火泥，勿让火焰直接烧到器身。

其次，将乳香、煤油以10:1的比例和匀，从进料口装入该器内，拧紧螺母，以免漏气；然后，用小砖垫起该器，以便加热时通风，并在离该器8～10厘米的周围用砖砌成约15厘米高的炉墙，其间放入木炭燃烧加热。

再次，该器的上端不断注入源于自来水管的冷水，水经冷却池流出出水管，注意保持进水量和出水量相等，形成一个循环的冷却池。

最后是出油阶段，先小火加热，中间大火，约1小时后，乳香和煤油受热蒸发，蒸气一遇冷却池底，即凝成液体流入聚油笕内，再经出油管流出。起先流出的是煤油与水，接着流出的是嫩油，靠后流出的才是乳香老油，直至流到出油口微微冒烟为止。这种取油法的确麻烦，但其质量好。

（五）水质与分水色料

水是釉下五彩彩绘中用量最多的一种描绘剂，尤其是调制分水色料时，几乎就是与水或茶水打交道。其间，水质如何将直接影响色料呈色的好坏。以釉下241#白色料为例，用其初调的色料，烧后白度较高；若此料陆续掺入茶水，会因水的硬度大，且有一定量的泥沙等杂质，致使其烧后白度逐渐降低。白色料如此，其他色料也无例外，只是没有那样明显而已。再说，若水中过多地含有氧化物、硫酸盐等杂质，还有可能妨碍料水的稳定，即分水彩料在使用的过程中，容易产生水与色分离的聚沉现象。

绘制中，无论料水消耗快或慢，掺水或换水时有发生，水质不太纯的水是不可取的。当然，并不是非得用蒸馏水等高纯度水不可，像干净的自来水、清澈的江河湖水、井水、地下水等均是不错的选择。即使是用净水冲泡的茶水，也应在用于兑料前做好沉淀、过滤工作，使其尽可能不含杂质而相对纯净。

第五节　基本绘制技法

在了解了坯釉、色料与工具的基础上，方能以主动积极的状态，综合有关工艺和艺术知识开展具体的绘制。

作为陶瓷装饰最重要形式之一的彩绘陶，曾率先开启了中国绘画的历史。国画成熟以后又利用其成就在瓷上开辟了另一种美的境界。对此，邓白先生认为："瓷器的彩绘装饰，自从吸收了绘画的技法以来，使它得到了惊人的发展，不论是青花、五彩等彩瓷，出现了绘画风格的装饰之后，便发生了崭新的面貌。"[5]陶瓷彩饰与中国绘画相互影响、相得益彰，而釉下五彩正是对这种影响所做的精彩诠释。其独特艺术品性的体现，以材料工艺和绘制技法为基础；其纹样典雅和谐的特征，以及润泽的水分感，与特别的绘制技法密不可分，而绘制技艺的表现往往得益于切合实际的方法和程序。对此，可作如下表述：

一、构图概说及辅助方法

同其他创作设计表现一样，釉下五彩设计的程序，先是构思，后进行具体构图、脱稿、复稿、绘制等。

其构图大致有三类工艺手法：一是先在纸上构图起稿，然后将之过稿或转移到坯件上；二是直接在坯上构图起稿；三是前两种方式的综合。

颇具文化内涵的"意匠"与"匠心独具"之说，主要指构思巧妙的意思。构思的重要性与其装饰特征有关，包括决定装饰题材、精心构图布局，并在构图时明确主次关系，考虑色彩色调，组织纹饰结构、形象，乃全整体设想画面气氛等。绘制者一旦若有所思或胸有成竹，就应着手把它画出来，即把构思意向逐步表现在草图、设计稿上或坯件上，使之成为结构合理、具体可视和可以在坯件上绘制的纹样。

（一）坯件形态与构图

关于构图，它相当于中国传统美术理论"经营位置"之说，就是在设计与创作中，依据一定的构思与立意，灵

图 8-70　清宣统御制官窑釉下墨彩山水琵琶尊

活而具体地运用造型艺术中美的形式规律，将图形的结构、部位、形象、特征等，和谐地安排在一定的空间和面积内（图8-70）。

釉下五彩的构思立意，须围绕其造型、材料工艺特点与形式美的法则进行，而不能孤立地考虑纹样或色彩的构成。同时，构思立意需明确主题，围绕主题展开想象，并在头脑中浮现其雏形形式，这样方可着手草图等图形表达，而不可毫无构想与意向就急于构图。

美的形式规律有重复与呼应、节奏与韵律、对立与统一、重心与稳定、运动与平衡等；绘画中形式美的讲究有虚实、开合、疏密、聚散等；图案纹样中的基本形式有单独与复合、平衡与均衡、中心与放射、条理与反复等（图8-71）。这些都是构图中一些行之有效的法则。对此我们不必全用，但需酌情选用。

任何画面的构成，一般都要在主题突出、主次分明的基础上，善用粗细、浓淡、虚实、疏密等对比，做到变化、趣味和呼应兼而有之（图8-72）。在构图中以对立统一的法则去协调那些相互矛盾的因素，包括善用点、线、面、体、空间、色彩、肌理这些造型的基本构成要素，营造丰富、生动、和谐的视觉效果。

其实，构图法则在艺术创作中是相通的。不过，考虑到釉下五彩装饰特点多在立体的坯件上进行的设计活动，它既要考虑装饰与造型的统一，还需顾及纹样本身的多样和统一、实用与欣赏的统一等。

立体坯件上构图的主体或主题，不可只顾及某一视角，而须满足多视觉角度（图8-73）。平常纸上看似较完美的构图，若照搬到坯件上很可能不尽如人意。原因很简单，釉下五彩所依附的载体，多非平面而是立体。人对立体器物的欣赏与要求是全方位的。所以，除了利用绘画的开合、取势、宾主、虚实、疏密等构图知识外，尤须适合器物造型的特点，包括显优藏缺、因势利导、锦上添花等可行性，有意培养自己整体的构图能力。

对于一些主题是绘画性质的装饰，有时在某些纹样结构上体现图案的形式规律，以适合综合装饰的需要等。由此可见，立体坯件上的构图具有多视角等规定性，也不乏更多的可能性。

釉下五彩彩饰需要一定的展现空间与面积。作为空间与面积合一的物体，它与纹样形成互补关系而

图8-71　山水撇口瓶（李小年创作）

图8-72　釉下五彩荷花白鹭笔筒（湖南模范窑业工场制）

正面　　　　背面

图 8-73　仙女瓶（国光瓷厂 1979 年制）

相得益彰，为彩饰的依附和延伸提供了诸多可能性，呈现出随时间和视角变化而变化的彩饰效果。

初创期的釉下五彩器物，如梅瓶、盘口瓶、敞口瓶等，多以晚清比较成熟的造型为主，后来也有改良的或新的造型出现。无论何种造型，其纹饰构图表现为：

首先是造型与纹样的整体性。所谓整体效果，多指所选题材和装饰部位是否恰当，纹样在造型上所占面积和比例是否合适，主体形象是否突出，态势是否生动优美，整体和局部是否和谐等（图 8-74）。

其次是纹样本身的形式、结构的整体性。纹样与题材之间的统一，主体结构、形象与小主体之间的和谐等，即在一个大画面里，整体结构与形象的统一（图 8-75）。

再次是在控制好全局的基础上，深入刻画细部。无论用何种方法、何种题材进行装饰，均要求有精到的细部表现，以加强或突出主体，起画龙点睛的作用。

最后是主体纹样与配饰或边饰的关系。配饰的作用只能是衬托主体，不可平均对待或喧宾夺主。但其设色或图案设计，还需细心处理。主体纹样和配饰在艺术表现上要有关联。例如，以花鸟、人物为主体，可配以几何纹来表达作品；为衬托写意形式的主体，可辅以较复杂的图案来处理作品；等等。

（二）坯上构图辅助法

在坯件上展现彩饰意图，多是在纸面草图和设计图的基础上，借助于一定的工具与方法，进一步确定其在坯件上的装饰部位，处置纹样与造型的比例尺度，安排主体纹样与配饰纹样的位置、结构、形象，标明必要的纹饰轮廓线，并对相应的色调、色彩心中有数，从而基本规定立体坯件上彩饰的构图，促使纹样与造型真正有机结合（图 8-76）。在坯件上构图时常运用的辅助方法有四种：

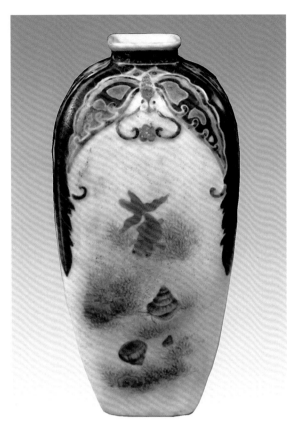

图 8-74　蝴蝶虾蟹方腹瓶（湖南瓷业学校制）

图 8-75　清宣统御制官窑釉下五彩锦鸡牡丹纹凤尾尊

1. 转台打箍

所谓打箍，是利用转轮、毛笔等工具，依据构图需要，在坯件上特意画出一些圆环形的起止线、分割线和辅助线等，作为彩饰构图的骨架或结构（图 8-77）。

打箍的形式有两类：一是构思设计阶段的打箍，只需在坯件上画淡淡的墨水线；二是具体实施彩绘性质的打箍，则需用含油的墨料或是色料画线。

打箍的方法是将坯件置于转轮上，用毛笔蘸上色料或墨料，笔尖触及坯件表面设定的部位，转动转轮时，可在坯面画上一些平行或环形等辅助线条。

为了在坯件上留下较清晰的箍线，可先用软毛刷蘸些茶水在拟打箍的位置轻轻地过一遍；这时软毛刷所含茶水不宜太多，因为坯体吸收了过量水分，接着用含油的墨料来打箍的话，其油分会扩张，线条也随之变粗。为了避免这种情况，建议毛刷只含少许茶水，或此后稍

图 8-76　坯上构图

等几分钟再打箍，这样就比较稳妥。

偏硬且有弹性的狼毫类毛笔，是坯上打箍的首选，用它较易控制线条的粗细。打箍时有所讲究的是：坯体要居中置放于转台上，一只手轻轻地转动转台，同时另一只手执笔并使笔尖仅及坯表；还应设法固定

图 8-77 转台打箍

执笔的手腕，使线条可平行拉长并首尾相连。此间，双手及整个打箍的动作需互相协调与配合。

2. 纸环等分

在坯件上构图与彩绘时，需经常运用像二方连续等具有重复与对称一类有规律性的图案，这就牵涉到坯体划分等问题。其方法有：

有的是先用卡钳量出坯体某部位直径，然后利用其相应的半径在硬板纸上画圆及分割刻度等，并将其制作成中间部分空洞的纸环，再把它套在坯体的相应部位上，可以作为等分立体坯件的参照（图 8-78）。

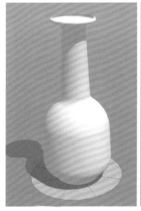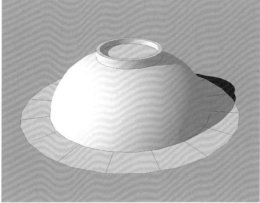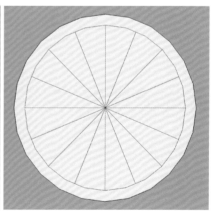

图 8-78 纸环划分等分

还有的是量出体坯件的口、底直径后，在硬板纸上等分对应的圆周。然后剪出比坯件直径略小或略大的平面纸环，视具体情况，可放入平盘类坯件的正中央，也可压在坯件底足处。这样，将纸环上的数据划分转移至坯件上，就可以确定坯件不同部位的等分（图 8-79）。

3. 折痕垂线

在有体面、线形变化的坯件上画垂直线，不像在图纸上画那么简易。而坯上构图对称纹样时，常会用

图 8-79 纸环划分等分

到垂直线。较好的方法，就是套线折纸、折痕求垂直线的方法，即先在坯体拟画图案处的顶部画一条边线，然后把拷贝纸贴在坯体上，用铅笔沿那条边线轻描一遍，再将取下的纸对准描下的线居中折叠，折痕就是垂直线。此后，在折痕上描一次湿烟子，再把拷贝纸覆盖在坯体上并将纸上的铅笔线对准原来的边线，以确定需要画垂直线的位置。接下来，一手按住纸的上端，一手顺着填有烟子的折痕处反复摩擦，这时烟子会转移在坯体上，呈现较准确的垂直线（图 8-80）。另外，在坯件上求垂直线的方法还有用软尺、用垂线，有的坯体还可直接用三角板在玻璃板上求得。

4. 圆规画圆

坯件上构图画圆，凭手工难以成正圆。但可以借助于类似圆规的工具等（图 8-81）。传统做法是，在勾线笔的笔杆上设法固定一根细竹扦，笔杆与细竹扦形成一定的角度，

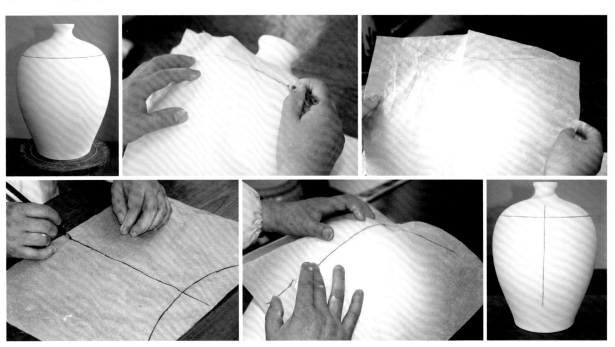

图 8-80 折痕垂线（从左到右、从上到下依次为：大线→摹线→求垂线→炭素笔填线→脱稿→垂线图）

图 8-81 两脚规打圈

以竹扦为圆心即可画出较规整的圆来。也有用金属圆规的，不过，先得将作为圆心点的插针处理成圆头的，以免损坏坯件；然后把另一插件处套上短竿勾线毛笔即可。画圈时，需调节好圆规的圆心点和半径，毛笔上所蘸油墨与色料的量宜适中；转动圆规时，尽可能地顺应坯体的形态而均匀用力。

（三）色彩设置与构图

色彩对于传递意趣、抒发情感、体现个性和营造氛围等起着重要的作用。因而在构思立意的阶段，就应设想好从整

体到局部的色彩效果，按照色彩规律去组织素材和安排构图。色彩设置的过程，实际上还是构图过程的延续。色彩绘制的过程，是在此前构图的基础上加以实施、深入和调整。构图与设色紧密地结合，应是贯穿整个绘制始终的。

处置好构图与设色，应关注以下几方面：

1. 运用好基本色彩规律

除有意提高自身色彩理论方面的修养外，还应在欣赏、分析古今中外众多文明成果的同时，悉心总结其用色规律和特点，并在实践中加以应用。如从色彩象征、色彩冷暖、色彩对比、色彩调和等方面着手，确立纹样的情调或主色调，照应好主次间的对立统一关系，包括处理好配饰纹样色彩与主体纹样色彩的搭配、安排好纹样色彩的面积与冷暖对比等，营造良好的色彩氛围。

2. 合理配色和以少胜多

纹样装饰的色彩美妙不在于用色的多寡，而在于配置得当和以少胜多。因此，将色彩规律和设色原则有机结合，是获得理想结果的重要条件和保证。其色料加上釉层的覆盖，其装饰普遍呈现的温润优雅，正是其规律和原则被正确运用的结果。

3. 以人为本与环境意识

无论何种艺术作品，它总是为人所选择，并置放于一定的空间环境中。这就要求色彩设置具有相应的考虑，要求设计者多关注那些不同地域、不同文化、不同阶层、不同品位的人，留意人所赖以生活的环境空间，以便在具体色彩设置中有所针对、有所指向。

4. 熟悉色料性能与烧制工艺

构图设色时，应较清晰地知道所用色料将在高温下有何变化等，对最后结果有一个基本的预判。只有将色彩规律、设色原则和烧制实践的经验结合运用，方能把精心设置的色彩纹饰趋于完美地显现在瓷器上。

二、脱稿、复稿方法及要领

釉下五彩工艺中的脱稿，指利用一定的工艺手法，把在坯件上画的构图稿，脱附或转移到纸上的过程；而将纸上的装饰图稿脱附或转移到坯件上，则称为复稿。

（一）脱稿方法及要领

在坯体上构图起稿，一般用 B 型铅笔，或用淡淡的墨水、烟子水。待进一步经营好纹样位置和形象后，再用较浓的烟子水沿纹样的痕迹描摹一次，然后把一张细薄的纸按压在坯件上，并用手指来回摩擦纸面。这样，坯件上的烟子稿就会脱附于纸上。若是薄纸铺在形体变化不大的坯件上，二者较易吻合，脱稿也就相对容易；但在形体起伏较大的坯件上脱稿，情况会稍显复杂一些。这时常用的脱稿方法有以下三种：

1. 纸套脱稿法

该法多用于类似球形的坯件上脱稿。依坯件的形状，把纸用胶水粘成锅形的纸套，与坯件的弧度相吻合，这样就可以较准确又方便地脱稿（图 8-82）。因此法脱稿之后只能在锅形的纸套内描画烟子，不便再次修改，所以要求坯件上的构图尽可能准确与完善。

2. 叠边脱稿法

此脱稿法用于非球形但仍有一定弧度的坯件上。由于平面形的纸铺在带弧度的坯件上，纸的四周一定会形成多余的部分，所以脱稿时可把这些多余的部分折叠在纹样的空白处。复稿时，为使纸的周边贴近坯面而利于摆正纹样之构图，一般会在脱稿完成后，把纸的折叠部分剪掉并形成空白处开口（图 8-83）。

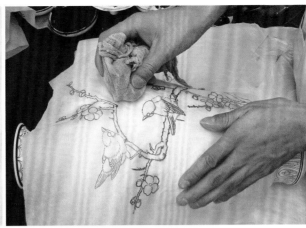

图 8-82　纸套脱稿法

3．分割脱稿法

遇到满花构图时，需要采用分割脱稿法。满花装饰实际上是一种不规则的四方连续纹样，具体的纹样结构常有所变动，所以存在着整体构图的问题。这时需用分割的方法进行脱稿，即将坯件上完整的画面划分成若干份并编号，再将之过渡到相应的纸面上（图 8-84）。一般少用四方连续纹样装饰，因其图案结构的变化较大，加之四方连续图案的全面铺开掩盖了瓷质的美。

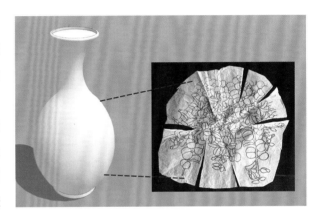

图 8-83　叠边脱稿法

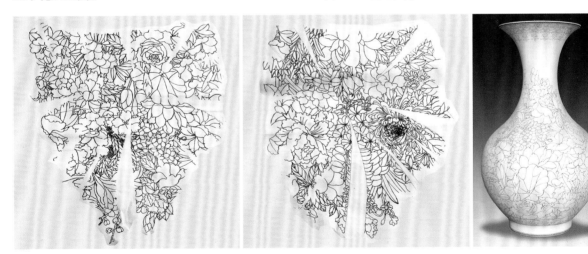

图 8-84　分割脱稿法（左：稿子部分 1，中：稿子部分 2，右：满花构图效果）

（二）复稿方法及要领

在釉下彩绘实践中，复稿的方法包括摩稿、刷稿和印稿，可依实情选用。

1．摩稿

传统方法用的是湿烟子（就是研磨得极细的木炭粉或黄箧炭粉调清水）作为绘料，用蘸有湿烟子的勾线笔在有纹样的薄稿纸反面，沿着纸面透过的纹样全部勾描一到两遍，稍后将有湿烟子线描的一面贴在坯件面上并用手指反复轻轻摩擦，所描纹样便会转移至坯件上（图 8-85）。目前多用炭条或炭笔复稿，其运用与湿烟子相同。相对来说，炭条及炭笔更为方便实用。

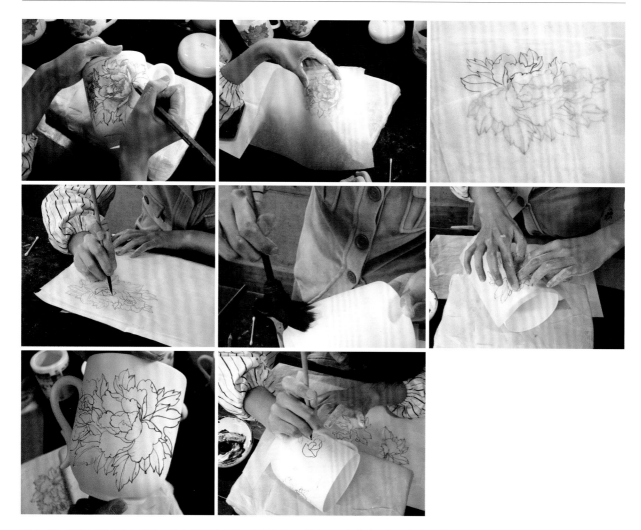

图 8-85　摩稿过程（从左到右、从上到下依次为：设计图案→脱稿 1 →完整稿→烟子复稿→清坯刷水→摩稿→完成摩稿→勾线）

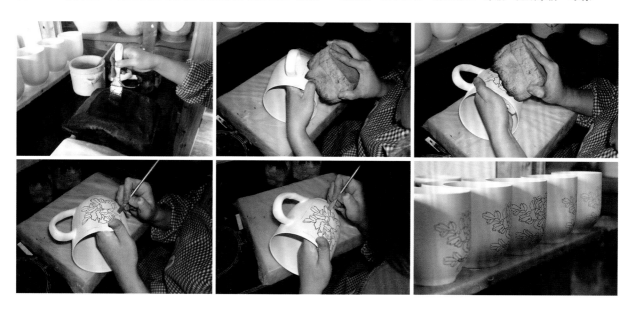

图 8-86　印稿过程（从左到右、从上到下依次为：涂料→压印 1 →压印 2 →修整 1 →修整 2 →印稿完成）

2. 刷稿

该法宜于小型纹样在较平的坯面上复稿。准备工作是：把油印蜡纸置于同样规格的设计图稿下面，用小夹子或别针固定并放在平整的杉木板上，再用铁针沿着图稿纹样线条刺穿成密密的小孔，针孔形成的纹样就可以用于刷稿。具体刷法是：将刺有小孔的蜡纸用手按在坯件的装饰部位，用笔蘸些灰色的干釉烟子粉（干烟子粉约10%，干釉粉约90%）在蜡纸上来回抹刷，使灰色粉末通过针孔而附着在坯件表面上，进而呈现由无数小点连接而成的清晰图样。

3. 印稿

该方法多在使用固定纹样进行批量的手工描绘生产中，特点是简便、迅速。方法是：将设计纹样经过刻制成皮印（类似于印章），再在印包（类似于印盒印料）上涂上极淡的墨水，用盖印的方式将纹样印在坯件上（图8-86）。

三、勾线、印线技法与要领

线条在中国绘画里有着很重要的位置，它极具表现力，如遒劲洗练、结构谨密、刚柔相济、粗细兼备并富有装饰意味等。釉下五彩之所以讲究线条的运用，除其作为分水填色轮廓与成为纹样的基本构架外，还能以它多变的形式表现不同的质感和一定的氛围。

从工艺方面讲，线的表现有手工勾线和手工印线。手工勾线多用于艺术瓷和其他精工之器物，手工印线多用于有一定量产的器物。手工勾线又分为墨线和色线，墨线堵水并在一定的温度下能被烧掉而挥发为空白线。色线分为油性色线和水性色线。油性色线有堵水作用，烧后可呈相应的色相且比原来的颜色稍淡一些；水性色线用胶水调制而成，不具油性，故无堵水的作用。

墨线和色线在有的情况下可形成主次关系，如在花草纹样中往往以墨线为主而以色线为辅。

其工艺过程分为线料研制和坯上线描或印线两部分。

（一）线料的研磨与制取

1. 研磨制取油墨料

墨线是油和水的混合体，要达到既堵水又起线的作用。所需基本工具是砚池、墨、清水和乳香油。因使用新鲜的墨线料勾线是最好的，其时间过长则会慢慢凝结而不好用，故一般多在使用时研制墨线料（图8-87）。

图8-87　研磨制取油墨料

研制墨料有两种方法：一是先加油研磨（后加水）；二是先加水（后加油）。它们用于分水时都能达到堵水的目的。先磨油的研制方法是：先在砚池中滴入6～7滴乳香油，用墨锭磨成较浓的黏稠状后，再滴入适量的清水继续研磨，直到看不到油水分离之现象，这时可根据需要稍加水研磨形成一定的量即可用于勾线。先磨水跟先磨油的方法一样，先滴入极少量的清水于砚池中，用墨锭磨成浓糊状后，再滴入乳香油研磨，使二者充分融合，再慢慢加少许清水研磨均匀就可以勾线了。

需注意的是：研制油墨料要控制好各种描绘剂的用量。如墨料中的乳香油偏多，可适量加入磨得极细的木炭粉；若油量偏少，可用乳香油磨出适量的浓墨掺入其中。

2．研磨制取色线料

色线料的研制方法是：先把粉末状的色料进一步加工细磨，然后加入适量的牛胶溶液并使之混合均匀，经充分研磨并使之互相融合后方可作水性色线料；油性色线料则在此基础上滴入少量乳香油，细细研磨至油与色料融在一起便可。使用时取出适量的线料且用水稍加稀释。为提高线条的附着力，可在线料中适量加入甘油（图8-88）。

图8-88　研磨制取色线料

若色线料的油量偏多，可用干粉色料调胶液再与之混合；油量偏少的话，可将乳香油直接加入黏稠状的色线料中研磨均匀。

比较适中的牛胶溶液浓度比是：干牛胶约30克，清水250毫升，一起浸泡几个小时，然后在文火上加热至全溶化即可。然而不同的季节、色料和操作需要，对牛胶溶液的浓度与用量有不同的要求。如在低温情况下，其浓度应小，用量不宜多；在气温高的季节里，其浓度可稍大，用量可稍多。

研制线料用量的多少，应根据具体操作过程中的需要而定；还应考虑气温的变化，如在低温季节，可酌情一次多调些，凡是陈腐期长的线料较有利于操作；但在气温偏高时一次调料不宜过多，以免其变质失性。

3．印线料的调制

因为印线工艺的纹样或器物的边脚图案纹样的规格一致，线条同样有粗细刚柔的变化，所以是能提高生产效率的勾线方法。但需要操作熟练的专家在皮上雕刻纹样的印子才能达到勾线圆健清晰的效果。否则其线条达不到手工勾线所特有的紧凑感、弹性及自然美感。

印线料的调制方法与手工勾线料基本相同，只是甘油的用量稍多一些，使之适合印线的需要。

印墨线所需的墨料较多，其研制的方法是：先将墨锭（条）捣碎，加水浸泡或蒸溶，使其呈黏稠状，然后把研磨极细的木炭粉与黏稠状的墨搅拌均匀，再分别有序地加入牛胶溶液、乳香油和甘油，此时的墨料所呈黏稠状态更浓（图8-89）。

图8-89　现成的印线料与主要工具

一般在温暖的环境中，此墨料可供参考的配置比是：木炭粉21.7%、黏稠状的墨1.9%、乳香老油4.7%、牛胶溶液（浓）35.9%、甘油35.8%。若在较寒冷的环境中，牛胶溶液和甘油用量可适当减少。

（二）用线造型的线描

釉下五彩讲究和看重线描的功力。为了表现广泛的题材和适应多样的装饰方法，表达线条的方式或笔法不断丰富。例如图案形式的纹样，主要用笔法均匀、线型统一的线条（像传统人物画中的所谓"铁线描"）；

而在绘画性的纹样中，也不全是"钉头鼠尾描"，往往是在一件作品中综合运用多种线描法。线条的运用，一定要从表现纹饰形象的特质出发，服从整体装饰效果的需要，切不可盲目而为。勾线过程中一定要依从纹样结构，注意线料特性，讲究用笔方法，把握线条粗细，照应虚实关系等，力求通过用线造型而赋予其生命活力（图8-90、图8-91）。

图8-90　吴寿祺白描手稿1

图8-91　吴寿祺白描手稿2

1. 手工勾线方法及要领

对于手工勾线的最基本要求，莫过于心神专注、心中有数和训练有素。具体到以线来表达各种物体形象，可以借鉴工笔画白描的方法和要求，借助于人们对各种线条的感受，通过线型的圆润遒劲、简练自然、严谨得体和抑扬顿挫等，体现其结构特征、体态动势和造型寓意，使其具有相应的显示和欣赏价值。如器物上圆润遒劲的线条给人以一定的立体感、柔韧性和绵里藏针的力度等（图8-92）。

勾线应以线型特征与变化来展现被表现对象的质感。像图案的线型多要求均匀和统一，"铁线描"的方法就成了其较佳的选择。如娇柔的花瓣宜用工细、流畅而圆润的线型，叶子的轮廓线却不宜勾得过于纤细和匀齐，枝干线则需曲直相间、粗细有变等，这就需综合运用"钉头鼠尾描"和铁线描等方法。国画讲究的"随类赋彩"对勾线而言亦是"随类赋线"。

勾线用墨用色力求厚薄均匀，线与线之间的衔接处不宜漏空，否则会"跑水"（堵不住色料水）。色线烧后呈现一定的颜色，但因

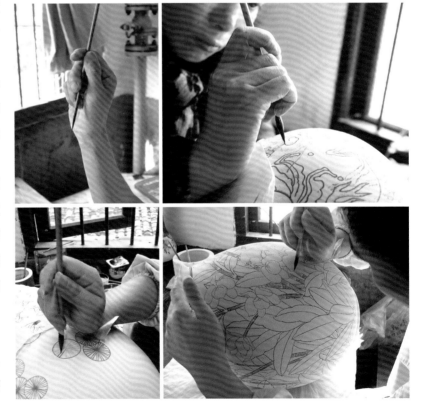

图8-92　手工勾线方法（从左到右、从上到下依次为：执笔方法→勾墨线→勾色线1→勾色线2）

油的作用致使烧后色线稍淡。如想线条既有堵水效果，还呈原本颜色，可先用水性线料勾线，稍干后用墨线在水性线上复勾一次，烧后墨线挥发并呈现下边的颜色。

另需注意：细长而有变化的线不易勾得协调统一，需较长时间的练习方能完成；用黑色、蓝色、草青等发色强的原色料勾线不宜太厚，白色、黄色、灰色或有较多填料的色料勾线不宜太薄；油性线料中的油质会残留笔毫上，使之失去弹性而有碍勾线，可用皂液或樟脑油清除笔毫上的油质，以恢复其弹性。

2. 手工印线方法及要领

形成一定量产的釉下彩绘需手工印线。印线就是用蘸有印料（含墨料、油性色料、水性色料）的皮印，把刻于其上的纹样印在坯件上。根据纹样结构，印线的方法有全印和印描结合两种印法，全印法为印完线状纹样后分水即成，印描结合法则是填色后再加补描。这里以素烧釉坯上的手工印线为例，该过程含坯件清理、印包涂料、印线修正和整理工具四个阶段（图8-93）。

（1）坯件清理：清理坯件拟印线的部位。需细心检查该部位及其干净与否，如有灰尘、其他异物或釉层表面疏松，可用干净的软笔刷将其轻拂扫掉。油料及黏附物于坯件上将影响印线质量，可将此种坯件再素烧一次。为使其效果更清晰，可在之前用排笔蘸少量清水轻刷或用湿纱布轻拍坯件表面。

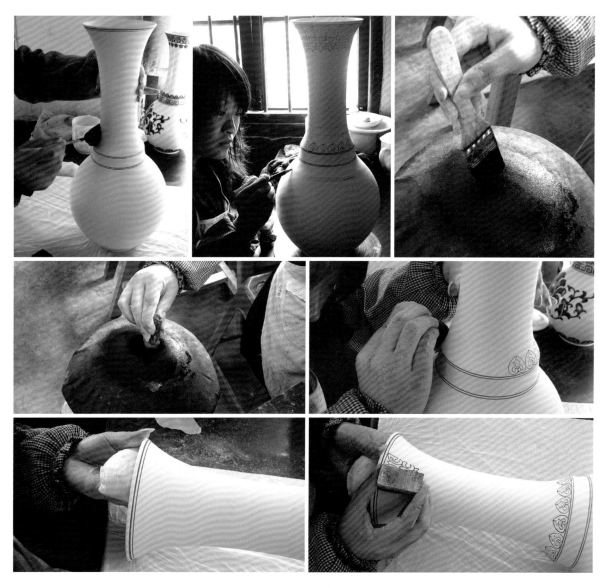

图8-93 手工印线方法（从左到右、从上到下依次为：清理坯体→经营位置→印包涂料→印章压印→坯体压印→口部海绵垫护→口部压印）

（2）印包涂料：坯件清理后开始在印包上刷涂线料。涂线料时要涂得适量而均匀，如其涂得过多或太湿，就会"糊线"、"夹线"而使线条显得粗糙、模糊，其料量少或太干会致线条的粗细不均且缺乏一定的厚度。为使所印线条清晰、圆厚，可以用涂料笔蘸些许淡胶水或甘油与线料搅拌均匀，再适量地涂于印包上。

（3）印线：印线主要是将皮印上的印料清晰地转印到坯的表面，而且印线的部位几乎是全方位的，因此除适当地涂料、按印之外，还应适当地移动和保护坯体。

（4）印线修正：检验印线料需将皮印轻而实地接触印包，接着匀速往上提，此时能感受到印包的黏性并能听到唧唧的响声，这证明其黏性良好。皮印蘸料按压于坯上时，要对准部位以从左至右的方式且用力均匀而轻巧，不宜移动皮印或用力过大，以免糊线、乱线和伤及坯件。如果工作环境较干燥，应备一块柔软的湿布，每印完一件坯后，将皮印工作面朝布放好，使其上的线料保湿且宜于续用。

要备好修刀和勾线笔。坯件上印好的纹线难免会出现多余的墨料和色料，这需用修刀辅以剔刮、修饰；某些有所缺失的地方，需用勾线笔补描完整。

（5）整理工具：每每工作完毕，应先把皮印刷洗净并擦干，印包上的余料要刮净，然后用湿布盖好线料和印包，以便保湿、防尘与再次使用。

（三）化解勾线的问题

1. 线条剥落的问题

釉坯上的勾线或印线，常有线条从坯体上剥落的现象，致使分水不能正常进行或质量不佳（图8-94）。其实，线条剥落的过程即墨料中胶质溶液转化成固体胶的过程。原因是：勾线与印线的墨料是墨锭，其主要成分为烟炱和动物胶。该胶质属弹性凝胶，溶化时会大量吸收水分，如果水分挥发，胶质就会收缩成固体。含有胶液的线料用于勾线后，坯件在吸水或风干的情况下，就会使溶胶的体积收缩。线条剥落就是胶质溶液脱水收缩所致。加之墨料的颗粒比色料更细且含胶更多，故线条剥落的现象多发于墨线。

图8-94 线条剥落现象

釉坯之所以易于剥线，还因其表层在烧成之前呈疏松状，当料中胶液收缩时，釉层无伸缩性，以致剥落的线条常带有一层釉粉并在其表层留下一条凹痕。

化解办法是：首先，要保证坯件表面干净无灰或无釉粉；其次，磨墨最好选择轻质胶的墨锭，线料调制时要控制胶液的用量；再次，甘油是一种保湿剂，在线料中适当加入甘油可减少线条的干燥与收缩；另外，线料在坯件上不可堆积太厚；最后，注意在干燥或烧成预热阶段不可升温过快。

2. 线条堵水的问题

线条堵水与否，关键在于料中的乳香老油，它随气温与自身的浓淡的变化而改变其状态与作用。气温偏低时，它趋于浓缩为半凝固状态，如加热又会溶化。所以线条堵水的功能，主要在于其油质是否凝固而起阻水作用（图8-95）。线条不堵水多是因其油质完全近于溶化状态，亦附有其他注意事项。

化解的方法有：留意室内温度对乳香老油的影响，可以通过降低室内温度和合理利用分水的时间（避开高温时段）来化解这个问题；此外，要控制好线料中的乳香老油的浓度；勾线时不宜含水偏多或勾线、印线偏薄；分水时要确认所勾线条已干，这样线条不堵水或堵水力不强的现象方可能避免。

图 8-95　线条堵水现象

四、分水操作技法和要领

釉下五彩的分水不同于青花的分水，也不同于其他画法使用的填色方法。其特点是：赋色时，毛笔不触及坯件表面，利用线条堵水的功能和坯件吸水的特性，使色料水在料线界定的范围内流动并被吸附，而且几乎不显运笔的痕迹，却使色料均匀或有变化地附着在坯件表面。因分水的手法不一，致其色块或是格外平整无痕，或于重叠中显现出多种层次，包括罩色与接色等手法的运用，产生丰富的色彩变化与饱满的水分感。

（一）　料水调制及管理

1. 料水的调制

釉下五彩色料水的调制方法是：将色料掺浓茶水研磨到一定的细度之后，再用淡茶水稀释就可以用来赋色。但色料中还有一些聚结力比较差的色料，必须经过一定的陈腐期才能增强其黏稠性而更为平坦光洁地附着于坯件上，达到良好的分水效果。分水时，可从陈腐的色料中取适量并加入淡茶水稀释之（图 8-96）。

图 8-96　料水的调制（从左到右依次为：研磨颜料粉→加茶水研磨→过滤→测浓度）

对于色料水的浓度，并没有一成不变的标准，一般根据操作者的实际要求来确定。除了考虑画面纹样的赋色需要，还要顾及坯件的吸水性及各种色料的发色力。即使拥有丰富的经验，也难有对其发色力与浓度的绝对控制。因而，一般操作前先试验，看其是否符合实际操作要求再付诸实践。

坯件因生坯与素烧坯、薄坯与厚坯等差异，就会有其吸水率强弱之分。分水时，同样一种料水和同等的吸水时间，在吸水率弱的坯上色层会偏厚，而在吸水率强的坯上色层则稍薄。就色料发色力而言，掺填料少、发色力强的色料层不宜过厚，料水的浓度可稍小；反之则不宜太薄，料水浓度可稍大。

在一定的量产中，因料水用量较大，色相相对简单固定，为使其色调一致，料水的浓度可统一用波美比重计测定。但就传统手工艺术创作来说，由于所需色料品种偏多、用量较少，加之纹样设色较复杂，料水浓度的测定，目测和自身的经验就是最为切实可行的了。

2. 料水的管理

一般作为陈腐色料的量会多一些。陈腐期并无严格的时间限定，但无论是陈腐色料还是经稀释后的分水料，在平时置放时均需妥善保管。通常是将其放在瓷质或塑料的料缸、料桶内，置于较为阴凉干燥处。既要防止其干涸，也不能让其变质和产生异味。如发现料水因放置时间过长或管理不善而产生霉变等异物，就得立刻倒掉旧茶水和除去异物，置换新鲜的茶水，方能继续存放及使用。

（二）分水执笔与蘸料

1. 分水的执笔

应根据分水的具体要求，选择相应的执笔方法。为满足有效、舒适操作的需要，手指往往执于笔管的中间部位。但凡绘制较为精到的作品，为充分发挥执笔轻松灵活，协调几个手指的机能作用，执笔常可能低到靠近笔管根部（图8-97）。分水时用拇指、食指、中指三个指头提着笔管，用无名指的指甲紧挨饱含料水的笔毛，当需将料水流至坯件时，无名指稍向笔头压迫，与小拇指的指甲一起形成对笔毛的挤压，水随之流出，此谓"挤水"。料水刚一落坯，笔尖随即引水流动，谓之"走水"。料水走满一色块之后，将坯件往斜下方倾斜，笔管倒下，笔毫略微朝上，用笔之侧锋收回余下料水，谓之"收水"。挤、走、收的三个动作需有条不紊、一气呵成。

2. 蘸料水

料水是无数细微色料颗粒与茶水的一种混合体，一旦静置之就会分层下沉，颗粒较粗，沉降速度较快。因而在分水蘸料时，为了使所赋色块匀净光滑，要经常将碗中的料水尽量搅拌均匀，使色料中的各种颗粒均匀互融，并随之将笔毫在料水中摆动，以荡涤毫上稍粗的聚粒，方好分水。同时，不管分水面积的大小，笔毫上都要有一定的料水量。蘸料后，应将笔锋靠近碗的边口，将之理圆顺尖，使料水落坯时笔毛端圆齐，毫锋集中。通常控制料水的方法是，笔毫吸饱料水之后，如不随即落坯，只宜横卧笔管，防止料水滴落；当笔引水往坯上赋彩时，笔管才能慢慢竖起来（图8-98）。

图8-97 分水的执笔（从左到右、从上到下依次为：分水的执笔→挤水→走水→收水1→收水2）

（三）分水操作的技法

在分水操作中，常用的技法有分浓淡、填平水、罩色和接色等。

1.分浓淡的方法

色块分浓淡的方法有：

（1）渍水法：例如一片竹叶，需要叶尖淡而叶基浓时，可在挤水、走水后不迅即收水，而是让其渍停留片刻再于叶基处收水，这样因叶基的吸水时间长于叶尖，就使叶片形成了自然的浓淡变化（图 8-99）。

（2）点水法：与渍水法基本相同，只是分水时要另外备一杯淡茶水，蘸料水后笔尖点上淡茶水，使色块的浓淡变化更为明显（图 8-100）。若要使长形的色块两头浓而中间淡，就得分水两次。第一次笔尖点料水自左端走至右端，第二次又点水自右端走至左端，即能获取中间淡而两端浓的效果。

（3）局部润湿法：这种方法适用于周围浓而中心淡的色块，如要表现葡萄的立体感和透明感，就先在它的亮处点上清水或茶水，待清水被坯吸干后，填上色料水（图 8-101）。因点清水处吸水性弱，其吸色也相对少，就会比其他地方显得淡一些。

2.填平水的方法

多用于满花的底色及其他图案纹样装饰。平水就是分水而获得色料分布均匀的色块。它的要求就是厚

图 8-98　蘸料水　　　　　　　图 8-99　渍水法　　　　　　　图 8-100　点水法

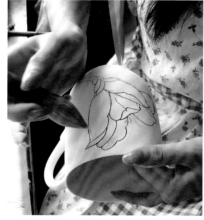

图 8-101　局部润湿法

薄一致，在同一色块中不讲究浓淡深浅的变化，多靠不同明度和彩度的色块互相对比来产生层次与节奏（图8-102）。填平水要达到平整、均匀、光洁和厚薄适当的要求，在分水中除注意蘸料水和走水的路线外，还可以分别采用下列办法：

（1）料水增黏法：在色料水中再加少许胶溶液或甘油，以增加料水的黏性，使之在坯上不被迅速吸收，从而达到色块匀整光滑的目的。

图8-102 填平水的方法

（2）涌水法：就是使料水在轮廓内高高凸起，然后设法将坯置平，最后收回多余的料水。

（3）润湿法：将面积较大的色块先分一次茶水或清水，待水被坯件吸收后，接着分色料水。这样，走水会更迅速流畅，色块易均匀。因为湿坯的吸水性较弱，所以调配料水要稍浓些。

（4）回水法：挤水并走满色块之后，再将坯体轻轻荡动，使料水在一定的范围内来回往复几次，直至料水全部被坯面所吸收，尽量使其厚薄一致。

（5）重叠法：适当将料水调制得淡一些，在某一赋色区域，连续重复三次左右的同一分水动作，以达到色料均匀分布和具有一定厚度之目的。

上述方法是分水中常用的，可根据具体的需要个别运用或综合运用。

3．罩色与接色法

（1）罩色：就是将不同的色料重叠，产生一种新的色相。方法是先用一种料水作为底色，再用另一种不同的料水覆盖其上，形成新色相的面色（图8-103）。罩色法运用得法，像混合调成的复合色一样富于变化，甚至能收到调制复色所不及的效果（图8-104）。如用淡淡的茶色料水作底色，再罩上浅绿料水便呈现出艳而不俗的效果，若用这两种料混合调制，颜色多少会不那么轻快透明。

罩色时，需合理运用一般的色彩原理，了解各种色料的呈色性能，还要明了各种釉下色料于重叠时的显色规律，最后才可获得理想的效果。如以淡绿色为底色，再罩一层较深的黑色，烧成后不是简单的墨绿色，而是近乎黑色。这是由于黑色中的钴、铬、铁、钒等着色元素发色力强的缘故。假以海蓝作底色，再罩一

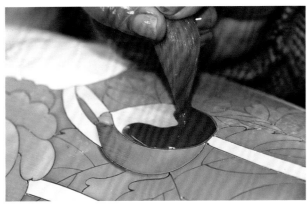
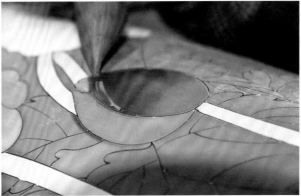

图8-103 罩色（黑底罩玛瑙）

图 8-104　罩色（海碧底罩草青）

层较厚的锆白，尽管底色的发色力较强，但还是不如白色的遮盖力而变成灰白色或接近白色，这是白色中氧化锆的乳浊作用所致。

（2）接色：就是两次分水并分浓淡的罩染色，将两种色料不露痕迹地衔接在一起，使其在同一色块中显现互相渗透和衔接的色彩效果（图 8-105）。若相接的两色处理得当，无论是色相、明度、彩度上的对比或调和，均能让人感到过渡自然、浓淡有变、色彩丰富。

不妨以一片花叶来说明，若要春夏的感觉，可先用翠绿或草青料分水，料水自叶尖引至叶基，再用浅

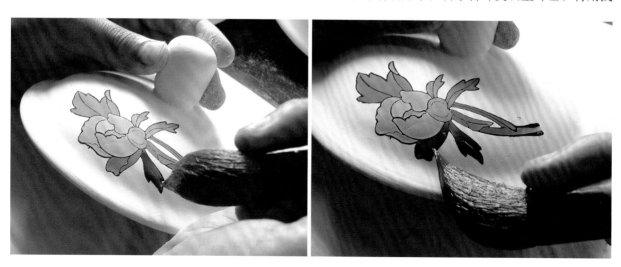

图 8-105　接色

绿或苔绿料水自叶基引至叶尖。如是秋冬的意趣，第一次分水可用赭绿或浅绿，第二次分水可用茶色或红色相接；有时为了表现叶上的斑点，可在接茶色之前，在叶的适当部位点几点茶或红一类的色料水，再用淡茶色覆盖，自然具有秋色斑斑的意味。此法运用得比较多，如：不同色相和明度的蓝色接淡白，红色接淡黄；同色相而明度不一的墨绿接淡绿；等等。

另有三次分水接色法，如一片嫩叶，第一次用嫩绿平填，第二次用草绿点水自叶尖填至叶基，第三次用红色点水自叶基填至叶尖，这样既有嫩叶的质感，也不乏几种色相同处的微妙变化。一般的嫩叶往往只采用红、绿两次分水的接法，这样既节时又省力。凡是接色，最后一次分水不一定要从一端开始，也可从中间段及往下的部位落笔。

大件器物的分水操作，有的色块面积比较大，单靠一个人操作难度太大，因而可采用双人分水法。其常有两种方式：

一是对于面积不太宽的长形色块，可两人各执一支分水笔，当第一人的笔上料水将尽时，第二人蘸料水接第一人的料水末端继续，如此轮流交替，直至填满该色块为止。

二是针对大型瓷板、挂盘类面积宽大的色块，可一人用分水笔引领，另一人则用调羹或小茶壶不断地朝笔下加料水，直至该色块填满。

在做走水一圈连贯而循环的边纹时，常用转轮分水法。具体方法是：将一台小型的手动转轮固定成一定的斜度，以缩小坯上有边纹处的坡度。分水时稍把料水调稀，坯件置于粘有较涩的纸或绒布的转轮上，然后一手走水，一手转动转轮，转速不宜太慢，连续转几圈即成。

（四）化解分水的问题

1. 料水车边的问题

所谓料水车边，是指色块不平整，出现色层厚薄不均，边缘厚而中间薄的现象（图8-106）。原因在于有些料水偏生，黏性不佳，色料颗粒之间的凝聚力很弱。像桃红类色料的颗粒疏松且缺乏凝聚力，故料水落坯后，其颗粒多随色块周边较强的吸水力而被吸附，使边缘的色料较厚，造成凸起的外圈和里外不匀。

通常化解问题的办法，是把料水陈腐一段时期，以加强其黏稠性。若是时间紧迫，可在料水中滴入少许阿拉伯树胶或甘油以应急。

图8-106 料水车边现象

2. 料水翻生的问题

料水有时会出现聚沉的现象，即料水刚触及坯表，色料颗粒就会互相合拢聚集成团而急剧下沉，使色料与水截然分开，沉降于底部的色料呈松散状态，这种现象即"料水翻生"。这是因为料水本身属于一种混合体，其中的阿拉伯树胶、明胶一类的物质常带有负电，而氢氧化物胶体则带有正电，如果料水中同时兼有两种胶体，则会正负电相吸，从而必会产生沉淀现象。

有聚沉现象的色料，在未化解问题之前应停用。可取的办法是：在问题料水中滴入少量树胶、牛胶或糖汁，搅拌均匀后使用；如遇严重的翻生，要将色料装入坩埚并置于火上烧焦，以破坏它原来的胶体，然后重新研细并调茶水，这样才能再用于分水。

防止料水翻生的方法是：

（1）保持料水中的茶汁质地不变。

（2）勾线的油性料勿与分水料相混。

（3）勿将清水加入易翻生的料水中。

（4）勿轻易将料水急剧加热。

（5）勿用含石灰和氧化物等杂质的水调制料水。

五、刷花装饰工艺

手工刷花是醴陵釉下五彩的传统装饰技法之一（图 8-107），它不仅效果较精美，而且工艺较简便，因地制宜就可仰仗手工实施此种装饰。它既能以此呈现其单独的艺术面貌，也可作为其他手工彩绘的补充。

釉下刷花只能运用在素烧坯上，主要工具是：细滑洁白和吸水性强的贡纸、刻刀、筛网、刷笔、弯头镊子。

刷花一般采用"三烧制"工艺，其流程是：泥坯低温素烧→构图→糊纸→刻划→刷花→整理描绘→施透明釉→烧成。

（一）糊纸与刻划

1. 脱稿与糊纸

先把纹样设计脱稿于（转描至）裁好的贡纸上并试贴（不沾黏液），要求与坯吻合。后将稀释的黏液

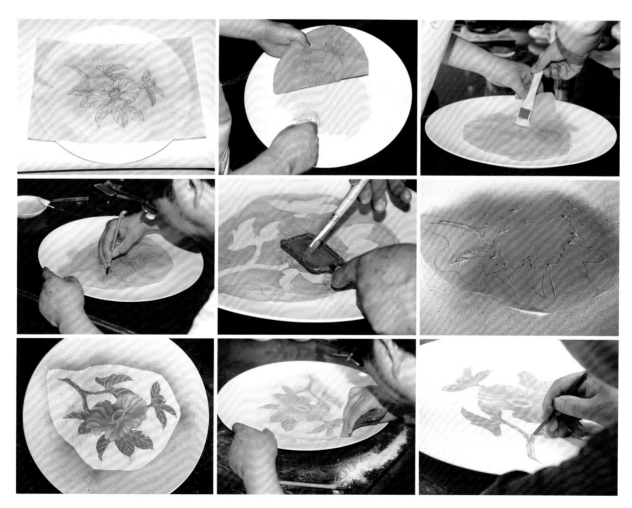

图 8-107　刷花工艺方法（从左至右、从上至下依次为：构图→刷胶→糊纸→刻划→刷花→完成刷花→去纸后的效果→清理→用刀片剔刻其他效果）

刷于坯上拟糊纸处并将贡纸糊上，用排笔从纸中间开始，顺着纹样分别向周边刷平，待其自然晾干。在有弧度的坯体上糊纸，需处理好纸的折叠，忌在有纹样处过多折叠，以防破坏纹样形象和有碍于刻划。

2．黏液的要求

纸在坯上的黏附性好，刷花后揭纸方便。早期的黏液用石花菜液 30%、白芨液 10%、牛胶液 10% 掺清水 50% 混合调成，现可用丝印贴花裱纸的胶黏液调稀释的清水即可，其配比约为：胶黏液 40%，清水 60%。

3．刻纸的要求

刻前检查糊纸是否干透，可用手指摩擦纸面，听到有燥脆的响声即证明纸已干透。再用细薄的刀片沿纹样走刀，刻纸时需轻快灵活，将纸刻透（似剪纸效果）却不伤坏，力求做到提、按、畅、透。提是控制刻刀压力并带有提力；按是走刀压力要均衡适度；畅指运刀灵活流畅；透则是刻透纸背，然后可揭纸和开始刷花。

（二）刷花的操作

1．色料的调制

刷花的色料要研磨细，宜用清水调浓淡而不宜掺胶、茶等。若色料沉淀过快，可滴入少许食盐水来改善。

2．刷花的技法

（1）用左手拇指、食指、中指共执筛网。食指向内扣住筛柄，中指和拇指把住筛缘（其余两指内收），以求筛网在操作时平稳。刷时主要移动筛网并触及含料刷笔，右手执刷笔基本不动，这样刷时雾状较好，色料可较均匀地透过筛网落向坯面。

（2）操作台上需备一小块湿海绵，刷笔除蘸色料外，时而还要蘸点清水。

（3）刷笔蘸色后，先要在筛网上空刷，直到网眼无水膜后才对着坯刷。

（4）有快慢和平侧之分，大面积可快刷，小面积可慢刷或侧刷（用刷毛的偏锋）；大面积可平刷或侧刷。

（5）和手工分水一样，应掌握色料的混合效果和厚薄程度。可分明暗，也可罩色和接色。

（6）其顺序一般是先冷色后热色、先浓后淡、先外后内。

（三）整理与描绘

纹样刷完后，小心地把纸揭掉，然后再行修饰整理和刮掉余色，包括进行必要的描绘。刷花常需与局部的描绘相结合，如花卉的花蕊、小枝，动物中的眼、爪等，都用毛笔描绘才更生动提神，起画龙点睛的作用。

六、喷花装饰工艺

釉下喷花也称釉下喷彩，是在手工刷花的基础上演进而来，多用于日用器具。其工作原理是利用气泵压缩空气，经喷枪把料水喷成雾状，使之经模板落在坯上而形成纹样，上釉烧成便显装饰效果（图 8-108）。

其主要工具和材料有：空气压缩机、喷枪、吸尘设备和制版用料等。其工艺方法有单色喷法、复色喷法和刻纸喷法。

（一）纹饰设计与工艺流程

1．纹饰设计

首先是整体考虑且特别顾及喷花的工艺特点，力求纹样结构与色彩搭配简练，讲究其艺术性和装饰性；然后绘出色彩效果图，作调配色料和安排版数的依照；最后在较薄的白纸上将色彩效果图勾成白描稿，作为刻版的样稿。

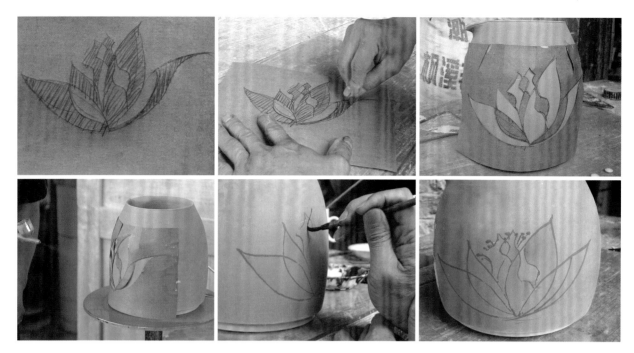

图 8-108 喷花装饰工艺方法（从左至右、从上至下依次为：构图→刻纸→坯上贴刻纸→用喷枪喷花→坯上勾线→完成）

2．工艺流程

（1）泥坯上的单色喷花：纹饰设计→制单色版→单色喷花→打边（碗、盘类）→上釉→烧成。

（2）釉坯上的复色喷花：纹饰设计→制分色版→分色喷花→打边（碗、盘类）→喷釉→烧成。

（二）制作模板

1．单色版

多为器物的边饰或散点纹饰等。模板通常用0.5毫米厚的铁皮，也可用铜、锌、铝等金属薄板。具体制作：

（1）下料：依照坯的直径、外形尺寸和装饰面要求推算出模板展开图，在金属薄板上按图画线、剪裁，即得所需的模板。

（2）脱稿：把设计好的纹样脱稿于模板上。

（3）刻版：将印有纹样的模板垫平，用榔头锤击扁钢凿、刻透纹样，后用钢锉修齐其边缘。

（4）焊接：除电焊外，还有土焊法。将刻透的模板围搭好，接缝处放少量硼砂和焊铜，置于火炉上加热至约1000℃使焊料熔融，冷却后成为立体的套壳。

（5）整形：将焊接好的套壳放在铁墩上，用榔头敲击其内壁使其延展，然后套在用铸铁车制而成的模型（同坯件形状）上，再用硬木敲打，整成与坯件吻合的形状。

2．复色版

复色喷花须按色彩要求制成复色版。通常采用易于刻划的金属箔片制成，其下料、脱稿、整形基本同单色版，但工艺过程较复杂。复色版有套版和活页版（又称折页版）两种。具体制作如下：

（1）制套色版：视纹样分几套色，就裁几块版料，然后整平、擦净并脱稿，再把版料置于玻璃板上，按分色的要求用刻刀刻透所需纹样，如绿色版只刻去绿色部分，红色版只刻去红色部分等；应在每块分色版的同一位置做好对版的标记。

（2）制活页版：为了减少版数，可使其中某版附带活页版。活页版的材料和刻法同上，不同的是利用刻下来的纹样箔片，用细铁丝把它们与原版焊在一起，成为横式或竖式的、开合自如的活页。刻好上述两种模板后，还要完成三项工作：

其一，每块模板都要按坯件造型确定其形态与弧度，模板之间应合套；

其二，确定其形态与弧度后，宜在模板周边焊一圈金属丝，以防模板变形；

其三，为了表现纹样细线，可酌情焊接一些长短适合、疏密得当、弧度自然的细金属丝，使色块呈线面结合的效果。

3. 刻纸版

金属模板在纹饰精美和工艺便捷方面有所不及，故有纸板作为补充。其工作原理基本同金属模板，纸以贡纸为好，便于刻刀刻划。具体制作：

（1）脱稿：把设计好的纹样脱稿于（转描至）贡纸上。

（2）贴纸：依装饰部位裁纸并试贴，要求与坯吻合，后将稀释的黏液刷于坯上拟贴纸处，再把已脱稿的纸贴好并用排笔刷平。

（3）刻纸：纸干后即可用细薄的刀片刻划，沿纹样走刀时需轻快灵活，将纸刻透而不伤坯。

（三）调制色料与喷花

1. 色料的调制

喷花的色料同手工彩绘色料一样，根据需要，既可用原色料，也可用复合色料。但有三点不同：

（1）一般喷花色料上坯后要比手工分水色料稍厚，故多宜掺入 20% ～ 25% 的干釉粉。

（2）喷花色料需极度研细（锰铝红的细度要适当），因此成品颜料掺釉后，要再行球磨细碎160 ～ 180 小时，然后过滤使用。

（3）喷花的色料宜调清水，可酌情调入少量浓茶水与甘油，以防其沉淀。其浓度一般为 70 ～ 85° Bé。

2. 单色喷花

操作时将坯件倒置于手轮的石膏垫板上，套准模板，调节好喷枪后，枪口对准纹样部位，转动手轮连喷三圈左右即可（单独纹样不转动）。手轮的转速为 200 转／分左右，喷嘴与坯体的距离一般在 10 ～ 20 厘米范围内。连续操作时应设法加热模板，使它有一定的吸水性而防止料水流淌。

3. 复色喷花

复色喷花方法与单色喷花基本相同，所不同的是：

（1）套版时力求一次套准，不宜紧挨坯体移动，以防蹭掉前版的色料。

（2）依纹样结构和面积大小，合理使用喷枪和喷笔。

（3）要善于处理纹样的明暗关系；如需接色，宜先深后浅。

4. 刻纸喷花

刻纸喷花与复色喷花方法基本相同，喷花后迅速揭掉纸板，按设计要求做好加工与调整工作。

七、贴花装饰工艺

釉下五彩贴花纸研究，于 20 世纪 50 年代末起，到 70 年代初投产，其间研制了诸多蓝、绿、黑色调的釉下花纸且运用于内外销瓷的生产。釉下丝网印花的规模不大，技术设备不复杂，凭着全手工和精益求精的劳作，不仅可获得釉下色料一定的厚度，而且其呈色效果尚可与手工彩绘媲美。它是利用光滑而柔软、拉力强且透水性好的薄皮纸为载花纸，先在其上印一层透明釉膜，后在釉膜上印色料纹样。

丝印实际是一压漏的过程，即把金属丝或尼龙丝网绷紧于框架上，用感光制版手段制取丝网版，版上无胶漏料处的网眼，即纹样印刷处。取适量调好的色料倒入丝网版上端，人手移动橡皮刮的压力，把色料经网眼压漏到版底的载花纸上，揭开丝网版即完成一次"丝漏"。若是多套色，需制分色版和完成多次刮印。工艺流程是：设计画面→晒制玻璃版、丝网版→晒版的时候开始准备胶黏液、裱纸→熬制连接料→调制色料和釉料→印刷→完成，取下衬纸并检验是否合格，保存待用。

贴花纸时，釉膜遇水即与载花纸分离，花纹就转移至坯面。

（一）制版方法与步骤

1. 纹饰设计

（1）按丝网印的装饰特点设计纹样。

（2）画好色彩效果图，明确配色和分版。

（3）用拷贝纸将设计的纹样勾成浓黑的线描稿。

2. 晒制玻璃版（图 8-109）

晒制玻璃版分阴图黑版、紫红版和小样版。

阴图黑版，是图样呈玻璃本色的版，用于翻晒紫红版、分色版和拼晒大版。

紫红版，是利用阴图黑版或阳图黑版晒制，图样染成紫红色的版，做版分色用。

小样版，是把单独纹样按各色分别晒制的阳图黑版，作实验打样用，定型后再拼大版。

（1）配玻璃版的感光胶：将干牛胶 8 克、明胶 4 克和清水 200 毫升盛于容器内，在蒸锅中蒸化成溶胶，再加重铬酸铵 10 克并充分搅匀，继续蒸至完全混合成胶液状，过滤即可。

（2）上感光胶的方法：将玻璃版放入稀硫酸溶液内（硫酸与水之比是 1:50）浸泡去污，后用清水刷洗干净并留少许清水，置于离心机的正中，然后启动离心机（转速约 70 转／分），将感光胶倾倒至玻璃版的中心甩匀，盖上顶盖，随即电阻丝加热烘烤约 2 分钟，待感光胶干透时取出，擦干背面及正面边缘多余胶即晒版。

（3）晒版是在内装 9 根平行日光灯管（每根 40 瓦）的感光台（灯管距玻璃台面约 25 厘米）上进行。如晒阴图，先在感光台上放一张拷贝纸，将线描稿正面朝上放在拷贝纸上，玻璃版有感光胶面朝纹样，用铁尺将其压紧，开通电源进行感光（室温为 20℃～23℃ 的条件下，感光时间为 1～1.5 分钟）。感光后，取出其放入洗版池，浇上清水，接着浇大红液显影。纹样清晰后，把玻璃版的背面擦洗干净，再依次浇青莲液、

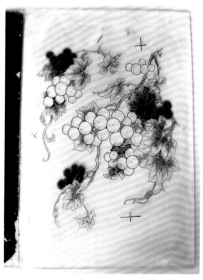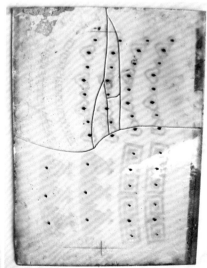

图 8-109　晒制玻璃版（左：大红液显影版，中：阴图母版，右：阳图分色版）

品绿液，直至其胶面呈深紫黑色。然后晾干和修整好，成为阴图母版。

3. 晒制分色版

通过阴图母版晒阳图分色版的方法，基本与晒阴图分色版的方法一样，不同的是：

（1）染色剂只需上一种较稀的青莲液，使其呈红紫线条。

（2）感光时间可略长，为 1.5 ～ 2 分钟。

分色版是为了分色印刷。先按色彩效果图确定分色版的块数，例如纹样为四套色，就得分别晒五块版（包括一块釉版）。具体是：若是绿色版，就在与绿色对应的紫红线内勾填满新磨（倒）的浓墨汁，干透后稍加修整，放入稀硫酸溶液内清除其余的紫红线，最后用清水去酸，即可晒丝网版。其他分色版均用相同的办法，但釉版的填墨面积，须略大于纹样的边缘。

4. 拼晒大版

以上仅是打小样的过程，一旦纹样确定就拼晒大版。方法是：

（1）感光台面留出纹样大小的透光面，其余部位用红纸或黑纸遮盖。

（2）在透光面上放置阴图母版，又于有感光胶的玻璃版背面贴上画好墨线的拷贝纸，玻璃版有胶面朝下，重叠于阴图母版上，互相对准轮廓，再逐个感光拼晒。

（3）拼晒时，依晒制单独纹样的时间，确定拼晒的时间。如晒单独纹样是 2 分钟，晒 8 个纹样的话，第一个晒 80 秒，第二个用 85 秒，第三个用 90 秒……以此类推依次递增 5 秒，最后一个达 2 分钟。这样才能使感光效果基本一致。后取出大版显影、晾干、修整；画上印刷套版用"十"规，即为大版阳图，再翻晒阴图，最后以该阴图翻晒分色阳图版。

5. 晒制丝网版

（1）丝网版感光胶的配制，称明胶 25 克，重铬酸铵 4 克，清水 120 毫升，制法与玻璃版感光胶同，但要求即制即用。

（2）丝网版上感光胶必先于碱溶液中（碱与水之比为 1:30）煮沸约半小时，以去除污物，后用清水煮沸半小时以退碱。最后用清水冲洗、晾干。

（3）上感光胶在暗室进行，室内温度以 20℃ 为宜。方法是用羊毛排刷蘸感光胶，趁热快速均匀地刷在丝网版上，并用橡皮刮刮平丝网内外两面的胶，刮尽余胶烘干后，放入暗室内储藏待晒版。

（4）晒丝网版时，将分玻璃版的药面朝上，放在感光台上，再从暗室取出丝网版对准分色版，丝网版上放一块 1 ～ 1.5 厘米厚的海绵，海绵上放一块同样大小的木板并用压板压着感光，感光时间一般为 3 ～ 6 分钟。此后，用冷水淋湿，再放入 40℃ ～ 60℃ 的热水中冲洗出空露的纹饰。若有不清晰处，可用手指或药棉在网版内外轻轻摩擦来擦透。纹样全部清晰后，将其晾干，最后在网版四周边缘刷一层感光胶，晾干即可。

6. 裱合载花纸

（1）裱纸胶的配法，称百合粉 75 克，用冷水调成糊状，冲沸水 4 公斤，即成百合粉液。再掺海藻酸钠液 320 毫升搅匀，用 100 目筛过滤即可。

（2）裱纸的衬纸，多用上海产 180 ～ 200 克／平方米的有光磅纸；载花皮纸用江西上饶、浙江温州或衢县造纸厂的，规格按衬纸的大小裁切。

（3）裱合时，裱纸的桌面上垫放一块较厚的玻璃版，先取衬纸一张放在玻璃版上，另取载花纸一张铺在衬纸上，对齐衬纸的前、后两边缘，然后用羊毛排刷蘸裱纸胶，均匀平整地刷在载花纸上并从右至左成"人"字形依次裱合，此后在清洁晾纸架上晾干，最后叠齐、榨压定型待用（图 8-110）。

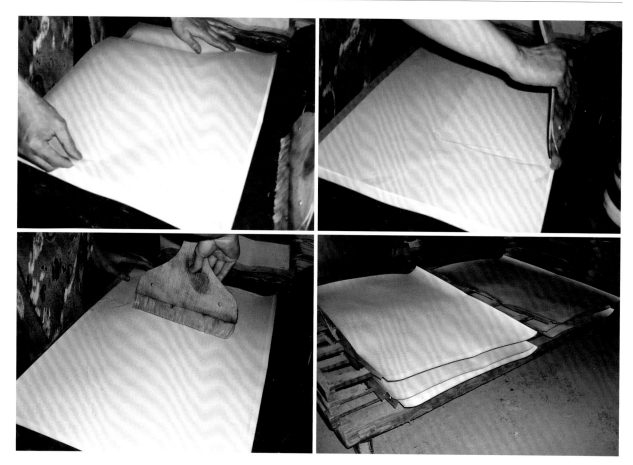

图 8-110 裱合花纸

（二）调制色料与釉料

调制色料与釉料的材料称连接料。色料连接料的配法是：白芨液 700 克（结膜作用），小糖液 300 克，冰糖 150 克（黏合作用），混合加热煮沸，再掺用酒精溶化的龙脑溶液 25 克（防腐剂），搅拌均匀约 30 分钟停止加热。冷却后的浓度以 24 ~ 25°Bé 为宜，然后过滤盖好待用。釉料连接料的配法是：白芨液 900 克，小糖液 1100 克，加热熬煮冷却后 23 ~ 25°Bé，过滤即可。

其中白芨液的制法是：白芨粉 0.75 公斤放入容器内，掺清水 20 ~ 22.5 公斤，搅拌浸泡 1 ~ 2 小时取出，用尼龙袋装好榨压、过滤、除渣，取液体于铝锅内加热煮沸。让其沉淀一昼夜，次日取清液再熬煮即成。冷却后的浓度以 5°Bé 为宜。小糖液即小糖加热熬煮至冷却后 40 ~ 45°Bé。

色料的调制，称干粉色料 0.5 公斤，掺连接料 300 ~ 320 毫升，在玻璃版上用调料刀和均匀，再加入甘油约 25 毫升继续和匀，盛入有盖容器内待用。印刷时视操作的需要，可再调和适量的清水以便使用（图 8-111）。

釉料的调制，称研细的透明釉粉 0.5 公斤，掺连接料 650 毫升，和匀即为釉版印刷之用。

印刷时需注意：

（1）印刷工作室的温度要保持恒温 20℃ ~ 23℃。

（2）检查丝网版是否符合要求，然后装在印刷机上并调整好印刷面积的位置。

（3）纸置于印刷工作台玻璃版上，须对准十字规。

（4）先印釉版，后印线条及色块。

（5）印釉版、色块版，用橡皮刮来回刮一次即可，印线条则不宜来回刮，刮一次就行。

图 8-111　色料的调制与手工印刷过程（从左至右、从上至下依次为：调料→放纸→涂料→刮料→印毕→晾干）

　（6）如网眼被堵塞，可用海绵蘸水轻轻擦洗。

　（7）每印一张后，即放在晾纸架上晾干。

　（8）印完每套版后，丝网宜用清水及海绵清洗干净。

　（9）换印丝网版应对准十字规，以便套色吻合。

　（10）全部花纸印好晾干，收集取纸、检验后即可贴坯。

　（三）贴花方法及要求

　釉下五彩的贴花装饰，适宜在釉坯上进行。随着坯体的式样不同和素烧与否，贴花操作有灌水和涂水两种方法。

　1. 灌水贴花

　该法适用于盘、碗类素烧坯的装饰。操作时，把剪好的单元花纸分别置于装饰部位，用羊毫排笔蘸饱清水，灌注于花纸与坯面之间，然后用排笔将花纸刷平整、压紧。稍干后取下皮纸，纹样则黏附于坯表。

　2. 涂水贴花

　此法多用于立形产品，如用清水贴，须在素烧的釉坯上操作。具体方法是，用羊毫排笔蘸清水润湿坯件贴花部位，随即贴上花纸并用排笔蘸水刷平整，再用小块海绵蘸水按紧抹平，最后取下皮纸即可。

　在泥坯上贴花，灌水法贴花将破坏釉面而不可取，可采用涂水法贴花，但须在清水中加入 0.8% 左右的羧甲基纤维素，使之粘贴方便，釉面完好；还可在羧甲基纤维的溶液中滴入少许饴糖，以化解取纸难的问题。

第六节　醴陵釉下五彩的施釉与烧成

釉下五彩施釉与其他陶瓷施釉一样，主要是为了改善坯胎的表层性能，以防渗漏和便于清洁，尤其是对釉下纹饰起完善和保护作用。

所施釉浆，应细度适当（一般为250目筛）、组分均匀、浓度适宜、附着力强和具有良好的悬浮性。施釉前，需用排笔蘸水刷洗或鸡毛掸掸拭，以及吹拂等方法清洁坯体。

坯件施釉有里釉与面釉之别。坯件内壁施釉叫上里釉，可用手工荡釉法（图8–112），就是将釉浆倒入坯内，快速转动坯体，尽可能让釉浆均匀地布满坯件的内壁，然后马上倒出多余釉浆，釉浆的比重约为1.4。

彩绘后，坯件外部再浇釉、吹釉或罩釉叫上面釉。上面釉之前先把坯体素烧，使之有一定强度；其次是彩绘勾线，分水完以后再烧一次，就是要把那些胶水、茶水中的胶质及其他油污烧掉以后才能上面釉。如果不把胶水、茶水胶质等烧掉，在浇釉过程中它会把釉排开，形成缺釉等缺陷；最后是高温烧制。上面釉的传统方法是手工浸釉法（图8–113）与手工浇釉法（图8–114），后来又有吹釉和喷釉的方法。手工浸釉法是把坯件浸入盛满釉浆的容器内，然后取出已经吸附了一层釉的坯件，浸入时间长短和釉浆的浓度将影响釉层的厚度，釉浆的比重为1.3～1.6（对三烧制而言，此种面釉实则相当于底釉，因该釉坯在彩绘后，还需浇上一层覆盖底釉与彩绘纹饰的面釉）。手工浇釉法是在一手转动坯件的同时，另一手将釉浆浇满坯外表，不能有漏浇处，其釉浆的比重约为1.5。所谓吹釉法（图8–115），吹釉工具的喷嘴造型类似小喇叭，局部上不到釉的地方，用嘴再吹一下来弥补；而从20世纪50年代以来都是素烧、彩绘以后，用喷釉的方法。喷釉法是利用喷釉设施，使釉浆经喷枪呈雾状喷向坯件，在其表面薄薄地喷一层釉浆。

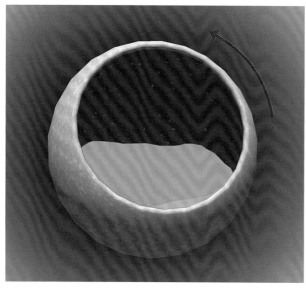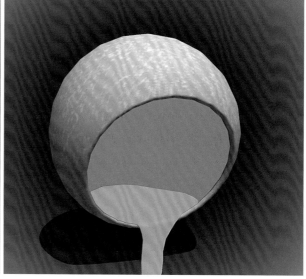

图8–112　手工荡釉法

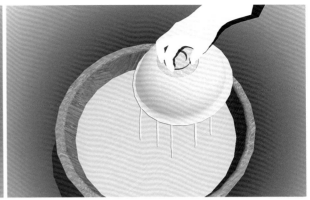

图 8-113 手工浸釉法

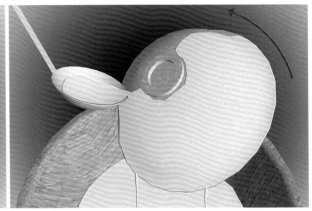

图 8-114 手工浇釉法

图 8-115 吹釉法

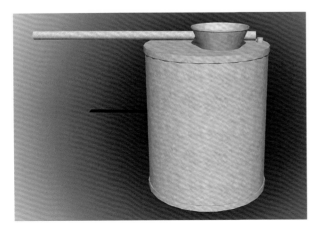

图 8-116 人工吹釉壶

一、喷釉的目的与操作要点

釉下五彩色料属高火性色料，即使在约 1400℃的高温下，绝大多数色料也不会熔融，即色彩自身是不会形成玻璃化表层的。人们所见的釉下五彩瓷，之所以呈现出晶莹润泽之光彩，得仰仗于覆盖其上的那层釉。缺失釉层保护的色料，必定是色涩无光或色不纯正，很可能是蓝色趋绿、黑色偏灰或白色发黄等，像锰铝红等少数色料则易剥落。

凡釉下五彩，无论是素烧釉坯，还是素烧素坯，其彩绘后，必须在彩饰面喷上一层釉。不过，素烧釉坯的釉要薄喷，素烧素坯则要厚些。这样烧成后方可画面平坦光滑、色彩纯正雅致、色料与器物结合紧密。只有这样，醴陵釉下五彩的特点和价值方能充分体现。

（一）喷釉工具及釉料

喷釉的工具，主要有人工吹釉壶和电动喷釉设施两种。前者是传统的喷釉工具，其构造较简单，操作方便（图 8-116）。它由壶身（可盛釉浆）、吹管和喷嘴组成。吹釉之际，用嘴对着壶口上面的吹管吹气，流动的气体将釉浆吸入喷嘴，使其近似于雾状喷到坯件表面，应视坯件所需釉层厚薄及均匀程度重复此动作。后来的电动喷釉设施，多用于喷绘釉料或色料。它主要由空气压缩机、料筒和喷嘴组成，一般喷枪末端有根橡皮管与气泵连接，利用气泵产生的空气压力作用于料筒与喷嘴，将喷枪上釉罐里的釉浆喷成雾状，喷向并附着于坯件上，并可人工调节喷嘴量与喷射角度。只要操作得当，对于喷绘较大面积、浓淡有所变化，或是较均匀色块与釉的要求，均不难达到。

此外，还有与之配合使用的转轮和吸尘装置。坯件喷釉，是在专门的喷釉间进行，喷釉时坯件置于转轮上，转轮上需垫一块吸水的石膏板，为的是不沾底。为了防止雾状釉粉对人体产生危害，操作者应戴好口罩。在只有一方敞开的喷釉间里，还有抽风吸尘和水膜吸尘的设施。这样，将减少喷釉间空气污染和保持一定的湿度，使釉粉或被抽走或被湿化于水池中。

为使釉面色泽、釉与坯体的膨胀系数一致，喷釉法所用的釉，一般都是一种釉，即面釉与底釉均相同；但对盘类、瓷板等平面类的坯件，则可用比底釉流动性稍大的釉，以利于釉面平滑。

凡釉中含锆石英，含较多滑石，或含其他乳浊剂的釉，可作为底釉，却不宜用作面釉，否则会出现朦胧失透而有损彩绘效果的问题。

釉浆比重为 $1.36 \sim 1.41$。精工制作的单件作品喷釉，釉浆浓度稍稀为宜，以更好地控制釉层的厚薄与均匀。

（二）喷釉操作及要点

手绘好的釉下五彩坯件，应采取单件喷釉的"单喷法"。就是置单一坯件于转台上，随喷釉的需要，一手转动转轮，同时，另一手控制喷枪进行喷釉（图 8-117、图 8-118）。其操作要点有：

图 8-117　喷釉 1　　　　　　　　　　　　　　图 8-118　喷釉 2

一要做好准备工作，先清扫坯件上的灰尘，接着检查是否有彩饰遗漏及需再补彩之处，垫好石膏板，放正放稳坯件，给釉罐倒入釉浆和启动气泵等。

二要双手配合操作，执喷枪的手要不断有序地稍加晃动，另一手则与之配合转动转台，使喷向坯件的釉料分布均匀。

三要掌控釉层厚薄，避免过薄或过厚引发质量问题。釉的厚薄与否，目测便可做出判断：釉料喷至坯上后，湿时尚可见画面大体轮廓，稍干后看不见即厚薄合适；若在湿时看不见画面轮廓就是釉厚了；如釉料干以后还能较清晰地见到画面轮廓，那就是所喷釉层太薄了。因此，喷釉不可操之过急，不要奢望一次就喷够，只有逐渐加层的方法才是稳妥可取的。

四要合理调控喷枪，包括喷枪与坯件距离当随气压的大小而异，坯件与枪口距离最好在 25 ～ 40 厘米范围内适当调整。注意力戒气压过大、釉浆太稀和距离过近的错误，更不能集中一处直射久喷，否则，将使釉面和色块冲泡以及流釉等，以致烧成中出现剥釉和色块剥离等，造成无可挽回的损失。

五要做好收尾工作，每一坯件喷完面釉后，都要及时擦净或刮净其底足，以便装窑烧成；喷枪的喷嘴和釉罐，以及喷釉间均需清洗与整理，还须关掉有关设施的电源。

二、烧成温度与气氛的把握

釉下五彩烧成，是火中索宝。这近乎最后一把火的工序，就像一朝分娩那样，令人平添许多喜与忧。它可以使满窑坯件化泥土为金玉，也能让其变为废品。此间，为人可控或非可控的因素交织在一起，总有难以预料的结果。难怪陶工在点火之前，多会斟酒敬"窑神"，以盼辛劳有所回报。

烧成过程是在一定的温度和气氛条件下，对已经成型、施釉、干燥的坯件进行高温处理，使其发生一系列的物理化学变化的过程，最终获得釉下五彩制品的各种特性。

总体来说，釉下五彩瓷和一般陶瓷对于烧成质量的要求和共性是一致的。如需制定合理的烧成制度，主要内容包括温度、气氛与压力。温度是指窑内合理的升温曲线，气氛是指控制窑内氧化或还原气氛的变化。确定烧成制度时，一般应考虑合理的升温速率、合理的保温时机、充分合理的气氛条件和合理的压力，压力也是调控气氛和温度的基本保证。

然而，釉下五彩瓷毕竟不是一般的陶瓷，与之相互依存和性能不尽一致的高温色料，以及专门与之匹配的坯、釉和装饰技艺，构成了它烧成的特殊性。

为此，应明了影响其烧成的主要因素，使绘者在彩饰时就关注烧成条件等，也要求人在烧制中全面顾及其独特需要。

（一）釉下五彩的烧成温度

釉下五彩烧成温度及趋向有三。

一是坯釉自身要求一定的高温方能烧熟，致使烧成温度非高不可。

二是烧成温度未达到坯釉自身要求的高温，以致坯体未瓷化，釉没烧熟，即生烧。

三是坯釉自身要求的温度被超出，或超过了坯或釉的熔融温度的极限，即过烧。

就釉下五彩彩饰而言，烧成温度过低或过高，均对釉下彩饰无益。尽管釉下色料在烧成温度上有较宽的范围，即在 1200℃ ～ 1400℃ 之内烧成，此情之下，只要坯釉适合，烧成合理，色料几乎都基本稳定。这是源于实践的结论。

但是，对釉下五彩烧成有种误解，认为温度越高越好。其实不然，坯釉所能承受的温度是有限的，一旦过了规定的范围，乃至超出极限发生过烧，性能稳定的色料只占极少数，无足以成器呈色的可能。

若釉料的最终烧成温度偏高，虽不至于对坯的危害很大，但对彩饰的损害较严重。如导致其发色程度明显降低，有的色料还会出现色彩消失和色相变异，像玛瑙红色料，可能只剩下隐现痕迹，甚至全部消失；艳黑和茶色则变成绿色相；还有发色力弱的就显单薄无神；整个画面则因缺失了淡调子而变得生硬、干枯及支离破碎等，这些都是烧成温度过高的后果。

一旦烧成温度高出极限，形成过烧的后果就难以令人承受了，过烧的器物有可能变形坍塌；过烧的釉料则因过分熔融，出现流釉、粘底、釉层不匀等缺陷，也使色料失去了稳定依存、发色的条件，其后果无异于废物和渣土。

有关建议是：要选定适当的烧成温度或烧成曲线，最高温度应控制在1360℃左右；最终烧成温度，即止火的时机，宜定在略低于釉料熔融温度上限的那一刻。这样，方可确保几乎各种色料在同一烧成状况下的稳定，且呈现各色彩饰理想的色彩。

（二）釉下五彩的烧成气氛

釉下五彩的烧成基本上有赖于还原气氛。因而，当地所用的各种高温色料，除部分能适应还原与氧化这两种烧成气氛外，其余大都只有采用还原烧成，方可显示其非凡的特质。如表8-3所示：

表8-3　醴陵釉下基础颜料在两种气氛中烧成的反应 [6]

颜料名称	还原焰	氧化焰	颜料名称	还原焰	氧化焰
17＃　锰红	○	×	825＃　镨黄	×	○
59＃　芙蓉红	○	×	1＃　娇黄	○	×
271＃　桃红	○	×	4＃　青松绿	○	×
66＃　肉红	○	×	38＃　苔绿	○	×
594＃　玛瑙红	○	×	153＃　水绿	○	○
821＃　黑色	○	×	311＃　草青	○	○
400＃　艳黑	○	○	1140＃　浅绿	○	○
123＃　鲜黑	○	×	72＃　海蓝	○	○
164＃　橘黄	○	×	120＃　海碧	○	○
52＃　柠檬黄	○	×	241＃　白	○	○
钒锆黄	○	○	360＃　茶褐	○	○

注：○为适应，× 为不适应。

需要加以说明的是：

一是色料发色，除烧成气氛的影响外，同时还与烧成温度、釉料组成和装饰方法有关。因而，釉、彩、烧的方式不同，也可使发色效果发生不同的变化。

二是所谓不适应氧化气氛的色料，除以五氧化二钒（V_2O_5）为着色剂的黑色料是绝对不适应之外，其他色料仍具有相应的色相。例如锰—铝红，用氧化焰烧成仍然是红色，一般不会变成别的色相，但不那么鲜艳、明快、纯正。所以还是还原焰烧成为好。

采用还原焰烧成，除上述显色的需要外，还有两大好处：

一是由于坯釉中的高价铁（Fe_2O_3）变成了低价铁（FeO），使釉面白里泛青，柔和湿润，釉下色彩就更显得清雅有水分感。

二是可以加速硫酸盐等杂质的分解，使之产生的气体尽量提前在釉趋于熔化前排除，避免或减少气泡对釉下彩的危害。因此如何根据坯釉性能，正确掌握氧化转还原和强还原转弱还原这两个温度点，并在大火阶段保持一定的还原气氛，这比一般烧白瓷更为重要。

还原气氛的浓淡，虽然有所谓的弱还原、强还原之分，但火焰性质的强弱应考虑釉下呈色的需要，要视其坯料含铁量的多少进行控制，有的色料和坯釉中的铁质一样，在还原焰阶段的化学反应是同一原理。例如以五氧化二钒（V_2O_5）为着色剂的黑色料，在反应中就需要一定的还原价值（CO）才能由高价钒变成低价钒（V_2O_3）而呈现鲜亮的黑色。平时我们所看到的钒黑和铀（UO）黑且发黄（呈棕黑色），是因为还原气氛过淡或在高火阶段出现再度氧化的缘故。

对此，群力瓷厂是颇有心得的，其坯釉含铁量很低（0.3%以下），本可烧弱还原焰或一般的还原焰，但采用强还原气氛，隧道窑还原炉的空气过剩系数为0.9，一氧化碳达4%，这显然就是顾全了釉下五彩瓷的需要。由于他们在烧成中处理得当，还原气氛虽浓，却很少出现制品吸烟的缺陷，莹润洁白的瓷质衬托釉下五彩装饰，异常雅致。可见其烧成，对于气氛浓淡的要求，是有别于一般陶瓷的。

当然，还原气氛并非越浓越好，过浓时亦会给彩饰带来弊病，常见的是色彩明度降低。因此，在不影响坯釉和色料足够还原的前提下，还原气氛尽可能淡些，将会对多方面有利。

三、烧成速度对呈色的影响

一般而言，陶瓷烧成所用升温较慢和时间较长的办法相对稳妥，尤其对没干透的坯件而言更应该如此。但实际上，它有其不得不关注的特殊性。

（一）合理缩短烧成周期

与其采用升温慢而持续较长时间的烧成，倒不如适当快速升温和合理减少烧成时间。实践证实，尽可能地缩短烧成周期，将非常有益于釉下五彩纹饰的发色和整体效果。

在还原过程中，让人最担心的是温度升不上去。烧成时间过长，发色和釉面均难以达到理想的效果。由于在大火阶段可能因某些原因而影响了升温速度，或是在釉料已经烧熟时延长了高火保温时间，以及为了避免匣钵开裂而刻意减缓初始冷却期，均不可避免地对釉下五彩纹饰造成一些损害。

（二）酌减保温冷却时间

因刻意拉长保温与冷却时间而对彩饰的损害，较集中地体现在釉料开始熔融之后对色料的消损，此时升温越慢，烧成所耗费的时间越长，釉料对色料的消损程度就越厉害，色料也就越不稳定，以致彩饰的色相发生偏差，彩度明度缺失等问题也就越多。

因此，在不影响制品烧成质量的前提下，大火升温时应尽可能加快，高火保温时间应尽量缩短，初期冷却也不宜刻意缓慢。

小型快烧实验曾证实，较短时间的快速升温（有的短至2小时35分）与冷却迅速的烧成方式，尽管温度高达1400℃以上，而釉面润洁透明、色调协调、色彩尤为明朗，特别是锰—铝红色料，更趋红艳娇嫩。所以，欲用快速烧成的话，只要把釉、彩、烧几个环节协调控制好，将有助于釉下五彩纹饰的呈色及整体艺术效果。

四、烧成窑位选择及装烧

烧窑前的坯件装窑及选择窑位，是获取良好烧制成果的关键之一。

所谓窑位，即火位，是坯在窑中置放之位置。择定窑位，对釉下五彩发色及整体效果极为重要。

若将坯、釉、彩技艺质量相近的坯件，置于窑内温度不尽相同的部位，其烧成的艺术效果将有较明显的不一。器物间或是色调上有所差别，或是发色上显现优劣等。意即那些经精心绘制而成的坯件，理应按其重要程度或人们对其期望值的高低，分别安排放置在合适的窑位，以尽可能减少因窑位不当而引发的遗憾。

（一）火中之中为好窑位

何处才是比较理想的窑位，要视窑的类型、窑内各部位因温差而导致的发色情况以及坯件的具体要求而定。就传统的柴窑及煤窑而言，"火中之中"往往是最好的窑位。对那些期望值较高的坯件，应将其装放在窑的中间部位。还需按照窑内各部位的火度和气氛变化，以及器物品种的不同安排好窑位。此外，装窑有所忌讳的事有：

一是不宜将坯置于窑底层和窑顶层。

二是不宜将其置于窑前或窑后部位。

三是不宜将之紧靠窑壁与火口部位。

其实，柴窑、煤窑和煤气窑均有顶层温度最高、底层温度偏低，火口与窑壁附近有时受热欠均匀的问题等，这些都不同程度地造成坯裂、发色不匀、色调不好等问题。坯件之间还需合理空出一定空间的火路，这样才能保证氧气进入，窑火得以充分燃烧（图 8-119）。可见，窑位的讲究是有其道理的。

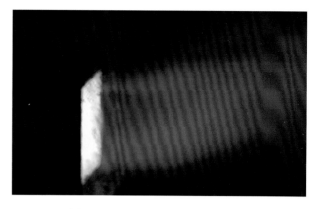

图 8-119　看火孔还原焰火苗

（二）匣钵的扣烧与套烧

醴陵釉下五彩创立时期，烧窑以松柴为燃料，柴火燃烧会产生大量的灰渣，为防止在高温状态下呈半熔融状态的坯件沾上灰渣，保护坯件不受火焰直接触及和烟气熏染，故采用了匣钵扣烧与套烧的方式，即把坯件放入由钵体和扣盖组成的匣钵中，匣钵之间可相互摞叠，分行码好。匣钵内底部，还配有垫烧坯件的垫饼（瓷器与匣钵之间均需隔上一块垫饼，防止瓷器与匣钵粘连，垫饼多用粗质黏土制成）。装坯时，先用耐高温的粉状材料平铺在钵内底层，再将垫饼放在粉状材料上，最后把坯件搁置在垫饼上。一般匣钵还有大器、小器等区分，一般瓶、罐、壶及

图 8-120　匣钵

体量较高大的坯件，可装在形状为直桶形的大器中；盘碗类小体量的坯件就放在小器中，形态特殊的坯件需用相应形状的匣钵（图 8-120）。

继柴窑之后的煤窑、隧道窑等，制品同样有窑位的考虑（图 8-121、图 8-122）。要求首先弄清窑内各部位温差及其基本发色规律，以的放矢地妥善安排坯件的位置。特别是那些投入很多精力彩绘的坯件及其系列配套制品，若忽视了烧成中窑位问题，结果可能是色调不统一、色彩黯淡和色相模糊等（图 8-123、图 8-124），从而难以获得预想的整体艺术效果。

图 8-121　传统柴窑

图 8-122　传统倒焰式圆窑（煤窑）

图 8-123 色彩模糊现象之比较（左：模糊现象，右：正常）

图 8-124 其他气泡现象

（三）关注其他装烧环节

长期的实践经验表明，釉下五彩烧成环节的顺利，上述注意事项固然重要，而有关窑炉的构造、燃料的好坏、气候的变化和所有匣钵或坯件的合理置放等，也是不得不关注的因素，这些都有可能对烧成结果产生一定的影响。

气候与气压的不寻常，有可能需调整预定的烧窑过程，为烧成的结果增添某些变数。因此，烧窑时根据状况变化而适当应对是非常重要的。实际上，传统的烧窑本来就有一定的随机性。对于较长时间的烧柴步骤而言，不至于将每一阶段均做细微划分，但应关注以下基本事项：

一是对升温与降温曲线的正确把握。

二是一定量的木材与一定的空气流通量所形成的燃烧状况。

三是空气进入的多少与进气孔的位置。

四是各阶段燃柴时粗柴与细柴间的搭配使用。

五是燃柴过程中积炭的运用与移除。

六是在窑侧面火孔投柴时的要点。

柴窑和煤窑的控制不同于电窑或煤气窑那般精准，但其出窑时，总是有出乎意料的收获或沮丧，这也正是其魅力所在。烧窑总是一件令人亢奋的事，如同原始先民围绕熊熊大火的歌舞一般，像一种神秘又神圣的仪式，更像欢愉之上的殷切企盼。延续多日的劳作，使人对窑内制品的期待，成为支撑他们精神与体力的原动力。

结语

    以上章节以醴陵釉下五彩传统工艺为主要构架，辅以其历史、地域和人文等方面的信息，较为综合地涉及了与其技艺相关的一些内容。此间，我们专门走访了邓文科、熊声贵、黄永平等多年从事釉下五彩工作的老人或知情者，也借鉴了他们的一些研究成果，包括不少珍贵的图文史料。对他们无私的帮助，我们永远心存感激。

    不过，欲更系统深入地了解之，若要熟练自如地运用之，还得花费更多的精力和付诸更多的实践。

    其实，醴陵釉下五彩传统工艺的形成，是一个过程，是人们不断学习探索和总结实践的过程。我们正是在这一良好积淀的基础之上，方有可能继续将之传承和发扬。

注释

[1] 陈鲲、刘谦：《醴陵县志》，1948 年，第 281 页。

[2] 陈鲲、刘谦：《醴陵县志》，1948 年，第 278 页。

[3] 邓文科：《醴陵釉下彩瓷》，轻工业出版社，1984 年，第 17 ~ 18 页。

[4] 邓文科：《醴陵釉下彩瓷》，轻工业出版社，1984 年，第 22 页。

[5] 邓白：《邓白美术文集》，浙江美术学院出版社，1992 年，第 69 页。

[6] 邓文科：《醴陵釉下彩瓷》，轻工业出版社，1984 年，第 125 页。

附 录

工艺名词索引

（按汉语拼音音序排序）

英文提要

（English Abstract）

This book is a sequel to *the Ceramics Volume of a Complete Works of Chinese Traditional Arts and Crafts* and it covers other historically famous kilns after completing the chapters concerning the origin of Chinese pottery and invention of the porcelain, Yixing pottery wares, Jingdezhen porcelain and folk ceramics included in *the Ceramics Volume*.

The sequel embraces such famous kilns as Longquan Kiln in Zhejiang Province, Jun Kiln in Henan Province, Ding Kiln and Cizhou Kiln in Hebei Province, Yaozhou Kiln in Shanxi Province, Dehua Kiln in Fujian Province, Jianshui Kiln in Yunnan Province and Liling Kiln in Hunan Province. With the techniques as the principal part as well, the sequel gives an elaborate survey of the different features of the above-mentioned famous kilns, including the historical development of the kilns, treatment of raw materials, forming and shaping, decorative techniques, classical forms, firing technology and styles. The text and illustrations present a clear-cut explanation of each kiln. Although there are different natural resources in different regions, the potters from all the famous kilns have made the best of the local materials and established their own technology system. As a result, they have produced the ceramic products in various styles and gained great achievements both in technology and art. From the survey and research of the above-mentioned famous kilns in the sequel, we may clearly find that the remarkable features of excellent traditional ceramics are that the technology and materials have been given a full play in creative ways and met the materials and spiritual needs of people, thus recognizing the principles of creation, i.e. adaptation to local conditions and local materials. In a historical sense, the scientific principles and humanistic spirit embodies in the ceramics have become the priceless assets of the traditional Chinese ceramic technology and culture.

英文目录

（English Contents）

Chapter Two Production Technology of Cizhou Kiln

Chapter Three Production Technology of Ding Kiln

Chapter Four Production Technology of Yaozhou Kiln

Chapter Five Traditional Technology of Jun Porcelain

Chapter Six Production Technology of Dehua Kiln

Chapter Seven Production Technology of Jianshui Purple Pottery

Chapter Eight Underglaze Multi-colored Decorating Technology of Liling

Appendix

后　记

1996 年始，我们参与了《中国传统工艺全集·陶瓷》的编纂工作，2004 年该书出版，《中国传统工艺全集》于 2006 年荣获中国出版工作者协会颁发的首届中华优秀出版物（图书）奖，且市场的销售也好于预期。为了贯彻路甬祥先生"我们要努力做到尽量全一点，为本民族和后人留下一份珍贵的历史文献"的指示，中国科学院自然科学史研究所制订了再出《中国传统工艺全集》第二辑专著的计划，《陶瓷（续）》也在其中。

先前出版的《陶瓷》具有概览的性质，内容包括远古的陶器、瓷器的发明、景德镇的制瓷工艺、宜兴的紫砂陶器工艺，以及各地区民间陶瓷的工艺技法等。这里既有陶瓷工艺发展的纵向梳理，又有典型性的陶瓷产区以及民间陶瓷的横向比较，可以说是为进一步研究传统陶瓷工艺搭建了一个整体框架。《陶瓷（续）》则是在此基础上选取了几个有代表性的传统窑场作为研究对象，其共同特点是在古代都曾一度辉煌，后来景德镇作为官窑受到皇家青睐，这些窑场则少了往日的繁荣，直至新中国成立后才得以恢复并有了较大的发展。

正如路甬祥先生所说："作为中华民族固有文化重要组成部分的传统工艺，既是弥足珍贵的科学遗产，又是技术基因的载体。"但在中国古代，受"重道轻器"传统观念的影响，关于传统陶瓷工艺的研究历来没有得到应有的重视。即使到了现代，很多从事陶瓷设计或陶艺创作的人也多是从审美的角度认识陶瓷，始终未把工艺技术的研究放在重要的位置。通过两次参与此项目，我们更深刻地认识到传统工艺的价值，工艺技术和艺术创造其实是一体两面，手工艺看似是制作，其实也是艺术表现的手段。

起初做这项工作时，我们心里不是很有底，后来在华觉明先生的指导下，才逐步进入这一领域，开始逐步深入研究，如原材料的成分和各种处理方式，成型的技法及其工艺流程，窑炉的分类与烧成方式，工具的造型以及使用的功效等，研究的方法更加严谨、合理、科学，对工艺的探讨不再局限于纯粹的技术研究，而是将其上升到技术思想或哲学的层面。通过这一过程，我们也在逐步完善着自己的知识结构。

《陶瓷（续）》编写之初，主编已对每一章的内容列出了较为详尽的写作提纲供各位作者参考，并对编写的体例作了一定的说明。参与其中的作者，有几位是院校的教师，另外几位则是身在产区的富有实践经验的陶瓷从业者。几位教师在完成教学工作之余，不辞辛苦多次利用寒暑假期赴产地实地调研、考察，而几位产区的作者更是力争摆脱繁杂的日常事务，投入到这项工作之中，在大家的共同努力下，此书最终得以完稿。书稿出来后，我们发现每个人的着眼点有所不同，各章之间在内容的侧重上还是存在一些差异。由于我们对某些产区的具体工艺并不完全熟悉，主要在专业内容表述方面做一些辅助性的工作，力求各个章节的统一，但在基本观点的提法上，或工艺技法的要点方面，我们则尽可能尊重各位作者的意见，文责自负，并未作特别的删改。

此卷由杨永善任主编、邱耿钰任副主编，共同负责拟定编写提纲和确定主要内容。杨永善负责撰写"绪

论　中国传统陶瓷工艺再认识"。

郑宁负责撰写第一章"龙泉窑青瓷制瓷工艺"。

刘立忠、任双合负责撰写第二章"磁州窑制瓷工艺"，其中刘立忠负责第一节、第二节、第五节和第六节的编写，任双合负责第三节和第四节的编写。

陈文增负责撰写第三章"定窑制瓷工艺"。

孟树锋、曹金刚负责撰写第四章"耀州窑制瓷工艺"。

任星航、任英歌负责撰写第五章"钧瓷烧造的传统工艺"。

邱耿钰负责撰写第六章"德化窑制瓷工艺"。

谢恒负责撰写第七章"建水紫陶制作工艺"。

李正安负责撰写第八章"醴陵釉下五彩装饰工艺"。

由于此卷涉及的窑场比较多，各位作者的关注点也不尽相同，写作过程中不免存在不当之处，还望专家和同行批评指正。

即将交稿之际，在这里要特别感谢华觉明先生对书稿提出的诸多宝贵意见，先生严谨的治学精神、坦诚率真的工作作风，都让我们敬佩不已。

邱耿钰

2013 年 5 月 20 日